Freud, S

Bericht über die Fortschritte der Psychoanalyse in den Jahren 1914-1919

Inktank publishing

Freud, Sigmund

Bericht über die Fortschritte der Psychoanalyse in den Jahren 1914-1919

Inktank publishing, 2018

www.inktank-publishing.com

ISBN/EAN: 9783747770917

All rights reserved

This is a reprint of a historical out of copyright text that has been

re-manufactured for better reading and printing by our unique

software. Inktank publishing retains all rights of this specific copy

which is marked with an invisible watermark.

ipl.-Psych. Dr. med.
THEODOR F. HAU
(20b) Tiefenbr. , llingen
Niedersächsisches
Landeskrankenhaus

BEIHEFTE
DER
INTERNATIONALEN ZEITSCHRIFT FÜR PSYCHOANALYSE
HERAUSGEGEBEN VON PROF. DR. SIGM. FREUD.
Nr. III.

BERICHT

ÜBER DIE FORTSCHRITTE DER PSYCHOANALYSE IN DEN JAHREN 1914—1919

1921
INTERNATIONALER PSYCHOANALYTISCHER VERLAG G. M. B. H.
LEIPZIG   WIEN   ZÜRICH

Vorwort der Redaktion.

Das III. Beiheft, das wir hiemit etwas verspätet unseren Lesern vorlegen, enthält die zweite systematische Übersicht über die psychoanalytischen oder der Analyse nahestehenden Publikationen, die seit dem ersten „Bericht über die Fortschritte der Psychoanalyse in den Jahren 1909—1913"[1]) erschienen und zu unserer Kenntnis gelangt sind.

Diesen letzten Punkt möchten wir besonders betonen, da die diesmalige Berichtsperiode fast zur Gänze mit der langen Kriegszeit zusammenfällt, während welcher die Redaktion mit einer verminderten Zahl von Mitarbeitern und unvollkommenen Hilfsmitteln arbeiten mußte, während das Material selbst bedeutend angewachsen und dessen Bewältigung wesentlich erschwert war. Die meisten wissenschaftlichen Zeitschriften sind ziemlich unregelmäßig oder gar nicht erschienen und blieben — ebenso wie die anderen Publikationen — schwer zugänglich, da viele Bibliotheken sich infolge der immer schwieriger werdenden Verhältnisse bedeutend einschränken mußten, anderseits die Verleger bei den hohen Bücherpreisen auch mit den Rezensionsexemplaren sparsamer geworden waren.

Unter solchen Schwierigkeiten mußten die durch die wirtschaftlichen Verhältnisse ohnehin überbeschäftigten Referenten mehr Zeit und Mühe aufwenden, als sonst bei derartigen Arbeiten gefordert wird; und darum sei unseren Mitarbeitern an dieser Stelle ausdrücklich für ihre, einer so undankbaren Aufgabe gebrachten Opfer besonders gedankt.

Trotz dieses anerkennenswerten Eifers machten eine Reihe technischer Schwierigkeiten es unmöglich, des ausgebreiteten unüber-

---

[1]) Jahrbuch der Psychoanalyse. VI. Band. 1914.

5

sichtlichen Stoffes völlig Herr zu werden, da einerseits die in
Kriegsdienstleistung gestandenen Redaktoren und Mitarbeiter sowohl untereinander als auch mit der Literatur den Kontakt verloren
hatten. Besonders störend machte sich diese Unterbrechung im Verkehr mit den ausländischen Kollegen geltend, die übrigens selbst
— und dies nicht nur in den vom Kriege unmittelbar betroffenen
Ententeländern — unter ähnlicher Ungunst wie wir zu leiden hatten.
Unter diesen Umständen war eine Vorbereitung des über die Kriegsjahre sich erstreckenden Berichtes erst nach Wiederherstellung der
Kommunikationsmöglichkeiten gegeben und so mußte auch infolge
Kürze der zur Verfügung stehenden Zeit manches unvollständiger
bleiben, als es vielleicht wünschenswert gewesen wäre.

Aus all den genannten Umständen erklärt sich auch eine gewisse Uneinheitlichkeit in der Auswahl und Anordnung des Materials sowie namentlich in der Art seiner Behandlung. Was das
Material selbst betrifft, so sollte grundsätzlich alles, was mit Psychoanalyse zusammenhängt oder auf sie Bezug nimmt, wenigstens im
bibliographischen Teil Erwähnung finden, wenn es schon nicht als
Fortschritt gebucht werden konnte; auch gegnerische Arbeiten wurden prinzipiell nicht ausgeschlossen, weil auch die Art des Widerstandes gegen die Analyse sich als bedeutsam für die Beurteilung
ihres Fortschrittes erwiesen hatte. Infolge Unzulänglichkeit der
Berichterstattung innerhalb der abgelaufenen Periode schien es
wünschenswert, auch solche Arbeiten in die Literaturverzeichnisse
aufzunehmen, die streng genommen nicht hineingehörten, wenn sie
innerhalb der abgelaufenen fünf Jahre in den Referatenteilen unserer
Zeitschriften entsprechend gewürdigt worden wären: und insofern
überschreitet der Bericht notgedrungen eigentlich die selbstgezogene
Begrenzung. Ebenso könnten durch ein besseres Zusammenarbeiten
manche Wiederholungen vermieden werden. Anderseits greift der
vorliegende Bericht öfter sogar auf Arbeiten der ersten Berichtsperiode zurück, die damals aber übersehen wurden und uns doch
der nachträglichen Erwähnung wert schienen.

Von Neuerungen gegenüber dem vorigen Bericht sei besonders auf die Rubrik „Normal-psychologische Grenzfragen" (Ref. Dr.
I. Hermann, Budapest) hingewiesen, welche die notwendige Einleitung zum allgemein psychologischen Teil bildet und die Fäden

aufzeigt, die von der Bewußtseinspsychologie zur Psychoanalyse führen sowie auf die „Soziologie" (Ref. A. Kolnai, Wien); das geplante Referat über „Kriminologie" wurde für den nächsten Bericht zurückgestellt und erscheint diesmal nur soweit vertreten, als es Tatbestandsdiagnostisches bringt (Anhang z. Allg. Psychologie). Nicht neu, sondern als Nachtrag zum vorigen Bericht erscheint diesmal die „Religionspsychologie" (Ref. Dr. Th. Reik, Wien), den Zeitraum beider Berichtsperioden (1909—1919) umfassend und um die Literatur über „Mystik und Okkultismus" vermehrt, die diesmal bloß anhangsweise behandelt wird. Die folgenden, bereits bestandenen Rubriken haben neue Referenten erhalten: Für die „Perversionen" Dr. F. Boehm, Berlin; für die Therapie Dr. v. Ophuijsen, Haag; für die Ethnologie und Völkerpsychologie Dr. G. Róheim, Budapest; für die Mythologie Dr. Th. Reik, Wien; für Ästhetik und Künstlerpsychologie Dr. H. Sachs, Berlin[1]). (Gänzlich weggefallen ist diesmal nur die Rubrik „Philosophie".)

Diesem stattlichen Zuwachs an bewährten fachlichen Mitarbeitern in deutscher Sprache schließt sich die große Zahl von fremdsprachigen Referenten an, deren wertvoller Beteiligung wir es zu verdanken haben, daß wir die psychoanalytische Literatur in ihrer internationalen Ausbreitung würdigen konnten. Zwar waren schon in früheren Jahren in fast allen diesmal speziell angeführten Sprachen (Englisch, Französisch, Holländisch, Italienisch, Russisch, Ungarisch) psychoanalytische Arbeiten erschienen und auch gelegentlich zusammenfassend referiert worden, wie beispielsweise die englische, italienische und russische (auch schweizerische-französische) Literatur im II. Band des „Jahrbuch für Psychoanalyse", 1910, S. 316 bis 388, sowie kleinere Sammelreferate über englische Literatur in Zeitschrift II, 1914 (siehe Inhaltsverzeichnis); Z. III, 1915 (ebda.); französisch Z. II (siehe Inhalt); Z. III (S. 46—49 und 123); holländisch Z. II (S. 181); Z. III (S. 299 und 372, 373); russisch Z. II (S. 182); ungarisch Z. II (S. 476). Außerdem findet man im ehemaligen Zentralblatt für Psychoanalyse sowie in unserer Zeitschrift, sowohl im Referatenteil als auch in den fortlaufend publizierten Bibliographien — die auch ferner-

[1]) Das Referat über das Unbewußte hat diesmal vertretungsweise statt Dr. Eitingon Dr. Reik ausgearbeitet.

stehende Arbeiten berücksichtigen —, endlich in der Rubrik: Zur
psychoanalytischen Bewegung, die fremdsprachige Literatur sowie
auch Übersetzungen psychoanalytischer Arbeiten fortlaufend referiert oder wenigstens dem Titel nach angeführt. Bibliographien über
die a n g e w a n d t e Psychoanalyse einschließlich der fremdsprachigen,
finden sich im „Imago", und zwar: bis 1912 I. B., S. 999; für
1912 II. B., S. 97—98; für 1913 II. B., S. 609—610; für 1914
III. B., S. 541—542; für 1915 IV. B., S. 87 [1]).

Im vorigen Sammelbericht war die fremdsprachige Literatur
noch nach inhaltlichen Gesichtspunkten in die einzelnen Rubriken
aufgeteilt worden; aber die ungeheure Verbreitung, welche die
Psychoanalyse während der Kriegsjahre gewonnen hatte, ließ eine
gesonderte Übersicht der wichtigsten fremdsprachigen Literaturen
wünschenswert erscheinen, von der man erst den richtigen Eindruck
von der Verbreitung und Anerkennung der Psychoanalyse im weiteren Auslande erhält [2]).

Im ganzen waren wir selbst von der Fülle der Publikationen
und der ungeahnten räumlichen Ausbreitung der Psychoanalyse auf
das angenehmste überrascht, wenngleich uns diese Überraschung un-
vorbereitet zur Bewältigung des ungeheuren Stoffes treffen mußte.

Den nächsten Bericht, der nach einem Zeitintervall von drei
Jahren wieder erscheinen soll, hoffen wir durch eine straffere
Referatenorganisation, welche alles Wissenswerte in den fortlaufenden Heften von Zeitschrift, Imago und dem englischen Journal
systematisch aufarbeiten soll, rechtzeitig und auch sachgemäß vollkommen befriedigend herauszubringen. Für alle Unvollkommenheiten
und Mängel des diesmaligen fühlt sich der Unterzeichnete allein
verantwortlich.

Wien, zu Ostern 1921.

Dr. Otto Rank.

---

[1]) Zur Vervollständigung sei hier noch erwähnt, daß sich im ersten Band
des Jahrbuches (S. 546—574) ein Sammelreferat über F r e u d s Schriften bis
zum Jahre 1909 von A b r a h a m findet, sowie (S. 575—594) über die deutsche
und österreichische Psa.-Literatur bis Mitte 1909.

[2]) Vereinzelte Erscheinungen aus weniger verbreiteten Sprachen werden
anhangsweise bloß bibliographiert. Siehe S. 387 ff.

Inhalt.

A. DEUTSCHE LITERATUR.

I. Reine Psychoanalyse.

a) Allgemeiner Teil:

Psychologie und Trieblehre.

b) Klinischer Teil:

Neurosen und Psychosen.

II. Angewandte Psychoanalyse.

B. FREMDSPRACHIGE LITERATUR.

Abkürzungen.

Jahrb. = Jahrbuch für Psychoanalyse.

Z. = Internationale Zeitschrift für Psychoanalyse.

J. = Imago.

Schr. = Schriften zur angewandten Seelenkunde.

Normal-psychologische Grenzfragen.

Referent: Dr. I. Hermann (Budapest).

Literatur: 1. E. Bleuler: Die Notwendigkeit eines medizinisch-psychologischen Unterrichts. (Nr. 701 der Sammlung klinischer Vorträge.) 1914. — 2. Ders.: Das autistisch-undisziplinierte Denken in der Medizin und seine Überwindung. 1919. — 3. E. Fankhauser: Über Wesen und Bedeutung der Affektivität. Eine Parallele zwischen Affektivität und Licht- und Farbenempfindung. (19. Heft der Monogr. aus d. Gesamtgebiete d. Neurol. und Psychiatrie.) 1919. — 4. P. Federn: Lust-Unlustprinzip und Realitätsprinzip. Z. II. 1914. S. 492. — 5. S. Ferenczi: Analyse von Gleichnissen. Z. III. 1915. S. 270. — 6. Ders.: Denken und Muskelinnervation. Z. V. 1919. S. 102. — 7. S. Freud: Triebe und Triebschicksale. Z. III. 1915. S. 84. — 8. Ders.: Das Unbewußte. Z. III. 1915. S. 189. — 9. Ders.: Metapsychologische Ergänzung zur Traumlehre. Z. IV. 1917. S. 277. — 10. Ders.: Trauer und Melancholie. Z. IV. 1917. S. 288. — 11. Ders.: Das Unheimliche. J. V. 1919. S. 297. — 12. C. Furtmüller: Denkpsychologie und Individualpsychologie. Z. f. Indiv.-Ps. I. 1914. H. 3. — 12a. A. Gerson: Oszillierende Gefühle. 123. Heft d. Beitr. z. Kinderforschung u. Heilerziehung. 1915. — 13. U. Grüninger: Zum Problem der Affektverschiebung. Inaug.-Dissert. d. Univ. Bern. 1917. — 14. H. Henning: Versuche über die Rezidiven. Zeitschr. f. Psychol. 1917. Bd. 78. Heft 3—4. — 15. St. Hollós: Die Phasen des Selbstbewußtseinsaktes. Z. V. 1919. S. 93. — 16. E. Jones: Die Theorie der Symbolik. Z. V. 1919. S. 244. — 16a. L. Kaplan: Psychoanalytische Probleme. 1916. — 16b. Ders.: Hypnotismus, Animismus und Psychoanalyse. 1917. — 17. L. v. Karpinska: Über die psychologischen Grundlagen des Freudismus. Z. II. 1914. S. 305. — 18. L. Loewenfeld: Bewußtsein und psychisches Geschehen. (89. Heft d. Grenzfragen d. Nerven- und Seelenlebens.) 1913. — 19. L. J. Martin: Ein experimenteller Beitrag zur Erforschung des Unbewußten. 1915. — 20. R. Müller-Freienfels: Das Denken und die Phantasie. 1916. — 21. J. Pikler: Sinnespsychologische Untersuchungen. 1917. — 22. Ders.: Hypothesenfreie Theorie der Gegenfarben. 1919. — 23. Th. Reik: Beitrag zur psychoanalytischen Affektlehre. Z. IV. 1917. S. 148. — 24. H. Rose: Der Einfluß der Unlustgefühle auf den motorischen Effekt der Willenshandlungen. Archiv f. d. ges. Psychologie. 1913. Bd. XXVIII. Heft 1—2. — 25. M. Scheler: Zur Phänomenologie und Theorie der Sympathiegefühle und von Liebe und Haß. 1913. — 26. P. Schilder: Wahn und Erkenntnis. (15. Heft d. Monogr. aus d. Gesamtgebiete d. Neurol. u. Psychiatrie.) 1918. — 27. I. Spielrein: Über schwer zu merkende Zahlen und Rechenaufgaben. Zeitschrift f. angewandte Psychol. 1919. Bd. 14. Heft 3—4. — 28. W. Stern: Die Psychologie und der Personalismus. Zeitschr. f. Psychol. 1917. Bd. 78. Heft 1—2.

2   Dr. I. Hermann.

— 29. Ders.: Die menschliche Persönlichkeit. 1918. — 30. V. Tausk: Über
die Entstehung des „Beeinflussungsapparates" in der Schizophrenie. Z. V. 1919.
S. 1. — 31. M. Weißfeld: Über die Umwandlungen des Affektlebens. Z. II.
1914. S. 419.

Anmerkung. Vom psychoanalytischen Standpunkte ganz fern geschrieben sind folgende Arbeiten: 3, 12a, 14, 19, 20, 21, 22, 24, 25, 28, 29.

Im Jahre 1913 erschienen die Arbeiten 18, 24, 25; wegen ihrer Wichtigkeit
sind auch diese hier aufgenommen worden.

Für die Verteilung der Arbeiten in einzelne Gruppen war neben theoretischen
Gründen auch die praktische Erwägung maßgebend, daß eine Arbeit möglichst
nur in einer Gruppe erwähnt werden soll.

Anhang: Tatbestandsdiagnostik. 32. H. Henning: Doppelassoziation und
Tatbestandsvermittlung. H. Groß' Archiv. 1914. Bd. 59. Heft 1—2. — 33.
E. Mezger: Die Beschuldigtenvernehmung auf psychologischer Grundlage. Zeitschrift f. d. ges. Strafrechtswiss. 1918. Bd. 40. — 34. E. Rittershaus: Zur Frage
der Komplexforschung. Archiv f. d. ges. Psychologie. 1913. Bd. XXVIII. Heft 3—4.

Anmerkung. Alle drei Autoren stehen der psychoanalytischen Auffassung fern. Im Jahre 1913 erschien die Arbeit 34.

A. Bewußtsein, „Ich", Persönlichkeit.

Freud (8) betont den bereits in der „Traumdeutung" klar-
gelegten Unterschied zwischen Bewußtsein im deskriptiven
Sinne und dem System Bw. Das System Bw. ist dasjenige
System, welches normalerweise die Affektivität und den Zugang
zur Motilität beherrscht. Letzterer Zugang ist viel fester begründet
als der Weg zur Affektivität, so daß die Lenkung der Affektivität
dem Machtbereich des Bw. oft entschlüpft. Die Bewußtheit als
deskriptiver Begriff ist ein Symptom, welches nicht mit der System-
zugehörigkeit zu verwechseln ist. Das Bewußtwerden ist kein bloßer
Wahrnehmungsakt, sondern ist wahrscheinlich bedingt durch eine
Überbesetzung.

(9) Der Zugang zur motorischen Innervation ermöglicht dem
System Bw., daß es „Außen" von „Innen" unterscheiden kann.
Diese Unterscheidung ist notwendig, um eine Realitätsprüfung
durchführen zu können. Das Ich, welches anfangs in der Phase
der halluzinatorischen Wunscherfüllung lebt, wird durch die
Realitätsprüfung von dieser halluzinatorischen Phase befreit; die
Realitätsprüfung bildet neben den Zensuren eine der großen In-
stitutionen des Ichs. Im Schlafe wird mit der teilweisen
Entziehung der Besetzung aller Systeme auch die Realitätsprüfung
aufgegeben; der Schlafende wendet sich von der Außenwelt ab. Das
System Bw. erhält somit im Traume seine Besetzung von innen aus.

Eine weitere gesonderte Institution des Ichs bildet das Gewissen, worüber zu sprechen Freud durch die Analyse der Melancholie veranlaßt wird (10).

Mit der Ich-Entwicklung beschäftigt sich Tausk (30) eingehender und gelangt wesentlich zu ähnlichen Ergebnissen wie sie früher Ferenczi entwickelte. Der Anfang der Ich-Bildung kann nach Freud nicht früher einsetzen als der Beginn der Objekt-findung. Es gibt ja in der Entwicklung der Kinderseele eine Zeit, in welcher für das Kind keine intellektuell konstatierbaren isolierten Objekte der Außenwelt bestehen, in welcher also das Kind alle Sinnesreize für endogene und immanente hält: das ist die Zeit der narzißtischen Identifikation. Um ein „Ich" ausbilden zu können, muß eine Ich-Grenze zwischen Subjekt und Objekt gezogen werden. Geheimnisse vor den Eltern zu haben, gehört zu den stärksten Faktoren der Ich-Abgrenzung. Der allerwichtigste Faktor in der Ich-Entwicklung ist aber der libidinöse: der Mensch kommt als organische Einheit zur Welt, in der Libido und Ich noch nicht getrennt sind, das ist das Stadium des angeborenen Narzißmus. Aus dieser Quelle werden die einzelnen Organe libidinös besetzt und dann die einzelnen Körperteile auf dem Wege der Identifikation mit dem eigenen Körper zu einem zusammengehörigen Ganzen, eben zu dem „Ich", zusammengelesen.

Hollós (15) stellt — auf Grund von Erfahrungen bezüglich der Assoziationsreihen und Erinnerungsfähigkeit nach einer Bildung von Assoziationen — die Theorie auf, daß die Helligkeit des Selbstbewußtseins mit dem Verhältnis von äußerer und innerer Wahrnehmung eng zusammenhängt: bei einem Optimum dieses Verhältnisses ist das Selbstbewußtsein am klarsten, bei der vorwiegenden oder ausschließlichen Besetzung der einen oder anderen Wahrnehmungsart wird das Selbstbewußtsein verdunkelt oder zum Verschwinden gebracht. Während des Verlaufes einer fortlaufenden Assoziation setzt eine dritte Phase des Bewußtseinsaktes ein — neben äußerer und innerer Wahrnehmung —, welche sich dadurch auszeichnet, daß in ihr die vorbewußten Elemente sich vom Selbstbewußtsein allmählich loslösen. Somit wird im Laufe des Selbstbewußtseins der Inhalt des Unbewußten gesetzmäßig bereichert.

1*

Eine Kampfschrift um die Anerkennung der Freudschen psychologischen Grundanschauungen soll diejenige Loewenfelds (18), eines äußeren Freundes der Psychoanalyse, sein. Die Identifizierung des Psychischen mit dem Bewußten wird als unberechtigt und unhaltbar zurückgewiesen. Tiefenpsychologie und Oberflächenpsychologie müssen sich im Begriffe des Unterbewußten miteinander versöhnen. Dabei wird aber der letztere Begriff von Loewenfeld weiter gefaßt als das Freudsche Unbewußte. Die Assoziationsexperimente werden als nicht einwandfreie Forschungsmittel hingestellt. Neben Betonung der unvergänglichen Verdienste Freuds und neben Aneinanderreihung einer Fülle von Tatsachen, welche die Annahme nicht bewußter Seelenvorgänge unterstützen, wird aber die übergroße Bedeutung infantiler und sexueller Faktoren zurückgewiesen.

Nach dem äußeren Freund lassen wir gerne einem Gegner der Psychoanalyse, W. Stern (28, 29), das Wort. Sein System, der kritische Personalismus, geht vom kosmischen Gegensatz „Person" und „Sache" aus. Dabei wird unter Person „ein solches Existierendes" verstanden, „das trotz der Vielheit der Teile eine reale eigenartige und eigenwertige Einheit bildet und als solche, trotz der Vielheit der Teilfunktionen, eine einheitliche zielstrebige Selbsttätigkeit vollbringt". Nur an einem Teilgebiet der menschlichen Persönlichkeit ist das Psychische anzutreffen, die Persönlichkeit bewegt sich meistens im psychophysisch Neutralen. Das Gebiet des Psychischen sowie dasjenige des Physischen gliedert sich in vier Abteilungen. Dort heißen diese Abteilungen: 1. psychische Phänomene, 2. unbewußte, richtiger überbewußte Akte, 3. ebensolche Dispositionen, 4. das Ich; im Gebiete des Physischen kennt Stern 1. physische Phänomene, 2. zielstrebige Tendenzen, 3. Dispositionen, 4. den Organismus. Organismus und Ich treffen sich als psychophysisch-neutrale Realitäten im einheitlichen Begriffe der realen Person. Es gibt eine reale Person und eine ideelle. Erstere tritt in unserer Erfahrung tatsächlich auf und zeigt die Erscheinung der Konvergenz, das heißt das Zusammentreten äußerer und innerer Faktoren in der Anpassung zur Realität. Die ideelle Person ist nicht wirklich, nur konstruierbar; sie besitzt auch kein Bewußtsein, da letzteres das Produkt einer mit Konflikt verbundenen Konvergenz ist. Konflikte gibt es dort, wo neuartige Situationen auftreten, wo Teilzwecke der Person verschiedene Anforderungen erheben, endlich zwischen den Zeitmomenten Gegenwart, Vergangenheit und Zukunft.

Das Bewußtsein selbst gibt ein Zerrbild der Objekte. Besonders in diesem Zusammenhange wird auf die Psychoanalyse verwiesen, denn „sie verlegt die wahre Wesenheit der Persönlichkeit ins Unbewußte und schreibt dem Bewußtsein nur symbolischen Wert zu". Die Bewußtseinserlebnisse müssen, so sagt Stern, um verständlich zu werden, „in ihren symbolischen Beziehungen zu den Zwecken der Persönlichkeit" erfaßt werden. Die bewußten Motivationen sind falsch, die Konvergenz verursacht eine „Introzeption" der Zwecke, weshalb wir auch bei einem „ichgemäßen Ich-Bewußtsein" Täuschungsmomente antreffen. So sieht Stern die Anzahl der Täuschungsmomente des Bewußtseins noch über diejenigen der von der Psychoanalyse behaupteten erweitert, denn die Psychoanalyse beschäftigt sich nur mit „stark täuschenden Ichbewußtseine" (Neurotiker). — Mögen alle Gegner der Psychoanalyse soviel aus der Psychoanalyse lernen, und dann wenigstens so, wie es Stern tut, auch eingestehen, aus welcher Quelle sie gelernt haben! Einzelne psychoanalytische Anschauungen sind auch von Stern nicht richtig verstanden oder gewürdigt worden.

B. Metapsychologie und Affektlehre.

Die deskriptive Psychologie verlangt eine erklärende Psychologie, welche nach Freud Metapsychologie genannt werden soll und welche zur Aufgabe hat (8): 1. die Triebkräfte der seelischen Vorgänge zu bestimmen (dynamischer Gesichtspunkt); 2. die Topik zu berücksichtigen, das heißt diejenigen Systeme anzugeben, in oder zwischen welchen sich ein gewisser Vorgang abspielt (topischer Gesichtspunkt); 3. die Schicksale der Erregungsgrößen, die sogenannten „Besetzungen" zu verfolgen (ökonomischer Gesichtspunkt). — Die Metapsychologie steht prinzipiell nahe der Aktpsychologie, insofern als das Wesen des Seelischen hier und dort in Vorgängen (Leistungen) liegt. So werden in der „Metapsychologie" die Vorstellungen als Besetzungen im Grunde von Er-

innerungsspuren, Affekte und Gefühle als Abfuhrvorgänge von Besetzungen erklärt.

(7) Einer der wichtigsten Begriffe der Metapsychologie ist derjenige des Triebes. Der Trieb ist ein Grenzbegriff zwischen See-
lischem und Somatischem, er ist ein Reiz für das Psychische, welcher aus dem Innern des Organismus stammt. Die Unterscheidung
der Psychoanalyse von Ich-Trieben und Sexualtrieben bildet keine
notwendige Voraussetzung, sie hat sich aber bis jetzt als eine
zweckmäßige Arbeitshypothese bewährt.

Was ist nun der Zusammenhang zwischen Lieben und Trieb?
Lieben ist kein Partialtrieb der Sexualität, eher könnte man es
als Ausdruck der ganzen Sexualstrebung ansehen, dann wäre aber
sein materielles Gegenteil, der Haß, unbegreiflich. Der Liebe können
drei Arten von Gegensätzen beigesellt werden, nämlich: hassen,
geliebt werden und Indifferenz. Nun weist das gesamte seelische
Leben drei Polaritäten auf: 1. Subjekt-Objekt (Ich und Außenwelt), 2. Lust-Unlust, 3. Aktiv-Passiv. Diese drei Polaritäten
können nacheinander als 1. reale, 2. ökonomische, 3. biologische
Polarität genannt werden. Die Indifferenz wird in der realen, der
Gegensatz Liebe — geliebtwerden in der biologischen Polarität
widerspiegelt. Das anfänglich durch objektive Kennzeichen (siehe
Realitätsprüfung) isolierte Real-Ich wandelt sich ins Lust-Ich, indem es alles, was Anlaß zur Unlust bietet, projiziert. Das Lieben
kann auf Grund dessen als die Relation des Ichs zu seinen
Lustquellen bestimmt werden.

Hassen ist ursprünglich die Relation des Ichs
gegen die fremde und reizzuführende Außenwelt.
Hier erscheint also Liebe-Haß in der Polarität von Lust-Unlust.
Im Gebrauche des Wortes „lieben" finden wir heute eine Anschmie-
gung an die Sexualobjekte im engeren Sinne und an solche Objekte,
welche ihre Lustbetontheit der Sublimierung verdanken. Der Gebrauch des Wortes „hassen" hat keine solche Einschränkung erfahren, das Vorbild der Haßrelation stammt eher aus dem Ringen
um die Ich-Erhaltung. Liebe und Haß sind erst durch die Herstellung der Genitalorganisation über die Polarität von Lust-Unlust
emporsteigende Gegensätze geworden. Die ambivalente Natur
der Liebe hat somit ihre Ursache nur eines Teils in aktuellen Kon-

flikten zwischen Ich- und Liebesinteressen, anderseits ist diese Ambivalenz in dem entwicklungsgeschichtlichen Schicksale von Liebe und Haß begründet.

Scheler (25) beschäftigt sich vom Standpunkte der Phänomenologie mit der Psychologie der Liebe. Liebe ist wesentlich eine Bewegung in der Richtung der Qualität „Höhersein des Wertes", sie richtet sich auf die Setzung eines höheren Wertes, die selbst einen positiven Wert darstellt; Liebe ist schöpferisch, dagegen Haß vernichtend, denn er vernichtet höhere Werte. Liebe ist eine letzte Wesenheit und ist somit auf andere Zustände, z. B. auf das Mitgefühl, nicht zurückführbar.

Unter den aus diesem, phänomenologischen Standpunkte aus unzulänglichen naturalistischen Theorien der Liebe wird als vierte die ontogenetische von Freud angeführt. Diese ontogenetische Theorie setze die Richtigkeit der Sympathielehre der englischen Ethik voraus, nach welcher das primäre nicht die Liebe, sondern das Mitgefühl wäre. Die naturalistischen Theorien seien für die „geistige", „heilige" Liebe blind; solche Liebe könne aus vitalen Tatbeständen nicht erklärt werden. Das Verhältnis von Liebe und Trieb sei mit den Begriffen „Einschränkung" und „Selektion" zu bezeichnen. Der Trieb schränke das Gebiet ein, wo sich die Liebe entfalten kann: es sei demnach unrichtig zu sagen, der Trieb produziere die Liebe. Die Annahme einer Übertragung der Liebe — im Sinne Feuerbachs — sei überflüssig, da jeder Liebe wesensgesetzlich eine Richtung auf ein Höheres, und zwar unabhängig vom Vorgestelltsein des Höherseins mitgegeben ist.

„Das Unternehmen einer Ontogenie der sympathischen Gefühle und der Liebe, wie es Freud vorgenommen, ist ohne Zweifel als solches ein eminent verdienstliches." Prinzipiell wichtig ist die Annahme der Psychoanalyse, daß jede Erfahrung einen Stellenwert in der typischen Entwicklung des Menschen einnimmt. Ein Kindheitserlebnis kann andere Wirkungen hervorrufen, als dasselbe Erlebnis in den späteren Jahren, nicht nur deswegen, weil sie hier und dort andere Spuren früherer Erlebnisse vorfinden, sondern eben durch ihren Stellenwert: dieser Wert bestimmt für die Zukunft, welche Erfahrungen bevorzugt, welche abgesperrt werden sollen.

8 Dr. I. Hermann.

Scheler findet auch Unklarheiten in der Freudschen Theorie, so die Scheidung der Begriffe Libido und Geschlechtstrieb; der Begriff Libido scheint seinen qualitativen Inhalt verloren zu haben. Aus den Tatsachen folge nur soviel, daß der heterosexuellen Stufe (mit der Vorstellung des Bildobjektes des anderen Geschlechtes) eine andere Stufe vorausgehe, in welcher dieselbe Triebregung sich nicht an das Bildobjekt des anderen Geschlechtes, sondern an den bloßen Wert der Andersgeschlechtlichkeit bindet. Die Freudsche Libidoauffassung sei auf eine assoziationspsychologische Strebensauffassung zurückzuführen. Von vornherein bestehen ursprünglich verschiedene Qualitäten der Liebe, welche sich vermischen können, welche aber auseinander nicht ableitbar sind. Darin habe aber wieder Freud Recht, daß die Geschlechtsliebe den primären, fundierenden Faktor in allen anderen Arten der Liebe ausgibt; so auch in der Liebe zum Leben und zur Natur. Der Geschlechtsliebe entspricht keine Nahrungsliebe (wie dem Geschlechtstrieb ein Nahrungstrieb). (S. die Metapsychologie.) Die Sublimierungslehre enthalte auch viel Wahres, irrt sich aber darin, daß sie den höchsten geistigen Akten ein selbständiges Maß von seelischer Energie abspreche. Hier wird auf J. Putnams nahestehende Auffassung verwiesen.

Grüningers (13) Inaugural-Dissertation entwickelt das Problem der Affektverschiebung, von den psychoanalytischen Erfahrungen ausgehend, aber, dem Jungschen Standpunkt gemäß, zu sehr nach energetischem Muster. Am gelungensten ist das Kapitel über die Theorie der Affekte, in welchem eine Scheidung zwischen den Begriffen „Gefühl" — als ursprüngliche seelische Kraft —, „Affekt" — als eine angewandte Form dieser Kraft —, und „Aufmerksamkeit" — als einem Parallelvorgang zu den Affekten —, versucht wird. Der Affekt selbst ist dasjenige Seelische, welches der objektiven Wirklichkeit nicht standhielt, er ist ein Anachronismus, indem er die Vergangenheit wieder aufweckt. Der Affekt will jetzt erledigen, was die Pflicht der Vergangenheit gewesen wäre; sein einziger Feind ist das logische Durchdenken. Perseveration, als auffallende Wirkung eines verschobenen Affektes, die äußerlichen, formalen und innerlichen inhaltlichen Verschiebungen werden, mit besonderer Berücksichtigung der Komplexmerkmale, besprochen. Der

Weg der Verschiebung geht den Weg der Analogie; jeder Affekt, der den Zusammenhang mit der Entwicklung verlor, ist bestrebt, sich durch diesen Weg wieder in der Entwicklung Platz zu schaffen. Der Affekt nimmt „gleichwie" für „gleich". Klinische Beispiele und eine kleine Analyse einer Stelle aus Schillers „Wallenstein", erleichtern das Verständnis der manchenorts unklaren Schrift.

Weißfelds (31) Artikel enthält wesentlich Kritisches gegen Jungs Libidotheorie. Es wird die Qualitätslosigkeit und prinzipielle Objektunabhängigkeit des Affektes (Willens) betont.

Affektabfuhr hat — nach Reik (23) — eine bewußte Steigerung des Selbstgefühles, Affektenthaltung eine unbewußte Steigerung des Narzißmus zur Folge. Affektaufschiebung und Affektenthaltung werden durch körperliche Vorgänge im Gebiete des Sexuallebens widergespiegelt.

Fankhausers (3) Monographie enthält nur scheinbar viel Originelles. Der Affekt ist — so hören wir hier (siehe z. B. Müller-Freienfels) — psychisch eine Stellungnahme des Ichs zu jeder Vorstellung; er enthält schon ein intellektuelles Urteil. Physiologisch ist der Affekt Produktion von nervöser Energie in Form von Tätigkeit gewisser Neurosen (siehe Breuer-Freud). Mit den affektiven Vorgängen steht im Gehirn die Produktion von chemischen Stoffen in Zusammenhang (siehe Freuds Idee der Sexualchemie!). Einen latenten affektiven Zustand nennt Fankhauser eine affektive Einstellung.

Als Elemente des affektiven Lebens werden der freudigtraurige Affekt, das Mißtrauen-Zutrauen, die Billigung-Mißbilligung des Vorstellungsinhaltes angenommen; diese Elemente sollen nun den Heringschen Urfarben analoge Eigenschaften aufweisen. Dabei werden aber die Tatsachen der Farbenlehre falsch dargestellt (z. B. das Purkinjesche Phänomen), so haben diese Ausführungen keine Beweiskraft.

C. Denkpsychologie und psychoanalytische Methodenlehre.

Die Nebeneinanderreihung dieser zwei scheinbar fernstehenden Kapitel der Psychologie ist durch ihre Bearbeitung seitens der verschiedensten Autoren begründet. So weist schon v. Karpinska (17)

. auf die prinzipielle Ähnlichkeit der psychoanalytischen und der
experimentell-psychologischen Methoden der Selbstwahrnehmung
hin. Trotz dieser Ähnlichkeit soll die Psychoanalyse wirklich Wertvolles nur im Gebiete der Affekte, nicht aber des reinen Intellektes
leisten. Im Wunsch-Begriffe sind nach Verfasserin verschiedene
Denkkategorien unzulässig vermischt; die Wunscherfüllungstheorie
baue sich auf eine Voraussetzung, ohne genügende theoretische Fundierung auf.

Furtmüller (12) zieht eine Parallele zwischen denkpsycho-
logischer und individualpsychologischer (Adlerscher) Methode. Der
Begriff der determinierenden Tendenz, welchen die neue
experimentelle Denkpsychologie ausarbeitete, ist aus den Rahmen
des Experimentes auszuheben. Es sind die allgemeinen, dem Kern
der Persönlichkeit immer näher stehenden Tendenzen — das sind
die Leitlinien — zu entdecken. Auf herrschende Tendenzen kann
man nicht nur durch mehrweniger vollständige Introspektion, sondern auch außerexperimentell durch Bestimmung von Anfangs- und
Endpunkten zusammenhängender Reihen schließen.

Die teilweise Übereinstimmung der Freudschen und Külpeschen
Methoden wird auch von Schilder (26) erkannt. Die Methode des
zwanglosen Einfalls kann (muß nicht aber) deswegen die Gesamt-
strebungen des Individuums zum Ausdruck bringen, weil alle latenten
Wünsche und Einstellungen an der Arbeit sein können. Alles psychische Geschehen ist überhaupt nur aus dem Gesamtleben des Ichs
zu verstehen. Die aufmerksame Zuwendung zu einem Gegenstande
hängt nicht nur vom Gegenstande, sondern auch von der ganzen
Urgeschichte des Ichs ab.

Um zu einer Psychologie der Erkenntnis zu gelangen, analysiert Schilder den Prozeß der Erkenntnis. Experimentelle Untersuchungen weisen auf das leichte Überfließen von Vorstellungen auf die Wahrnehmung. Wahrnehmungen tragen nicht
immer den Charakter der Objektivität an sich, besonders sind am
eigenen Körper Wahrnehmungen mit ausgesprochenem subjektiven
— nicht wirklichen — Charakter zu beobachten. Die Eigenschaft
des Für-wirklich-haltens einer Vorstellung bedingt einen ganz besonderen Charakter derselben. — Jede Begriffsbildung steht letzten
Endes auf irrationaler Grundlage: der Lebenswille des Indi-

viduums, der Wirklichkeit angepaßt zu werden, spricht aus ihnen. Affektive Einstellungen verursachen bald symbolische Vorstellungen, bald symbolische Halluzinationen, bald Begehrungsbegriffe. Affektive Mechanismen übernehmen den Platz dort, wo kognitive versagen, oder noch nicht genügend entwickelt sind.

Müller-Freienfels (20) sieht ein Verdienst Freuds darin, daß er die „Analyse" (das heißt hier Introspektion) wieder zu Ehren zu bringen sucht. Dieser Autor (Müller-Freienfels) kämpft in seinem Buche gegen die Assoziationspsychologie; sein Grundsatz ist, daß das Denken und die Phantasie reaktive Phänomene sind, d. h. ihr Wesen Gefühle und motorische Erscheinungen ausmachen. Dabei wird der Begriff der „Gefühle" weit gefaßt, auf jede „Stellungnahme" ausgebreitet. Selbst Wahrnehmen und Aufmerksamsein wird hier auf Gefühle zurückgeführt. Denken ist ein auswählender und beziehender Akt, Urteile und Begriffe sind Handlungen. Ich hebe hervor, daß Müller-Freienfels ganz abseits von der psychoanalytischen Bewegung steht.

L. J. Martin (19) hat eine neue experimentelle Methode zur Erforschung des unterbewußten Denkens ersonnen: Versuchspersonen wird die Aufgabe gestellt, nach visueller Exposition von Bildern und Gestalten, dieselben sofort visuell vorzustellen. Das so gewonnene Vorstellungsbild erweist sich als stark abhängig vom unanscheinlichen, eventuell unterbewußt ablaufenden Denken. Die vorgeschlagene Methode soll zur Erforschung des unterbewußten Denkens geeigneter sein als die psychoanalytische.

Seiner Wichtigkeit gemäß soll Bleulers (2) Werk etwas eingehender besprochen werden: Im medizinischen Denken nimmt das autistische Denken einen viel größeren Platz ein, als es unbedingt nötig wäre; d. h. das Tun des Arztes wird von affektiven Momenten, von Trieben aus, beherrscht. Das Aussprechen des „Ich weiß es nicht" verlangt schon eine Zurückdrängung der Affektivität. Der Arzt denkt sein Handeln nicht zu Ende, er denkt nachlässig. Um hier Abhilfe zu leisten, muß eine anders gerichtete Denkweise angewöhnt werden, eine Denkweise, welche der Realität viel eher entspricht, welches sich über die Wahrheit seiner Inhalte überzeugt: es muß eine Denkdisziplin anerzogen werden. Dem gewöhnlichen Denken, gekennzeichnet durch eine Mischung von autistischer

und realistischer Überlegung, von aufmerksamen und nachlässigen
Verfahren, steht nicht das wissenschaftliche Denken gegenüber, da
doch auch der Kaufmann, Fabrikbesitzer usw. stramm logisch denken
müssen; auch steht das wissenschaftliche Denken dort, wo es unbekannte Gebiete betritt, eher dem autistischen Denken nahe. Auch
das „exakte Denken" ist ein relativer Begriff. Die wirkliche Exakt-
heit des Denkens bedeutet nicht das Aufweisen von Zahlenwerten,
sondern die richtige Anwendung von Denkgesetzen, die
richtige Beobachtung von Tatsachen, die ständige Kontrolle an der
Realität, das Vermeiden von Mehrdeutigkeiten, die scharfe Bestimmung aller Voraussetzungen: das insgesamt soll diszipliniertes Denken genannt werden.

Zur Waffe des disziplinierten Denkens wird auch die Wahrscheinlichkeit gezählt: sie muß bei jeder Behauptung feststell-
bar sein. Bei wissenschaftlich neu gefundenen Tatsachen ist aber
keine Wahrscheinlichkeit im mathematischen Sinne bestimmbar, da
nicht alle Umstände, sämtliche Einwirkungen, sofort übersehbar sind:
die Wahrscheinlichkeit kann also hier keine geschlossene sein,
sondern sie muß offen bleiben. Das disziplinierte Denken soll,
wenn es vor neuen Feststellungen steht, mit Wahrscheinlichkeitsfaktoren operieren, welche keine exakte Zahlen der Wahrscheinlichkeit (im mathematischen Sinne) angeben, sondern nur durch
ihre Größenordnung ermöglichen, alles — ceteris paribus — in seiner
Bedeutung abzuwägen.

Ist aber das disziplinierte Denken in der Psychologie
überhaupt möglich? Bleuler weist nach, daß der Unterschied zwischen Psychologie und exakter Naturwissenschaft kein
prinzipieller ist. Auch der von Jaspers statuierte Unterschied
von kausalem Denken in den Naturwissenschaften und verstehendem
Denken in der Psychologie könne nicht weiterhin behauptet werden,
denn psychologische Motive sind genau so Ursachen
wie irgend welche physikalischen Ursachen. Es gebe eine psychische
Kausalität genau in gleichem Sinne und nur in gleichem Sinne
wie eine physische. Eine scheinbare Sonderstellung der Psychologie
rühre daher, daß diese Wissenschaft am meisten Zusammenhänge
in einem einzelnen Falle zu erforschen habe.

Ein einzelner Fall könne aber auch auf frühere Erfahrungen zurückgeführt werden, wie es tatsächlich in der Psychoanalyse geschehe. Die Einfühlung in eine andere Seele, die Gleichförmigkeit des psychischen Geschehens, die Erhöhung der Wahrscheinlichkeit von Zusammenhängen durch die Seltenheit der beiden in Verbindung gebrachten Ereignisse, der Nachweis, daß zwei Ereignisse in demselben Hirn örtlich und zeitlich zusammentreten, seien Prinzipien, nach welchen psychische Kausalzusammenhänge erforschbar sind. Auch diese Kenntnis von Kausalzusammenhängen verlange zu ihrer Bestätigung oder Widerlegung die Kenntnis der Wahrscheinlichkeitsfaktoren. Bleuler will nur zur Bearbeitung der Erkenntnis der psychologischen Wahrscheinlichkeiten anregen. Als Beispiel einer Wahrscheinlichkeitsuntersuchung gibt er die Freudsche Analyse des Falles „aliquis": 1. Ein Vergessen eines so gewöhnlichen und farblosen Wortes trifft — für sich — nur höchst selten zu. 2. Die Zerlegung des vergessenen Wortes in „a' und „liquis" hat — für sich — eine sehr geringe Wahrscheinlichkeit (vielleicht 1:100 000). 3. Von den nachfolgenden zehn Assoziationen haben neun eine deutliche Beziehung zum Komplex der Periode. 4. Dazu kommt die Erfahrung, daß unangenehme Komplexe verdrängt werden. — Somit ist die Beweiskraft des Falles „aliquis" eine recht große, der Wahrscheinlichkeitsfaktor des Zusammenhanges spricht f ü r den Zusammenhang.

Kaplans Bücher (16a, b) enthalten viele Einzelheiten aus der Denkpsychologie, sowie auch aus anderen psychologischen Gebieten. Der Ideengang dieser Bücher ist ein vergleichender, wissenschaftsgeschichtlicher.

D. Grundprinzipien des psychischen Geschehens. Wirkung der Gefühlsbetontheit.

Das Unbewußte und das Bewußtsein arbeiten — nach F e d e r n (4), der die betreffenden Ideen F r e u d s weiterspinnt — mit dem L u s t - U n l u s t p r i n z i p, das Bewußtsein außerdem mit dem R e a - l i t ä t s p r i n z i p, welches eine Loslösung des Denkens von den Affekten bedeutet. Das Realitätsprinzip hat die Vorstellung der Zeit zur Seite und es gruppiert kausal statt affektiv. Die Hemmung des Lust-Unlustprinzips erfolgt durch die Angst, im „ethi-

schen Stadium" durch das „Gewissen". Vorbedingung für die Anwendung des Realitätsprinzips ist, daß das Individuum Unlust
(körperlichen Schmerz) aushalten kann.

Der Begriff der Wirklichkeitsanpassung, als ein Grundprinzip
des Denkens, wird von verschiedenen Autoren (Freud, Bleuler,
Schilder) aufgestellt. Die Anpassung erhebt nun Pikler
(21, 22) zum Grundprinzip des gesamten Erkenntnisvorganges. Selbst
die Empfindung sei kein „Eindruck" des äußeren Reizes. Beim
Fehlen von Reizen verursache die Aktivität des Wachzustandes
die „sinnliche Negation", das heißt, ein Sinnesurteil, daß hier Stille
herrscht, usw. Wenn ein gewisser äußerer Reiz sich geltend mache,
so wende sich die Tätigkeit des Wachzustandes, die innere Aktivität, von dem früheren Zustande zum neueren. Die Empfindung
selbst gehe aus dieser inneren Wendung hervor. Es müsse angenommen werden, daß es einen spontanen Wachtrieb, und dem entsprechend ein Begehren nach Wachsein, das heißt eine Wachrigkeit gebe; diese Wachrigkeit will nun „die physische Wirkung
des Reizes im Organismus verhindern, indem sie dieser ein genaues
Gegengewicht schafft. Der Empfindungsvorgang ist eine ausglei-
chende, anpassende Erhaltung der Organisation". Verallgemeinern
und Abstrahieren sei ebenfalls Selbsterhalten, Anpassen. Schlafen
sei auch eine aktive Tätigkeit, es sei Übung (Einübung der reinen
Erhaltung des Ichs); Wachsein sei angepaßter Schlaf. Piklers
Ideen laufen in gewisser Beziehung den psychoanalytischen parallel;
so ist in der Idee, daß die Wachrigkeit an den Reizpforten Wache
hält, daß sie an diesen Stellen „angespannt" sei, ein Parallelvorgang
zur „Besetzung" zu erblicken.

Es ist bekannt, daß Ranschburg vor etwa 20 Jahren ein
neues „neuropsychisches Grundgesetz" aufstellte, welches sich auf
die Verschmelzung gleicher Reizwirkungen gründete. Henning (14)
beweist nun experimentell die Unhaltbarkeit dieses Grundgesetzes,
welches sein Urheber auch gegen die Freudschen Erklärungen des
Versprechens usw. wendete. Henning führt die Tatsache, daß
identische Elemente einander oft störend beeinflussen, auf die in diesen Fällen geringere Ansprechbarkeit der
„Residualkomponente", das heißt, der Gedächtnisspuren zurück.
Henning wirft in seiner Rezension über die „Angewandte Psycho-

logie" dem Verfasser Erismann vor, daß er bei der Besprechung der Fehlleistungen die Freudsche Theorie und nicht seine Theorie der Residialkomponente anführe. Nun fühlen, wie aus den Protokollen Hennings ersichtlich, die Versuchspersonen bei der Darbietung von homologen (identische Glieder enthaltenden) Reihen eine ausgesprochene Unlust: sollte nicht — so fragen wir — das Prinzip Ranschburgs auf die Unlustbetontheit zurückzuführen sein?

Die Wirkung der Unlustbetontheit hat Spielrein (27) auch im Gebiete des Rechnens nachgewiesen. Aus Gründen, welche im Rechnen selbst liegen, erhalten einige Zahlen eine Unlustbetontheit, welche sich darin äußert, daß Rechenaufgaben, in welchen sie vorkommen, schwerer durchzuführen sind. Solche unlustbetonte Zahlen seien die „großen Zahlen" (6—9) oder die Zahl „3" oder „7". Diese Zahlen seien auch diejenigen, welche dem Erlernen von Rechenformeln die größte Schwierigkeit entgegenstellen. Die Unlustbetontheit dieser Zahlen will Spielrein durch die Reaktionsmethode (Jung) und durch fortlaufendes Niederschreiben einstelliger Zahlen (fortlaufende Assoziation Freuds) bewiesen haben.

Der Unlust war allgemein eine motorisch treibende Kraft abgesprochen. Rose (24) findet nun durch gründliche Versuche am Störringschen Dynamographen, daß die Empfindungsunlust — also die Unlust, welche das Subjekt nicht sich selbst, sondern der Empfindung zuschreibt — eine Steigerung des motorischen Effektes bewirkt. (Diese These wird nur gegenüber indifferenten Reizen abgeleitet.)

E. Einzelne psychische Funktionen und Gebilde.

Eine Ergänzung zum Begriff der Verdrängung, dieser mächtigen Funktion, bringt Freud (11) mit der Einführung des Begriffes: Überwundensein. Beim Überwundensein handelt es sich nicht um die Loslösung von einem Inhalt, sondern um die Aufhebung des Glaubens an die Realität eines Inhalts. Der Kulturmensch hat die animistischen Überzeugungen nicht verdrängt, sondern überwunden; diese Überzeugung kann im Erlebnis des Unheimlichen zum Tageslicht gelangen, denn „das Unheimliche des Erlebens kommt zu stande, wenn verdrängte infantile Komplexe durch einen Eindruck wieder belebt werden, oder wenn überwundene primitive Überzeugungen wieder bestätigt erscheinen".

Bei der Aufmerksamkeits-Konzentration wird — diesen Schluß zieht Ferenczi (5, 6) — ein Teil der sonst als Verdrängung fungierenden Energiemenge verwendet, was mit der Freudschen Auffassung von an sich qualitätslosen, verschiebbaren Besetzungsenergien im Einklang steht. Neben dieser ökonomischen Beschreibung ist dynamisch der Aufmerksamkeits-Akt so aufzufassen, daß primär alle anderen Akte außer den eben betonten gehemmt werden. Jeder Akt setzt so eine ungleiche Hemmung aller Akte voraus. Akte des Denkens und Aufmerkens laufen parallel mit motorischen Innervationen, sie stehen in gegenseitiger quantitativer Abhängigkeit. Die psychische Energie geht aber nicht ganz einfach von einer Art Energie in die andere über, sondern es handelt sich um komplizierte Vorgänge.

Jones (16) beschäftigt sich eingehend mit der Symbolik. Um eine sichere Grundlage für die Theorie zu schaffen, werden die charakteristischen Eigenschaften der Symbole aufgezählt. Das sind: 1. Vertretung einer anderen, wichtigeren Idee, 2. etwas gemeinsames beider Ideen, 3. das Symbol wirkt konkret auf die Sinne, die dargestellte Idee ist relativ abstrakt, 4. die symbolische Denkweise ist eine primitive Art des Denkens, 6. Symbole entstehen unbewußt, spontan, automatisch (wie ein Witz). — Gegenüber anderen Anschauungen (z. B. Jung) vertritt Jones die Ansicht, daß die Symbole in jedem Individuum neu entstehen und nicht infolge direkter Vererbung übernommen werden: die grundlegenden, ewigen menschlichen Interessen sind gleich, sie bringen die Gleichförmigkeit der Symbole zu stande. Die psychologische Grundlage der Symbolik ist die Identifizierung. Die Identifizierung bedeutet aber keine Verstandesschwäche, sondern sie ist durch die Interessenrichtung erklärbar und wird durch das Lustprinzip des primitiven Denkens und die Forderung des Realitätsprinzips, alles Neue an Altes anzupassen (damit alles Unbekannte einen Sinn erhalte), hervorgerufen. Symbolisch dargestellt wird nur das Verdrängte, deshalb ist die Beziehung von darstellender und dargestellter Idee nicht umkehrbar.

In den Gleichnissen ist — nach Ferenczi (5) — eine Wiederholungslust und eine Wiederauffindungslust zu bemerken, Erscheinungen, welche aus der narzißtischen Libido abzuleiten sind. Wo Lust und Unlust einander in schneller Folge ablösen, wo sie also oszillieren, dort bildet sich — nach Gerson (12a) — ein drittes, eigenartiges Gefühl. Das wäre die Entstehungsweise der Grusel-, Kitzel- und Schwindelgefühle. Diese Gefühle können als Durchgangsstadien zwischen der von Unlustgefühlen beherrschten Urzeit und der von Lustgefühlen geleiteten Zukunft angesehen werden. Die oszillierenden Gefühle sollen den pathologischen Gefühlen von Sadismus-Masochismus nahe stehen.

F. Psychologischer Unterricht.

Die heutige Medizin läßt — wie es Bleuler (1) ausführlich darstellt — beim Menschen gerade das, was ihn ausmacht, die Seele, unberücksichtigt, sie ist „psychophob" (A. Meyer) zum Schaden der Patienten, Ärzte und der Wissenschaft. Es solle ein besonderes Kolleg für medizinische Psychologie geschaffen werden, welches alle Mediziner in den ersten klinischen Semestern zu besuchen hätten. In diesem Kolleg sollten unter anderem das' Psychische an jedem Krankheitsbilde, die Mechanismen psychischer Krankheiten, Methoden der Psychotherapie mit Anweisung für die Auswahl der Spezialisten, Erziehung, Berufswahl, Arbeitseinteilung, das Sexualleben klargelegt werden; der Arzt muß überhaupt die Befähigung erlangen, die psychologische Seite aller Tagesfragen (Politik, Gesetzgebung) verstehen und würdigen zu können.

Anhang: Tatbestandsdiagnostik.

Hennings (32) Ziel ist, „die Frage des Richters ins Psychologische zu übersetzen". Die Frage des Richters könne aber nicht durch ein einzelnes Reizwort, nicht durch eine „einfache" Assoziation, sondern nur durch eine „mehrfache" Assoziation, also mindestens zwei kurz nacheinander (1 sec.) gegebene Worte — der Doppelassoziation — ersetzt werden. Zwei Worte können so gewählt sein, daß sie eher auf einen gewissen Komplex hinweisen, als es nur ein einziges Wort tut. Deshalb solle als Komplexforschungsmethode die Doppelassoziation (ein Reiz- und ein Störungswort) eingeführt werden. Die Komplexmerkmale seien hier dieselben wie bei der einfachen Assoziation.

Eine skizzenhafte Darstellung und Kritik der Tatbestandsdiagnostik gibt Rittershaus (34). Deren Wesen macht die Komplexforschung aus, das heißt, das Suchen nach gefühlsbetonten Ereignissen mit experimental-psychologischer Methode. Nur ein besonderer Fall dieser Komplexforschung finde sich dann vor, wenn die gefühlsbetonten Ereignisse selbst vor dem Untersucher verborgen sind; in diesem Falle heißt es, „psychische Probepunktionen" anzuwenden. Als eine Methode dieser Art soll die Freudsche Psychoanalyse aufgefaßt werden. — Es wäre unrichtig, in der Tatbestandsdiagnostik nur auf sicher objektiven Erscheinungen weiterbauen zu wollen; die Resultate dieser Diagnostik haben immer die Eigenschaft von Symptomen, welche erst durch Zusammentreffen mehrerer Momente die Überzeugung einer objektiven Tatsache bezwecken. Die Methode der visuellen Exposition der Reaktionswörter sei zu verwerfen.

Es gibt nichts im Psychischen — so argumentiert Mezger (33) —, was nicht seinen Sinn hätte. Um aber zum Sinn zu gelangen, müsse man oft den manifesten Bewußtseinsinhalt durch den latenten ersetzen. So müsse die Tatbestandsdiagnostik jene besonderen biologischen Gebilde aufdecken, welche Komplexe genannt werden und durch ihre Affektbetonung die Bestimmung des Willens an sich reißen. Solche Komplexe seien die Beschuldigtenvernehmung betreffend: 1. der Tatkomplex, 2. der Willenskomplex (Verstellung, Lüge), 3. Ichkomplexe mit dem gesamten Vorleben des Verhörten, 4. Sachkomplexe (durch sachliche Gemeinschaft zusammengehalten): politische, soziale, wirtschaftliche, religiöse, philosophische, ethische Komplexe und die Sexualität. Auf Freud wird öfters verwiesen, aber vor Übertreibungen warnend, eine Nachprüfung der Freudschen Ergebnisse verlangt.

Das Unbewußte.

Referent: Dr. Th. Reik (in Vertretung von Dr. M. Eitingon).

Literatur: 1. Bjerre Poul: Bewußtsein kontra Unbewußtes. J. V. S. 687. — 2. Bleuler Eugen: Unbewußte Gemeinheiten. München 1916. — 3. Ders.: Zur Kritik des Unbewußten. Zeitschr. f. d. ges. Neurol. u. Psych. Bd. 53. 1919. — 4. Bloch E.: Über das noch nicht bewußte Wissen. Die Weißen Blätter. II. 1919. 355. — 5. Eitingon M.: Über das Unbewußte bei Jung. Z. II. 1914. 99. — 6. Federn Paul: Lust-Unlustprinzip und Realitätsprinzip. Z. II. S. 492. — 7. Fischer Aloys: Untergründe und Hintergründe des Bewußtseins. Deutsche Schule. XIX. — 8. Freud Sigm.: Das Unbewußte. Z. III. S. 189, 257. — 9. Ders.: Die Verdrängung. Z. III. S. 129. — 10. Ders.: Vorlesungen zur Einführung in die Psychoanalyse. I. Teil: Die Fehlhandlungen. 1916. — 11. Ders.: Zur Psychopathologie des Alltagslebens. Fünfte, verm. Aufl. 1917; sechste, verm. Aufl. 1919. — 12. Ders.: Vorlesungen zur Einführung in die Psychoanalyse. Drei Teile. 1918 (bes. Vorlesg. 18. S. 309). — 13. Ganz Hans: Das Unbewußte bei Leibnitz in Beziehung zu modernen Theorien. Zürich 1917. — 14. Hinrichsen Otto: Zur Psychologie des Unbewußten. Zentralbl. f. Psa. IV. 1914. S. 606. — 15. Jelgersma G.: Unbewußtes Geistesleben. (I. Beiheft z. Z. 1914.) 1914. — 16. Jung C. G.: Die Psychologie der unbewußten Prozesse. Zürich 1917. — 17. Kaplan Leo: Grundzüge der Psychoanalyse. 1915. — 18. Ders.: Psychoanalytische Probleme. 1916. — 19. Ders.: Hypnotismus, Animismus und Psychoanalyse. 1917. — 20. Kassowitz Max: Unbewußte Seelentätigkeit. Österr. Rundsch. V. H. 60/61. — 21. Kohnstamm Oskar: Medizinische und philosophische Ergebnisse aus der hypnotischen Selbstbesinnung. München 1918. — 21a. Ders.: Das Unterbewußtsein und die Methode der hypnotischen Selbstbesinnung. Journ. für Psychol. und Neurol. Band 23. 1918. — 22. Kretschmer Ernst: Zur Kritik des Unbewußten. Zeitschr. f. d. ges. Neurol. u. Psych. Bd. 46. 1919. — 23. Ders.: Seele und Bewußtsein. Ebda. Bd. 53. 1919. — 24. Löwenfeld Leop.: Bewußtsein und psychisches Geschehen. Wiesbaden 1913. — 25. Meijer Adolph F.: Jungs Psychologie der unbewußten Prozesse. Z. IV. S. 302. — 26. Müller Dora: Automatische Handlungen im Dienste bewußter, jedoch nicht durchführbarer Strebungen. Z. III. S. 41. — 27. Hanns Sachs: Unfälle und Zufälle. Der Greif. Juli 1914. — 28. Voigtländer Else: Über einen bestimmten Sinn des Wortes „unbewußt". Deutsche Psychologie. I. 1916. — 29. Wanke G.: Psychologie oder Metapsychologie. Ein Beitrag z. Psychol. d. Unbewußten. Fortschr. d. Med. 1914. Nr. 4. — 30. Windelband W.: Die Hypothese des Unbewußten. Heidelberg 1914.

Beiträge zur Psychopathologie des Alltagslebens: 1a. Blüher Hans: Ein Beitrag z. Psychopathol. des Alltagslebens. Z. III. S. 312. — 2a. Dukes

2*

G.: Ein Fall von Kryptomnesie. Z. III. S. 40. — 3a. Eitingon M.: Ein Fall von
Verlesen. Z. III. S. 349. — 4a. Ferenczi S.: Über vermeintliche Fehlleistungen.
Z. III. S. 338. — 5a. Haimann Henrik: Eine Fehlhandlung im Felde. Z. IV.
S. 269. — 6a. Jekels Ludwig: Eine tendenziöse Geruchshalluzination. Z. III.
S. 37. — 7a. Ders.: Ein vergessener Name. Z. III. S. 160. — 8a. Marcus Ernst:
Diverse Mitteilungen. Zentralbl. f. Psa. IV. 1914. 170. — 9a. Rank Otto:
Unbewußter Verrat durch Symptomhandlung. Z. III. S. 159. — 10a. Ders.:
Fehlhandlung und Traum. Ebda. S. 158. — 11a. Ders.: Ein determinierter Fall
von Finden. Ebda. S. 157. — 12a. Ders.: „Der teure Druckfehler." Ebda. S. 44.
— 13a. Reik Theodor: Fehlleistungen im Alltagsleben. Z. III. S. 43. —
14a. Ders.: Analyse zweier visueller Phänomene. Ebda. S. 38. — 15a. Ders.:
Das Versprechen. Berliner Morgenpost. 17. Mai 1914. — 16a. Ders.: Ein be-
deutsames Verzählen. Z. II. S. 173. — 17a. Sachs Hanns: Eine Fehlleistung
zur Selbstberuhigung. Z. III. S. 43. — 18a. Ders.: Ein Fall von Verlesen.
Z. IV. S. 159. — 19a. Schulze Hedwig: Analyse eines Erlebnisses. Zentralbl.
f. Psa. IV. 1914. S. 318. — 20a. Spielrein S.: Der vergessene Name. Z. II.
S. 383. — 21a. Dies.: Ein unbewußter Richterspruch. Z. III. S. 350. —
22a. Stärcke Johann: Aus dem Alltagsleben. Z. IV. S. 21, 98. — 23a. Storfer
A. J.: Zur P. d. A. Z. II. S. 170. — 24a. Tausk Viktor: Z. P.'d. A. Z. IV. S. 56.

Nachträge (zum vorigen Bericht): 1b. Adler Alfred: Die Rolle des
Unbewußten in der Neurose. Zentralbl. f. Psa. III. S. 169. — 2b. Friedmann
Hugo: Bewußtsein und bewußtseinsverwandte Erscheinungen. Zeitschr. f. Philos.
u. philos. Kritik. Bd. 139. 1910. S. 31.

Die abgelaufene Berichtsperiode hat den Begriff des Unbewußten durch Abgrenzung und Vertiefung in bedeutendem Maße
geklärt. Es ist kein Zufall, daß die Rolle und Funktion des Unbewußten im psychoanalytischen Lager selbst Gegenstand eifriger
Diskussion wurde, da mit der fortschreitenden Erforschung der
Neurosen und Psychosen neue Probleme auftauchten, in deren Brenn-
punkt die Frage nach den Eigenschaften, der Wirkungsart und der
Bedeutung des Unbewußten steht. Dazu kam, daß durch die neuen
Anschauungen Jungs (16) und Adlers (1a) sowie deren Schüler
eine terminologische und sachliche Verwirrung einzutreten drohte,
die das Bedürfnis nach Klarheit noch mehr steigerte. In einigen
Arbeiten, welche das bisher Bekannte über das Unbewußte zusammenfassen und neue Gesichtspunkte sowie Erkenntnisse dem Gefundenen hinzufügen, hat Freud die notwendigen Aufklärungen
gegeben; gezeigt, welche Tatsachen zur Annahme unbewußter seelischer Vorgänge zwangen, welche gerade dazu nötigten, dem Unbewußten die von der Analyse erkannten besonderen Charaktere zu-
zuweisen, und welche anderen es verboten, ihm Züge und Eigen-

schaften zuzuschreiben, die der Spekulation entstammen. Sowohl in den Vorlesungen (10, 12) als auch in seinen Aufsätzen (8) betont er immer wieder, daß die Annahme des Unbewußten notwendig und legitim ist und wir für die Existenz des Unbewußten mehrfache Beweise besitzen. Er verkennt keineswegs die Vieldeutigkeit des Unbewußten, da es Akte, die zeitweilig unbewußt, und solche Vorgänge, die verdrängt sind, umfaßt und zeigt, wie wertvoll der topische Gesichtspunkt für die Unterscheidung der verschiedenen Dignität psychischer Akte ist. Durch die psychische Topik, die nun ergänzend zu der dynamischen Auffassung seelischer Vorgänge tritt, ist es möglich anzugeben, in welchem System oder zwischen welchen psychischen Systemen sie sich abspielen. Die sich aufdrängende Frage nach der Existenz unbewußter Gefühle und Affektbildungen erhält ihre Antwort, wobei der Unterschied zwischen unbewußten Vorstellungen, die eigentlich Erinnerungsspuren sind, und ebensolchen Affekten, die Abfuhrvorgängen entsprechen, betont wird. Topik und Dynamik der Verdrängung, die sich an Vorstellungen an der Grenze zwischen den Systemen Vbw. und Ubw. abspielt, rücken in eine neue Beleuchtung durch Freuds Beschreibung dieses Vorganges als einer Libidoentziehung und durch die Annahme einer Gegenbesetzung zum Schutze des Systems Vbw. gegenüber dem Andrangen unbewußter Vorstellungen. Neben dem dynamischen und topischen Gesichtspunkt tritt so als dritter der ökonomische, der die Schicksale der Erregungsgrößen verfolgt. Die Beschreibung eines seelischen Vorganges nach seinen dynamischen, topischen und ökonomischen Beziehungen nennt Freud eine metapsychologische Darstellung. Die Charaktere der zum System Ubw. gehörigen Vorgänge sind Widerspruchslosigkeit, Primärvorgang (Beweglichkeit der Besetzungen), Zeitlosigkeit und Ersetzung der äußeren Realität durch die psychische. Freud gibt ein Bild des Verkehres der beiden Systeme, der nicht leicht beschrieben werden kann, und der Entwicklung von Abkömmlingen des Ubw. Wichtige Ergänzungen der hier entwickelten Gedankengänge liefert der Artikel Freuds (9), welcher die Verdrängung behandelt. Die Unterscheidung einer Urverdrängung als einer ersten Phase von der eigentlichen Verdrängung als zweiter Stufe, die Beschreibung des Vorganges der Abstoßung vom Bewußten und der Anziehung durch das Urverdrängte, die Charakterisierung der Verdrängung als individuell und mobil werden für die Kenntnis des Unbewußten und seiner Wirkungen außerordentlich aufschlußreich. Die Notwendigkeit der Annahme unbewußter Vorgänge und die Wichtigkeit der analytischen Theorien werden in dem klaren Vortrag von Professor Jelgersma (15) hervorgehoben, dem als Zeugnis eines hervorragenden und vorurteilslosen Psychiaters besonderer Wert zukommt. Um das Verständnis unbewußter Vorgänge und ihrer vielfältigen Beziehungen zu der Neurosen- und Psychosensymptomatologie sowie um begriffliche Differenzierung bemüht sich Kaplan (17 –19), der in den meisten seiner Arbeiten auch den Vergleich mit den Begriffen und Resultaten der nicht analytischen Psychologie sowie der Philosophie heranzieht. In seinen zu wenig gewürdigten Artikeln erscheinen so wichtige Probleme, wie die der Verdrängung und der psychischen Polarität, das der Umkehrung, der Beziehungen des Unbewußten zur Außenwelt, der Determiniertheit seelischer Vorgänge und andere von mehreren Seiten beleuchtet und in oft scharfsinniger Art gefördert. Bei Bjerre (1) erscheint das Verhältnis von Bw. und Ubw. schematisch als absolut konträres, woraus sich für ihn weit-gehende Konsequenzen für Modifikationen in der Theorie und Praxis der Psychoanalyse ergeben, die in der Richtung der Jungschen Lehren liegen. Diese selbst wurden mit Bezug auf den in ihnen bestimmten Charakter des Ubw. von Meyer (25) und Eitingon (5) einer so ausgezeichneten, sachlichen Kritik unterzogen, daß hier nur hervorgehoben sein soll, daß die Unterscheidung eines persönlichen und überpersönlichen, „absoluten oder kollektiven“ Unbewußten in dem Jungschen Sinne sich in der Theorie ebenso irreführend und willkürlich erweist, wie sie sich in ihren, sich für Jung ergebenden praktischen Konsequenzen als verhängnisvoll erwies. Der Schein von Berechtigung, den die Jungschen Theorien über das Unbewußte besitzen, ergibt sich daraus, daß die Psychoanalyse bisher die Beziehungen individueller psychischer Vorgänge und solcher der Massenpsyche noch nicht genügend erforscht, bzw. zum Objekt ihrer wissenschaftlichen Bemühungen gemacht hat. Wie vorsichtig sich Freud über den Inhalt des Ubw. in seiner Beziehung zu dem kollektiven seelischen Besitz äußert, geht aus dem Vergleich mit einer psychischen Urbevölkerung hervor: „Wenn es beim Menschen ererbte psychische Bildungen, etwas dem Instinkt der Tiere Analoges gibt, so macht dies den Kern des Ubw. aus. Dazu kommt später das während der Kindheitsentwicklung als unbrauchbar Beseitigte hinzu, was seiner Natur nach von dem Ererbten nicht verschieden zu sein braucht. Eine scharfe und endgültige Scheidung des Inhaltes der beiden Systeme stellt sich in der Regel erst mit dem Zeitpunkte der Pubertät her" (8). Wenn nun Jung aus den Phänomenen der Übertragung die Hypothese gewinnt, daß bestimmte Attribute, die dem Arzt vom Patienten zuerteilt werden, Projektionen der Inhalte des überpersönlichen oder kollektiven Unbewußtseins sind, besondere „urtümliche" Bilder als Dominanten dieses Unbewußten bezeichnet und z. B. die Teufelsdominante, den „zauberischen Dämon", den Werwolf usw. als Inhalte des Kollektiv-Unbewußten vom übrigen scheidet, zeigt er ein fundamentales Mißverständnis des Charakters des Unbewußten. So erklärt es sich, daß die Psychoanalyse ihm nun etwa als Kampf mit den Figuren des Unbewußten als kollektiv-unbewußter Determinanten erscheint. In manchen Beziehungen wurden Silberers anagogische Theorien, auf die Voigtländer (28) sich bezieht, zu Vorläufern der Jungschen Gedankenbahnen. Voigtländer unterscheidet ein reales, ein konstruiertes und ein ideell regulierendes Unbewußte, ohne daß die Berechtigung — geschweige denn die Notwendigkeit — solcher Unterscheidung erwiesen würde. Ihr Zweck aber liegt klar zu Tage, wenn die Autorin für das Pflügen zwar das Nahrungsinteresse als reales Motiv, die Zweckmäßigkeit als ideelles Regulativ anerkennt, aber nichts finden kann, was — trotz allen ihr bekannten folkloristischen, religions- und völkerpsychologischen Tatsachen — eine sexuelle Analogie zuließe.

Bleuler (3) verteidigt die Existenz des Unbewußten gegen Kretschmer (22, 23) und weist mit Nachdruck darauf hin, daß dahinter kein leerer Name, sondern ein unentbehrlicher Begriff stehe, „der etwa mit der nämlichen Wahrscheinlichkeit abgeleitet wird, wie Neptun aus den Störungen der Uranusbahn". Die wissenschaftliche Auseinandersetzung zwischen Bleuler und Kretschmer mag als Zeichen dafür dienen, daß der Begriff des Unbewußten im Sinne Freuds nun auch außerhalb der Psychoanalyse zum Gegenstand besonderer Diskussionen gemacht wird. Wir sind hier genötigt, auf das Referat zahlreicher Publikationen von Neurologen und Psychiatern, in welchen diese Diskussion an einzelnen Stellen geführt wird, zu verzichten, und wollen nur darauf hinweisen, daß sie sich auch auf dem Gebiete der nichtanalytischen Psychologie und der Philosophie immer stärker bemerkbar macht. Als Brücke zwischen diesen Untersuchungen darf die ruhige Würdigung der Rolle des Unbewußten im Geistesleben von Löwenfeld (24) bezeichnet werden, der, obwohl keineswegs ein Anhänger der Analyse, gerade das Verdienst Freuds um die neue Wissenschaft vom unbewußten Seelenleben hervorhebt und einen Versuch der Synthese analytischer und nichtanalytischer Psychologie macht. Hatte Jelgersma die wissenschaftliche Vorurteilslosigkeit und Sachlichkeit bewiesen, die seine Rektoratsrede auszeichnen, so schreckte ein bedeutender deutscher Gelehrter, Windelband, vor der „unheimlichen Vorstellung" (30, S. 7) zurück, „daß zu unserem seelischen Lebensbestand Inhalte, Regungen und Strebungen gehören können, von denen wir in dem klaren Ablauf unserer bewußten Tätigkeiten nichts ahnen". Wohltuend sticht von solcher affektreicher Abwehr die sachliche und kluge Untersuchung des Münchener Professors Aloys Fischer (7) ab, der die Gleichsetzung von seelischer Wirklichkeit und Bewußtsein ablehnt, auf Grund theoretischer Untersuchungen sich manchen Anschauungen der Psychoanalyse nähert und Dasein, Arten und Gesetzmäßigkeiten des Unbewußten als Gegenstand der wissenschaftlichen Psychologie anerkennt. Blochs (4), dem Referenten leider nicht immer verständlich gewordene Publikation geht spekulative Wege und führt vom Physiologischen ins Transzendente und Absolute, ins Reich der Metaphysik. Als Symptom wachsenden Interesses für das Unbewußte von seiten der Philosophie muß die Studie erwähnt werden, die Ganz (13) über das Unbewußte bei Leibniz in Beziehung zu modernen Theorien geliefert hat. Dieser Autor vergleicht auch die Hypothesen von Hartmann, Hering, Wundt, Semon usw. mit denen Freuds, so daß seine Arbeit eine Ergänzung zu Kaplans Versuch einer Geschichte der Wissenschaft vom Unbewußten, der von Mesmer über Charcot zu Freud führt, bildet (19).

Die Psychopathologie des Alltagslebens mit ihren so zahlreichen und vielseitigen Beziehungen zum Unbewußten erfuhr eine der Einführung besonders Rechnung tragende Darstellung in Freuds (10) Vorlesungen, während die beiden neuen Auflagen der „Psychopathologie des Alltagslebens", welche in diese Berichtsperiode fallen, um viele Beispiele vermehrt erscheinen (11). Das Erleben des Tages laßt aus seiner Fülle immer neue Beispiele kleiner, unbewußt deterninierter Fehlleistungen erkennen. Fast alle Analytiker und viele außerhalb der Analyse stehende Personen haben Beiträge zu diesem Thema geleistet, in dessen Behandlung die Phänomene des Unbewußten am leichtesten in ihrer Wirkung deutlich werden (1a—24a).

Traumdeutung.

Referent: Dr. O. Rank, Wien.

Literatur: 1. Adler Alfred: Traum und Traumdeutung. Zentralbl. für Psa. III. 574. (Dass.: Österr. Ärztezeitung. April 1913, und Dass.: Geschlecht und Gesellschaft. VIII. 1913.) — 2. Aall Anathon: Der Traum. Versuch einer theoretischen Erklärung auf Grundlage von psychol. Betrachtungen. Ztschr. f. Psychol. Bd. 70. 1919. (Drömmen forklaret ut fra det sviktende sane grundlag. Psyke. Tidskrift för Psykologisk Forskning. IX. Upsala 1914.) — 3. Ahlfeld F.: Traum und Traumformen. Ein Beitrag zur Frage nach der Entstehung des Traumes und seiner Bilder. Leipzig 1916. — 4. Becker H.: Volds Buch über den Traum und die moderne Traumdeutung. Psychiatr.-Neurol. Wochschr. XV. Nr. 33. 1913/14. — 5. Birstein J.: M. W. Garschins Traum. Zentralbl. f. Psa. IV. S. 432. — 6. Coriat J. H.: Träume vom Kahlwerden. Z. II. S. 460. — 7. Corray: Schülerträume. Ztschr. f. Jugenderziehung u. Jugendfürs. IV. — 8. Davidson: Erklärung eines Alptraumes. Z. IV. S. 207. — 9. Deutsch E.: Schlaf und Traumleben der Kinder. (Congrès premier internat. de Pédologie Bruxelles, aout 1911.) Bruxelles 1912. — 10. Eisler J. M.: Beiträge zur Traumdeutung. Z. V. S. 295. — 11. Erfahrungen und Beispiele aus der analytischen Praxis (von versch. Autoren). Z. II. S. 379. — 12. E.: Zur sexuellen Deutung des Prüfungstraumes. Z. V. S. 300. — 13. Federn Paul: Über zwei typische Traumsensationen. Jahrb. VI. S. 89. — 14. Ferenczi S.: Das „Vergessen eines Symptoms und seine Aufklärung im Traume". Z. II. S. 381. — 15. Ders.: Der Traum vom Okklusivpessar. Z. III. S. 29. — 16. Ders.: Affektvertauschung im Traum. Z. IV. S. 112. — 17. Ders.: Träume von Ahnungslosen. Z. IV. S. 208. — 18. Ders.: Pollution ohne orgastischen Traum und Orgasmus im Traum ohne Pollution. Z. IV. S. 187. — 19. Fischer-Defoy: Schlafen und Träumen. Stuttgart 1918. (Kosmos.) — 20. Freud S.: Darstellung der „großen Leistung" im Traume. Z. II. S. 385. — 21. Ders.: Vorlesungen zur Einführung in die Psychoanalyse: II. Teil: Der Traum. 1916. — 22. Ders.: Metapsychologische Ergänzung zur Traumlehre. Z. IV. S. 277. — 23. Ders.: Die Traumdeutung. Vierte, vermehrte Auflage. Mit Beiträgen von Dr. Otto Rank. 1914. — Fünfte, vermehrte Auflage. Mit Beiträgen von Dr. Otto Rank. 1919. — 24. Gerhardt F.: Unsere Träume und ihre Deutung. Langensalza 1919. — 25. Galant S.: Algolagnische Träume. Arch. f. Psych. Bd. 61. — 26. Großmann: Zur Deutung der Weckerträume. Z. V. S. 301. — 27. Grünbaum A.: Zur Psychologie des Traumes. Psychiatr. en Neurolog. Bladen 1915. — 28. Henning Hans: Der Traum, ein assoziativer Kurzschluß. Wiesbaden 1914. — 29. Hitschmann Eduard: Über Träume Gottfried Kellers. Z. II. S. 41. — 30. Ders.: Weitere Mitteilung von Kindheitsträumen mit spezieller Bedeutung. Z. II. S. 31. — 31. Ders.: Über eine im Traume ange-

kündig:- Reminiszenz an ein sexuelles Jugenderlebnis. Z. V. S. 205. — 32.
Hoche: Mögliche Ziele der Traumforschung. Arch. f. Psych. Bd. 61. — 33.
Hug-Hellmuth: Ein Traum, der sich selber deutet. Z. III. S. 33. — 34.
Kafka Gustav: Notiz über einen im Traum angestellten Versuch, den Traum
selbst zu analysieren. Ztschr. f. angew. Psychol. VIII. 1914. — 35. Ders.: Zweite
Notiz usw. Ebenda IX. — 36. Kaplan Leo: Grundzüge der Psychoanalyse.
1914. — 37. Ders.: Psychoanalytische Probleme. 1916. — 38. Ders.: Hypnotismus,
Autoismus und Psychoanalyse. 1917. — 39. Ders.: Über wiederkehrende Traum-
symbole. Z. IV. 284. — 40. Karpinska L.: Ein Beitrag zur Analyse sinnloser
Worte im Traume. Z. II. S. 164. — 41. Kardos M.: Zur Traumsymbolik. Z. IV.
S. 113. — 42. Ders.: Aus einer Traumanalyse. Z. IV. S. 267. — 43. Ders.:
Zwei Investträume. Z. V. S. 299. — 44. Ders.: Zur Stiegensymbolik im Traume.
Z. V. S. 300. — 45. Klages Ludwig: Vom Traumbewußtsein. Ztschr. f. Patho-
psychologie. III. 1914. — 46. Köhler Paul: Ein Beitrag zur Traumpsychologie.
Arch. f. d. ges. Psychol. 1913. S. 234. — 47. Koehler: Unser Denken im Wachen
und Träumen. Psychiatr.-Neurol. Wochschr. 1914. Nr. 46. — 48. Koerber
Heinrich: Die Traumanalyse als Hilfsmittel im Strafverfahren. Deutsche Straf-
rechtsztg. 1917. — 49. Kolisch Fritz: Ein böser Traum. Ztschr. f. Psychotherapie. VI. 1914. — 50. Lewin Robert: Traum und Kunst. „März". 18. April
1914 — 51. Lilienfein Heinrich: Hütet Euch zu träumen und zu dichten.
Eine Auseinandersetzung mit der Traumdeuterei der Wissenschaft. Die Grenz-
boten. 1914. Nr. 7. — 52. Lomer Georg: Zur Technik des Traumes. Die Umschau. XX. 1916. Nr. 42. — 53. Ders.: Der Traumspiegel. Ein Traumbuch auf
wissenschaftlicher Grundlage. München o. J. — 54. Ders.: Die Welt der Wahr-
träume. Leipzig 1919. — 55. Maeder Alfons: Über das Traumproblem. Jahrb. V.
1913. S. 453. — 56. Neue Erscheinungen über Schlaf, Traum und Grenzgebiete.
Ztschr. f. angew. Psychol. XV. 447. — 57. Neuere Literatur über Schlaf und
Traum. Ebda. IX. 1914. — 58. Niedermann Julius: Drei Träume. Berner
Seminarblätter. VIII. — 59. Page J.: Ein Wahrtraum. Zentralbl. f. Psa. IV
S. 413. — 60. Petersen Marg.: Ein telepathischer Traum. Zentralbl. IV. S. 84.
— 61. Pötzl Otto: Experimentell erregte Traumbilder in ihren Beziehungen
zum indirekten Sehen. Ztschr. f. d. ges. Neurol. und Psych. Bd. 37. 1917.
— 62. Rank Otto: Fehlhandlung und Traum. Z. III. S. 158. — 63. Ders.:
Die Geburts-Rettungsphantasie in Traum und Dichtung. Z. II. 43. — 64.
Ders.: Ein gedichteter Traum. Z. III. S. 231. — 65. Ramnarayan: The Dream
Problem. Delhi, India[1]). — 66. Reik Theodor: Der Nacktheitstraum des For-
schungsreisenden. Z. II. S. 463. — 67. Ders.: Traum und Kunst. „März".
9. Mai 1914. — 68. Ders.: Gotthilf Schuberts „Symbolik des Traumes". Z. III.
S. 295. — 69. Sachs Hanns: Das Zimmer als Traumdarstellung des Weibes.
Z. II. S. 35. — 70. Ders.: Ein absurder Traum. Z. III. S. 35. — 71. Sadger J.:
Über Pollutionen und Pollutionsträume. Fortschr. d. Med. 36. Jahrg. 1918/19.
Nr. 14/15. — 72. Schilder Paul und Herschmann H.: Träume der Melancholiker etc. Ztschr. f. d. ges. Neurol. u. Psych. Bd. 53. 1919. — 73. Schulze
Hedwig: Ein Spermatozoentraum im Zusammenhang mit Todeswünschen. Z. II.
S. 34. — 74. Silberer Herbert: Der Traum. Einführung in die Traumpsycho-
logie. Stuttgart 1919. — 75. Spielrein S.: Zwei Menseeträume. Z. II. S. 32.
— 76. Spitteler Karl: Die Träume des Kindes. Südd. Mon.-Hefte 1914. —
77. Stärcke August: Traumbeispiele. Z. II. S. 381 f. — 78. Stekel Wilhelm:

---

[1]) Dieses 1920 in Indien erschienene Buch, das eine große Reihe von indischen, englischen und amerikanischen Traumtheorien bespricht, denen der Autor
dann seine eigene anfügt, enthält auch eine Darstellung der Freudschen Traumtheorie und -analyse und zitiert eine Anzahl psychoanalytischer Werke.

Eine Aufgabe für Traumdeuter. Zentralbl. f. Psa. IV. 107. — 79. Ders.: Individuelle Traumsymbole. Ebda. 289. — 80. Ders.: Fortschritte der Traumdeutung. Ebda. 520. — 81. Stutzer Gustav: Geheimnisse des Traumes. 1917.
— 82. Tausk Viktor: Zwei homosexuelle Träume. Z. II. S. 36. — 83. Ders.:
Ein Zahlentraum. Ebda. 39. — 84. Verworn: Über den Traum. Handwörterbuch d. Naturwiss. — 85. Weiß Edoardo: Totemmaterial im Traume. Z. II.
S. 159. — 86. Wexberg Erwin: Zur Verwertung der Traumdeutung in der
Psychotherapie. Ztschr. f. Individualpsychol. I/1. 1914.
    87. Materialien: Daphnis und Chloe. Z. V. S. 307. — 87a. Dostojewski
über den Traum. Z. V. S. 307. — 87b. Der Fürst von Ligne und die Träume
(von Max Hochdorf). Z. III. S. 249. — 87c. Jokai Maurus über den Traum.
Z. V. S. 307. — 87d. Petronius Satyrikon. Zentralblatt f. Psa. IV. 1914, S. 515.
— 87e. Traum Benvenuto Cellinis (v. W. Stekel). Zentralbl. f. Psa. IV. 1914.
S. 322. — 87f. Ein Traum Goethes. Ebda. 512.
    88. Zur Symbolik: Ferenczi S.: Sinnreiche Variante des Schuhsymbols
der Vagina. Z. IV. S. 112. — 88a. Fischer A.: Die Quitte als Vorzeichen bei
Persern und Arabern und das Traumbuch des Abdal Rani an Nabulusie. Ztschr.
d. deutsch. morgl. Ges. 1914. — 88b. Jones Ernest: Die Theorie der Symbolik.
Z. V. S. 244. — 88c. Traumdeuterei, Astronomie und Astrologie in China.
Himmel und Erde. 1913.
    Kleinere Beiträge: Z. I. S. 159, 161, 378/79, 492—94, 495, 556, 569.
Z. II. S. 50—59, 379—82.

Seit dem letzten Sammelreferat (Jahrb. VI, S. 272) sind zwei
Neuauflagen der „Traumdeutung" (4. Aufl. 1914 und 5. Aufl. 1919[1])
sowie Freuds „Vorlesungen zur Einführung in die Psychoanalyse"
erschienen, deren zweiter Teil der Darstellung des Traumes gewidmet ist. Da in diesen Werken die wesentlichen Bereicherungen
der Traumdeutung und auch die in der Literatur erkennbaren Fortschritte der letzten Jahre niedergelegt sind, erscheint es zweckmäßig, an der Hand der Darstellungen Freuds die Weiterentwicklung der Traumlehre zu verfolgen.

Wir stellen einen Satz Freuds aus der letzten Auflage der
Traumdeutung voran (S. 409), der zwar nichts wesentlich Neues
bringt, aber doch ein charakteristisches Licht sowohl auf die Vertiefung des Traumverständnisses durch die Analyse wie auch auf
die Bedeutung dieses Verständnisses für die ganze Menschheits- und
Kulturgeschichte wirft: „Das Träumen ist im ganzen ein Stück
Regression zu den frühesten Verhältnissen des Träumers, ein Wiederbeleben seiner Kindheit, der in ihr herrschend gewesenen Triebregungen und verfügbar gewesenen Ausdrucksweisen. Hinter dieser
individuellen Kindheit wird uns dann ein Einblick in die phylo-

----

[1] Mit zwei Beiträgen des Referenten: 1. Traum und Dichtung,
2. Traum und Mythus.

genetische Kindheit, in die Entwicklung des Menschengeschlechtes, versprochen, von der die des einzelnen tatsächlich eine abgekürzte, durch die zufälligen Lebensumstände beeinflußte Wiederholung ist. Wir ahnen, wie treffend die Worte Fr. Nietzsches sind, daß sich im Traume ‚ein uraltes Stück Menschtum fortübt, zu dem man auf direktem Wege kaum mehr gelangen kann‘, und werden zur Erwartung veranlaßt, durch die Analyse der Träume zur Kenntnis der archaischen Erbschaft des Menschen zu kommen, das seelisch Angeborene in ihm zu erkennen. Es scheint, daß Traum und Neurose uns mehr von den seelischen Altertümern bewahrt haben, als wir vermuten konnten, so daß die Psychoanalyse einen hohen Rang unter den Wissenschaften beanspruchen darf, die sich bemühen, die ältesten und dunkelsten Phasen des Menschheitsbeginnes zu rekonstruieren" (23, S. 409).

Die hiebei sich aufdrängende Frage, „ob es gelingen wird, zu unterscheiden, welcher Anteil der latenten seelischen Vorgänge aus der individuellen und welcher aus der phylogenetischen Urzeit stammt", möchte Freud (21, S. 222) nicht verneinen. Insbesondere erscheint ihm die Symbolbildung, die der einzelne niemals erlernt hat, zum Anspruch berechtigt, als phylogenetisches Erbe betrachtet zu werden.

Damit sind wir bei dem auch heute noch interessantesten Thema der Traumdeutung, nämlich der Symbolik, deren Bedeutung die Aufgabe der Traumdeutung weit überschreitet und an der zahlreiche noch ungelöste Probleme haften. Gerade jene nicht seltenen Fälle, welche das Gemeinsame zwischen dem Symbol und dem Symbolisierten nicht ohne weiteres erkennen lassen, weisen darauf hin, daß die Symbolbeziehung genetischer Natur ist. „Was heute symbolisch verbunden ist, war wahrscheinlich in Urzeiten durch begriffliche und sprachliche Identität vereint" (23, S. 240). Dabei kann man beobachten, daß die Symbolgemeinschaft in einer Anzahl von Fällen über die Sprachgemeinschaft hinausreicht. Einige durch die fortgesetzte analytische Arbeit weiterhin verifizierte Traumsymbole führt Freud (23, S. 241—245, neu eingeschaltet 249/250, 253—260) an, nicht ohne davor zu warnen, die Symboldarstellung unterschiedslos mit den anderen Arten indirekter Darstellung zusammenzuwerfen, von denen er (23, S. 278—280) eine Reihe mitunter höchst witziger und amüsanter Beispiele bringt.

In der Anwendung der Symboldeutungen bei der Traumanalyse warnt Freud davor, ihre praktische Bedeutung zu überschätzen und etwa ihr zuliebe die Einfallstechnik zu vernachlässigen, der praktisch wie theoretisch der Vorrang verbleibt, während die Symbolübersetzung nur als Hilfsmittel hinzutritt. Man wird so zu einer kombinierten Technik genötigt, „welche sich einerseits auf die Assoziationen des Träumers stützt, anderseits das Fehlende aus dem Symbolverständnis des Deuters einsetzt" (23, S. 240).

Eng verwandt mit der Symbolik ist das Thema der typischen Träume, bei deren Deutung die Einfälle des Träumers in der Regel gleichfalls versagen. Bei diesen Träumen unterscheidet Freud jetzt scharf zwei Klassen (23, S. 262): solche, die wirklich jedesmal den gleichen Sinn haben, und solche, die trotz des gleichen oder ähnlichen Inhaltes doch die verschiedenartigsten Deutungen erfahren müssen, weil dieselben (typischen) Gedanken und Vorstellungen sich der verschiedensten unbewußten Wünsche zur Traumbildung bedienen können.

Die ungenügende Beachtung der wichtigen Unterscheidung zwischen den latenten Traumgedanken und den unbewußten Traumbildnern scheint die zweite, gegenwärtige Phase des Traumverständnisses der wissenschaftlichen Welt zu repräsentieren, nachdem die erste Phase der Verwechslung von manifestem und latentem Trauminhalt als teilweise überwunden betrachtet werden kann.

„Nachdem man so lange den Traum mit seinem manifesten Inhalt zusammenfallen ließ, muß man sich jetzt auch davor hüten, den Traum mit den latenten Traumgedanken zu verwechseln" (23, S. 430 Anmkg.). „,Traum' kann man nichts anderes nennen, als das Ergebnis der Traumarbeit, das heißt also die Form, in welche die latenten Gedanken durch die Traumarbeit übergeführt worden sind" (21, S. 201).

Wie die meisten Mißverständnisse psychoanalytischer Einsichten hat auch diese Verwechslung der latenten Gedanken mit dem Traum selbst bei analytischen Außenseitern als unbewußter Widerstand Eingang gefunden. Nachdem Adler (1) von der „vorausdenkenden" Funktion des Traumes gesprochen hatte, stellte Maeder (55) eine „fonction ludique" des Träumens auf, ohne zu beachten, daß all diese „prospektiven" Tendenzen „Funktionen des vorbewußten Wachdenkens sind[1]), deren Ergebnis uns durch die Analyse der Träume oder auch anderer Phänomene verraten werden kann" (23, S. 430 Anmkg.). Kaplan äußert sich zu dieser Frage in einem eigenen Abschnitt (III) seines Buches (37): „Über eine angebliche teleologische Funktion des Traumes" und spricht Maeder das Recht ab, von einer „Vorübung" der bewußten Tätigkeit beim Traum zu sprechen, der die Wunschbefriedigung halluzinatorisch, das heißt mit Umgehung der Realität bewerkstellige.

Diese Behauptung ist also „als Charakteristik der unbewußten Geistestätigkeit, der die latenten Traumgedanken angehören, einerseits keine Neuheit, anderseits nicht erschöpfend, denn die unbewußte Geistestätigkeit beschäftigt sich mit vielem anderen neben der Vorbereitung der Zukunft" (21, S. 267). Auf Heranziehung dieses umfassenderen Inhaltes der latenten Traumgedanken scheint die Entstellung der Freudschen Wunschtheorie zu beruhen, die Silberer neuestens versucht hat (74). Er glaubt, sich nicht mit einer exklusiven Wunschtheorie identifizieren zu können (S. 50). Es sei zwar „wirklich bei allen Emotionen (und Emotionen sind für den Traum das unbedingt Erforderliche) das Wunschleben des Menschen irgendwie beteiligt. Aber es fragt sich, ob die ständige Orientierung des Betrachters nach dieser Richtung hin immer das Charakteristische, das Wichtigste, das Leitmotiv hervorheben läßt. Ich glaube bei aller Zustimmung zu der Lehre von den verborgenen Wünschen und ihrem unkenntlichen Auftreten, mich doch einer allgemeineren Formel bedienen zu sollen, indem ich sage: der Erreger des Traumes ist allemal ein emotionell hochwertiger Faktor[2]), der mit lustvoller und unlustvoller Färbung unser Interesse wachruft, uns in frohe Erwartung, in selbstgefällige Bespiegelung, in bange Befürchtung, in sorgende Betrachtung, in bittere Anklage oder sonst in eine vom Affekt beseelte innere Handlung bringt. Zumeist sind mehrere Faktoren[2]) zugleich an dem Traume beteiligt" (S. 63). Wir finden hier das gleiche grobe Mißverständnis der Traumtheorie wieder, das

---

[1]) Wie neuerdings eine äußerst instruktive Arbeit von Dr. Varendonck (Gent) beweist, welche demnächst publiziert werden soll.
[2]) Vom Autor selbst gesperrt!

Silberer — trotz mancher wertvollen Beiträge zur Traumlehre — mit den meisten Lesern der Traumdeutung teilt. Der Traum mag Warnung, Vorsatz, Vorbereitung usw. sein, insoweit man nur die durch ihn vertretenen Gedanken berücksichtigt; „er ist immer auch die Erfüllung eines unbewußten Wunsches, und er ist nur dies, wenn Sie ihn als Ergebnis der Traumarbeit[1]) betrachten. Ein Traum ist also auch nie ein Vorsatz, eine Warnung schlechtweg, sondern stets ein Vorsatz u. dgl., mit Hilfe eines unbewußten Wunsches in die archaische Ausdrucksweise übersetzt und zur Erfüllung dieser Wünsche umgestaltet. Der eine Charakter, die Wunscherfüllung, ist der konstante; der andere mag variieren; er kann seinerseits auch ein Wunsch sein, so daß der Traum einen latenten Wunsch vom Tage mit Hilfe eines unbewußten Wunsches als erfüllt darstellt" (21, S. 251 f.). Die so häufige Verkennung dieses Sachverhaltes auch in analytischen Kreisen rührt daher, daß er in praxi für gewöhnlich vernachlässigt werden darf. Nicht nur bei der Deutung von Träumen Gesunder, sondern auch in der analytischen Tätigkeit interessieren uns in der Regel nur die vorbewußten Gedanken, die sich einmal ebenso gut der Traumform bedienen können, wie sie sich andere Male im freien Einfall oder in einer Fehlhandlung äußern. „Man strebt meist nur danach, die Traumform wieder zu zerstören und die latenten Gedanken, aus denen der Traum geworden ist, an seiner statt in den Zusammenhang einzufügen" (21, S. 250).

Angesichts der immer noch herrschenden Unkenntnis des Wesens der Freudschen Wunschtheorie müßte man es dankbar begrüßen, daß Freud neuerdings wieder (22) einen tiefer dringenden und klärenden Vorstoß auf diesem Gebiete unternommen hat, wenn man nicht fürchten müßte, daß diese neuen Aufklärungen denjenigen nicht viel nützen werden, welche die früheren noch nicht aufzunehmen im stande waren. Diese „Metapsychologische Ergänzung zur Traumlehre" versucht die im VII. Abschnitt der „Traumdeutung" niedergelegten psychologischen Erörterungen über Bau und Funktion des seelischen Apparates auszugestalten und zu vertiefen. Freud knüpft dabei an den für das Verständnis der Traumbildung fundamentalen Begriff der Regression an und

---

[1]) Hervorhebung vom Referenten.

unterscheidet dreierlei Arten derselben: „a) eine topische im Sinne
des entwickelten Schemas der Ψ-Systeme, b) eine zeitliche, in-
sofern es sich um ein Rückgreifen auf ältere psychische Bildungen
handelt, und c) eine formale, wenn primitive Ausdrucks- und
Darstellungsweisen die gewohnten ersetzen. Alle drei Arten von
Regression sind aber im Grunde eines und treffen in den meisten
Fällen zusammen, denn das zeitlich Ältere ist zugleich das formal
Primitive und in der psychischen Topik dem Wahrnehmungsende
Nähere" (23, S. 409). Von den zeitlichen Regressionen sind wieder
zwei zu unterscheiden: „die der Ich- und die der Libidoentwicklung.
Die letztere reicht beim Schlafzustand bis zur Herstellung des
primitiven Narzißmus[1], die erstere bis zur Stufe der
halluzinatorischen Wunschbefriedigung" (22). Als
solche ist die populäre „Wunscherfüllung" des Traumes eigentlich
psychologisch zu verstehen, indem der primitive Narzißmus, durch
gewisse ihre Vitalität auch während des Schlafes festhaltenden
Systembesetzungen gestört, sich ihrer durch Ableitung der Tagesreste mittels des einen ubw Triebanspruch repräsentierenden Traum-
wunsches in die auf regressivem Wege erzielte Befriedigung zu
erwehren sucht. Somit wären „die Träume Beseitigungen
schlafstörender (psychischer) Reize auf dem Wege
der halluzinierten Befriedigung"[1] (21, S. 145). Diese Formel, welche durchaus nichts Neues, sondern nur die konsequente
Herausarbeitung der bereits in der „Traumdeutung" entwickelten
Wunschtheorie bringt, läßt in ihrer allgemeinen Fassung Platz
für die verschiedensten psychischen Reize (sowohl von den Ich-
wie von den Sexualtrieben her), ohne sich auf eine konstant bleibende sexuelle Determinante festzulegen, wie oberflächlicher oder
böswilliger Unverstand gemeint hat. Wenn in den Traumdeutungen,
namentlich der Neurotiker, aber auch der normalen Erwachsenen,
das sexuelle Material vorwiegt, so hat das wieder mit dem
eigentlich traumbildenden unbewußten Wunsch der Theorie prinzipiell nichts zu tun, sondern ist nur ein Ausdruck und für uns
ein Beweis dafür, daß das Sexuelle im Psychischen — und natürlich besonders im Verdrängten — des Menschen einen ungeheuer
breiten Raum einnimmt. Aber selbst die Behauptung, daß alle

---

[1] Vom Autor selbst hervorgehoben.

Träume eine sexuelle Deutung erfordern, gegen welche in der Literatur unermüdlich polemisiert wird, ist F r e u d s „Traumdeutung"
fremd. Sie ist in fünf Auflagen dieses Buches nicht zu finden
und steht in greifbarem Widerspruch zu anderem Inhalt desselben
(23, S. 270). Da sie dennoch so hartnäckig wiederholt wird, so
könnte Referent sich durch seine erweiternde Modifikation der
Freud schen Grundformel daran schuldig fühlen, wenn dieser Vorwurf nicht auch schon vor ihrer Aufnahme in die „Traumdeutung"
(3. Aufl. 1911, S. 117 Anmkg.) unberechtigterweise gegen F r e u d
und seine Neurosenlehre erhoben worden wäre. Wie gewissenlos aber
selbst jetzt noch in dieser Hinsicht auch von Autoren verfahren
wird, die der Psychoanalyse nahe stehen, zeigt die Tatsache, daß
S i l b e r e r (74, S. 63) nach ungenauer Wiedergabe der F r e u d-
schen Formel die des Referenten ohne Namensnennung und in einer
Weise zitiert, aus der man den Eindruck gewinnen muß, sie sei
eine genauere Formulierung von F r e u d selbst. Die ganze, überaus charakteristische Stelle lautet wörtlich: „ja man kann sogar
einen Standpunkt einnehmen, von dem aus der Traumerreger stets
als ‚Wunsch' gesehen wird (F r e u d). Die genaueste Formel dieser
Ansicht — deren volles Verständnis man allerdings nur durch viel
eingehendere Würdigung des F r e u d schen Systems vermitteln
könnte — lautet: ‚Der Traum stellt regelmäßig auf der Grundlage
und mit Hilfe verdrängten infantil-sexuellen Materials aktuelle, in
der Regel auch erotische Wünsche in verhüllter und symbolisch
eingekleideter Form als erfüllt dar'".

Diese Formel, welche sich einerseits nur mit dem M a t e r i a l
des Traumes beschäftigt und die Theorie außer acht läßt, gestattet
anderseits auch eine zwanglose Subsummierung der sogenannten Be-
quemlichkeits-(Hunger-, Durst-, Harnreiz-)Träume usw., indem sie
die aktuellen Wünsche als „in der Regel" erotisch bezeichnet [1]), davon
also Ausnahmen zuläßt. Tatsächlich aber erweisen sich die meisten
sogenannten B e q u e m l i c h k e i t s t r ä u m e Erwachsener nicht als
Ausnahmen von der Regel, indem sie eine recht beträchtliche erotische

---

[1]) Daß die Formel aus der Untersuchung des Materials von Träumen E r-
w a c h s e n e r gewonnen ist, sollte vielleicht ausdrücklich bemerkt werden, obwohl es sich aus dem Hinweis auf das verdrängte i n f a n t i l-sexuelle Material,
welches naturgemäß beim Kinde noch nicht vorhanden sein kann, von selbst
versteht.

Unterfütterung erkennen lassen, wenn man sich bequemt, auf ihre
Analyse einzugehen, anstatt ihren scheinbaren Bequemlichkeits-
charakter einfach durch eine „Bequemlichkeitsdeutung" anzuerkennen.
So wird z. B. der erotische Reiz im Traume nicht selten in
infantiler Einkleidung als Harnreiz dargestellt, ja der der Bequem-
lichkeitstendenz dienende Harnreiztraum ist häufig durch einen
sexuellen Reiz verursacht. Anderseits verraten uns die Pollutionsträume in ihrem Effekt mit mehr minder experimenteller Deutlichkeit den sexuellen Sinn sich harmlos gebärdender Traumbilder.
Anknüpfend an die betreffenden Ausführungen des Referenten hat
Ferenczi in einem Artikel „Pollution ohne orgastischen Traum
und Orgasmus im Traum ohne Pollution" (18) auf bestimmte typische
Gruppen von unsinnlichen Orgasmusträumen hingewiesen (Beschäf-
tigungsträume, Angstträume mit Pollution usw.) sowie auf den viel
selteneren Typus von unverhüllten Koitusträumen ohne Pollution.
Im ersten Falle ist der ubw Wunsch stark genug, um den organischen Genitalprozeß in Gang zu setzen, aber zu schwach, die
allzu strenge Zensur zwischen Ubw und Vbw zu durchbrechen.
Beim orgastischen Traum ohne Pollution dürfte hingegen der ubw
Sexualwunsch an und für sich zu schwach sein, um einen Samen-
erguß zu erzeugen; er dient hier nur dazu, die Stelle des vbw
unerträglichen Gedankens zu vertreten" (S. 192). Neuerdings hat
Sadger (71) die Beziehung der Pollutionsträume zur Urethralerotik
sowie zu Ejaculatio praecox und psychischen Impotenz betont. Bei
allen diesen Problemen ist die Übereinanderschichtung der
Bedeutungen des Traumes niemals zu vergessen, deren Würdigung
einen am ehesten vor der Aufstellung voreiliger Behauptungen über
das Wesen des Traumes bewahren kann.

Was den bereits im vorigen Jahresbericht (S. 277 f.) gewürdigten
positiven Beitrag Silberers zur Traumdeutung betrifft, das sogenannte „funktionale" Phänomen (von manchen fälschlich als funktionale „Symbolik" bezeichnet), so anerkennt Freud dasselbe als
einen zweiten, wenn auch minder konstanten Beitrag zur Traumbildung von Seite des Wachdenkens neben der viel bedeutsameren
„sekundären Bearbeitung". Jedoch wäre das funktionale Phänomen
viel mißbraucht worden, indem es der alten Neigung zur abstrakt
symbolischen Deutung der Träume entgegenkomme. Insbesondere

3*

die immer mehr von S i l b e r e r betonte „Schwellensymbolik" konnte
Freud ungleich seltener finden, als man nach den Mitteilungen
Silberers erwarten sollte (23, S. 344). Diese Phänomene beschreiben eigentlich das Verhalten einer rein registrierenden seelischen Instanz, welche feststellt, daß unter Umständen eine Art
von Selbstbeobachtung bei der Traumzensur mittätig ist, die ihren
Beitrag zum Trauminhalt liefert, ohne weiter etwas zum Verständnis
des Traumes als eines seelischen Produktes beizutragen.

Einer Behauptung Silberers kann nicht oft und energisch
genug widersprochen werden, da sie, bis nun völlig unbewiesen,
doch gerne von all denen wiederholt wird, welche die grundlegenden
Verhältnisse bei der Traumbildung verschleiern und das Interesse
von ihren Triebwurzeln ablenken möchten. Es handelt sich um den
Nachweis, den uns Silberer bis heute schuldig geblieben ist
und den man auch in seiner letzten Arbeit vergeblich sucht -
daß der Traum neben der „psychoanalytischen" Deutung noch die
sogenannte „anagogische" zum vollen Verständnis erfordere, welche
auf die Darstellung der höheren Seelenleistungen hinzielt. Silberer hat diese Behauptung nicht durch Mitteilung einer Reihe
von Träumen, die er nach beiden Richtungen analysiert hätte, erwiesen. Nach unseren analytischen Erfahrungen besteht eine solche
Tatsache nicht; die meisten Träume verlangen nicht einmal eine
Überdeutung, geschweige, daß sie einer anagogischen Deutung fähig
wären. In den Fällen, wo sie möglich ist, wird sie vom Träumer
in der Regel unmittelbar gegeben, während die richtige „Deutung"
des unterschobenen Materials mit den bekannten technischen Mitteln
gesucht werden muß (23, S. 391). Wollte man aber die sich etwa
bei der Traumdeutung der in psychoanalytischer Behandlung stehenden Patienten ergebenden Gedankengänge, die sich auf die Sublimierung (sowie auf Übertragung und Widerstand) beziehen, als
„anagogische" Deutung ausgeben wollen, so müßte auch hier wieder
vor der Verwechslung des Traumes mit dem Traummaterial (den
vorbewußten Gedanken) gewarnt werden; eine Warnung, die Freud
auch denen gegenüber angebracht hat, welche die „Lenkbarkeit"
der Träume durch den Analytiker als Argument gegen die Objektivität der Traumforschung verwenden wollten. „Der Analytiker
spielt also bei diesen Beeinflussungen seiner Patienten keine andere

Rolle als der Experimentator, der . . . . den Gliedern seiner Versuchspersonen gewisse Stellungen erteilt. Man kann oftmals den Träumer beeinflussen, w o r ü b e r er träumen soll, nie aber darauf einwirken, w a s er träumen wird. Der Mechanismus der Traumarbeit und der unbewußte Traumwunsch sind jedem fremden Einfluß entzogen" (21. S. 269).

In der Abweisung der hartnäckig wiederkehrenden Verwechslung des Traumes mit den latenten Gedanken, welche zu Einwendungen gegen die Wunscherfüllungstheorie verwendet werden, sind wir wiederholt einem Problem nahe gekommen, welches F r e u d neuerdings wieder berührt hat[1]). Da die vorbewußten Gedanken dem Traum ein Material bieten können, das einer Wunscherfüllung durchwegs widerspricht, also begründete Sorgen, schmerzliche Erwägungen, peinliche Einsichten, erscheint d i e Frage nicht unberechtigt, wie sich der Traum in einem solchen Falle benimmt. Nun ist diese Frage eben von F r e u d, und zwar bereits in der ersten Auflage der Traumdeutung (1900), gelöst worden, indem er zeigte, wie auch die Unlust- und Angstträume im Sinne der Theorie ebensosehr Wunscherfüllungen — wenn auch verdrängter, nicht ichgerechter Wünsche oder solcher aus einem anderen psychischen System — seien wie die glatten Befriedigungsträume, bei denen der ubw Wunsch mit dem bw zusammenfällt. Der Mechanismus der Traumbildung würde allerdings durchsichtiger, wenn man anstatt des Gegensatzes von „Bewußt" und „Unbewußt" den von „Ich" und „Verdrängt" einsetzte (23, S. 415). Auf Grund dieser Unterscheidung kann man dann eine besondere Gruppe von „S t r a ft r ä u m e n" anerkennen, die gleichfalls einen unbewußten Wunsch, und zwar den nach Bestrafung des Träumers für eine verdrängte unerlaubte Wunschregung, erfüllen. Nur müssen wir den bei den Strafträumen wirksamen ubw Wunsch dem „Ich" zurechnen, nicht dem Verdrängten. Die Strafträume wiesen so auf die Möglichkeit einer noch weiter gehenden Beteiligung des Ichs an der Traumbildung hin. Sie entstehen am leichtesten unter der Voraussetzung, daß die Tagesreste Gedanken befriedigender — nicht wie man

[1]) Vgl. seinen Vortrag auf dem Haager Kongreß (Sept. 1920), dessen kurzes Autorreferat in der Zeitschr. f. Psa. VI, S. 397, abgedruckt ist, sowie die Abhandlung „Jenseits des Lustprinzips" (1920).

meinen sollte peinlicher — Natur sind, die aber unerlaubte Befriedigungen ausdrücken; von diesen Gedanken gelangte dann nichts in
den manifesten Traum als ihr direkter Gegensatz. So ergibt sich
für Freud die etwas weiter gefaßte Traumformel: „Wunscherfüllung. Angsterfüllung, Straferfüllung"; wobei daran zu erinnern ist,
daß Angst der direkte, im Ubw zusammenfallende Gegensatz des
Wunsches und die Strafe auch eine Wunscherfüllung, die der anderen zensurierenden Person, darstellt (21, S. 246).

Endlich stellt noch eine Gruppe von Träumen der Traumdeutung schwierige Aufgaben, nämlich die Träume von geliebten Toten. Der in ihnen gewöhnlich vorkommende Wechsel
von tot und lebendig ist nach Freud (23, S. 291 A) eine Darstellung
der Gefühlsambivalenz des Träumers und soll diese im Sinne einer
Gleichgültigkeit verleugnen helfen. Andere Träume, in denen man
sich erst erinnert, daß die betreffende Traumfigur schon längst tot
sei, beschäftigen sich mit den Gedanken an den eigenen Tod und
deren Ablehnung; doch ist die Bedeutung dieser Träume von der
Analyse noch nicht voll erschöpft worden. Neuerdings versuchte
Galant (25) in oppositioneller Absicht, diese eine einheitliche
Gruppe bildenden Träume als sexuelle Wunscherfüllungen der algo-
lagnischen Perversion hinzustellen.

Eine wesentliche Vertiefung im Verständnis der Traumpsychologie verdanken wir Federn, der in einer feinen Studie (13) die
spezifische Hemmungs- und Flugsensation im Traume untersucht
und für beide besondere charakteristische Bedingungen angegeben
hat. Bei der Hemmungssensation handelt es sich um einen besonderen Hemmungsvorgang im Muskelapparat, der mit dem normalen
Fehlen der Motilität im Traume nicht identisch ist, und Federn
sieht in den im Zustand der Ermüdung auftretenden Muskelsensa-
tionen den speziellen organischen Reiz, welcher das Zustandekommen
der Hemmungssensation erleichtert (S. 104). Der Autor verweist
dabei in äußerst instruktiver Weise auf die beim Neurotiker durch
Konversion entstandene Müdigkeit, der ebenso wie dem Hemmungstraum ein ubw Gegenwille gegen die Wunscherfüllung zu Grunde
liegt. „Der Hemmungstraum zeigt uns, in welcher Weise ein Er-
müdungsgefühl psychogen zu stande kommt, und wir haben hier
eine analytische Erklärung einer durch die ubw Traumarbeit zu

...stande gekommenen Konversion" (S. 106). Durch die Hemmung der
Aktion unterscheidet sich der psychische Mechanismus des .eigent-
lichen Hemmungstraumes von den beiden typischen Träumen, die
sich so häufig mit ihm verbinden. „Wird nämlich nicht die Aktion-
sondern der Wunsch selber verhindert, erliegt schon dieser erste
Teil der Strebung dem Gegenwillen, so entsteht ein Angsttraum.
Richtet sich aber gleichzeitig oder ausschließlich die ubw Gegen-
macht gegen das Geschehenwerden des unerlaubten Wunsches,
also gegen den Eindruck, den die Menschen von der verbotenen,
gewunschten Handlung hatten, dann rekurriert die Darstellung auf
stark verbotene und stark gewunschte Zeigelust des Kindesalters und
es entsteht der typische Exhibitionstraum" (S. 111). In ähnlich
instruktiver Weise hat Federn den Flugtraum, dessen Verständnis
er schon früher durch Hinweis auf die Erektionssymbolik gefördert
hatte, auf eine andere allgemeine Sensation, nämlich die der
Schwindelempfindung, zurückgeführt, wobei er auf den häufigen
Übergang der Flugträume in Fallträume verweist. „Das Organ,
mit welchem der Träumer fliegt, ist das statische Organ. Die Flugsensation erfolgt durch Regression zum Gleichgewichtsorgane" (S.
123). Im Gegensatz zum Hemmungstraum liegt dem Flugtraum
eine Steigerung des ungehemmten Willens zu Grunde. Auch
der typischen Flugsensation entspricht ein hysterisches Konversions-
symptom, der hysterische Schwindel.

Einen wichtigen Beitrag bringt Pötzl in seiner bedeutsamen
Arbeit (61), welche die grobe Technik der Einführung schlaf-
storender Reize in den Traumzustand durch eine an Anregungen reiche
verfeinerte experimentelle Methode ersetzt. Pötzl ließ von verschiedenen Versuchspersonen in Zeichnung fixieren, was sie von einem
tachistoskopisch exponierten Bilde bewußt aufgefaßt hatten. Aus
dem Traum der folgenden Nacht ließ er dann geeignete Teile gleichfalls zeichnerisch darstellen. So zeigte sich unverkennbar, daß die
von der Versuchsperson nicht aufgefaßten Einzelheiten des exponierten Bildes in der bekannten selbstherrlichen Art im Dienste
der traumbildenden Tendenzen verarbeitet worden waren, während
die bewußt wahrgenommenen und in der Zeichnung fixierten Teile
des exponierten Bildes im manifesten Trauminhalt nicht wieder erschienen waren. Es darf dieses Versuchsergebnis als ein wertvoller

experimenteller Beweis für die Aufstellungen der „Traumdeutung"
über die Rolle des Rezenten in der Traumbildung angesehen werden.

Die von Rudolf Weber (Genf) seinerzeit aufgeworfene Frage:
„Warum denken wir im Wachen in Worten, im Traum in Bildern?"
versucht Koehler (47) auf Grundlage der Freud schen Lehre
dahin zu beantworten, „daß unser Seelenleben die größere Anzahl
angenehmer Eindrücke durch das Auge empfängt".

Aus der übrigen mehr zahlreichen als inhaltreichen Traumliteratur wollen wir drei charakteristische Typen hervorheben: Neben
den noch immer nicht ausgestorbenen a priori Gegnern diejenigen,
welche nicht mehr an der Freud schen Lehre vorübergehen zu
können glauben und sie ihren bisherigen Auffassungen über den
Traum anreihen (19, 81 u. a.); und endlich solche, die sie auf-
nehmen, aber sofort in ihrer Art weiterentwickeln zu müssen glauben. Als Beispiel der ersten Gruppe von absoluten Gegnern nennen
wir Henning (28), weil er es verdient, als Pegel wissenschaftlicher Argumentation unserer Tage der Vergessenheit entrissen zu
werden. Gegen die Wunscherfüllungstheorie polemisiert H. mit
der ganzen Wucht der statistischen Feststellung, daß 75% aller
Träume unangenehm sind. Zweitens paßt ihm die Symbolik nicht und
um seine Überlegenheit in diesem Punkte so recht zeigen zu können,
identifiziert er Silberers Meinung[1]) mit dem Standpunkte der
Freudschule, wobei ihm eine offenbar witzig sein wollende Bemerkung
unterläuft: Wenn die hauptsächlichste Bedingung der Symbolbildung in einer Unzulänglichkeit des Auffassungsvermögens liegt,
mache sich die Freudschule gerade kein Kompliment, und deren
Gegner werden sich freuen, daß sie in ihren Träumen keine Symbole vorfinden. Hinter dieser zweideutigen Auffassung der Symbolbildung verrät sich die Symbolunbildung des Autors in eindeutiger
Weise. Besonders scharf hat er es natürlich auf die Sexualsymbolik,
in deren Zurückweisung er keine Grenzen — nicht einmal die der
Erfahrung — kennt. „Wir werden bei den Examensträumen wie
bei den Pollutionsträumen[2]) sehen, daß der Sachverhalt sich
tatsächlich ganz anders verhält[3]), daß ferner von einer sexuellen Komponente keine Rede zu sein braucht"[2]) (S. 11).

---

[1]) Jahrbuch, Bd. III, S. 680.
[2]) Vom Referenten hervorgehoben.
[3]) Als von Stekel angegeben.

Ärgerlicher als solch platte Ignoranten sind diejenigen, welche
sich durch die Funde der Psychoanalyse, die sie zum Gemeingut
stempeln möchten, zu ihrer Weiterverarbeitung verpflichtet fühlen.
Ein solcher ist Lomer, der mit unverschämter Nonchalence die
Grundbegriffe der Freudschen Traumlehre als Selbstverständlich-
keiten hinstellt, um darauf sein Altweiber-Traumbüchel zu stützen
(53), das an Kritiklosigkeit sein Vorbild Stekel („der vorsichtige
Stekel" heißt es S. 31) noch überbietet. Während er auf der einen
Seite (wörtlich, z. B. S. 36) Freud glatt ausschreibt, indem er
dessen Deutung des Flugtraumes mit den Worten anführt „Man
ist sich im ganzen einig[1]), daß das Material dieses Traumes
auf eine Erinnerung an das bekannte kindliche ‚Fliegen‘ auf den
Armen der Erwachsenen zurückgeht", verdächtigt er ihn auf der
anderen Seite (S. 37) fälschlich, allen Träumen eine geschlechtliche (!) Wunschbedeutung zuzusprechen, und wagt es zwei De-
zennien nach Erscheinen der „Traumdeutung", ihn zu belehren, daß
es auch egoistische Träume gebe!

Wo der Autor, abgesehen von seinen Lotto-Deutungen, originell
wird, offenbart sich erst recht seine ganze Kritiklosigkeit. Er er-
eifert sich sehr für die Anerkennung der telepathischen Fähigkeiten
des Traumes und zitiert — wenigstens hier — eine Anzahl anderer
Autoren, die vor ihm dafür eingetreten sind. Dies ist aber auch
das einzige an Beweis, was er vorzubringen hat, im übrigen führt
er die Beispiele hiefür — wie überhaupt — selbstverständlich nur
ihrem manifesten Inhalte nach an, und plötzlich hat ihn, schon angesichts der bloßen Möglichkeit eines telepathischen Anzeichens, seine
ganze Traum- und Symbolkenntnis verlassen. In diesem Falle zeigt
sich deutlich, wie gewisse Sympathien und Tendenzen, kurz affektive Einstellungen das Urteil trüben und das Festhalten am manifesten Trauminhalt begünstigen, das sich geradezu als unausrott-
bares Hindernis im Verstehen aller Traumprobleme erweist. Abgesehen davon, daß das zeitliche Zusammentreffen eines manifesten
Traumbildes mit einem Ereignis nichts für das Verständnis des
Traumes besagt, beweist es auch nicht das Vorhandensein telepathischer Einflüsse. Würde man den Traum analysieren, so würden
sich zunächst rein psychische Quellen für das Traumbild ergeben

[1]) Vom Referenten gesperrt.

Daß H. sich zur Widerlegung der Sexualsymbolik ausgerechnet — man kann nur sagen „ausgerechnet"[1]) — die Pollutionsträume ansucht. zeugt von einer unerschrockenen Skepsis gegen den Trug der Sinne. wie man sie sonst nur einem Kopernikus zugetraut hätte. Bald aber überzeugt man sich, daß er doch mehr als dieser Starrkopf zu Konzessionen neigt: „Das Ergebnis ist, daß jeder (Pollutionstraum) direkt vom sexuellen Akte handelt, und zwar ohne irgend welche Symbolisierungen; allerdings zeigen die Einzelheiten nicht gerade ein ästhetisches Gepräge. Deshalb möchte ich den Wortlaut nicht genau abdrucken[2]), sondern ohne Wesentliches zu verschweigen, die allzu drastischen Ausmalungen übergehen" (S. 43). Auf diese Weise bleibt H. wenigstens der Vorwurf erspart, den er Freud darum macht, weil dieser „den Traum selbst und dessen Bestandteile gar nicht untersucht, sondern nur die in Worte formulierte Traumreproduktion" (S. 8). Es ist staunenswert, in wie simpler Weise H diesen Irrweg zu vermeiden weiß! Wo er aber doch nicht ganz ohne sprachliche Fixierung des manifesten Trauminhaltes auskommen kann. da setzt er sich wenigstens mit souveräner Verachtung darüber hinweg: „Drei Herren wissen von ihrer Schwester (im Pollutionstraum) zu erzählen. obwohl alle drei nicht im mindesten zum Inzest disponiert sind, sondern im Gegenteil ihre Schwester körperlich und menschlich nicht leiden mögen. Auch weist der Tagesrest nicht auf den Inzest. So lobte den einen die Schwester wegen seines (abwesenden) Verhältnisses am Traumtage, worauf er ärgerlich erwiderte: Kümmere du dich um deine Schweinereien, ich kümmere mich um die meinigen" (S. 45). Mit dieser Reaktion scheint der Träumer die einzig richtige Antwort auf Hennings Beschäftigung mit dem Traumproblem prophetisch vorweggenommen zu haben.

[1]) Besonders, da man sich einer ähnlich formulierten Traumerkenntnis H.s erinnert: „Immerhin ist der normale Akt im Traume nicht selten. Ein sehr moralisch veranlagter Herr sagte am Traumtage: ‚Jetzt, wo ich die J. habe, wäre es gemein, wenn ich mich auch nur in Gedanken mit einer anderen abgäbe.' Im Traume läßt er sich ausgerechnet (vom Ref. gesperrt) mit derjenigen ein, die ihn zu obigem Ausspruch veranlaßte." (S. 45.) In diesem „Ausgerechnet" steckt gerade das Stück theoretisches Verständnis, das H. abgeht.
[2]) Vom Referenten gesperrt.

und vielleicht würde so in manchen Fällen die Annahme einer Telepathie überhaupt entfallen[1]). Anderseits würde man aber auch dem Problem näher kommen, warum so viele telepathische und prophetische Träume sich mit dem Tod beschäftigen[2]). So zeigt gerade das Festhalten am prophetischen Charakter des Traumes, wie tief verankert Aberglaube und Volksmeinung gerade hier im Unbewußten sind und wie starke Tendenzen bestehen, den faßbaren Trauminhalt als den allein seligmachenden, das heißt bewußt wunscherfüllenden hinzustellen.

[1]) In einem fälschlich als „Wahrtraum" bezeichneten Beispiel (59) handelt es sich tatsächlich um ein unbewußtes Wissen.

[2]) Vgl. z. B. den von Hitschmann analysierten Fall von Hellsehen: „Zur Kritik des Hellsehens." Wr. klin. Rundschau. 1910. Nr. 6.

Trieblehre.

Referent: Dr. E. Hitschmann.

Literatur: 1 Abraham K.: Über Einschränkungen und Umwandlungen der Schaulust bei den Psychoneurotikern nebst Bemerkungen über analoge Erscheinungen in der Völkerpsychologie. Jahrb. VI. S. 25. — 2. Ders.: Untersuchungen über die früheste prägenitale Entwicklungsstufe der Libido. Z. IV. S. 71. — 3 Ders.: Über eine konstitutionelle Grundlage der lokomotorischen Angst. Z. II. S. 143. — 4. Ders.: Ohrmuschel und Gehörgang als erogene Zone. Z. II. S. 27. — 5. Ders.: Über Ejaculatio praecox. Z. IV. S. 171. — 6. Andreas-Salomé L.: Zum Typus Weib. J. III. S. 1. — 7. Dies.: Anal und Sexual. J. IV. S. 249. — 8. Dies.: Psychosexualität. Z. f. Sexualwissenschaft. Bd. IV. S. 1. 49. 9. Blüher H.: Über Gattenwahl und Ehe. J. III. S. 477. — 10. Ders.: Zur Kritik des Sexualbegriffes. Der Sturm, Berlin-Paris. 1914. 2. Juniheft. 11. Ders.: Über die Sublimierung der Sexualität. Sexualprobleme. X. H. 9. 12. Ferenczi S.: Zur Ontogenie des Geldinteresses. Z. II. S. 506. — 13. Ders.: Mischgebilde von erotischen und Charakterzügen. Z. IV. S. 146. — 14. Ders.: Von Krankheits- und Pathoneurosen. Z. IV. S. 219. 15. Freud S.: Drei Abhandlungen zur Sexualtheorie. 3. verm. Aufl. 1915. — 16. Ders.: Triebe und Triebschicksale. Z. III. S. 84. — 17. Ders.: Über Triebumsetzungen insbesondere der Analerotik. Z. IV. S. 125. — 18. Ders.: Zur Einführung des Narzißmus. Jb. VI. S. 1. — 19. Ders.: Vorlesungen zur Einführung in die Psychoanalyse. 3. T. Allgem. Neurosenlehre. 1917. — 20. Ders.: Das Tabu der Virginität. Kl. Schr. zur Neurosenlehre. Bd. IV. S. 229. — 21. Ders.: Aus der Geschichte einer infantilen Neurose. Kl. Schr. z. Neurosenlehre. Bd. IV. S. 578. 22. Ders.: „Ein Kind wird geschlagen." Z. V. S. 151. — 23. Galant S.: Sexualleben im Säuglings- und Kindesalter. Neurol. Zentralbl. 1919. Nr. 20. — 24. Hattingberg H. v.: Analerotik. Angstlust und Eigensinn. Z. II. S. 244. — 25. Jones E.: Über analerotische Charakterzüge. Z. V. S. 69. — 26. Ders.: Urethralerotik und Ehrgeiz. Z. III. S. 156. — 27. Körber H.: Die Bisexualität als Grundlage der Sexualforschung. Neue Generation. IX. S. 73. — 28. Ders.: Vom Antifeminismus. Neue Generation. XIII. H. 7—8. — 29. Ders.: Sexualität und Schuldgefühl. Ztschr. f. Sex.-Wiss. Bd. V. S. 311. 30. Kollarits Z.: Über Sympathien und Antipathien, Haß und Liebe bei nervösen und nicht nervösen Menschen. Ztschr. f. d. ges. Neurol. u. Psychiatrie. XXXII. 1916. — 31. Liebermann H.: Die erogenen Zonen. Ztschr. f. Sexualwissenschaft. Bd. I. S. 383, 424. — 32. Marcinowski S.: Zur Psychologie der Liebeseinstellungen. Neue Gener. Bd. 12. — 33. Ders.: Zum Kapitel Liebeswahl und Charakterbildung. J. V. S. 196. — 33a Ders.: Die erotischen Quellen der Minderwertigkeitsgefühle. Ztschr. f. Sexualwissensch. IV. S. 313. — 34. Marcus E.: Die Objektwahl in der Liebe. Zbl. f. P.-A. IV. S. 594. — 35. Marcuse M.: Vom Inzest. (Jurist.-psychiatr. Grenzfr.

X Bd II. 3—4.) — 36. Ders.: Zur Psychologie der Blutschande. H. Groß' Archiv. Bd. LV. — 37 Nachmansohn M.: Freuds Libidotheorie verglichen mit der Eroslehre Platos. Z. III. S. 65. — 38. Ophuijsen J. H. W. van: Beiträge zum Männlichkeitskomplex der Frau. Z. IV. S. 241. — 39. H. P.: Die Kastrationsdrohung und ihr Gegenstück. Zbl. f. P.-A. IV. S. 411. — 40. Rank O.: Die Nacktheit in Sage und Dichtung. J. II. S. 267, 409. — 40a. Ders.: Zum Inzestkomplex. Z. II. S. 194. — 41. Reik Th.: Zur Psychoanalyse des Narzißmus im Liebesleben des Gesunden. Ztschr. f. Sexualwissensch. II. Bd. S. 41. — 42 Ders.: Über Vaterschaft und Narzißmus. Z. III. S. 330. — 43. Sadger J.: Die Bedeutung des Vaters für das Schicksal der Tochter. Arch. f. Frauenkunde I. S. 329. — 44. Ders.: Zur sexuellen Anästhesie des Weibes. Fortschr. d. Medizin. XXXII. Jgg. 1914. Nr. 32. — 45. Ders.: Über den Kastrationskomplex Fortschr. d. Med. XXXIII. Jgg. Nr. 30—31. — 46. Schneider J. B.: Das Geschwisterproblem. Geschlecht und Gesellschaft. VIII. S. 369. — 46a. Ders.: Die blutsgemäße Verwandtschaft der Ehegatten. Ebda. IX. 1914. 46b. Senf M. R.: Narzißmus. Sexual-Probleme. März 1913. — 47. Stekel W.: Masken der Sexualität. Die Neue Generation. IX. S. 57. — 47a. Ders.: Ein Fall von Analerotik (Priapismus). Ztschr. f. Sex.-Wissensch. V. Bd. S. 271. — 48. Weißfeld M.: Über die Umwandlungen des Affektlebens. Z. II. S. 419. — 49. Zimkin J. B. J.: Ein Fall von familiärer Masturbation. St. Petersburger med. Ztschr. März 1914. — 50. Zur Psychoanalyse der Kriegsneurosen. Int. psa. Bibl. Nr. I. 1919.

Libido. Narzißmus. Kastrationskomplex. Tabu der Virginität. Liebesleben.

Es muß wiederholt werden, daß die Psychoanalyse daran festhält, daß die Libido (der Geschlechtshunger) von anderer psychischer Energie zu sondern ist, einen eigenen Chemismus hat und als eine quantitativ veränderliche Kraft aufzufassen ist, welche Vorgänge und Umsetzungen auf dem Gebiete der Sexualerregung messen kann (15). Die psychische Vertretung des von allen Körperorganen gelieferten Libidoquantums nennen wir Ichlibido. Auf äußere Objekte ausstrahlend, an sie fixiert oder sie wechselnd, wird sie zur Objektlibido. Von den Objekten wieder abgezogen und ins Ich zurückgeholt, wird sie wieder zur Ichlibido oder narzißtischen Libido. Die narzißtische Libidobesetzung des Ich repräsentiert den in der ersten Kindheit realisierten Urzustand (primärer Narzißmus). Wird hingegen z. B. bei der Schizophrenie, deren Untersuchung zu diesen Formulierungen das wertvollste Material bot, die den Personen und Dingen der Außenwelt entzogene Libido dem Ich zugeführt (Entstehung des Größenwahns), so sprechen wir von sekundärem Narzißmus. Die Sexualbetätigung des narzißtischen Stadiums der Kindheit ist die Autoerotik. Der Narzißmus ist die libidinöse Ergänzung des Egoismus (19): Das Ich nimmt sich selbst zum Objekt. So wurde ein Stück Ichpsychologie formuliert, das für das Verständnis der narzißtischen Neurosen (Dementia praecox. Paranoia, Melancholie) von größter Bedeutung ist. Die Libido regrediert bei denselben auf das narzißtische Stadium, wie sie bei den Übertragungsneurosen auf frühere Liebesobjekte, Partialtriebe und prägenitale Organisationen regrediert (Hysterie, Zwangsneurose). Die Kriegsneurosen (50) und die von Ferenczi (14) auf gestellten Pathoneurosen zeigen gleichfalls Beziehungen zum Narzißmus.

Ein narzißtisches Zurückziehen der Libido findet sich ferner bei organischen Krankheiten, im Schlafzustand und in der Hypochondrie. Einen weiteren Zugang zum Studium des Narzißmus bildet das Liebesleben des Menschen. Verliebtheit ist ein Ausgeben fast der ganzen verfügbaren Libido. Neben der Objektwahl nach dem „Anlehnungstypus", der seine Wahl in Anlehnung an die ersten Liebesobjekte wählt (die nährende Frau, den schützenden Mann), gibt es eine narzißtische Objektwahl. Nach dem narzißtischen Typus liebt man a) was man selbst ist (sich selbst), oder b) was man selbst war; c) was man selbst sein möchte, oder d) die Person, die ein Teil des eigenen Selbst war (Kind). Die narzißtische Objektwahl ist in der Pathologie von Bedeutung, so z. B. bei gewissen Formen der Melancholie, der Homosexualität. Auf die Bedeutung des Narzißmus im Liebesleben der Gesunden, in der Liebe zum Kind und im Fortpflanzungstrieb weist Reik (41, 42) hin.

Als Ersatz für den verlorenen Narzißmus der Kindheit kann der Mensch ein Ichideal aufrichten, dem nun die Selbstliebe gilt. Dieses Ideal besitzt dann alle wertvollen Vollkommenheiten des narzißtischen infantilen Ich. Ihm zuliebe wird Nicht-ich-gerechtes verdrängt. Unser Gewissen ist die psychische Instanz, die das aktuelle Ich unausgesetzt beobachtet und am Ideal mißt, die narzißtische Befriedigung aus dem Ichideal sichert. Es ist dieselbe Instanz, die im Beobachtungswahn den Kranken beobachtend und kritisch beaufsichtigend, durch Stimmen beeinflußt. Dem Ichideal und den dynamischen Äußerungen des Gewissens entspricht auch die Traum-

zensur (18). Das Selbstgefühl ist zum Teil primär, der Rest
des kindlichen Narzißmus; ein anderer Teil stammt aus der durch
Erfahrung bestätigten Allmacht, der Erfüllung des Ichideals, ein
dritter aus der Befriedigung der Objektlibido. Der Nachweis des
kindlichen Narzißmus ist zugleich die beste Widerlegung von
Alfred Adlers Annahme primärer Minderwertigkeits
gefühle des Kindes. Den stärksten Beitrag zu den Minder-
wertigkeitsgefühlen der Neurotiker liefert die Beeinträchtigung des
Selbstgefühls durch infantilen Liebesverlust, Enttäuschung, „Ver-
schmähung" (Marcinowski 33a, Freud 22). Die Psychoanalyse
hat Existenz und Bedeutung des „männlichen Protestes" zwar anerkannt, aber seine narzißtische Natur und Herkunft aus dem
Kastrationskomplex vertreten. Dieser wichtige Komplex der
Ichentwicklung beinhaltet die bedeutsamste Störung des ursprünglichen Narzißmus und steht in engstem Zusammenhang mit dem
Einfluß der frühzeitigen Sexualeinschüchterung. Freud hat als
einen wichtigen, noch zu erledigenden Arbeitsstoff, die Störungen
des Narzißmus, seine Reaktionen darauf und die Bahnen, in die
er dabei gedrängt wird, aufgezeigt (18).

Der Kastrationskomplex bedeutet für den Knaben Stolz auf den
Penis oder Angst um den Penis aus Schuldgefühl und durch Einschüchterung usw.; für das Mädchen Penis-Neid, Überzeugung von
infantiler Schädigung, Verkürzung, Zurücksetzungs- oder Erbitte-
rungsgefühl. Der Wunsch, ein Knabe zu sein, führt bei Mädchen
zu Nachahmen und Gleichtun, zum Männlichkeitskomplex (38). Viele
Knaben und Mädchen gehen aus von der infantilen Theorie, beide
Geschlechter hätten ursprünglich einen Penis. Der Kastrationskomplex, der im Unbewußten und daher in Träumen eine große Rolle
spielt, scheint auch aus phylogenetischer Quelle gespeist zu sein;
er ist für die Charakterentwicklung wie für die Neurose von großer
Bedeutung.

In dem neuen Beitrag zur Psychologie des Liebeslebens „Das Tabu der Virginität" (20) bespricht Freud
die nicht seltene Frigidät der Frau zu Beginn der Ehe und die
gelegentlich damit verbundene feindselige psychische Einstellung
gegen den Mann, der sie defloriert hat. Die narzißtische Kränkung über die Zerstörung eines den sexuellen Wert bedeutenden

Organs, die Enttäuschung über das Nichtzusammenstimmen von Erwartung und Erfüllung beim ersten (Pflicht-)Koitus, die libidinöse Fixiertheit an den Vater (Bruder), der alte, dem Kastrationskomplex angehörige Penis-Neid aus der Kindheit der Mädchen — alle diese seelischen Regungen bestimmen die Neuvermählte zur Frigidität und manchmal zur feindseligen Reaktion. Zur sexuellen Anästhesie des Weibes hat Sadger (44) dahin berichtet, daß in reinen Fällen regelmäßig verdrängte Inzestwünsche die Ursache seien. Derselbe Autor behandelte die Bedeutung des Vaters für das Schicksal der Tochter (43) sowie den Kastrationskomplex (45). Wie vollkommen die Objektwahl in der Liebe beeinflußt ist durch infantile Eindrücke zeigen Blüher (9). Marcinowski (33) und Marcus (34).

Prägenitale Organisationen.

Organisationen des Sexuallebens, in denen die Genitalzone noch nicht in ihre vorherrschende Rolle eingetreten ist, nennen wir prägenitale Organisationen (15); nur in pathologischen Fällen werden sie nicht glatt durchlaufen. Eine erste solche prägenitale Organisation ist die orale oder kannibalische. Das Sexualziel besteht in der Einverleibung oder dem Fressen des Objektes (dem Vorbild dessen, was später als Identifikation eine psychische Rolle spielt). Als Rest dieser fiktiven, uns durch die Pathologie aufgenötigten Phase kann das Lutschen angesehen werden, in dem die Sexualtätigkeit, von der Ernährungstätigkeit abgelöst, das fremde Objekt gegen eines am eigenen Körper vertauscht.

Eine zweite prägenitale Phase ist die sadistisch-anale Organisation. Hier gibt es bereits eine Gegensätzlichkeit, welche aber noch nicht männlich und weiblich, sondern aktiv und passiv benannt werden kann. Die Aktivität wird durch den Bemächtigungstrieb der Körpermuskulatur hergestellt. Als Organ mit meist passivem Sexualziel macht sich die erogene Darmschleimhaut geltend. Daneben betätigen sich andere Partialtriebe in autoerotischer Weise (z. B. die Urethralerotik).

Die psychopathologischen Erscheinungen, neurotischen Eßstörungen usw., die in Zusammenhang mit der oralen Organisation stehen, hat Abraham näher an zahlreichen Fällen beschrieben (2),

Freud bei einer infantilen Neurose (21). Für die immer wieder von gegnerischer Seite angezweifelte sexuelle Natur des Lutschens ergibt sich ein eklatanter Beweis aus der charakteristischen Aufzeichnung eines gesunden Mädchens (23). Auf die anal-sadistische Organisation regrediert bekanntlich die Zwangsneurose.

Triebschicksale.

Freud (16) unterzieht den Inhalt des noch nicht definierbaren Grundbegriffes des Triebes einer theoretischen Betrachtung von physiologischem, biologischem und psychologischem Standpunkt. Die Schicksale der Sexualtriebe können folgende sein: die Verkehrung ins Gegenteil; die Wendung gegen die eigene Person; die Verdrängung; die Sublimierung. Die Verkehrung ins Gegenteil betrifft das Ziel des Triebes; es handelt sich um die Wendung von der Aktivität zur Passivität (Sadismus zu Masochismus, Schaulust zu Exhibition). Eine inhaltliche Verkehrung findet sich in dem einen Fall der Verwandlung des Liebens ins Hassen. Die Wendung gegen die eigene Person ist Wechsel des Objektes bei ungeändertem Ziel. Mit der Wendung gegen die eigene Person ist auch die Verwandlung des aktiven Triebzieles in ein passives vollzogen: so wird bei der Zwangsneurose aus dem Sadismus Selbstquälerei, Selbstbestrafung. — Das Mitleid ist keine Triebverwandlung, sondern eine Reaktionsbildung auf Sadismus. — Die Tatsache, daß zu jeder späteren Zeit der Entwicklung neben einer Triebregung ihr (passiver) Gegensatz zu beobachten ist, verdient die Hervorhebung durch den Namen Ambivalenz. Die Triebschicksale der Wendung gegen das eigene Ich und der Verkehrung von Aktivität zur Passivität sind von der narzißtischen Organisation des Ichs abhängig und tragen den Stempel dieser Phase.

Triebumsetzungen der Analerotik. Analcharakter. Urethralcharakter.

Die analerotischen Triebregungen (17) verlieren durch die Herstellung der endgültigen Genitalorganisation einen wechselnd großen Teil ihrer Bedeutung für das Sexualleben, und zwar durch Verdrängung, Sublimierung und Umsetzung in Charaktereigenschaften. Anderseits finden sie Aufnahme in die neue Organisation.

Kot (Geld, Geschenk), Kind und Penis werden im Unbewußten als äquivalent und begrifflich ersetzend behandelt. Bei
neurotischen Frauen läßt sich manchmal erweisen, daß ihr Kind-
heitswunsch nach einem Penis (Penis-Neid, Kastrationskomplex)
später sich in den Wunsch nach einem Kind verwandelt. Aus demselben Wunsch nach einem Penis kann auch normalerweise der Wunsch
nach dem Mann werden —, wobei sich günstigerweise narzißtische
Selbstliebe in Objektliebe verwandelt, und ein Stück Männlichkeit
in Weiblichkeit.

Das Kind wird in infantilen Sexualtheorien auch als etwas betrachtet, was sich durch den Darm vom Körper löst, daher von
der Analerotik libidinös besetzt. Der Kot ist das erste Geschenk
des Kindes an die geliebten Erzieher, ein Opfer; wird er zur autoerotischen Befriedigung, später zur Willensbehauptung narzißtisch
verweigert, so konstituiert sich der Trotz.

Das Kotinteresse geht über das Geschenk zum Interesse für
Gold—Geld über. Ursprünglich genital konzipierte Phantasien
(Penis in Vagina) können ins Anale übersetzt werden (der Penis wird
zur Kotstange, die Scheide zum Darm).

Eine organische Analogie zwischen Penis und Kind drückt sich
durch den Besitz eines beiden gemeinsamen Symbols aus („das Kleine",
z. B. im Traum).

Wenn die Sexualforschung des Knaben das Fehlen des Penis
beim Weibe konstatiert hat, — den Penis also als etwas vom Körper
Ablösbares, wie der Kot —, tritt der alte Analtrotz in die Konstitution des Kastrationskomplexes ein.

Über analerotische Charakterzüge berichtete ausführ-
lichst Jones (25). Das Geldinteresse in seinem Zusammenhang
mit der Analerotik behandelte Ferenczi (12); derselbe wies auch
in Mischgebilden von erotischen und Charakterzügen auf anale und
urethrale Quellen hin (13). Jones (26) versucht eine Erklärung
der Beziehung des Ehrgeizes zur Urethralerotik.

Schaulust. Bewegungslust. Männlichkeitskomplex. Phantasien.

Die Schaulust und ihre Einschränkungen und Umwandlungen
bei den Psychoneurotikern behandelte unter reichlicher Beweisführung
Abraham (1), der auch analoge Erscheinungen aus der Völker-

psychologie anführt. Rank (40) untersuchte unter den einheitlichen Gesichtspunkten der Schau- und Zeigelust das Motiv der Nacktheit und seiner Verdrängungsformen.

Die infantile Bewegungslust, Lust an der Fortbewegung (Muskelerotik) gibt eine Disposition oder konstitutionelle Grundlage (3) der lokomotorischen Angst (Platzangst).

Über früheste sadistische und masochistische Phantasien, in denen „ein Kind geschlagen wird", berichtend, bringt Freud (22) Erkenntnisse zur Entstehung der entsprechenden Perversionen. Sie lassen sich aus dem Ödipuskomplex ableiten, was vermutlich auch für die anderen Perversionen durchführbar ist. Als Nebenprodukt ergibt sich eine Ablehnung der A. Adlerschen Theorie vom „männlichen Protest" für die Neurosen- und Perversionenbildung.

Der „Männlichkeitskomplex" gewisser Frauen (38) ist auf den Kastrationskomplex zurückzuführen; überdies scheinen Zusammenhänge mit der infantilen Klitorismasturbation und der Harnerotik zu bestehen (Ophuijsen). Analog den Verhältnissen bei der frigiden Frau, wo die Glans clitoridis sozusagen alle Erregbarkeit an sich gerissen hat, findet Abraham (5) bei Fällen von Ejaculatio praecox des Mannes die Glans penis unerregbar, die genitale Empfindlichkeit vielmehr am Damm. Diese Gegend entspricht entwicklungsgeschichtlich dem Introitus vagina. Das Verhältnis zwischen Ejaculatio praecox und weiblicher Frigidität wäre so zu formulieren: Die dem Geschlecht entsprechende Leitzone hat die ihr zukommende Bedeutung an diejenige Körperpartie abgegeben, welche das Äquivalent der Leitzone des anderen Geschlechtes darstellt (5).

Die Lehre von der infantilen Sexualforschung und dem kindlichen Sexualwissen wird ergänzt durch die Annahme von allgemein menschlichen Urphantasien (19) phylogenetischen Ursprungs, betreffend die Kinderverführung, die Entzündung der Sexualerregung an der Beobachtung des elterlichen Geschlechtsverkehres und die Kastrationsdrohung. Es ist darnach auch auf dem Gebiete der Kindersexualität auf die Bedeutung der Phylogenese, des Niederschlages der menschlichen Kulturgeschichte auf den Einzelnen (21) hingewiesen.

4*

Sexuelle Perversionen.[1)]

Referent. Dr. Felix Boehm, Berlin.

Literatur: 1. Adler A.: Das Problem der Homosexualität. München 1917. — 2. Blüher H.: Die Rolle der Erotik in der männlichen Gesellschaft. Jena 1917/19. — 3. Ders.: Zur Theorie der Inversion. Z. II. S. 223. — 4. Ders.: Die drei Grundformen der sexuellen Inversion. Jahrb. f. Sex. Zw. XIII. 1913. — 5. Ders.: Studien über den perversen Charakter. Zbl. IV. S. 10. — 6. Federn P.: Beiträge zur Analyse des Masochismus und Sadismus. II. Die libidinösen Quellen des Masochismus. Z. II. S. 105. — 7. Ferenczi S.: Hysterie und Pathoneurosen. Intern. Psychoan. Bibliothek Nr. 2. Leipzig und Wien 1919. — 8. Ders.: Zur Nosologie der männlichen Homosexualität. Z. II. S. 131. — 9. Frank L.: Sexuelle Anomalien. Berlin 1914. — 10. Freud S.: Drei Abhandlungen zur Sexualtheorie. Dritte, vermehrte Auflage. Leipzig u. Wien 1915. — 11. Ders.: Eine Kindheitserinnerung des Leonardo da Vinci. Zweite, vermehrte Auflage. Leipzig und Wien 1919. — 12. Ders.: Ein Kind wird geschlagen. Z. V. S. 151. — 13. Ders.: Vorlesungen zur Einführung in die Psychoanalyse. Leipzig und Wien 1918. — 14. Friedjung: Schamhaftigkeit als Maske der Homosexualität. Z. III. S. 155. — 15. Hattingberg H. v.: Analerotik, Angstlust und Eigensinn. Z. II. S. 244. — 16. Hug-Hellmuth H. v.: Ein Fall von weiblichem Fuß-, richtiger Stiefelfetischismus. Z. III. S. 111. — 17. Marcinowski J.: Die Kindheit als Quellgebiet perverser Neigungen. Geschl. u. Gesellsch. VIII. 1913. S. 31. — 18. Riklin F.: Zur psychoanalytischen Auffassung des Sadismus. Verein schweiz. Irrenärzte. Zur 50. Jahresversamml. 1914. — 19. Sadger J.: Ketzergedanken über Homosexualität. Groß' Archiv Bd. 59. — 20. Ders.: Neue Forschungen zur Homosexualität. Berliner Klinik. Februar 1915. Heft 315. — 21. Ders.: Allerlei Gedanken zur Psychopathia sexualis. Neue ärztliche Zentralzeitung. Jahrg. 1919. Neue Folge 6 (15. Mai). — 22. Senf R.: Psychosexuelle Intuition. Zeitschr. f. Sex.-Wiss. VI. S. 81. — 23. Stekel W.: Ein Fall von Analerotik (Priapismus). Zeitschr. f. Sexualwissensch. V. S. 271. — 24. Ders.: Störungen des Trieb- und Affektlebens. II. Onanie und Homosexualität. (Die homosexuelle Neurose.) Wien und Berlin 1917. — 25. Ders.: Zur Psychologie und Therapie des Fetischismus. Zbl. IV. S. 113. 26. Stöcker H.: Homosexualität und Geschlechtsbewertung.

[1)] Da viele Autoren sich Psychoanalytiker, ihre Arbeitsmethode Psychoanalyse nennen, scheint es mir notwendig zu sein, die Arbeiten aller dieser Autoren zu berücksichtigen, um ihre nähere oder fernere Verwandtschaft mit der Psychoanalyse festzustellen, auch wenn sie uns keinen Fortschritt in der Erkenntnis der Perversionen bringen.

Geschl. u. Gesellsch. IX. 1914. — 27. Straßer Ch.: Zur forensischen Begutachtung des Exhibitionismus. Zeitschr. f. Individualpsychologie. I. Bd. 2. H. — 28. Beobachtung eines Falles von erotischer Perversion mit Neurose (von einem Arzt in Sidney mitgeteilt). Z. H. S. 265.

Frank (9) stützt sich auf Freuds Forschungen, im wesentlichen soweit das Trauma bzw. Traumata in der Jugend für die Entstehung der Neurosen und der Perversionen in Betracht kommen. Es wird eine Reihe von Behandlungen Neurotischer und Perverser im Halbschlafzustande geschildert, aus denen hervorgeht, daß die Erinnerungen an Ereignisse, welche die seelische Entwicklung in der Kindheit und in der Pubertät geschädigt haben, in der Hypnose mühelos und schnell wieder erweckt werden können, auffallend schnell für Psychotherapeuten der Freudschen Schule; nicht aber scheinen die durch äußere Ereignisse, gelegentliche Beobachtungen in der Umgebung hervorgerufenen halb- und unbewußten Phantasien und Fragen, Sexualtheorien der frühesten Kindheit usw. bewußt gemacht werden zu können; infolgedessen bleibt in den beschriebenen Fällen die Erforschung des Seelenlebens der Patienten an der Oberfläche stecken. Am Schlusse der Broschüre tritt der Autor energisch für die Aufhebung der geltenden Strafbestimmungen gegen Homosexuelle ein.

In der „Beobachtung eines Falles von erotischer Perversion mit Neurose" (28) wird die Krankheit eines hysterischen jungen Mädchens beschrieben, welches eine Reihe perverser Züge zeigte. Der Vater war Trinker; sie war sehr infantil geblieben, war pathologische Lügnerin; sie wurde mit 18 Jahren zu einem einmaligen Verkehr überredet, welchem eine Gravidität folgte; von da ab entwickelte sich ein direkter Ekel gegen jede sexuelle Annäherung von seiten eines Mannes und eine ausgesprochene Prüderie in bezug auf Entblößungen irgendwelcher Körperteile, welche herkömmlicherweise in ihren Gesellschaftskreisen gezeigt werden durften, wie z. B. Hals und Arme. Diese Prüderie wurde gelegentlich in Augenblicken sexueller Erregung von ausgesprochenem Exhibitionismus abgelöst. Die Schaulust in der Jugend war groß, ist aber später vollkommen verdrängt worden. Im Zusammenhang mit dem Exhibitionismus steht eine starke Haut- und Muskelerotik, während die vaginale Schleimhaut vollkommen anästhetisch geblieben ist; außerdem verrät die Patientin ausgesprochen masochistische Züge. Männer unter 40 Jahren haben absolut keine Anziehungskraft für sie. — — Zwei Jahre nach der Geburt des Kindes ergab sie sich, offenbar dem Beispiele des Vaters folgend, dem Alkoholismus; den Vater hatte sie als einzige Tochter sehr geliebt. Die krankhaften Erscheinungen werden vom Autor auf eine Reihe von schädigenden Eindrücken in der Kindheit zurückgeführt. — Eine eingehende Analyse ist leider nicht durchgeführt worden. Der Fall ist theoretisch interessant durch seine enge Mischung von neurotischen und perversen Zügen.

In seinen „Vorlesungen zur Einführung in die Psychoanalyse" (13) kommt F : e u d in einer Reihe von Bemerkungen auf die Perversionen zu sprechen, sowohl in seinen Ausführungen über den Traum (S. 232) als auch insbesondere in seinen Vorlesungen über die allgemeine Neurosenlehre (s. S. 346, 354, 360, 370, 389, 396, 402, 409, 415). Wenngleich F r e u d uns hier nichts prinzipiell Neues sagt, was er nicht schon an anderer Stelle gesagt hätte, so sind diese Bemerkungen über die Perversionen doch von großem Wert für jedermann der sich mit seinen Forschungsergebnissen bekannt machen will. Gerade dadurch, daß er bald bei diesem, bald bei jenem Problem der Neurosenlehre eine Bemerkung über die Perversionen einflicht und in seinen Vorlesungen eine längere, ausführliche systematische Darstellung der Perversionen vermeidet, erleichtert er dem Anfänger das Verständnis seiner Ansichten außerordentlich und zeigt aber auch dem mit seinen Schriften Vertrauten die Perversionen immer wieder von neuem mit anderen Schlaglichtern versehen innerhalb des großen Neurosenproblems.

Von größter Bedeutung für die Frage der therapeutischen Beeinflussung der Perversionen scheint mir Freuds folgende Bemerkung in der III. Auflage der „Drei Abhandlungen" (10, S. 91) zu sein: „Diese letzteren (— Perversionen) sind also nicht bloß auf die Fixierung der infantilen Neigungen zurückzuführen, sondern auch auf die Regression zu denselben infolge Verlegung anderer Bahnen der Sexualströmung. Darum sind auch die positiven Perversionen der psychoanalytischen Therapie zugänglich."

Ich verlasse jetzt die Arbeiten, welche sich mit den Perversionen im allgemeinen beschäftigen und gehe zur Besprechung von Arbeiten über das Gegensatzpaar Masochismus und Sadismus über und bespreche im Anschluß daran die Mitteilungen über Analerotik.

Riklins Arbeit „Zur psychoanalytischen Auffassung des Sadismus" (18) hat außer dem irreführenden Titel nichts mit Psychoanalyse zu tun. Der „kausalen" Betrachtungsweise wird die „finale" entgegengestellt.

Federn untersucht im zweiten Teil seiner Arbeit (6 [1]) die libidinösen Quellen des Masochismus. Er hält vor allem die Begriffe „weiblich" und „masochistisch" ebenso wie „passiv" und „masochistisch" auseinander. Von Masochismus könne man -- im Gegensatz zu der passiven Sexualkomponente — nur sprechen, wenn sexuelle Lust aus einem nicht sexuellen Erleiden geschöpft werde. In analoger Weise unterscheide sich der Sadismus von der aktiven Sexualkomponente dadurch, daß die Quelle der sexuellen Lust vom sexuellen Betätigungsgebiete auf das Gebiet der Agression verschoben werde. Der Sadist finde die sexuelle Endlust nicht darin, daß er Gewalt oder Schmerzzufügung bei einer sexuellen Besitzergreifung ausführe, sondern behufs Besitzergreifung oder Schmerzerregung als Eigenzweck. Der Autor vermeidet es, den Masochismus einfach als persistierende infantile Sexualregung aufzufassen und sich damit zu begnügen, die Erogeneität der einzelnen Zonen und die perversen Partialtriebe, welche zum Masochismus führen, in der Kindheit nachzuweisen. Auch nach seiner Ansicht werden bestimmte infantile Partialtriebe im Masochismus fixiert, doch versucht er es, die Ursache ihrer Fixierung und die Bedingungen, unter welchen sie den masochistischen Charakter annehmen, genauer festzustellen. Diese infantilen Komponenten wurden nämlich vom Masochismus ebenso wie vom Sadismus neu erweckt. Der Masochismus reaktiviere zum Teil die gleichen infantilen Triebe wie der Sadismus, aber mit entgegengesetzter Tendenz. Beim Sadismus seien es aktive Komponenten der normalen Sexualität, welche erotische und andere infantile Partialtriebe wiedererwecken. In analoger Weise seien passive Komponenten zur Entstehung des Masochismus nötig. Beide Tendenzen gingen auf Ursachen zurück, welche trotz ihrer

---

[1]) Der erste Teil wurde von Sadger im letzten Bericht, Jahrb. VI., S. 305 ff., wohl etwas zu abfällig beurteilt.

Gegensätzlichkeit nebeneinander gleichzeitig bestünden und sich summieren könnten.

Eine wesentliche Feststellung des Autors ist nun die, daß zum sadistischen Sexualgefühl eine aktive, zum masochistischen Sexualgefühl eine passive Sexualempfindung gehört. In vielen seiner Fälle war nicht nur die Empfindungsqualität verschieden, sondern auch die somatische Lokalisation am männlichen Genitale bei den beiden Einstellungen eine andere. Beim extremen Masochisten ist die Oberfläche des Penis sexuell völlig anästhetisch; die masochistische Erregung ist prävalierend am Perineum lokalisiert, beim Sadisten und Normalen dagegen gegen die Glans zu. Doch muß zur Bildung des Masochismus ein weiterer Mechanismus in Wirkung treten. Er tritt erst dann auf, wenn die passive Sexualempfindung den ihr eigenen Charakter der passiven Lust dem ganzen Ich mitteilt und dieses sich mit seinem Organ in bezug auf die lustvolle Passivität identisch fühlt. Der Masochismus ist Erfüllung und Beherrschung der ganzen Persönlichkeit durch die passiv gerichtete Libido. Somit hat der Masochist nicht nur mit dem Geschlechtsorgan, sondern auch als Ganzes und auch mit anderen Organen und auf anderen Gebieten passiv sexuelle Erlebnisse.

Um nun die libidinösen Quellen des Masochismus aufzuzeigen, unterscheidet der Autor den verschiedenen Zielen der libidinösen Strebungen entsprechend, zwischen Aktions- resp. Passionslibido. Von allen jenen Organen, deren sexuelle Befriedigung mit einem passiven Vorgang verbunden ist, geht Libido aus, die auf ein passives Ziel gerichtet ist. Diese Partialtriebe liefern demnach Passionslibido. Von diesem fruchtbaren Gesichtspunkte aus wird die Rolle der in Betracht kommenden Organe und erogenen Zonen eingehend gewürdigt, insbesondere die überragende Bedeutung der genitalen Strebungen, welche in der feinsten Weise analysiert werden. Doch werden, wie gesagt, auch die von den übrigen Partialtrieben zum Masochismus resultierenden Beiträge entsprechend berücksichtigt, nicht weniger diejenige aus den effektiven Erregungen, wie Schmerz, Scham und Angst.

So kommt der Autor zum Ergebnis, daß der Masochismus als Folge und Ausdruck des Primates passiver Partialtriebe zu betrachten ist. Wenn nämlich die Gesamtgröße der letzteren stark genug ist, so sind sie im stande, die sonstige Aktivität des Individuums zu überwinden und entladen sich auf dem Wege unbewußter Mechanismen in passive Situationen auf sexuellem Gebiet, wobei das Individuum passive Sexualgefühle erlebt. Dadurch aber, daß die aktive Gesamteinstellung durch analoge Mechanismen mit der Penislibido (Genitallibido) verknüpft ist, äußert sich die Störung der Aktivität, welche der Masochismus herbeiführt, beim Manne auch in einer Hemmung der libidinösen Penisempfindungen, und so treten die der weiblichen Sexualität entsprechenden passiven Empfindungen an den erogenen Zonen beim Masochisten in den Vordergrund, während das männliche Organ sexuell anästhetisch wird.

Der einzige Mangel vielleicht von F e d e r n s Arbeit ist das Fehlen des Gesichtspunktes oder nur der Terminologie der prägenitalen Organisationsstufen der Libidoentwicklung. Sonst enthält sie den Kern oder doch wenigstens die Vorstufen der heute sich ermöglichenden Einsichten. Nach F r e u d ist der Schauplatz der masochistischen Betätigung, mag sie später noch so komplizierte und sublimierte Formen annehmen, ursprünglich immer die Hautdecke des Körpers. Und F e r e n c z i vermutet, daß beim Masochismus ein sekundärer, nunmehr neurotischer Vorgang zur Verdrängung der normalen Genitaltriebe und zur regredienten, allerdings bereits genitalisierten Wiederbelebung dieses ursprünglichen Hautmasochismus, das heißt des U r m a s o c h i s m u s, führt[1]).

„In bezug auf Masochismus und Sadismus finden sich in F r e u d s „Drei Abhandlungen" (10, S. 23) folgende neue Bemerkungen[2]): Streng genommen verdienen nur die extremen Einstellungen den Namen einer Perversion, bei welchen die Befriedigung ausschließlich an das Erleiden bzw. Zufügung von körperlichen und seelischen Schmerzen gebunden ist. — Der Masochismus scheint sich vom normalen Sexualziel weiter zu entfernen als sein Gegenstück und nicht primär, sondern durch Umbildung aus dem Sadismus zu entstehen, wobei er eine Fortsetzung des Sadismus in Wendung gegen die eigene Person ist, welche die Stelle des Sexualobjektes vertritt. Die Analyse führt auf eine große Reihe die ursprüngliche

---

[1]) S. F e r e n c z i, Hysterie und Pathoneurosen. 1919, S. 15. (An anderer Stelle, S. 121 u. 146 ff. eingehend besprochen.)
[2]) Nicht ganz wörtlich zitiert.

passive Einstellung übertreibender und fixierender Momente (Kastrationskomplex, Schuldbewußtsein).

Einen viele Ausblicke eröffnenden Beitrag zur Kenntnis der
Entstehung des Masochismus und Sadismus liefert uns Freud in
seiner Studie: „Ein Kind wird geschlagen" (12[1]). Diese Phantasievorstellung wird mit überraschender Häufigkeit von Personen ein-
gestanden, die wegen einer Hysterie oder einer Zwangsneurose die
analytische Behandlung aufgesucht haben. An diese Phantasie sind
Lustgefühle geknüpft, eine onanistische Befriedigung setzt sich fast
regelmäßig auf der Höhe der vorgestellten Situation durch. Das
Eingeständnis dieser Phantasie erfolgt nur zögernd, die Erinnerung
an ihr erstes Auftreten ist unsicher. Die ersten Phantasien dieser
Art sind schon frühzeitig gepflegt worden, schon im fünften und
sechsten Jahre. Der Einfluß der Schule war so deutlich, daß die
betreffenden Patienten versucht waren, ihre Schlagephantasien ausschließlich auf diese Eindrücke der Schulzeit zurückzuführen, allein
sie waren schon vorher vorhanden gewesen. In den höheren Schul-
klassen erhielten diese Phantasien neue Anregungen durch die Lektüre von Onkel Toms Hütte u. dgl. Das Zuschauen, wie ein Kind
in der Schule geschlagen wurde, war nie eine Quelle ähnlichen
Genusses wie die Phantasievorstellungen; auch in den raffinierten
Phantasien späterer Jahre wurde an der Bedingung festgehalten,
daß den gezüchtigten Kindern kein ernsthafter Schaden zugefügt
werde. Die Personen, welche den Stoff für diese Analysen her-
geben, waren nicht mit Hilfe von Prügeln erzogen worden. Auf
verschiedene Fragen nach dem näheren Inhalt dieser Phantasien
kam immer nur die eine scheue Antwort: Ich weiß nichts mehr
darüber: ein Kind wird geschlagen. — Unter diesen Umständen
könnte man vorerst nicht einmal entscheiden, ob die an der
Schlagephantasie haftende Lust als eine sadistische oder als eine
masochistische zu bezeichnen sei.

Eine solche, im frühen Kindesalter auftauchende, zur autoerotischen Befriedigung festgehaltene Phantasie kann nur als ein
primärer Zug von Perversion aufgefaßt werden. Eine der Kom-

---

[1]) Ich referiere fast ausschließlich mit Freuds eigenen Worten, welche
ich nur gelegentlich umgestellt habe, ohne sie jedesmal besonders in Anfüh-
rungszeichen gesetzt zu haben.

ponenten der Sexualfunktion sei den anderen in der Entwicklung vorausgeeilt, habe sich vorzeitig selbständig gemacht, sich fixiert und damit ein Zeugnis für eine besondere anomale Konstitution der Person gegeben. Wo wir beim Erwachsenen eine sexuelle Abirrung vorfinden, da erwarten wir mit Recht ein solches fixierendes Ereignis der Kinderzeit durch anamnestische Erforschung aufzudecken. Die Bedeutung der fixierenden Eindrücke konnte man darin suchen, daß sie der voreiligen und sprungbereiten Sexualkomponente den wenn auch zufälligen Anlaß zur Anheftung geboten hatten. Gerade die mitgebrachte Konstitution schien allen Anforderungen an einen solchen Haltepunkt zu entsprechen. Eine frühzeitig losgerissene sadistische Sexualkomponente läßt eine Disposition zur Zwangsneurose erwarten. Dieser Erwartung wird durch das Ergebnis der Untersuchung von sechs Fällen nicht widersprochen.

Eine bis in die frühe Kindheit durchgeführte Analyse zeigt, daß diese Phantasie, welche erst nach dem fünften Lebensjahre auftritt, eine komplizierte Vorgeschichte hat, in deren Verlauf sich ihre Beziehung zur phantasierenden Person, ihr Objekt, Inhalt und ihre Bedeutung mehr als einmal ändert. Der allmählich aufgedeckte Inhalt einer ersten, sehr frühen Phase der Schlagphantasien weiblicher Personen lautet: Der Vater schlägt das Kind, bzw. der Vater schlägt das mir verhaßte Kind. Die Phantasie ist sicher keine masochistische, aber auch keine ausgesprochen sadistische, da das phantasierende Kind ja nicht selbst schlägt. Die zweite Phase ist nie bewußt geworden, sie ist eine notwendige Konstruktion der Analyse; zwischen ihr und der ersten Phase haben sich große Umwandlungen vollzogen. Der Wortlaut der zweiten Phase lautet: Ich werde vom Vater geschlagen. Sie hat unzweifelhaft masochistischen Charakter. Die dritte Phase ähnelt der ersten, nur tritt das phantasierende Kind zurück, statt des Vaters schlägt ein Vatervertreter (Lehrer), anstatt eines Kindes werden (in den Phantasien der Mädchen) viele Buben geschlagen. Der wesentliche Charakter der Phantasie ist folgender: die Phantasie ist jetzt Träger einer starken, unzweideutig sexuellen Erregung und vermittelt als solcher die onanistische Befriedigung; auf welchem Wege ist die nunmehr sadistische Phantasie, daß fremde und unbekannte Buben geschlagen werden, zu dem von da an dauernden Besitz der libidinösen Strebung des kleinen Mädchens gekommen? Eine in jene frühen Zeiten geführte Analyse zeigt das kleine Mädchen in die Erregungen seines Elternkomplexes verstrickt; es ist zärtlich an den Vater fixiert. Aber es gibt noch andere Kinder in der Kinderstube, mit denen das Kind die Liebe der Eltern teilen soll und die es darum von sich stößt. Ist ein jüngeres Geschwisterchen, so haßt und verachtet man es zugleich; da man bald versteht, daß Geschlagenwerden eine Absage in der Liebe und eine Demütigung bedeutet, ist es eine behagliche Vorstellung, daß der Vater dieses verhaßte Kind schlägt. Inhalt und Bedeutung der Schlagephantasien in ihrer ersten Phase ist also: der Vater liebt dieses andere Kind nicht, er liebt nur mich. Es ist zweifelhaft, ob sie eine rein „sadistische", eine rein „sexuelle" genannt werden darf; vielleicht nicht sicher sexuell, nicht selbst sadistisch, aber doch der Stoff, aus dem beides werden soll. Keinesfalls aber braucht eine mit Phantasien verknüpfte, zu einem onanistischen Akt führende Erregung angenommen zu werden. In dieser vorzeitigen Objektwahl der inzestuösen Liebe erreicht das Sexualleben des Kindes offenbar die Stufe der genitalen Organisation. Diese inzestuösen Verliebtheiten verfallen der Verdrängung, weil es ihnen bestimmt ist unterzugehen, wahrscheinlich weil ihre Zeit um ist, weil die Kinder in eine neue Entwicklungsphase eintreten, in welcher sie genötigt sind, die Verdrängung der inzestuösen Objektwahl aus der Menschheitsgeschichte zu wiederholen, wie sie vorher gedrängt waren, solche Objektwahl vorzunehmen. Gleichzeitig mit diesem Verdrängungsvorgang erscheint ein Schuldbewußtsein. Die Phantasie der inzestuösen Liebeszeit hatte gesagt: Er (der Vater) liebt nur mich, nicht das andere Kind, denn dieses schlägt er ja. Das Schuldbewußtsein weiß keine härtere Strafe zu finden, als die Umkehrung dieses Triumphes: „Nein, er liebt dich nicht, denn er schlägt dich." So würde die Phantasie der zweiten Phase, selbst vom Vater geschlagen zu werden, zum direkten Ausdruck des Schuldbewußtseins, dem nun die Liebe zum Vater unterliegt. Sie ist also masochistisch geworden; meines Wissens ist es immer so, jedesmal ist das Schuldbewußtsein das Moment, welches den Sadismus zum Masochismus umwandelt. Dies ist aber gewiß nicht der ganze Inhalt des Masochismus. Das

Schuldbewußtsein kann nicht allein das Feld behauptet haben; der Liebesregung muß auch ihr Anteil werden. Da es sich um Kinder handelt, bei denen die sadistische Komponente aus konstitutionellen Gründen vorzeitig und isoliert hervortreten konnte, ist bei eben diesen Kindern ein Rückgreifen auf die prägenitale, sadistisch-anale Organisation des Sexuallebens besonders erleichtert. Wenn die kaum erreichte genitale Organisation von der Verdrängung betroffen wird, so tritt nicht nur die eine Folge auf, daß jegliche psychische Vertretung der inzestuösen Liebe unbewußt wird oder bleibt, sondern es kommt noch als andere Folge hinzu, daß die Genitalorganisation selbst eine regressive Erniedrigung erfährt. Das: Der Vater liebt mich, war im genitalen Sinne gemeint; durch die Regression verwandelt es sich in: Der Vater schlägt mich (ich werde vom Vater geschlagen). Dies Geschlagenwerden ist nun ein Zusammentreffen von Schuldbewußtsein und Erotik; es ist nicht nur die Strafe für die verpönte genitale Beziehung, sondern auch der regressive Ersatz für sie, und aus dieser letzteren Quelle bezieht es die libidinöse Erregung, die ihm von nun anhaften und in onanistischen Akten Abfuhr finden wird. Dies ist aber erst das Wesen des Masochismus. Die zweite Phase der Schlagephantasien bleibt in der Regel unbewußt, infolgedessen kann eine während dieser Zeit aufgetretene Onanie unter der Herrschaft unbewußter Phantasien stehen, welche durch die bekannten Schlagephantasien der dritten Phase ersetzt werden.

Als solchen Ersatz fassen wir dann die bekannte Schlagephantasie der dritten Phase auf, die endgültige Gestaltung derselben, in der das phantasierende Kind höchstens noch als Zuschauer vorkommt, der Vater in der Person eines Lehrers oder sonstigen Vorgesetzten erhalten ist. Die Phantasie, die nun jener ersten Phase ähnlich ist, scheint sich wieder in das Sadistische gewendet zu haben. Das macht den Eindruck, als wäre in dem Satze: Der Vater schlägt das andere Kind, er liebt nur mich, der Akzent auf den ersten Teil zurückgewichen, nachdem der zweite der Verdrängung erlegen ist. Allein nur die Form der Phantasie ist sadistisch, die Befriedigung, die aus ihr gewonnen wird, ist eine masochistische, ihre Bedeutung liegt darin, daß sie die libidinöse Besetzung des verdrängten Anteiles übernommen hat und mit dieser auch das am

Inhalt haftende Schuldbewußtsein. Alle die vielen unbestimmten Kinder, die vom Lehrer geschlagen werden, sind doch nur Ersetzungen der eigenen Person.

Diese Beobachtungen können verwertet werden zur Aufklärung über die Genese der Perversionen überhaupt, im besonderen des Masochismus. An der Auffassung, die bei Perversionen die konstitutionelle Verstärkung oder Voreiligkeit einer Sexualkomponente in den Vordergrund rückt, wird zwar nicht gerüttelt, aber damit ist nicht alles gesagt. Die Perversion steht nicht mehr isoliert im Sexualleben des Kindes, sondern sie wird in den Zusammenhang der uns bekannten typischen Entwicklungsvorgänge aufgenommen. Sie wird in Beziehung zur inzestuösen Objektliebe des Kindes, zum Ödipuskomplex desselben, gebracht, tritt auf dem Boden dieses Komplexes zuerst hervor, und nachdem er zusammengebrochen ist, bleibt sie, oft allein, von ihm übrig, als Erbe seiner libidinösen Ladung und belastet mit dem an ihm haftenden Schuldbewußtsein. Es erscheint nicht unmöglich zu sein, daß man die Entstehung der infantilen Perversionen ganz allgemein aus dem Ödipuskomplex behaupten darf. Das „erste Erlebnis" wird von den Perversen immer in eine Zeit verlegt, um welche die Herrschaft des Ödipuskomplexes bereits abgelaufen war; das erinnerte, in so rätselhafter Weise wirksame Erlebnis könnte sehr wohl die Erbschaft desselben vertreten haben. In analoger Weise, wie der Ödipuskomplex der eigentliche Kern der Neurose ist, wären die Schlagephantasien und andere analoge perverse Fixierungen auch nur Niederschläge des Ödipuskomplexes, gleichsam Narben nach dem abgelaufenen Prozeß, gerade so wie die berüchtigte „Minderwertigkeit" einer solchen narzißtischen Narbe entspricht. (Vgl. M a r c i n o w s k i : „Die erotischen Quellen der Minderwertigkeitsgefühle", Zeitschrift für Sexualwissenschaft IV, 1918.)

Zur Genese des Masochismus liefert die Diskussion der Schlagephantasien nur spärliche Beiträge. Es scheint sich zunächst zu bestätigen, daß der Masochismus keine primäre Triebäußerung ist, sondern aus einer Rückwendung des Sadismus gegen die eigene Person, also durch Regression vom Objekt aufs Ich entsteht. Triebe mit passivem Ziele sind zumal beim Weibe, von Anfang zuzugeben, aber die Passivität ist noch nicht das Ganze des Masochismus;

es gehört noch der Unlustcharakter dazu, der bei einer Trieberfüllung so befremdlich ist. Die Umwandlung des Sadismus in Masochismus scheint durch den Einfluß des am Verdrängungsakt beteiligten Schuldbewußtseins zu geschehen. Die Verdrängung äußert sich also hier in dreierlei Wirkungen; sie macht die Erfolge der Genitalorganisation unbewußt, nötigt diese selbst zur Regression auf die frühere sadistisch-anale Stufe und verwandelt deren Sadismus in den passiven, in gewissem Sinne wiederum narzißtischen Masochismus. Der mittlere dieser drei Erfolge wird durch die in diesen Fällen anzunehmende Schwäche der Genitalorganisation ermöglicht; der dritte wird notwendig, weil das Schuldbewußtsein am Sadismus ähnlichen Anstoß nimmt, wie an der genital gefaßten inzestuösen Objektwahl.

Die zweite, unbewußte und masochistische Phase, die Phantasie, selbst vom Vater geschlagen zu werden, ist die ungleich wichtigere; es sind Wirkungen auf den Charakter nachzuweisen, welche sich unmittelbar von ihrer unbewußten Fassung ableiten. Menschen, die eine solche Phantasie bei sich tragen, entwickeln eine besondere Empfindlichkeit und Reizbarkeit gegen Personen, die sie in die Vaterreihe einführen könnten.

Um das Bild, das Freud uns hier über die Zusammenhänge zwischen Perversionen und Ödipuskomplex gegeben hat, nicht zu komplizieren, versage ich es mir, über den zweiten Teil der Arbeit, welcher die entsprechenden Verhältnisse bei Knaben schildert, zu referieren; den ersten Teil der Arbeit habe ich so ausführlich besprochen, weil die Arbeit uns im Gegensatz zu einer großen Anzahl von Veröffentlichungen, welche immer wieder in stereotyper Weise den pathogenen Eindruck, das fixierende Ereignis der Kindheit (gewöhnlich der späteren Kindheit) schildern, in die Uranfänge der Perversionen führt und berufen erscheint, der Ausgangspunkt einer neuen Forschertätigkeit auf diesem Gebiete zu werden.

Von Hattingberg sucht sich in seinem Aufsatz: „Analerotik, Angstlust und Eigensinn" (15) zögernd und widerstrebend mit Freuds Ansichten über das Zusammentreffen der drei Charaktereigenschaften: Ordentlichkeit, Sparsamkeit und Eigensinn mit Analerotik in der Kindheit[1]) auseinanderzusetzen; teils infolge mangel-

---

[1]) Freud: Charakter und Analerotik. Neurosenlehre. II. Folge.

hafter eigener Erfahrungen, teils auf Grund einiger nicht sehr be-
weisender, anscheinend nicht analysierter Beispiele zweifelt er
Freuds Aufstellungen an; hinter der vom Autor als Beispiel angeführten „großzügigen Largesse" versteckt sich nach meinen Erfahrungen, manchmal anscheinend recht gut, ein ausgesprochener
Geiz. Das gleichzeitige Vorkommen von Eigensinn in Verbindung
mit Analerotik, besonders aber nur im Kindesalter, scheint seiner
Ansicht nach häufiger zu sein. Es wird versucht, den Eigensinn
als Folge der „Angstlust" zu verstehen: „dagegen kann die Angstlust leicht zum Eigensinn führen, zunächst so, daß das Kind sich
einfach passiv verhält. Während die normale Angst ein Antrieb
wäre, aus der Situation herauszutreten, ist hier eine Lustkomponente
beigemischt, die eine Tendenz erzeugt, sie zu verlängern. Viel öfter
bleibt das Kind nicht passiv, es kommt noch die Trotzeinstellung
dazu (Woher? der Ref.), eine echte Aggressionstendenz. Dadurch
verschärft das Kind die Situation — es wird härter angefaßt und
damit steigert sich seine Angst und ‚seine Lust'." Unter „Angstlust", einem „gemischten" — „angenehm-unangenehmem" Gefühl,
versteht der Autor die sexuelle Lust, welche durch Angst erzeugt
wird; er betont, wie wichtig es ist, auf die Verschiedenheit der
Angstlust vom Masochismus hinzuweisen, auch weil der Masochist
meist nicht eigensinnig, sondern die Tendenz zur Unterwürfigkeit
hat. (Welch letztere häufig eine ausgeprägte Herrschsucht cachiert.
Der Ref.) Die Entstehung der „Angstlust" sucht v. Hattingberg auf somatische Weise zu erklären. Ausgehend von einem
eingehend beschriebenen, sehr hübschen Fall von „Angstlust" bei
einem ungefähr fünf Jahre alten Knaben mit ausgesprochener Anal-
und Urethralerotik, — welcher, wenn er Angst hatte, sofort das Gefühl bekam, als ob er groß und Lulu machen müsse, also ein Stuhl-
und Urindrang und dabei ein „Gefühl" im Penis, eine Erektion —
kommt der Autor zu folgenden Erwägungen: „müssen wir uns zunächst daran erinnern, daß bekanntlich zwischen der Innervation
der Blase und des Mastdarms und der Genitalsphäre nicht nur anatomisch, sondern auch physiologisch sehr nahe Beziehungen bestehen". — „Danach ruft auch beim Weibe analog der bekannten
‚Wassersteife' des Mannes die Füllung der Blase eine reflektorische
Steigerung der sexuellen Erregung und Genußfähigkeit hervor." —

.Der Zusammenhang ist in allen diesen Fällen wohl sicher ein verhältnismäßig einfacher, also rein physiologisch begründeter, was bei der Wassersteife des Mannes kaum jemand bezweifeln dürfte." (Was mir höchst unwahrscheinlich erscheint. Der Ref.[1]) — „Zu den sogenannten ‚somatischen‘ Begleiterscheinungen des Angstaffektes gehören normalerweise, wenigstens bei höheren Graden des Affektes, Stuhl- und Urindrang." — „Wir haben jetzt nur anzunehmen, daß bei ‚nervösen‘ Kindern wirklich eine allgemein gesteigerte Erregbarkeit des gesamten Nervensystems vorliegt, um zu verstehen, daß bei ihnen eben schon ein geringerer Druck in der Blase oder im Rektum im stande ist, einen Erregungszustand in der Genitalsphäre (vielleicht auf dem Wege einer ‚Irradiation‘ des Reizes) hervorzurufen. Die bei solchen Kindern ebenfalls und meist besonders gesteigerte Erregbarkeit des Sympathikus bedingt zudem, daß die erwähnten ‚somatischen‘ Begleiterscheinungen — man spricht oft von ‚Ausdruckserscheinungen‘ — der Affekte ganz allgemein intensivere sind. Und damit ist meines Erachtens eine zureichende Erklärung dafür gewonnen, wie die Angst zur Angstlust wird; ebenso warum nur bei besonders disponierten Individuen dieser ‚Mischaffekt‘ entsteht."

Der Autor fügt hinzu: „Für ‚philosophische‘ Psychologen keine Erklärung." Ich muß gestehen: auch für mich ist das keine ausreichende Erklärung, — sondern diese Vorgänge erfordern eine eingehende psychoanalytische Erklärung.

S t e k e l beschreibt unter dem nicht sehr glücklich gewählten Titel „Ein Fall von Analerotik (Priapismus)" (23) einen 54jährigen Mann, welcher seit Jahren an nächtlichen Erektionen gelitten hatte, die allen therapeutischen Bemühungen getrotzt hatten; die Erektionen wurden durch eine spezifische Phantasie hervorgerufen: „das Weib kniet auf ihm, so daß es ihm fellatio macht und ihm den Hinterteil zuwendet. Er vollzieht zugleich den Cunnilingus in anum". Eine Erklärung der Entstehung der Phantasien ist nicht gegeben worden.

Der E x h i b i t i o n i s m u s hat nach wie vor wenig Beachtung gefunden. Mir ist nur eine Broschüre bekannt geworden: S t r a ß e r

---

[1] Siehe R a n k s Arbeit: „Die Symbolschichtung im Wecktraum." (Jahrbuch IV. S. 51.

bringt in dem Aufsatze „Zur forensischen Begutachtung des Exhibitionismus" (27) in groben Umrissen die Krankengeschichte zweier
Exhibitionisten, in welchen die Geschichte der frühen Kindheit fehlt;
die mitgeteilten Beobachtungen werden mit A d l e r s Anschauungen
über die Entstehung der Neurosen in Einklang zu bringen versucht;
infolgedessen findet diese Perversion durch die Arbeit S t r a ß e r s
keine Erklärung. Der Autor tritt für eine Exkulpierung derartiger
Kranker bei Konflikten mit der herrschenden Gesetzgebung und für
eine zwangsweise Behandlung derselben ein.

In bezug auf den F e t i s c h i s m u s verdient folgende Mitteilung Beachtung:

H. v o n H u g - H e l l m u t h beschreibt (16) eine Dame, welche
im normalen sexuellen Verkehr keine Befriedigung findet und für
keinen Mann Interesse empfindet, sondern deren ganzes bewußtes
sexuelles Empfinden sich auf Stiefel, besonders auf hohe Reitstiefel
von Männern und die darin befindlichen Füße, insbesondere die Zehen,
richtet. Der Vater war Offizier; die Dame interessierte sich von
früher Jugend an intensiv für die Reitstiefel des Vaters, für alles
militärische Leben, verlobte sich später mit einem 30 Jahre älteren
Offizier, „weil er so entzückende Füße hatte". Später verliebte
sie sich in einen auffallend häßlichen älteren Offizier: „Ich bin
sterblich verliebt in die entzückendsten Reitstiefel, die ich je gesehen." Es kam zu einer unglücklichen Ehe. Nackte Füße empfand
sie als ekelhaft: „Wenn ich mir nur die große Zehe vorstelle,
graust es mir schon; und die Nägel, die immer verkrüppelt sind,
und die kleine Zehe, die nie wachsen kann! Das ist ein greulicher
Anblick." Einem jungen Offizier, den sie um des genannten Reizes
willen bevorzugte, gab sie als Zwanzigjährige plötzlich den Abschied, weil sie, als er neben ihr saß, bemerkte, wie er die Zehen
im Schuh bewegte. Die Bewerbung eines anderen lehnte sie ab,
weil er „durchgedrückte Zehenballen" hatte. Es wird eine Erklärung des leider nicht analysierten · Falles auf Grund des mitgeteilten Materials zu geben versucht, welche äußerst wahrscheinlich klingt: als zehnjähriges Kind wünscht sie sich auch hohe
Schaftstiefel; offensichtlich weit mehr aus der Identifikation mit
dem geliebten Vater und dem heftigen Wunsche, ein Knabe zu sein
(symbolische Natur des Fußes = Penis), als aus Selbstverliebtheit.

Die hohen Reitstiefel sind für die Erwachsene geradezu Gegenstand
erotischer Gefühle; sie verzichtet nicht bloß auf das normale Sexualziel, sondern sie nimmt zu der Vorstellung ihres Fetisches Zuflucht, um sich die ehelichen Pflichten erträglich zu machen. Das
Verhalten der Dame gegen den nackten Fuß scheint von besonderer
Bedeutung zu sein. Ekel ging immer einer besonderen Libido voran;
der Fuß bildet Symbol und Ersatz für den Penis: irgendeinmal
muß die Aufmerksamkeit des Kindes auf das männliche, das heißt
das väterliche Genitale, gerichtet gewesen und dann durch die
Sexualeinschüchterung der Erziehung verdrängt worden sein auf
einen nicht minder anstößigen Körperteil, den Fuß. In seiner Rolle
als Penisersatz muß er aber verhüllt sein, und an diese Hülle
werden im Interesse der Idealisierung des Objektes besondere Anforderungen, wie glänzende Neuheit (was vielleicht so viel als Un-
berührtheit heißen soll), Faltenlosigkeit usw. gestellt. Daher die
Bezeichnung „entzückend dezent" für Reitstiefel; zufolge einer solchen Verdrängung die Reaktion des Mädchens mit einem solchen
Ekel auf ein Bewegen der Zehen. Vielleicht spielen bei ihrem Abscheu vor verkrüppelten Zehen und Nägeln Kastrationsvorstellungen
mit. Das masochistische Moment ist klar ausgesprochen: „Vor Reit-
stiefeln kann man zittern und man muß sie lieben zugleich."

Von F r e u d sind neu zwei Bemerkungen in bezug auf den
Fetischismus in seinen „Drei Abhandlungen" (10, S. 19, 21): „Diese
Schwäche entspräche der konstitutionellen Voraussetzung. Die Psychoanalyse hat als akzidentelle Bedingung die frühzeitige Sexualeinschüchterung nachgewiesen, welche vom normalen Sexualziel ab-
drängt und zum Ersatz desselben anregt." — „In manchen Fällen
von Fußfetischismus ließ sich zeigen, daß der ursprünglich auf
das Genitale gerichtete S c h a u t r i e b, der seinem Objekt von unten
her nahe kommen wollte, durch Verbot und Verdrängung auf dem
Wege aufgehalten wurde, und darum Fuß oder Schuh als Fetisch
festhielt. Das weibliche Genitale wurde dabei, der infantilen Erwartung entsprechend, als ein männliches vorgestellt."

In seiner Arbeit „Zur Psychologie und Therapie des Fetischismus" (25) bringt S t e k e l uns die „Analysen" zweier Fetischisten.
Seine Arbeitsmethode charakterisiert der Autor selbst folgendermaßen: „Nun lasse ich einen der vielen Träume dieses Kranken fol-

5*

gen. Er gewährt uns einen tiefen Einblick in die Struktur der Neurose
und in die Motive seines Fetischismus. Ich bemerke, daß ich die
Analyse erst ohne die Einfälle des Analysierten durchführte und
daß er allerdings dann durch seine von mir gelenkten (vom
Ref. gesperrt) Einfälle das dazu gehörige Material in überreichem
Maße brachte. Gerade diese Traumanalyse ist ein glänzender Beweis, daß man in den meisten Träumen mit der Methode Freuds
nicht weiter kommt und unbedingt nach meiner Methode arbeiten
muß, wenn man zu neuen Erkenntnissen kommen will. Freilich —
es ist bequemer, auf den Einfall des Träumers zu warten, als durch
eigene Einfälle auf die richtige Deutung zu kommen. Es ist auch
nicht jedermann für diese Art der Traumdeutung begabt..." In
der ausführlichen „Analyse" eines langen Traumes ist keine Assoziation des Patienten enthalten, so daß dem mitgeteilten Material keine
Beweiskraft zukommt, es ist nirgends ersichtlich, ob es sich um Einfälle des Patienten oder um „Deutungen" Stekels handelt. Der
Autor kommt zu dem Schluß, daß es sich in beiden Fällen um eine
„Christusneurose" handelt, für deren Heilung es nur einen Weg gibt,
die Ehe. „weil hier der Kongressus keine Sünde mehr war". Er
kommt zu folgenden Feststellungen: „Der Fetischismus ist eine Er-
satzreligion. Er bietet seinem Träger in Form einer Perversion eine
neue Religion, in der er seinem Bedürfnis nach Glauben gerecht
werden kann. Er entspringt aus einem Kompromiß zwischen einer
übermächtigen Sexualität und einer starken Frömmigkeit. Er gewährleistet seinem Träger die Möglichkeit einer mehr oder minder
vollkommenen Askese. Unter dem Bilde des Satanismus und der
Libertinage verbirgt sich eine Frömmigkeit, deren Ziele weit über
diese Welt hinausgehen. Der Fetischist ist im offenen Kampfe mit
jeder Autorität, besonders aber mit Gott, dem er sich im geheimen
unterwirft und dem er durch besondere Entbehrungen zu dienen
glaubt." — Ich meine, daß es auch schon den Nervenärzten der vor-
freudschen Epoche bekannt war, daß Nervöse sich mit sie quälenden,
manifesten religiösen Problemen beschäftigen. Was hat das Durch-
sprechen solcher Probleme mit Psychoanalyse zu tun? Stekels
Arbeitsmethode wird ausgezeichnet durch die Art und Weise charakterisiert, in der er die stenographischen Notizen eines Schülers
Freuds bespricht (S. 243): So lautet ein Traum: „Ich liege auf

gestellt! So hört auch diese „Analyse" dort auf. wo die analytische Arbeit erst beginnen sollte. Trotzdem ich in diesem Referat die Fortschritte der Psychoanalyse besprechen sollte, konnte ich an dieser Arbeit Stekels nicht vorübergehen, da sie wie in einem Bilderbogen solch eine Menge von verschiedenen Fällen aus einer großen psychotherapeutischen Praxis schildern, in welchen sich Onanie und Homosexualität versteckt in den verschiedensten Bildern zeigen, daß das Werk Kollegen, welche ihre Kenntnisse infolge Mangels eigener größerer Erfahrungen erweitern, aber nicht vertiefen wollen, empfohlen werden kann, insbesondere da die Fälle doch von einem Autor gesehen und geschildert worden sind, der einmal eine psychoanalytische Schule durchgemacht hat. Auf die einzelnen Fälle und theoretischen Ansichten einzugehen kann ich mir nach den oben mitgeteilten Proben versagen.

Außer in Stekel hat die Inversion noch eine ganze Reihe von Bearbeitern gefunden, von denen ich folgende Arbeiten besprechе:

Adlers „Das Problem der Homosexualität" (1) ist bereits von Federn eingehend besprochen worden (Z. V. S. 220); ich kann mich den Ausführungen von Federn nur anschließen. Alles in allem: eine einfache Übertragung von Adlers Gedanken aus seinem „Nervösen Charakter", auf das Problem der Homosexualität, auf alle Perversionen, aber vom speziellen Problem der Homosexualität kein Wort.

Friedjung beschreibt in seinem Aufsatz: „Schamhaftigkeit als Maske der Homosexualität" (14) einen 39jährigen Mann, welcher sich infolge seiner Homosexualität weigerte, sich vor einem Arzte zu entkleiden: „Das Peinliche liegt darin, daß der Arzt bei der Untersuchung angekleidet bleibt; wäre er auch nackt, so fiele das Peinliche der Situation weg."

R. Senf wiederholt in seinem Aufsatz „Psychosexuelle Intuition" (22) seine bereits in früheren Arbeiten (Ursprung der Homosexualität, Groß' Archiv, Bd. 52 u. a.) aufgestellte Theorie von der Herkunft der Homosexualität, um daran seine Methode der „psychosexuellen Intuition" aufzuzeigen. Perversionen entstehen durch „Auflösung" des sexuellen Aktes in die „Einzeleindrücke", aus denen er sich zusammensetzt. „So habe ich aus der Beobachtung, daß dem Sofa. Hinter mir sitzt Dr. X. und träufelt fortwährend warmes Wasser über mein Haupt. Ich denke, so lange mein Helm fest anliegt, kann das Wasser ruhig plätschern." Die stenographischen Notizen zeigen, daß dieser Traum als Zeichen der „Urinerotik" aufgefaßt wurde. Als ein infantiler Wunsch, den analysierenden Arzt mit Urin zu beträufeln! Einfach unglaublich und doch wahr! Und der Traum heißt: „Ich liege bei dir am Sofa und das warme Wasser deiner Rede ergießt sich über mein Haupt. Ich habe aber meine Neurose (Helm!) in guter Hut und höre nicht auf dein Gerede." Also eine Deutung des manifesten Trauminhalts ohne eine einzige Assoziation des Patienten! Überhaupt muß man sich, um Stekels Arbeiten zu verstehen, seine eigenen Worte vorhalten aus seiner Arbeit „Onanie und Homosexualität" (24) (S. 384[1]): „Einerseits haben die maßlosen Übertreibungen (vom Ref. gesperrt) des Meisters und seiner Anhänger viele Ärzte kopfscheu gemacht... Wie fest war ich von allen Freudschen Mechanismen überzeugt, so lange die Nähe des großen Entdeckers meinen klaren Blick verwirrte! Wieviel mußte ich umlernen, korrigieren, besänftigen, unterstreichen, überwinden, vergessen, mit anderen Augen ansehen..." Meines Erachtens ist zum Verständnis des Werkes der Nachdruck auf das Wort vergessen zu legen. Durch eine Fülle von instruktiv geschilderten Fällen sucht Stekel seine Ansichten zu beweisen, jedoch findet sich in der ganzen mitgeteilten Menge von „Analysen" (besser gesagt Anamnesen) keine auch nur einigermaßen in die Tiefe getriebene, oder gar beendete „Analyse", so daß der von Freud in die Wissenschaft eingeführte terminus technicus von Stekel mit Unrecht für seine Art von Psychotherapie benutzt wird. Auf die ausführliche Mitteilung einer auch an anderer Stelle[2]) publizierten „Analyse" legt Stekel großen Wert, es ist eine sechswöchige (!) „Analyse" eines Homosexuellen; diese „Analyse" benutzt Stekel als Beweis für folgende Feststellung: „Die homosexuelle Neurose ist eine durch die sadistische Einstellung zum entgegengesetzten Geschlecht motivierte Flucht in das eigene Geschlecht." Welcher Schüler Freuds hätte nicht bei der Analyse eines Homosexuellen sehr bald den Haß gegen das andere Geschlecht als Nebenbefund fest-

---

[1]) Womit ich in die Besprechung der Arbeiten über die Inversion eintrete.
[2]) Groß' Archiv f. Krimin.-Anthrop. Bd. 66. 1916.

sich die Einzeleindrücke, welche ursprünglich den Individuen unbewußt zu der komplexen Lust der Besitzergreifung im Akte zu-
sammenklingen, nämlich die Gewaltanwendung, die Wahrnehmung
der eigenen Erregung und der des anderen Teiles, die Wahrnehmung
des Leidens des Gegners — als selbständige Grundlage des innersten
Charakters einzelner Gruppen von Perversitäten wiederfinden, darauf
geschlossen, daß diese entstanden sein müssen infolge der Auflösung des Aktes als sexuelles Erlebnis in jene Einzeleindrücke." Die (männliche) Homosexualität leitet sich ab
von „dem Einzeleindruck der Erregung". Von hier geht der Entwicklungsgang über die Steigerung der eigenen Erregung durch die
Einfühlung in fremde Erregung (zwei Studenten, die gleichzeitig
mit zwei Mädchen verkehren, „weil jeden das Anschauen der Bei-
schlafbewegungen des anderen stark erregte") zu dem Zustand, wo
die bloße Vorstellung des erregten Mannes in den Vordergrund des
Interesses geschoben wird. „Wir sehen, wie infolgedessen die Person
des Mannes zum erstenmal selbständiger als Objekt des sexuellen
Wunsches hervortritt, wie es dann auf diesem Wege nicht ausbleiben kann, daß die Eigenschaften, die ursprünglich als Symbol
der Fähigkeiten, das Weib zu erregen, erfunden worden sind, in
natura interessieren, und wie schließlich die Entspannung im Besitze eines derartigen Mannes, und zwar bezeichnenderweise gerade
eines heterosexuellen oder im Besitze der männlichen Erregung in
ihrem Wirkenlassen auf den eigenen Körper, also in der Hingabe,
erstrebt und erlangt wird."

Verfasser polemisiert gegen Hirschfelds Auffassung der
Homosexualität als einer biologischen Variante, sie sei statt dessen
ein Entwicklungsprodukt, das freilich, „weil derartige Entwicklungen sich niemals innerhalb eines Menschenlebens abzuspielen
vermögen, als angeborene ‚Disposition‘, als ‚fertige Anlage‘ auftrete".
Sie ist ebensowenig eine biologische Variante wie etwa der typische
Lustmörder. Sie ist keine „von Ursprung an neben der Heterosexualität vorhanden gewesene Naturerscheinung", sondern „durch
eine Abwandlung des heterosexuellen Fühlens nach der Dissolution
des Aktes als komplexes Erlebnis in seine Einzeleindrücke infolge
der Alleinherrschaft des Einzeleindruckes der Erregung entstanden".

Die „psychosexuelle Intuition" gründet sich auf die „innere Erfahrung". „Chemische oder biologische Forschungsresultate entstammen einer Welt, welche mit der Sphäre innerer Erfahrung schlechterdings nichts zu tun hat". Psychische Vorgänge können nur „intuitiv" erfaßt werden, dazu bedarf es einer „Anlage, psychische Möglichkeiten an sich zu entdecken, in ihnen aufzugehen, zu ihnen Distanz zu gewinnen, ihr Ineinandergleiten zu merken, damit ihre Beziehungen untereinander zu überschauen und sie schließlich in allen verwandten und denkbaren Nuancierungen wiederzufinden". Es handelt sich um eine Art „Empfindungsmathematik - das bewußte Erleben psychischer Resultate und deren verstandesgemäße Verarbeitung".

Verfasser hat in seiner streng psychologischen Methode Berührungspunkte mit der Psychoanalyse, doch macht sich das Fehlen der experimentellen Grundlage der Freudschen praktischen Analyse und dadurch die Vernachlässigung des Unbewußten und der infantilen Sexualität stark bemerkbar. Bewußtseinsanalyse und rationalistische Differenzierungen herrschen vor.

Bei aller Beachtlichkeit der mit ihr entrollten psychologischen Zusammenhänge liegt in der Ableitung der Homosexualität von der Einfühlung in die sexuelle Erregung eines anderen Mannes ein Circulus vitiosus, weil diese Einfühlung ihrerseits erst als eine Auswirkung der latenten homosexuellen Komponente der Libido begreiflich erscheint.

Blühers viele Affekte verratende Arbeit „Die Rolle der Erotik in der männlichen Gesellschaft" (2) ist bereits von Eisler unter Hervorhebung der Vorzüge und Schwächen der Schrift eingehend besprochen worden. (Z. VI. S. 180.) Sie dient im wesentlichen zur eingehenden Begründung der in seinen früher erschienenen Arbeiten entwickelten Ansichten über die Inversion („Zur Theorie der Inversion" [3]; „Studien über den perversen Charakter" [5], und „Die drei Grundformen der sexuellen Inversion" [4]). Indem ich mich den Anschauungen Eislers im allgemeinen anschließe und noch besonders den großen Nutzen hervorhebe, welchen jeder Psychoanalytiker aus der Lektüre zur Erweiterung seiner Kenntnisse über den Umfang verdrängter homosexueller Neigungen in vielen Gesellschaftskreisen ziehen kann, kann ich doch nicht umhin, Eisler

darin zu widersprechen, daß dieses Werk „der erste Versuch sein
durfte, die Anschauungen Freuds zur Grundlage einer neuen Gesellschaftslehre zu machen". Ich finde, daß Blüher sich in vielen
Punkten zu weit von den Ansichten Freuds und seiner Schüler entfernt, als daß das möglich sein dürfte. Da Blüher in bezug auf
eine von ihm geschilderten psychotherapeutischen Bemühungen immer
wieder die Worte „Analyse" und „analysieren" anwendet, scheint
es mir unbedingt geboten, festzustellen, daß Freud unter Psychoanalyse etwas ganz anderes versteht. Blüher wendet Homosexuellen
gegenüber eine Therapie an, welche der von Magnus Hirschfeld
beschriebenen Adaptionstherapie sehr ähnlich ist, und hört dort auf
zu „analysieren", wo wir damit beginnen. Ich glaube nicht, daß
jemand in die Lage kommen kann, sich ein objektives Bild über die
Homosexualität zu machen, wenn er, sobald er in seinen therapeutischen Bemühungen auf eine ausgesprochene Homosexualität stößt,
sich respektvoll, wie vor etwas „bedingungslos Heiligem und Unan-
tastbarem" zurückzieht (S. 136/137), sich dann auf die Seite der
männlichen Gesellschaft stellt, gegen die bürgerliche Norm spricht
(S. 177), „sich unbedingt und ohne jeden Zweifel auf die Seite des
Erkrankten stellt, und zwar auf die seines Triebes und seines Eros"
(S. 171). Ein Forscher müßte vor allen Dingen objektiv bleiben
können. In vielen Punkten sieht das Buch sehr stark den rationali-
sierten Widerständen eines intelligenten Patienten ähnlich, welcher
eine Analyse nur bis zu einem gewissen Punkte machen will und
seinen Abbruch immer wieder mit Hilfe seiner überlegenen Intelligenz und großen Kenntnisse zu verteidigen sucht, aber seine unbewußten Motive übersieht. Ausführliche Belege für meine-Behaup-
tung zu bringen, muß ich mir im Rahmen dieses Referates versagen.
Aussprüche, wie: „Aber es ist nicht wahr, daß er[1] deshalb unglück-
lich und minderwertig sein müsse. Menschen dieser Art gehen fast
gleichgültig an den lebenden Objekten vorüber und verkehren im
Stillen mit Götterbildern. Sexuell reichbegabte Naturen mit weiter
Phantasie werden nur schwer ohne diese Art von Onanie auskommen,
mögen sie im übrigen mit vielen Frauen oder Jünglingen orgastische
Gemeinschaft haben. Denn es gibt eben Objekte, die durchaus nur
in der Phantasie bestehen. — Es kann kein Zweifel sein, daß die

---

[1] (= ein Onanist. Der Ref.)

74   Dr. Felix Boehm.

Onanie die großartigste Erfindung des Menschen auf sexuellem Gebiete ist" (S. 112), vertiefen wohl die Trennungslinien zwischen dem Autor und denjenigen, welche die Psychoanalyse zu Heilzwecken verwenden.

In seinem Aufsatz „Ketzergedanken über Homosexualität" (19) wendet sich S a d g e r [1]) gegen die Beschönigung homosexueller Betätigungen durch die Wortführer der Homosexuellen, wendet sich gegen Magnus H i r s c h f e l d s „Zwischenstufentheorie", gegen die Überbetonung und Unterstreichung der „angeborenen Triebrichtung"; er betont den von F r e u d und von ihm vertretenen Standpunkt, daß jene „angeborene Triebrichtung" überhaupt nicht bestehe, nur der Trieb sei angeboren, nicht aber das Objekt; es ergibt sich ganz regelmäßig ein Schwanken der Libido zwischen beiden Geschlechtern; die Homosexualität ist demnach erst ein späteres Entwicklungsstadium, sie kann durch Psychoanalyse geheilt werden. — S a d g e r wendet sich gegen eine Vernachlässigung seiner Forschungsresultate in H i r s c h f e l d s „Die Homosexualität des Mannes und des Weibes". Betont wird ferner die organische Disposition zur Homosexualität, welche aber nicht zu einer solchen zu führen braucht. — Autor wendet sich gegen H i r s c h f e l d s „Digitationes" (in Wiener homosexuellen Kreisen „Fingerln" genannt) und „Adaptionstherapie", welch letztere keine ärztliche Behandlung ist, ebenso gegen H i r s c h f e l d s Standpunkt von der „pädagogischen und nutzbringenden Seite der Homosexualität zum Besten des Staates"; er betont die Gefahren der Verführung Minderjähriger durch Urninge und verlangt eine Erhöhung des Schutzalters für Knaben bis zum 18. Lebensjahre.

S a d g e r faßt seine neuen Erfahrungen über männliche Inversion in seinem Aufsatz: „Neue Forschungen zur Homosexualität" (20) folgendermaßen in einem Schlußwort zusammen:

1. Der Urning verhält sich weiblichen Sexualobjekten gegenüber genau wie der psychisch Impotente, der nicht leistungsfähig ist, weil er an die Mutter, selten an die Schwester verlötet ist.

2. Ein Stück seiner spezifischen Konstitution läßt sich dahin definieren, daß einerseits seine Muskelerotik von Haus aus herabgesetzt, anderseits die genitale Libido und die sexuelle Schaulust

---

[1]) Siehe auch S a d g e r s Referat über Magnus H i r s c h f e l d s „Die Homosexualität des Mannes und des Weibes". Z. II. S. 392.

84

diese letztere vornehmlich auf die Geschlechtsorgane — erheblich gesteigert ist. Es besteht ferner

3. sehr häufig eine besondere Verstärkung jener ohnehin erhöhten genitalen Libido durch Reizungen von seiten des Vaters, der seinen Sprößling übertrieben liebt;

4. eine Überschätzung des männlichen Gliedes, welches manchen Urning wie ein Dämon verfolgt;

5. endlich aus dem nämlichen Grunde eine besondere Lust zum Hingreifen ad membrum. Die typischen „Verderber" sind meistens „absolut" homosexuell.

6. Die Überbetonung der genitalen Libido führt ausnahmslos zu früher Verliebtheit in das andere Geschlecht, vor allem in die Mutter (oder deren frühere Vertreterin), auf welche der Urning grobsinnliche Gelüste nährt.

7. Deren scharfe Zurückweisung bedingt dann seine erste Enttäuschung, die zweite das Fehlen des Penis bei der Mutter, die er weit stärker und schwerer empfindet als der normale Junge.

8. Wenn dann in der Reifung wieder durch die Mutter eine Enttäuschung in sexualibus erfolgt, kommt es zur Fixierung ans eigene Geschlecht auf dem Wege der Regression zur urgeliebten Mutter mit dem Penis und der steten Überschreibung vom Weib auf den Mann.

9. Diese Regression ermöglicht es ihm, die beiden stärksten Liebesempfindungen jegliches Menschen zur Mutter und Ich gleichzeitig zu geben und zu empfangen, daher die Hartnäckigkeit, mit der die Fixierung an den Mann vom Urning festgehalten wird.

Er stützt seine Erfahrungen auf zahlreiche Beobachtungen, von denen er verschiedene überzeugend klingende Einzelheiten mitteilt; für die fortwährende Transkription vom Weibe auf dem Mann, für den unausrottbaren Glauben an den Penis der Mutter bzw. jedes Weibes, werden etwas ausführlichere Beispiele aus der Praxis gebracht. Der Aufsatz enthält in gedrängter Kürze auf nur 32 Seiten so viel Lesenswertes, daß ein ausführlicheres Referat fast den ganzen Aufsatz wiederholen müßte. Wer sich intensiver für das Problem der Inversion interessiert, sei auf das Original verwiesen.

Von S a d g e r s Aufsatz „Allerlei Gedanken zur Psychopathiä sexualis" (21) ist es mir nicht möglich gewesen, den ganzen Aufsatz zu erhalten, sondern nur die beiden ersten Teile; ich referiere daher nur über diese. Man kann mit Magnus Hirschfeld drei Gruppen von Homosexuellen unterscheiden: solche mit einer Vorliebe für Gleichaltrige, solche mit einer Vorliebe für bedeutend Jüngere und solche mit einer vorstechenden Neigung für reife Leute bis zum Greisenalter. Sadger sucht die Gründe für diese Verhalten durch das Studium eines Fünfundzwanzigjährigen an „Dementia paranoides" leidenden Kranken, welcher sich durch hohe Intelligenz und schärfstes Verstehen hervortat und sein Unbewußtes vollständig durchschaute, zu verstehen. Der Patient vereinigte alle drei Neigungen in sich; den älteren Männern gegenüber, welche den Vater vertraten, verhielt er sich passiv, wollte von ihnen um; armt, geküßt, eventuell auch koitiert werden, wie er es oft vom Vater der Mutter gegenüber gesehen hatte; für die Leute von gleichem Alter, welche ihrem Äußeren nach durchsichtig die Mutter repräsentierten, empfand er aktiv, wollte sie koitieren gleich dem Vater und damit seinen alten Kinderwunsch erfüllen; die jüngeren endlich, welche ihn selbst in früheren Jahren vorstellten, pflegte er zu bemuttern. Dieses Schema ist typisch. Da es ja keinen wirklichen Koitus zwischen Männern gibt, wird von Homosexuellen irgend eine andere sexuelle Befriedigung als Koitus bezeichnet, die Wünsche bleiben unbestimmt. Eine Erklärung könnte darin gesucht werden, daß der Knabe den elterlichen Koitus in der Regel nicht genau beobachtet hat; ein tieferer Grund liegt darin, daß der Homosexuelle nicht den Mann begehrt, sondern das Weib, noch deutlicher die Mutter mit dem Penis. Woher dieses Festhalten an diesem unkorrigierbarem Irrtum des Unbewußten? „Die ersten Lustempfindungen empfängt das neugeborene Kind, indem es die Mutter an ihren Brüsten saugen läßt. Und zwar sind es zweierlei Lustgefühle. Stillung des Hungers und Reizung einer wichtigen erogenen Zone, des Mundes nämlich." — „Viele Neurotiker, und vor allem die Uranier, fassen jedes Hineinstecken als einen Geschlechtsakt mit der Mutter auf. In ihrer Kindheit besaß die Mutter eben einen Brust-Penis, mit dem sie den kleinen Knaben koitierte." — „Von diesem Ur-Koitus mit der Mutter strahlt eine Reihe Aufklärungen aus." Sadger führt auf Grund von Äußerungen von Patienten in den Analysen, insbesondere des oben erwähnten Geisteskranken, auf diesen „Ur-Koitus“ die Neigung Homosexueller zurück, Männer an ihrem Gliede saugen zu lassen, oder aber, in der Rolle der Mutter, an dem Gliede anderer zu saugen, sich in den Mund ejakulieren zu lassen. Das Trinken von Harn wird in Analogie gebracht zum Schlucken von Milch. Auf diese Vorstellung vom „Ur-Koitus“ führt Sadger den Wunsch vieler Männer zurück, das eigene Glied, die eigenen Brustwarzen in den Mund zu nehmen, sich selbst in den Mund zu urinieren, also Mutter und Sohn zugleich zu sein. Eine Verlegung von oben nach unten kann zum Kunnilingus, zum sog. „69-Spielen“ führen. Klitoris und Schamlippen können die Rolle des gesuchten Penis übernehmen. — Soweit der mir zugänglich gewesene Aufsatz.

Da man das Wort Homosexualität heutzutage auf allzu ungleichartige und im Wesen nicht zusammenhängende psychische Abnormitäten anwendet, macht es sich Ferenczi in seinem Aufsatz „Zur Nosologie der männlichen Homosexualität (Homoerotik)“ (8) zur Aufgabe, aus jenem Sammelnamen zwei verschiedene Typen der Homosexualität klar herauszuarbeiten, die passive und die aktive, also zwei im Wesen verschiedene Krankheitszustände. Statt „Homosexualität“ gebraucht Ferenczi den von F. Karsch-Haack stammenden Ausdruck „Homoerotik“, um mehr die psychische Seite des Triebes hervorzuheben; der „leidende“ Homoerotiker verdient ein „Invertierter“ genannt zu werden, nur bei ihm sieht man die wirkliche Umkehrung normaler psychischer, eventuell auch körperlichen Charaktere, nur er ist eine echte „Zwischenstufe“ (im Sinne von Magnus Hirschfeld und seinen Anhängern), seine Krankheit eine „reine Entwicklungsanomalie“, welche weder durch Psychoanalyse, noch durch eine andere Psychotherapie zu beeinflussen ist. Ein Mann, der sich im Verkehr mit Männern als Weib fühlt, ist in bezug auf sein eigenes Ich invertiert (Homoerotik durch Subjektinversion oder kürzer „Subjekt-Homoerotik“); der „aktive Homosexuelle“ fühlt sich in jeder Beziehung als Mann, einzig das Objekt seiner Neigung ist vertauscht, so daß man ihn als einen Homoerotiker durch Vertauschung des Liebesobjektes oder kürzer einen Objekt-Homoerotiker nennen könnte. Die Objekt-Homoerotik ist eine Neurose, und zwar eine Zwangsneurose.

In der Vorgeschichte des Subjekt-Homoerotikers finden wir schon
sehr früh Anzeichen von Inversion, nämlich sein abnorm weibliches
Wesen; schon als kleines Kind phantasiert er sich in die Situation
der Mutter und nicht in die des Vaters hinein, bringt einen invertierten Ödipuskomplex zu stande, wünscht den Tod der
Mutter herbei und zeigt früh verschiedene mädchenhafte Züge.

Die Objekthomoerotiker erweisen sich als typische
Zwangsneurotiker; es wimmeln in ihnen Zwangsideen, davor
schützende Zwangsmaßregeln und Zeremonien; man findet die für
Zwangsneurotiker charakteristische Unausgeglichenheit des Liebens
und Hassens. Die Objekthomoerotik ist ein echt neurotischer
Zwang mit nicht reversibler Substitution normaler Sexualziele
und Sexualhandlungen durch abnorme. Aus ihrer Vorgeschichte ergibt sich: frühzeitige heterosexuelle Aggression, „normale" Ödipusphantasien, harte Strafe wegen eines hetero-erotischen Ver-
gehens in der frühesten Kindheit. In der Analyse zeigt sich, daß
ein Objekthomoerotiker im Manne unbewußt das Weib zu lieben versteht; der aktiv-homoerotische Akt erscheint einerseits als nachträg-
licher (falscher) Gehorsam: der Verkehr mit Weibern wird gemieden,
in unbewußten Phantasien aber wird den verbotenen heteroerotischen
Gelüsten gefrönt; anderseits steht der päderastische Akt im Dienste
der ursprünglichen Ödipusphantasien und bedeutet die Verletzung und
Beschmutzung des Mannes.

Ferenczi kommt, indem er die Objekthomoerotik als ein neurotisches Symptom bezeichnet, in Gegensatz zu Freud, der in seiner
„Sexualtheorie" die Homosexualität als eine Perversion, die Neurose
dagegen als Negativ der Perversion beschreibt. Der Widerspruch
ist aber nach Ferenczi nur scheinbar. „Perversionen", d. h. Ver-
weilungen an primitiven oder vorläufigen Sexualzielen, können sehr
gut auch in den Dienst neurotischer Verdrängungstendenzen gestellt
werden, wobei ein Stück echte (positive) Perversion, neurotisch übertrieben, gleichzeitig das Negativ einer anderen Perversion darstellt.
Das ist nun bei der „Objekthomoerotik" der Fall. Die auch normalerweise nie fehlende homoerotische Komponente wird hier durch Affekt-
mengen übersetzt, die im Unbewußten einer anderen, verdrängten
Perversion, nämlich einer Heteroerotik von bewußtseinsunfähiger
Stärke, gelten. In rein theoretischer Hinsicht scheint mir gerade

dieser Standpunkt F e r e n c z i s ein wesentlich neuer Gesichtspunkt in der Beurteilung der Perversionen zu sein.

In entschiedener Weise spricht sich F r e u d in einer neuen Fußnote [1]) in seinen „Drei Abhandlungen" (10. S. 12/13) gegen die Abgrenzung der Homosexuellen als einer besonderen Gruppe von Menschen aus. Alle Menschen sind der gleichgeschlechtlichen Objektwahl fähig und haben dieselbe auch im Unbewußten vollzogen. Die Unabhängigkeit der Objektwahl vom Geschlecht des Objektes erscheint als das Ursprüngliche, aus dem sich durch Einschränkung der normale wie der Inversionstypus entwickelt. Das ausschließliche Interesse des Mannes für das Weib ist auch ein der Aufklärung bedürftiges Problem. Die Entscheidung über das endgültige Sexualverhalten fällt erst nach der Pubertät und ist das Ergebnis einer noch nicht übersehbaren Reihe von Faktoren. Bei den Inversionstypen ist durchwegs das Vorherrschen archaischer Konstitutionen und primitiver psychischer Mechanismen zu bestätigen. Die Geltung der narzißtischen Objektwahl und die Festhaltung der erotischen Bedeutung der Analzone erscheinen als deren wesentlichste Charaktere. Was sich bei den extremsten Inversionstypen als anscheinend zureichende Begründung findet, läßt sich ebenso, nur in geringerer Stärke, in der Konstitution von Übergangstypen und beim manifest Normalen nachweisen. Unter den akzidentellen Beeinflussungen der Objektwahl ist die Versagung (die frühzeitige Sexualeinschüchterung) bemerkenswert. Der Wegfall eines starken Vaters in der Kindheit begünstigt nicht selten die Inversion. Die Inversion des Sexualobjektes ist streng von der Mischung der Geschlechtscharaktere im Subjekt zu sondern.

Den größten Beitrag zu unserem Verständnis der Homosexualität hatte seinerzeit F r e u d s Analyse: „Eine Kindheitserinnerung des Leonardo da Vinci" geliefert. Im Texte der zweiten Auflage (11) ist nichts verändert worden. Von Interesse scheinen mir zwei Fußnoten zu sein, welche Reproduktionen zur Erhärtung der früher ausgesprochenen Ansichten bringen, erstens eine Reproduktion einer Zeichnung von Leonardo, welche R e i t l e r (Z. IV. S. 205) entdeckt und im Sinne der von F r e u d gegebenen Charakteristik Leonardos besprochen hat, — und zweitens eine kleine Reproduktion des be-

[1]) Unter Benützung von F r e u d s Worten, aber nicht ganz wörtlich zitiert.

kannten Bildes: „Heilige Anna Selbdritt", in welchem P f i s t e r ein
unbewußtes Vexierbild entdeckt hat (Kryptolalie, Kryptographie
und unbewußtes Vexierbild bei Normalen. Jahrb. V. S. 146), welches
den Geier, das Symbol der Mütterlichkeit, darstellt.

Am Inhalt selbst hat F r e u d, wie oben gesagt, nichts geändert;
die von ihm schon im Jahre 1910 ausgesprochenen Ansichten bestehen somit noch heute unverändert als eine der wichtigsten Grundlagen unserer Erkenntnis über die Inversion.

Allgemeine Neurosenlehre.

Referent: Dr. S. Ferenczi.

Literatur: 1. Abraham K.: Untersuchungen über die früheste prä-
genitale Entwicklungsstufe der Libido. Z. IV. S. 71. — 2. Ders.: Über neurotische
Exogamie. J. III. 499. — 3. Adler A.: Das Problem der Distanz. Ztschr. i.
Ind. Psychol. I. 1. 1914. — 4. Bleuler E.: Kritik der Freudschen Theorien.
Sitzungsbericht des deutschen Vereines für Psychiatrie in Breslau. Mai, 1913.
Siehe auch Allg. Ztschr. f. Psychiatrie. Bd. 70. — 5. Ders.: Die psychologische
Richtung in der Psychiatrie. Schweizer Archiv f. Neurol. u. Psych. Bd. II.
H. 2. Separat: Zürich 1918. — 6. Ders.: Physisch und Psychisch in der Patho-
logie. Zeitschr. f. d. ges. Neurol. Bd. XXXI. 1916. — 7. Bloch J.: Über die
Freudsche Lehre. Z. f. Sexualwissenschaft. Mai 1916. — Egger F. J. B.: Die
Psychoanalyse als Seelenproblem und Lebensrichtung. Sarnen 1919. — 9. Eitin-
gon M.: Über das Ubw. bei Jung und seine Wendung ins Ethische. Z. II. 99.
— 10. Engelen: Beitrag zur Freudschen Psychoanalyse. Deutsche Med. Wochen-
schrift. 1913. Nr. 42. — 11. Ders.: Suggestionsfaktoren bei der Freudschen
Psychoanalyse. Deutsche Med. Wochenschr. 1914. Nr. 40. — 12. Eeden F. van:
Sigm. Freud. Frankf. Zeitung vom 29. Mai 1914. — 13. Federn P.: Lust-Unlust-
Prinzip und Realitätsprinzip. Z. II. 492. — 14. Ferenczi S.: Hysterie und
Pathoneurosen. Nr. 2 der Int. Psychoan. Bibl. Leipzig u. Wien 1919. — 15. Ders.:
Schwindelempfindungen am Schlusse der Analysenstunden. Z. II. 272. —
16. Ders.: Technische Schwierigkeiten einer Hysterieanalyse. Z. V. 34. —
17. Ders.: Die wissenschaftliche Bedeutung der Freudschen Sexualtheorien.
Z. III. 227. — 18. Freud S.: Vorlesungen zur Einführung in die Psychoanalyse.
III. T. Allg. Neurosenlehre. Leipzig und Wien 1917. — 19. Ders.: Zur Geschichte
der psychoanalytischen Bewegung. Jahrb. VI. 207. — 20. Ders.: Zur Einführung des Narzißmus. Jahrb. VI. 1. — 21. Ders.: Mitteilung eines der psychoanalytischen Theorie widersprechenden Falles von Paranoia. Z. III. 321. —
22. Ders.: Triebe und Triebschicksale. Z. III. 84. — 23. Ders.: Die Verdrängung. Z. III. 129. — 24. Ders.: Das Unbewußte. Z. III. 189, 257. — 25. Ders.:
Metapsychologische Ergänzung zur Traumlehre. Z. IV. 277. — 26. Ders.: Trauer
und Melancholie. Z. IV. 288. — 27. Ders.: Einige Charaktertypen zur
psychoanal. Arbeit. J. IV. 317. — 28. Ders.: Eine Schwierigkeit der Psychoanalyse. J. V. 1. — 29. Ders.: Aus der Geschichte einer infantilen Neurose.
Die Arbeiten von 19 bis 29 auch in der „Sammlung kl. Schriften zur Neurosenlehre". Bd. IV. Leipzig und Wien 1918. — 30. Ders.: Ein Kind wird geschlagen. Beitrag zur Kenntnis der Entstehung sexueller Perversionen. Z. V.
151. — 31. Freschl R.: Von Janet zur Individualpsychologie. Zbl. IV. 152.
— 32. Groddeck G.: Psychische Bedingtheit und psychoanalytische Behandlung

organischer Leiden. Leipzig 1917. — 33. Groß Otto: Drei Aufsätze über den inneren Konflikt. Bonn 1919. — 34. Grüninger U.: Zum Problem der Affektverschiebung. Diss. Bern. 1916. — 35. Hitschmann E.: Freuds Neurosenlehre. 2. Aufl. 1913. — 36. Ders.: Freuds psychoanalytische Behandlungsmethode. Jahreskurse für ärztl. Fortbildung. 1913. — 37. Hollitscher: Freuds Lehre und Psychoanalyse. Int. Monatsschr. zur Erforsch. des Alkoholismus. XXII. 1912. — 38. Jones E.: Prof. Janet über die Psychoanalyse. Z. IV. 34. — 39. Jung C. G.: Der Inhalt der Psychose. II. Aufl. 1914. — 40. Kafka V.: Freuds Lehre. Lotos. Naturw. Ztschr. Bd. 59. — 41. Kaplan L.: Grundzüge der Psychoanalyse. 1914. — 42. Ders.: Psychoanalytische Probleme. 1916. — 43. Ders.: Hypnotismus, Animismus, Psychoanalyse. 1917. — 44. Ders.: Fortschritte der Psychoanalyse. Züricher Post vom 18. und 19. Dez. 1913. — 45. Karpinska Luise v.: Über die psychologischen Grundlagen des Freudismus. Z. II. 305. — 46. Keller A.: Tiefenpsychologie. Kunstwart. 1. und 2. Aprilheft 1919. — 47. Kinberg O.: Krit. Reflexionen über die psychoanalyt. Theorie. Ztschr. für die ges. Neurol. und Psychiatrie. 37. 1914. — 48. Koerber H.: Die Freudsche Lehre und ihre Abzweigungen. Ztschr. f. Sex.-Wiss. 1916. — 49. Kronfeld: Freuds psychoanalytische Theorien. Die Naturwissenschaft. I/16. 18. IV. 1913. (Sonderdruck, Leipzig 1914.) — 50. Lang J. B.: Eine Hypothese zur psychologischen Bedeutung der Verfolgungsidee. (Psychol. Abhandlungen von Jung, I. Bd. 1914. S. 36—55.) — 51. Loy R.: Psychoanalytische Zeitfragen. (Ein Briefwechsel mit C. G. Jung.) 1914. — 52. Löwenfeld: Sexualleben und Nervenleiden. Wiesbaden 1914. (Kap. über Psychoanalyse.) — 53. Maack F.: Die Wiener psychoanalyt. Schule. Hamb. Nachr. Juni 1914. Nr. 20. — 54. Meijer A. F.: Dr. C. G. Jungs Psychologie der unbew. Prozesse. Z. IV. 302. — 55. Marcinowski J.: Glossen zur Psychoanalyse. Ztschr. für Psychotherapie. VI/1. 1914. — 56. Ders.: Die erotischen Quellen der Minderwertigkeitsgefühle. Ztschr. für Sex.-Wiss. IV. 313. — 57. Mittenzwey Kuno: Versuch zu einer Darstellung und Kritik der Freudschen Neurosenlehre. Ztschr. f. Pathopsychologie. I. ff. — 57a. Musculus: Die Sprache im Zusammenhang mit Psychoanalyse, Medikomechanik und Nervenleitung. Ztschr. f. Psychotherapie. VII. 1919. — 58. Nachmansohn: Freuds Libidotheorie, verglichen mit der Eroslehre Platos. Z. III. 65. — 59. Neuer A.: Wandlungen der Libido. Ztschr. f. Psychother. und med. Psychol. 7. 1916/1. — 60. Oczeret H.: Die Nervosität als Problem des modernen Menschen. Zürich 1918. — 61. Ortvay R.: Eine biol. Parallele zum Verdrängungsvorgang. Z. II. 25. — 62. Pfister O.: Ernst Dürrs Stellung zur Psychoanalyse. Berner Sem. Bl. VII. 12/13. Sept., Okt. 1913. — 63. Ders.: Die Dehistorisierung in der Psychoanalyse. Z. III. S. 350. — 64. Ders.: Ist die Brandstiftung ein archaischer Sublimierungsversuch? Z. III. 139. — 65. Ders.: Wahrheit und Schönheit in der Psychoanalyse. Zürich 1918. — 66. Putnam J.: Allg. Gesichtspunkte zur psychoanal. Bewegung. Z. IV. 1. — 67. Reik Th.: Psychoanalyse. „März". Juni 1913. — 68. Ders.: Die Bedeutung der Psychoanalyse für die Frauenkunde. Arch. f. Frauenkunde. II. 1916. — 69. Rosenstein G.: Bleulers „autistisches Denken". Zbl. IV. 50. — 70. Rubiner Lud.: Die Psychoanalyse. Die Aktion. IV. Jg. 23. — 71. Scholz L.: Die Freudsche Psychoanalyse. Die Güldenkammer. Bremen. Mai 1914. — 72. Schultz J. H.: Freuds Sexualpsychoanalyse. Krit. Einführung für Gerichtsärzte mit Vorwort von Prof. Binswanger. Berlin 1917. — 73. Schrecker Paul: Die Individualpsychologie. Bedeutung der ersten Kindheitserinnerungen. Zbl. IV. 121. — 74. Stekel W.: Probleme der modernen Seelenforschung. Turmhahn. 15. Juni 1914. — 75. Ders.: Das sexuelle Trauma des Erwachsenen. Zeitschrift für Sexualwissenschaft. III. 233. — 76. Strasser Charlot: Nervöser Charakter.

Disposition zur Trunksucht und Erziehung. Zeitschrift für Pathopsychol. Org.
Bd. I. 1914. S. 24—16. — 77. Tausk V.: Entwertung des Verdrängungsmotivs
durch Rekompense. Z. I. 230. — 78. Weißfeld M.: Freuds Psychologie als
eine Transformationstheorie. Jahrb. V. 621. — 79. Dors.: Die Umwandlungen
des Affektlebens. Z. II. 419. — 80. Wexberg: Die Überschätzung der Sexualität.
Zeitschrift für Sexualwissenschaft. I. 450. — 81. Dors.: Kritische Bemerkungen
zu Freud: Über neurotische Erkrankungstypen. Ztschr. f. Psychotherapie. V/6.
— 82. Vix: Die Breuer-Freudsche Betrachtungsweise der Hysterie und anderer neurot. Symptome. Fortschr. d. Med. 31. Jahrg. Nr. 29. 17. Juli 1913.

Die bisher ausführlichste Darstellung der psychoanalytischen Neurosenlehre bringt uns der dritte Teil der „Vorlesungen zur Einführung in die Psychoanalyse" von Freud, der den Titel „Allgemeine Neurosenlehre" führt (18). Das Bedürfnis nach Abrundung und Zusammenfassung des Stoffes nötigte den Verfasser, in einzelnen Abschnitten auch bisher zurückgehaltenes Material heranzuziehen.

Der Vortrag über „Psychoanalyse und Psychiatrie" gipfelt in der Feststellung, daß die Psychiatrie, die in der Ätiologie der funktionellen Psychosen fast ausschließlich das hereditäre Moment berücksichtigt, und die Psychoanalyse, die nebstdem auch die Bedeutung des Erlebnisses hervorhebt, einander in keiner Weise widersprechen, sondern in wirksamster Art ergänzen. Was sich gegen das Wesen der psychoanalytischen Forschung sträubt, ist nicht die Psychiatrie als Wissenschaft, sondern nur der Widerstand der Psychiater. Voraussichtlich bringt uns eine nicht allzu ferne Zeit die Einsicht, daß eine wissenschaftlich vertiefte Psychiatrie ohne Kenntnis der unbewußten Vorgänge im Seelenleben überhaupt nicht möglich ist.

Der Sinn der Symptome liegt in einer Beziehung zum Erleben des Kranken, muß also historisch erwiesen werden. Aufgabe der Psychoanalyse ist also: „für eine sinnlose Idee und eine zwecklose Handlung jene vergangene Situation aufzufinden, in welcher die Idee gerechtfertigt und die Handlung zweckentsprechend war".

Dies gilt von den „individuellen" Symptomen. Es gibt aber auch „typische" Krankheitssymptome, die in allen Fällen ungefähr gleich oder doch so ähnlich sind, daß es nicht angeht, sie auf einzelne persönliche Erlebnisse oder Situationen zu beziehen; die persönlich-historische Deutung allein ist in solchen Fällen unzureichend. Alle Zwangskranke z. B. haben dieselbe Neigung zu wiederholen, Verrichtungen zu rhythmieren und von anderen zu isolieren. Bei Angst-

6*

hystcrikern kehren mit ermüdender Monotonie dieselben Krankheits-
züge wieder: Furcht vor geschlossenen Räumen, großen Plätzen.
langen Straßen. Es ist auch auffällig, daß die Analyse für dasselbe hysterische Symptom in verschiedenen Fällen eine ganz an-
dersartige Reihe von angeblich wirksamen Erlebnissen aufdeckt. Nur
der Sinn der individuellen Symptome läßt sich durch Beziehung
zum Erleben befriedigend aufklären, für die weit häufigeren typischen Symptome läßt uns unsere Kunst zunächst im Stiche. Als
Auskunftsmittel drängt sich hier die Überlegung auf, daß die typischen Symptome auf Erlebnisse aus der Menschheitsgeschichte zu
beziehen sein werden, das heißt auf ein Erleben, das allen Menschen
gemeinsam ist. Andere in der Neurose regelmäßig wiederkehrende
Züge sind vielleicht allgemeine, durch die Natur der krankhaften
Veränderung aufgezwungene Reaktionen.

Die folgende Vorlesung beschreibt die Fixierung als ein
Hängenbleiben an einem bestimmten Stück der Vergangenheit, als
Unfähigkeit, davon freizukommen, die dann Entfremdung der Gegenwart und der Zukunft zur Folge haben. Es ist dies ein allgemeiner, praktisch sehr bedeutsamer Zug einer jeden Neurose. Bei
jedem Kranken können wir analytisch nachweisen, daß er sich in
seinen Krankheitssymptomen und durch die Folgerungen aus ihnen
in eine gewisse Periode seiner Vergangenheit zurückversetzt hat,
meist in eine Zeit der Kindheit, ja selbst der Säuglingsexistenz.
Über das Wesen der Fixierung geben uns die traumatischen
Neurosen Aufschluß; sie zeigen uns, daß die Patienten am Moment des erschütternden Unfalles hängen bleiben. Es ist, als ob
diese Kranken mit der traumatischen Situation „nicht fertig" geworden wären, so daß sie als noch unerledigte aktuelle Aufgabe vor ihnen steht. So bekommt das Wort „traumatisch" einen
ökonomischen Sinn. Wir nennen traumatisch „ein Erlebnis,
welches dem Seelenleben innerhalb kurzer Zeit einen so starken Reiz-
zuwachs bringt, daß die Erledigung oder Aufarbeitung derselben in
normal gewohnter Weise mißglückt, woraus dauernde Störungen im
Energiebetrieb resultieren müssen". Was sich bei der traumatischen
Neurose in den Vordergrund stellt, das traumatische Moment, ist in
jeder Neurose analytisch nachweisbar. Doch sind die erschütternden Ereignisse oft von so banaler, geringfügiger Art, daß hier

das Wort „Trauma" allen Gehalt verliert und die Zuhilfenahme konstitutioneller Momente unerläßlich erscheint. (Es gibt keine Neurose ohne Fixierung an die Vergangenheit, aber nicht jede Fixierung ist Neurose.)

Daß die Fixierung an ein Trauma neurosogen wirken könne, ist unmöglich ohne die Bedingung des U n b e w u ß t w o r d e n s e i n s des Traumas als Krankheitsmotiv; anderseits ist die Möglichkeit, den neurotischen Symptomen durch analytische Deutung einen Sinn zu geben, ein unerschütterlicher Beweis für die Existenz — oder die Notwendigkeit der Annahme — unbewußter seelischer Vorgänge und die Grundlage der psychoanalytischen Therapie. Doch die einfache Mitteilung des Sinnes eines Symptoms hat in den seltensten Fällen den Erfolg, es zum Schwinden zu bringen; das neue Wissen muß sich der Kranke durch eigenes Erleben während der Kur selber holen, was mit der D y n a m i k der Symptombildung zusammenhängt.

Die Unbewußtheit des Sinnes der neurotischen Symptome wird entweder durch die A m n e s i e gewährleistet (Hysterie) oder durch die Z e r s t ö r u n g d e r Z u s a m m e n h ä n g e zwischen den als solche erhalten bleibenden Erinnerungen (Zwangsneurose). Das „Woher" des Symptoms verschwindet im ersteren, bleibt bewußt im letzteren Falle; doch das „Wozu" des Symptoms, seine Tendenz, die Absichten, denen es dient, bleiben in beiden Neurosen gleicherweise unbewußt.

Der W i d e r s t a n d d e r K r a n k e n gegen das Gesundwerden ist eine unerwartete, unwahrscheinliche, aber in den psychoanalytischen Kuren sicher erwiesene Tatsache. Der Patient wendet sich zunächst unter den nichtigsten und unlogischesten Vorwänden gegen die pünktliche Befolgung der „psychoanalytischen Grundregel" (der f r e i e n Assoziation) oder äußert sich im Mißbrauche dieser Assoziationsfreiheit. Gern bedient sich der Widerstand der unvermeidlichen „Ü b e r t r a g u n g a u f d e n A r z t" als Mittel zur Erreichung der eigenen Zwecke. Er wird als Äußerung des C h a r a k t e r s, des Ichs des Kranken, gegen die angestrebte Veränderung (die Heilung) mobilisiert. Diese Widerstände verraten uns einen Teil der Struktur der Neurose, sie zeigen uns, daß diese Charaktereigenschaften als Reaktionsbildungen des Ichs gegen die unbewußten Tendenzen der Neurose gebildet worden sind. Die Überwindung dieser Widerstände ist die wesentliche therapeutische Leistung der Analyse.

Seit dem Verzicht auf die Hypnose in der psychoanalytischen Technik, der die Widerstände, die bislang verdeckt waren, klar zu Tage legte, huldigt die Psychoanalyse der dynamischen Auffassung der neurotischen Symptombildung. Als Beweis für die Richtigkeit dieser Auffassung kann gelten, daß der Widerstand in der Kur eine Fluktuation zeigt, die dem Auftauchen resp. der Erledigung neuer Probleme parallel läuft; am auffälligsten zeigt sich dies am Schwanken der intellektuellen Mitarbeit des Kranken; die Kritik, die auch hier nur Handlanger der Affekte ist, greift beim Ansteigen des Widerstandes auch das bereits Akzeptierte immer wieder von neuem an.

Der Widerstand des Kranken, das Sträuben gegen die Heilung, das heißt gegen die Anerkennung von gewissen Strebungen, ist der Beweis für die Wirklichkeit jenes pathogenen Vorganges, den die Psychoanalyse als Vorbedingung der Symptombildung ansieht, das heißt: der Verdrängung.

Theoretische Klarheit über den Begriff der Verdrängung verschaffen wir uns nur, wenn wir vom rein deskriptiven Sinne des Wortes „unbewußt" zum systematischen (topischen) des „Ubw" fortschreiten. Eine Vorstellung bleibt dann „verdrängt", wenn ihr von der Zensur die Progression aus dem System Ubw in das System Vbw verwehrt wird. Diese Zensur ist identisch mit jener Macht, die als Widerstand das Fortschreiten der Heilung verhindern möchte. Diese Zensur funktioniert natürlich nicht nur im Traume und unter pathologischen Verhältnissen, sondern sie ist es, die auch im Wachen und beim Gesunden die Verläßlichkeit, die Realitätsanpassung unseres seelischen Apparats garantiert.

Das neurotische Symptom ist ein Ersatz für etwas, was durch die Verdrängung verhindert wurde. Dieses etwas ist in jedem einzelnen Falle — wie unzählige Analysen zeigen — die Sexualbefriedigung; das heißt: die Symptome sind Ersatzbefriedigungen der Sexualität, entstellte sexuelle Wunscherfüllungen. Alle (an einer „Übertragungsneurose", das heißt Hysterie oder Zwangsneurose) Leidenden erkranken an der Versagung, indem ihnen die Realität die Befriedigung ihrer sexuellen Wünsche vorenthält. Ein Teil der Symptome steht allerdings im Dienste der Abwehr dieser Sexualstrebungen, so zwar, daß bei der Hysterie der positive, wunscherfüllende, bei der Zwangsneurose der negative, asketische Charakter im ganzen vorherrscht. Ein anderer Teil der Symptome ist ein Kompromißergebnis, aus der Interferenz zweier gegensätzlicher Strebungen hervorgegangen; solche Symptome sind bei der Hysterie häufig; bei der Zwangsneurose fallen beide Teile auseinander, das Symptom wird zweizeitig produziert, als positive und negative Aktion.

Die folgende Vorlesung über „das menschliche Sexualleben" vermittelt den Hörern die Kenntnis der Freudschen Sexualtheorie, u. a. das Verständnis der sogenannten Perversionen, und setzt die Gründe auseinander, aus denen die psychoanalytische Neurosenlehre sich gezwungen sah, anzunehmen, daß unter den sexuellen Befriedigungsarten, als deren Ersatzprodukte die neurotischen Symptome gelten, die Perversionen eine hervorragende Stelle einnehmen. Die Paranoia geht regelmäßig aus der Abwehr überstarker homosexueller Regungen hervor. In der Hysterie kommen alle perversen Regungen zur Äußerung, welche das Genitale durch andere Organe ersetzen wollen; diese Organe benehmen sich dann wie Ersatzgenitalien, besonders die Organe der Nahrungsaufnahme und der Exkretionen. Die zwangsneurotischen Symptome sind zielgehemmte sadistische Befriedigungsarten, die sich allerdings oft gegen die eigene Person wenden (Selbstquälerei), oder sie sexualisieren überstark gewisse, als Vorlustbetätigungen normal zu nennende Tätigkeiten (Sehen — Berührenwollen und Forschen resp. Masturbation).

Bei der realen Versagung wirft sich das Sexualbedürfnis auf die abnormen Wege der Erregung; diese „kollaterale" Rückstauung läßt die (negative) Perversion der Neurotiker stärker erscheinen, als sie ohne diese Stauung ausgefallen wäre. Die Bedeutsamkeit der Perversionen in der Neurose wird erklärlich, wenn wir erfahren, daß sie nur die Wiederkehr infantiler Sexualbefriedigungsarten sind, deren Erinnerung bei den meisten Personen von dem Schleier der Amnesie verhüllt wird.

Das folgende Kapitel schließt die sexualtheoretischen Ausführungen ab und macht uns mit dem Begriff der Sexualorganisationen bekannt, die sich aus der zunächst ganz anarchischen frühinfantilen Sexualität, dem Organerotismus (Autoerotismus) konsolidieren, nämlich mit dem der oralen und der sadistisch-analen prä-

genitalen Organisationen, dann mit den Prozessen der Objektfindung
und dem „Ödipuskomplexe" der Kinder, dieser wichtigsten Quelle des
Schuldbewußtseins der Neurotiker. Hier wird auch auf die Studie
„Totem und Tabu" hingewiesen, in der F r e u d uns seine Vermutung
mitteilte, daß der Ödipuskomplex nicht nur als „Kernkomplex der
Neurosen" von Bedeutung ist, sondern daß vielleicht die Menschheit
als Ganzes ihr Schuldbewußtsein, die letzte Quelle von Religion und
Sittlichkeit, zu Beginn ihrer Geschichte am Ödipuskomplex erworben
hat. Der Versuch, die durch Analyse nachweisbaren Haßregungen
gegen den gleichgeschlechtlichen und die Inzestregungen gegen den
andersgeschlechtlichen Elternteil einfach durch R ü c k p h a n t a -
s i e r e n in die Kindheit zu erklären, weist übrigens F r e u d mit
Berufung auf direkte Kinderbeobachtungen entschiedenst zurück, ohne
zu leugnen, daß die Tendenz zu solcher Rückversetzung in vielen
Fällen eine gewisse Rolle spielt.

Die infantile Objektwahl ist nun das Vorspiel der endgültigen
Objektwahl in der P u b e r t ä t, wo die Ablösung von den Eltern stattfinden soll. Den Neurotikern gelingt diese Lösung nicht: der Sohn
bleibt sein lebelang unter der Autorität des Vaters gebeugt und
ist nicht im stande, seine Libido von der Mutter auf ein fremdes
Sexualobjekt zu übertragen.

Schließlich wird hier auf die nicht seltenen grundfesten Inzest-
träume von Gesunden hingewiesen, und dargelegt, daß die Neurotiker
uns nur vergrößert und vergröbert zeigen, was im Unbewußten auch
des Gesunden nachweisbar ist.

Neue Gesichtspunkte der Entwicklung und Re-
g r e s s i o n eröffnet uns der nun folgende Vortrag. Wir erfuhren
aus den vorangehenden Untersuchungen F r e u d s, welche Entwicklungen die Libidofunktion durchmacht. Nun wird uns die Bedeutung
dieser Tatsache auf d i e V e r u r s a c h u n g d e r N e u r o s e n vorge-
führt; wir wollen diese Ausführungen etwas eingehender wiedergeben.

Auf dem langen Entwicklungsweg der Libido lauern zwei Gefahren: die der H e m m u n g und die der R e g r e s s i o n. Die Entwicklungshemmung ist oft nur die Folge der im Organischen
überall nachweisbaren Variationstendenz; es finden sich überall
Einzelwesen, die nicht alle vorbereitenden Phasen gleich gut durchlaufen und vollständig überwinden; Anteile der Funktion werden

dauernd auf dieser frühen Stufe zurückgehalten, was ein gewisses Maß von Entwicklungshemmung zur Folge haben muß. Das Verbleiben einer Partialstrebung der Sexualität auf einer früheren Stufe ist das, was in der psychoanalytischen Neurosenlehre Fixierung (des Triebes) genannt wird. Die zweite Gefahr einer so stufenweisen Entwicklung liegt darin, daß auch die Anteile, die es weiter gebracht haben, leicht in rückläufiger Bewegung auf eine dieser früheren Stufen zurückkehren können: dies die Gefahr der Regression Je stärker die Fixierungen auf dem Entwicklungswege, desto eher weicht die Funktion vor äußeren Schwierigkeiten bis zu jenen Fixierungsstellen zurück; starke Fixierung bedeutet also ein geringeres Maß von Anpassungsfähigkeit der ausgebildeten Funktion. Dieser Satz gibt uns einen sicheren Halt in der Frage der Neurosenätiologie.

Im Entwicklungsgang der Sexualfunktion gibt es zwei Arten der Regression: Wiederbesetzung der ersten (inzestuösen) Objekte mit Libido und Wiederkehr der gesamten Sexualorganisation zu früheren Stufen. Prinzipiell wichtig ist dabei, die Begriffe der Regression und der Verdrängung nicht zu verwechseln. Der Begriff der Verdrängung ist ein rein psychologischer, topisch-dynamischer, von der Sexualität im Prinzip unabhängiger; der der Regression ist hingegen ein biologisch-deskriptiver.

Von den Übertragungsneurosen zeigt uns die Hysterie die Regression der Libido zu den primären inzestuösen Sexualobjekten, aber fast gar keine Regression zu früheren Sexualorganisationen; um so bedeutsamer ist in ihrem Mechanismus die Rolle der Verdrängung. Mit anderen Worten: die Sexualorganisation des Hysterischen vollzieht sich ungestört zum vollen Primat der Genitalzone; diese letztere Funktionsart wird aber verdrängt (vom vorbewußten System abgelehnt), was den Anschein erweckt, als sei die Genitalität dieser Kranken unvollkommen entwickelt. Bei der Zwangsneurose ist demgegenüber die Regression der Libido auf die sadistisch-anale Organisation das Auffälligste; zugleich findet eine Objektregression statt: die sadistisch-analen Impulse sind auch inzestuös. Selbstverständlich verleiht diesen Impulsen auch hier nur die Verdrängung den neurotischen Charakter; Libidoregression ohne Verdrängung wäre ja nur Perversion und keine Neurose.

90   Dr. S. Ferenczi.

Nach diesen theoretischen Vorbereitungen und begrifflichen Scheidungen tritt Freud an die Lösung des Problems der Neurosenätiologie heran. Er knüpft zunächst an das von der Versagung als neurosogenem Momente bereits Gesagte an und erinnert daran, daß an der Versagung nicht alle Menschen erkranken, daß den Gesunden mehrere Wege zu ihrer Ertragung offenstehen (Unglück und Sehnsucht erdulden, Ersatzbefriedigungen, Sublimierungen). Allerdings hat das Maß von unbefriedigter Libido, das der Mensch ertragen kann, seine Grenzen; je unvollkommener die Festigkeit der normalen Sexualorganisation, je stärker und zahlreicher die Libidofixierungen an frühere Organisations- oder Objektstufen: um so eher wird sich dasselbe Maß von Libidoversagung als pathogen erweisen. Die Libidofixierung repräsentiert den disponierenden, internen, die Versagung den akzidentellen, externen Faktor der Neurosenätiologie. Nur die Berücksichtigung des endogenen und des exogenen Momentes erschöpft die Lehre von der Verursachung der Neurosen, und zwar bilden die verschiedenen Möglichkeiten der Sexualkonstitution und des Erlebens, oder: der Libidofixierung und der Versagung, quantitativ genommen eine „Ergänzungsreihe", an deren Gliedern die beiden Momente in reziproker Weise zu- resp. abnehmen, wobei für die disponierenden Momente ein gewisses Übergewicht zugestanden wird. Als dritten, quantitativ unbestimmbaren Faktor nennt Freud die Klebrigkeit der Libido, die Schwierigkeit, mit der eine irgendwo oder irgendwie angewöhnte Befriedigungsart aufgegeben und mit anderen vertauscht wird; doch ist dieser Faktor nicht spezifisch für die Neurose, sie spielt auch in der Normalität und bei der Perversion eine entsprechende Rolle.

Eine weitere Komplikation des Problems der Neurosenätiologie erwächst aus der Berücksichtigung des die Krankheit auslösenden psychischen Konfliktes, des Widerstreites von Wunschregungen. Ohne solchen Konflikt gibt es keine Neurose. Der Konflikt wird durch die Versagung heraufbeschworen, wodurch die Libido auf andere Objekte oder Ziele angewiesen ist; erst wenn diese neuen Objekte und Wege von einem Teile der Persönlichkeit abgelehnt werden, kommt es — unter Umständen — zur Symptombildung; die Symptome sind nichts anderes, als die Wiederkehr dieser abgewiesenen Befriedigungsarten, die sich in entstellter Form auf Umwegen durchsetzen. Der psychische Konflikt repräsentiert die innere Versagung; erst wenn diese sich der äußeren Versagung hinzugesellt, wird letztere pathogen. Freud hält es für wahrscheinlich, daß auch die inneren Versagungen in den Vorzeiten menschlicher Entwicklung aus realen äußeren Hindernissen hervorgingen. Die Mächte, die die innere Ablehnung veranlassen, sind die nichtsexuellen Triebkräfte, die Freud als „Ichtriebe" zusammenfaßt; zwischen diesen und den Sexualtrieben spielt sich also der pathogene Konflikt ab.

Mit besonderem Nachdruck wird hier auf die Bedeutung hingewiesen, die die Psychoanalyse den nicht-sexuellen Tendenzen in der Neurosenätiologie beilegt, obzwar zugegeben wird, daß die Psychoanalyse die Entwicklungsstufen des Ichs bisher viel weniger genau untersuchen konnte als die der Libido. Das Wenige, was wir darüber wissen, verdanken wir gewissen Einsichten in den Mechanismus der sogenannten narzißtischen Neurosen (Paranoia, Schizophrenie), außerdem liegt ein — allerdings theoretischer — Rekonstruktionsversuch der Ich-Entwicklung (vom Ref.) vor. Normalerweise besteht ein gewisser Parallelismus zwischen den Entwicklungsphasen von Ich und Libido; die Störung dieser Entsprechung könnte ein pathogenes Moment ergeben, in diesem Falle wird nämlich das Ich auf die Fixierung an die, ihm nicht entsprechende Libidoart oder Organisation mit Verdrängung reagieren. Der dritte Faktor der Neurosenätiologie, die Konfliktsneigung, ist also vom Ich ebenso abhängig. wie von der Libido.

Die vollständige Formel der Neurosenätiologie lautet nunmehr wie folgt: Allgemeinste Bedingung der Neurosenentwicklung ist die Versagung, sie entzieht der Libido die befriedigenden Ziele und Objekte; die Fixierung zieht die freiflottierend gewordene Libido in gewisse primitive Schichten herab; die aus der Ichentwicklung folgende Konfliktsneigung lehnt diese archaischen Tendenzen ab, so daß sie nur zu Symptomen entstellt in Erscheinung treten können. Bei niedrigerem Kulturzustande, wo sich das Ich gegen die Regression zu den Fixierungsstellen nicht sträubt oder wo es mit ihnen von jeher befreundet blieb, ist auch beim gleichen Maße der äußeren Versagung die Gefahr der Erkrankung an Neurosen viel geringer.

Die Versagung, die Not des Lebens, die 'Ανάγκη, ist in letzter Linie der Motor jeder, auch der normalen phylo- und ontogenetischen Entwicklung, sie ist die strenge Erzieherin der Menschheit, sowohl als auch des Einzelwesens; die Neurotiker sind gleichsam Kinder, bei denen diese strenge Erziehung üble Folgen gebracht hat. Allerdings sind die Sexualtriebe, auf deren falscher Verwendung die Neurosen beruhen, überhaupt schwerer erziehbar, als die Ich-Triebe: erstere dienen nur dem Lustprinzip (dem Lusterwerb), letztere — von einer bestimmten Phase ihrer Entwicklung — auch dem Realitäts- prinzip (der Verhütung von Unlust). Andeutungsweise wird schließlich darauf hingewiesen, daß bei der Neurosenbildung nebst der Libidoregression es auch eine Ichregression gibt, die Rückkehr des Ichs zu früheren Entwicklungsphasen.

Die Wege der Symptombildung lassen sich aus dem Gesagten erraten. Infolge äußerer und innerer Versagung gerät die Libido in die Regression; das Widerstreben des Ichs gegen diese Regression benimmt ihr jede Möglichkeit realer Befriedigung, macht sie unbotmäßig und läßt sie zu den Fixierungsstellen aus früheren, besseren Zeiten zurückströmen. Die Erinnerungsspuren dieser fixier- ten primitiven Befriedigungsarten gehören dem System des Unbe- wußten an und unterliegen der dort herrschenden psychischen Be- arbeitung (Verschiebung, Verdichtung); doch der Widerspruch, der sich gegen die Repräsentanz dieser Libidobetätigungen im Ich erhoben hatte, geht ihr als „Gegenbesetzung" ins Unbewußte nach, und nötigt sie, einen Ausdruck zu wählen, der Libidovertretung und zugleich doch ichgerecht ist: „So entsteht das Symptom als vielfach entstellter Abkömmling der unbewußten libidinösen Wunscherfül- lung, eine kunstvoll ausgewählte Zweideutigkeit mit zwei einander voll widersprechenden Bedeutungen." Die Zensurierung der Wunsch- erfüllungen ist in der Neurose viel strenger als im Traum, der ja nur die Funktion hat, den Schlaf zu hüten, während vor dem wach- denkenden Neurotiker der Weg zur Realität und Motilität offen steht. Die Regression zu den Fixierungsstellen, zu den infantilen Sexualbetätigungen und Objekten, ermöglicht die Umgehung der Verdrängungszensur. Die Bedeutung der Kinderzeit ist hier eine

zweifache; einerseits zeigen sich an ihr zuerst die in der a n g e-
b o r e n e n A n l a g e vorhandenen Triebrichtungen, anderseits ist sie
die Zeit der f r ü h e s t e n und darum folgenschwersten E r l e b-
n i s s e. Die vollständige ätiologische Gleichung der Neurosen läßt
sich nunmehr in folgendes Schema bringen:

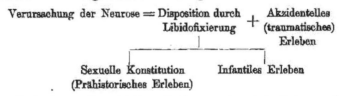

Verursachung der Neurose = Disposition durch $+$ Akzidentelles
 Libidofixierung   (traumatisches)
     Erleben

Sexuelle Konstitution   Infantiles Erleben
(Prähistorisches Erleben)

Die Faktoren: Sexuelle Konstitution und infantiles Erleben bilden dabei untereinander gleichfalls eine „Ergänzungsreihe" (s. o.).
Da aber die Infantilerlebnisse in der Neurose regressiv besetzt werden, könnte man zur Vermutung gelangen, daß sie zu ihrer Zeit überhaupt keine reale Bedeutung hatten. Dies ist unrichtig. Das direkte
Studium der Neurosen der Kinderzeit, der „i n f a n t i l e n N e u r o-
s e n" zeigt uns diese Erlebnisse in voller Wirksamkeit. Solche infantile Neurosen fehlen in der Lebensgeschichte der wenigsten erwachsenen Neurotiker; sie spielten sich meist in der Form einer
Angsthysterie ab und setzten sich unmerklich in die spätere „große
Neurose" fort oder waren von ihr durch eine Periode seelischer
Gesundheit getrennt.

Es ist anzunehmen, daß bei der Fixierung ein gewisser libidinöser Energiebetrag bestehen bleibt, der dann anziehend auf spätere
Erkrankungsanlässe wirkt. Zwischen frühinfantilen und späteren
Erlebnissen besteht übrigens gleichfalls ein Ergänzungsverhältnis,
dessen extreme Fälle die reine „Entwicklungshemmung" und die reine
„Regression" wären. Die früheren analytischen Annahmen, die sich
fast ausschließlich mit der ersteren Eventualität beschäftigten, über-
schätzten die Bedeutsamkeit frühinfantiler Erlebnisse für die Neu-
rosenverursachung und deren pädagogischer Prophylaxe.

Die Symptome sind — wie gesagt — Ersatzbefriedigungen, „sie
wiederholen irgendwie eine frühinfantile Art der Befriedigung, entstellt durch die aus dem Konflikt hervorgehende Zensur, in der
Regel zur Empfindung des Leidens gewendet und mit Elementen
aus dem Anlaß der Erkrankung vermengt". Sie sehen meist vom

Objekt ab und geben damit die Beziehung zur äußeren Realität auf; sie kehren zugleich zu einer Art erweitertem Autoerotismus zurück und regredieren dabei gleichsam auf eine phylogenetisch frühere Stufe, indem sie an die Stelle der Veränderung der Außenwelt eine Anpassung, die Veränderung des eigenen Körpers setzen; schließlich unterliegt die Libidorepräsentanz bei der Symptombildung auch den Verschiebungs- und Verdichtungsprozessen des Unbewußten. Kein Wunder, daß seine libidinöse Natur nach all den Entstellungen schwer erkennbar ist.

Die von den Kranken in der Analyse gelieferten sexuellen Infantilerlebnisse sind zum Teil nur erfundene Phantasien; in der neurotischen Währung sind aber Realität und Phantasie gleichwertig, nur die psychische Realität hat hier Geltung. Einige dieser Sexualphantasien kehren unter den in der Analyse auftauchenden Konstruktionen mit überraschender Häufigkeit auf, so Phantasien von der Beobachtung des elterlichen Koitus, solche von einer Kastrationsbedrohung und Verführungsphantasien. In sehr vielen Fällen läßt sich mit großer Wahrscheinlichkeit ausschließen, daß diesen Erinnerungen Realität zukommt, was für die Pathogeneïtät der Phantasien gleichgültig ist. Solche Urphantasien sind phylogenetischer Besitz; das phantasierende Kind füllt die Lücken der individuellen Wahrheit mit prähistorischer Wahrheit aus; in der Urgeschichte der Menschheit waren eben diese Ereignisse (Kastration, Koitusbeobachtung, Verführung) Realität. Wirkliche und phantasierte Erlebnisse bilden übrigens eine der uns schon geläufigen Ergänzungsreihen.

Die unbewußten Phantasien und Tagträume sind die Quelle sowohl der nächtlichen Träume, als auch der neurotischen Symptome. In der Welt der Phantasie, diesem „reservation-park" der Seele dürfen nämlich die bereits überholten Objekte und Arten der Libido ein gewisses, beschränktes Dasein fristen. Die Libido braucht sich also nur auf die Phantasien zurückzuziehen, um von ihnen aus den Weg zu den verdrängten Fixierungen zu finden. In den Phantasien ist das Ich viel duldsamer als der Realität gegenüber, und erträgt auch sonst verpönte Sexualqualitäten, wenn sie nur quantitativ nicht überhandnehmen. Beim Rückfluten der Libido auf die Phantasien (infolge der Versagung) werden aber die Phantasien anspruchsvoller, drängen zur Realisierung und müssen der Verdrängung ins Unbewußte überliefert werden. Die Überbesetzung der Phantasiewelt durch Libidoquantitäten ist das, was Introversion (Jung) der Libido genannt zu werden verdient; sie ist eine Vorstufe der Symptombildung. Die von ihr Befallenen wenden ihre Libido von der Realität ab und beschäftigen sich ausschließlich mit den vom Ich ob ihrer „Harmlosigkeit" geduldeten Phantasien.

Eine bloß dynamische (qualitative) Auffassung der Seelenvorgänge bei der Symptombildung ist ungenügend; sie bedarf der Ergänzung durch die Einführung des Faktors der Quantität der in Betracht kommenden Energien, das heißt des ökonomischen Gesichtspunktes. „Es kommt darauf an, welchen Betrag der unverwendeten Libido eine Person in Schwebe erhalten kann und einen wie großen Bruchteil ihrer Libido sie vom Sexuellen weg auf die Ziele der Sublimierung zu lenken vermag."

Der Unterschied zwischen dem Neurotiker und dem Künstler ist folgender: Auch der Künstler ist ein Introvertierter, der es nicht weit zur Neurose hat. Er besitzt aber die rätselhafte Fähigkeit, ein Material zu formen, bis es zum Ebenbilde seiner Phantasievorstellung wird; so findet er den Rückweg zur Realität und wird — zum Teile wenigstens — von der Neurose verschont.

Vom ökonomischen Standpunkt betrachtet erweist sich die neurotische Symptombildung als ein Spezialfall der im Seelischen überall herrschenden Strebung, Erregungsgrößen (Reizmengen) so zu bewältigen, daß deren unlust-schaffende Stauung hintangehalten wird.

Der Vortrag über „Die gemeine Nervosität" setzt sich mit der Theorie Adlers auseinander, nach der der „nervöse Charakter" die Ursache und nicht die Folge der Neurose sei. Die Voranstellung des Gehabens der Nervösen beim Verstehenwollen der Neurosenbildung hatte bei Adler die Folge, daß er die große Bedeutung der Libido übersehen und die Verhältnisse so beurteilen mußte, wie sie dem Ich der Nervösen erscheinen. Da das Ich die die Sexualität verdrängende, das Unbewußte leugnende Macht ist, mußten die Auskünfte hierüber negativ ausfallen, wenn man diese eine, dazu noch siegreiche Partei zum Richter über den Streit einsetzte. Die tatsächliche Beteiligung des „Ichs" aus der Symptombildung wird uns nicht das Studium des „nervösen Charakters",

sondern das der „narzißtischen" Neurosen enthüllen. Aber auch die
Beobachtung von Fällen der traumatischen Neurose zeigt uns ein
selbstsüchtiges, nach Schutz und Nutzen strebendes Ich-Motiv an
der Arbeit; dies Motiv schafft zwar die Krankheit nicht, gibt aber
zu ihr seine Zustimmung und erhält sie, wenn sie einmal zu stande
gekommen ist. Aber auch jedes nicht traumatische Neurosensymptom
wird, wie wir sahen, auch vom Ich gehalten, weil es eine Seite hat,
mit welcher es der verdrängenden Ich-Tendenz Befriedigung bietet;
überdies ist ja die Symptombildung, als schmerzsparender Vorgang,
dem Egoismus nur zu genehm. Dies sind Beispiele für den „inneren Krankheitsgewinn" des Ichs aus der Neurose. Es gibt
auch Fälle, in denen die Flucht in die Krankheit die mil-
deste Erledigungsart des Konfliktes bedeutet, so daß auch der Arzt
an ihr nicht gern rüttelt. Doch in den meisten Fällen ist der sogenannte „äußere Krankheitsgewinn", die realen Vorteile, die
sich der Kranke durch seine Krankheit verschafft, viel zu gering,
wenn man sie mit den Leidensempfindungen vergleicht, die an den
Symptomen haften, und mit den vielen Nachteilen, die mit ihnen
verknüpft ist; allerdings wenn eine Neurose lange bestanden hat,
erwirbt sie gleichsam eine Sekundärfunktion, die ihren Bestand kräftigt und der diese Funktion mißachtenden Heilung noch
stärkere Widerstände entgegenstellt.

In den nun folgenden Auseinandersetzungen finden wir die kurze
Zusammenfassung alles dessen, was Freud zur Kenntnis der Aktualneurosen (Neurasthenie, Angstneurose, Hypochondrie) beigetragen hat; diese werden als direkte somatische Folgen der Sexual-
störungen beschrieben und an ihrer Analogie mit Vergiftung resp.
Gifthunger festgehalten. Es wird dabei zum wiederholten Male festgestellt, daß „das Lehrgebäude der Psychoanalyse... in Wirklichkeit
ein Überbau ist, der irgend einmal auf sein organisches Fundament
aufgesetzt werden soll". Das Symptom der Aktualneurose ist häufig
der Kern und die Vorstufe des psychoneurotischen Symptoms, und
zwar liegt der Angsthysterie meist eine Angstneurose, der Konversionshysterie eine Neurasthenie, der Paraphrenie eine Hypochondrie
als Aktualneurose zu Grunde. Die ursprünglich vielleicht reale,
sexualtoxische Sensation ist das Sandkorn, welches das Muscheltier
(die Psychoneurose) mit den Schichten der Perlmuttersubstanz um-

hüllt hat; sie wirkt dem aus der Hysterie bekannten „körperlichen Entgegenkommen" analog.

Die Vorlesung über die A n g s t bringt eine ganze Reihe neuer, für die allgemeine Neurosenlehre höchst bedeutsamer Erklärungen. (Die bisherigen anatomisch-physiologischen Erklärungsversuche der Angst sind bekanntlich alle gescheitert.) Die Psychoanalyse unterscheidet zwischen R e a l a n g s t, die uns als etwas Rationelles erscheint, als Reaktion auf die Wahrnehmung einer äußeren Gefahr, als Äußerung des Selbsterhaltungstriebes (Fluchtreflex) und der n e u r o t i s c h e n A n g s t, die unmotiviert oder ungenügend motiviert erscheint. Bei weiterer Überlegung mußte das Urteil über die Zweckmäßigkeit der „Realangst" revidiert werden. Nur die motorische Aktion, die Flucht vor der Gefahr, ist rationell, der Angstzustand selbst, besonders wenn er lähmend wirkt, ist höchst unzweckmäßig. Zweckmäßig ist der Angstzustand nur, solange er sich auf einen bloßen Ansatz, ein Signal, auf die „A n g s t b e r e i t - s c h a f t" beschränkt: jede A n g s t e n t w i c k l u n g ist eo ipso zweckwidrig. Dieser zweckwidrige Affekt ist nach F r e u d s Annahme (wie übrigens alle „typischen" Symptome, s. o.) die Wiederholung eines traumatisch bedeutsamen, phylogenetisch fixierten Erlebnisses. Der G e b u r t s a k t zeitigt jene Gruppierung von Unlustempfindungen, Abfuhrregungen und Körpersensationen, die das Vorbild für die Wirkung einer Lebensgefahr geworden ist und als Angstzustand wiederholt wird. (Anknüpfend an diese Erklärung weist F r e u d auf die bedeutsame Analogie zwischen A f f e k t und K o n v e r s i o n s - h y s t e r i e hin. Der hysterische Anfall ist individuell neugebildeter Affekt, der normale Affekt der Ausdruck einer generellen, zur Erbschaft gewordenen Hysterie; beide beruhen auf R e m i n i s z e n z e n.)

Die neurotische Angst kommt in drei Formen vor: als allgemeine nervöse Ängstlichkeit (Erwartungsangst, Angstneurose), als Phobie und als Angstanfall.

Die Erwartungsängstlichkeit ist die Folge frustraner sexueller Erregung oder sonstwie verhinderter Sexualbefriedigung; sie tritt bei Anhäufung von Libido auf. Bei der Analyse von Hysteriefällen erfahren wir dann, daß jeder im normalen Ablauf behinderter (verdrängter) Affekt durch Angst ersetzt wird. „Die Angst ist die allgemein gangbare Münze, gegen welche alle Affektregungen eingetauscht werden oder werden können, wenn der dazu gehörige Vorstellungsinhalt der Verdrängung unterlegen ist." Die Symptome der Zwangsneurose dienen, ebenso wie die hysterischen Phobien, dazu, um mit ihrer Hilfe der sonst unvermeidlichen Angstentwicklung zu entgehen. „Durch diese Auffassung wird die Angst gleichsam in den Mittelpunkt unseres Interesses für die Neurosenprobleme gerückt." Jeder neurotischen Angst entspricht abnorm verwendete physiologische Sexualregung (Angstneurose) oder Verdrängung psychosexueller Regungen (Angsthysterie).

Sehr schwierig war es, das Verhältnis der neurotischen zur Realangst aufzudecken. Es drängte sich zunächst die Auffassung auf, daß bei der neurotischen Angst das Ich einen ebensolchen Fluchtversuch vor seiner Libido unternimmt, wie bei der Realangst vor der äußeren Gefahr. Während nach der Adlerschen „Minderwertigkeits"-Theorie jenes Kind nervös wird, das ein höheres Maß von hilfloser Ängstlichkeit vor äußeren Gefahren mit auf die Welt bringt, besagt die Libidotheorie der Angst, daß diese Kinder angeborenerweise ein höheres Maß von libidinösem Anspruch erheben, oder infolge von Verzärtelung zuviel unverwertbare und in Angst konvertierbare Libido produzieren. Bei den Phobien wird dann eine winzige äußere Gefahr zur Vertretung der Libidoansprüche eingesetzt. Zur Angstentwicklung ist in jedem Falle notwendig, daß der Libidoanspruch verdrängt (unbewußt) sei; unbefriedigte, freiflottierende Libido, deren Repräsentanz bewußt bleibt, wird nicht in Angst verwandelt.

Die Beziehung der Realangst zur neurotischen konnte Freud erst in der folgenden Vorlesung geben. Auch in der Realangst unterscheidet er prinzipiell die rationelle Aktion (den Fluchtversuch) von der irrationellen Angstempfindung; nur die erstere ist dem Icherhaltungstriebe zuzuschreiben, der affektive Teil ist: unverwendbar gewordene, in Angst verwandelte Ichlibido. So lassen sich schließlich alle Arten von Angst mit Hilfe der Libidotheorie einheitlich ins Auge fassen.

Die „Libidotheorie des Narzißmus" wendet sich zunächst gegen die im Jungschen Libidobegriff enthaltene Verallgemeinerung des Wortes Libido, die dieser Autor mit dem Begriffe „Energie" gleichsetzt. Freud berücksichtigt nach wie vor die biologische Doppelrolle der Lebewesen und sondert streng die Ichtriebe von den Sexualtrieben (der Libido). Die Unentbehrlichkeit dieser Klassifikation der Triebe in der Neurosenlehre hat sich bei den Übertragungsneurosen erwiesen. Die Untersuchungen von Freud und Abraham über die Psychologie der Dementia praecox, dann die Paranoiauntersuchungen Freuds ermöglichten psychoanalytische Aufstellungen zu einer Ichpsychologie, während die Übertragungsneurosen nur zur Analyse der Libidopsychologie Gelegenheit boten. — Man gelangte zur Annahme, daß die spätere Objektliebe bei jedem Menschen eine Vorstufe hat, den Narzißmus, auf der noch alle Libido dem eigenen Ich (Körper und Persönlichkeit) gehört, wo also das Ich sich selbst zum Objekte nimmt. Bei körperlicher Erkrankung und im Schlafe (das nur die allnächtliche Reproduktion des Intrauterinzustandes ist) kehrt dieses narzißtische Stadium wieder; die Objektbesetzungen werden wie die Pseudopodien einer Amöbe ins Ich zurückgezogen. Bei der Verliebtheit hingegen besetzt fast die ganze verfügbare Libido irgend ein Objekt, wobei das Ich vom Libido sozusagen entblößt wird. Das Ich kann von libidinöser Besetzung frei werden, ohne daß dessen Nützlichkeitsfunktion verloren ginge. Narzißmus ist die libidinöse Ergänzung des Egoismus, gleichwie Objektliebe der sexuelle Pendant des Altruismus ist. Zur Objektbesetzung kommt es, wenn das Ich seine (narzißtische) Libido ausschickt, um nicht an ihrer Stauung zu erkranken. Der Prozeß der Zurückziehung der Libido von den Objekten aufs Ich, bei der Hypochondrie und den Paraphrenien unter Versperrung ihrer Rückwege, steht dem Verdrängungsprozeß nahe; die Fixierungsstellen, auf die die narzißtischen Neurosen bei dieser Art „Verdrängung" zurückgreifen, sind weit frühere Phasen der Libidoentwicklung als bei der Hysterie und Zwangsneurose. Ein Teil der Symptome bei der Dementia praecox, und zwar die lärmenderen, entsprechen dem Bemühen, wieder zu den Objekten, das heißt den Objektvorstellungen zu gelangen. Doch nur die Wiederbesetzung der (unbewußten) Wortvorstellungen mit Libido gelingt ihnen, während die zugehörigen unbewußten Dingvorstellungen von Libido entleert bleiben. — Bei den narzißtischen Neurosen ist der Widerstand gegen die Heilungstendenz wegen der mangelnden oder als gefährlich sofort abgewehrten Übertragung unüberwindlich. Trotzdem sind ihre Sym-

7*

100   Dr. S. Ferenczi.

ptome auf Grund der bei den Übertragungsneurosen gewonnenen psychoanalytischen Erfahrungen zu enträtseln. Solange sich aber die Psychiatrie vor der Psychoanalyse verschließt, werden ihr diese Rätsel nur als sinnlose Kuriosa erscheinen.

Die kurze Darstellung der psychoanalytischen Theorie der Paranoia und der Melancholie beschließt den klinischen Teil dieses besonders inhaltreichen Vortrages, der in der Feststellung gipfelt, daß alle neurotischen Erkrankungen, von den einfachsten Aktualneurosen bis zur schwersten psychischen Entfremdung des Individuums, auf eine Störung durch den libidinösen Faktor des Seelenlebens zurückzuführen sind.

Die Vorlesung über die „Übertragung" setzt sich zunächst mit den „wilden Psychoanalytikern" auseinander, die fälschlicherweise das „freie Ausleben" als die Konsequenz der psychoanalytischen Erfahrungen hinstellen oder gar empfehlen. Diese vergessen, daß der pathogene Konflikt der Neurotiker zwischen Regungen stattfindet, die nicht auf dieselbe (psychische) Ebene zu lokalisieren sind; ein Ausgleich unter ihnen, also die Verbindung des vernünftigen Handelns, ist ohne vorausgehende Bewußtmachung des Verdrängten unmöglich; die Entscheidung über die Lebensführung eines neurotisch Kranken kann also niemals v o r, sondern erst n a c h der durchgeführten Psychoanalyse erfolgen und ergibt sich bei der Analyse von selbst, ohne besondere Ratschläge des Arztes; natürlich muß sie nicht gerade im Sinne des „Auslebens" ausfallen, der Patient kann sich ebensowohl zur Sublimierung oder zu einer möglichen Ersatzbefriedigung entscheiden.

Es wird des weiteren gezeigt, wie die psychoanalytische „Widerstandstechnik" die Verdrängungen rückgängig zu machen bestrebt ist und werden die Erklärungen für die therapeutische Wirksamkeit der Analyse bei den Neurosen und für ihre Unwirksamkeit bei den meisten Psychosen gegeben.

Die übrigen Ausführungen dieses Vortrags wie auch die ,Vorlesung über „analytische Therapie" gehören in den therapeutischen Teil dieses Jahresberichtes.

Die Vorlesungen F r e u d s über „allgemeine Neurosenlehre" muß sich jeder, der die Psychoanalyse verstehen oder sie versuchen will, mit größter Genauigkeit zu eigen machen; dieses Referat ist, trotz seiner Ausführlichkeit, nur ein schwaches Abbild ihres Reichtums an neuen Erkenntnissen.

*

Auch einer anderen, in mancher Hinsicht lehrreichen Schrift Freuds, seiner „Geschichte der psychoanalytischen Bewegung" (19) müssen wir einige, die Neurosenlehre berührende Einzelheiten entnehmen. Die Frage, was Psychoanalyse ist und was diesen Namen mit Unrecht führt, wird hier präzise und unmißverständlich beantwortet: „Jede Forschungsrichtung, welche die beiden Tatsachen der Übertragung und des Widerstandes anerkennt und sie zum Ausgangspunkt ihrer Arbeit nimmt, darf sich Psychoanalyse heißen." Von diesem Standpunkte betrachtet, läßt sich ein Urteil über die beiden Abfallsbewegungen fällen, die sich innerhalb der Anhängerschaft der Psychoanalyse vollzogen haben.

Während die Psychoanalyse nur als Ergänzung und Korrektur anderswie erworbener Erkenntnisse gelten will, erhebt Alfr. Adler den Anspruch, eine vollständige Theorie des menschlichen Seelenlebens überhaupt zu geben; er will mit demselben Griff die Neurose, den Charakter und das Benehmen der Menschen verständlich machen. Diese Theorie war von Anfang an ein fertiges „System", was zu sein die Psychoanalyse sorgfältig vermied. Adlers Theorie besteht aus drei ungleichwertigen Elementen: guten Beiträgen zur Ich-Psychologie, Übersetzungen der analytischen Tatsachen in einen neuen Jargon und Entstellungen und Verdrehungen der letzteren. Die guten Beiträge geben den egoistischen Zusatz zu den von der Psychoanalyse gewürdigten libidinösen Triebregungen. Während aber die Psychoanalyse die Tatsächlichkeit und Bedeutsamkeit egoistischer Regungen im Prinzip stets anerkannt und ihnen — soweit es ihr möglich war — auch im einzelnen Rechnung getragen hat, verleugnet Adler, wenn irgend möglich, den libidinösen zu Gunsten des Ichtriebes, dies so weit, daß er schließlich als stärkste Triebfeder des Sexualaktes das Obensein-wollen hinstellt und behauptet, daß die leichtgläubigen Psychoanalytiker der Irreführung der Neurotiker „aufgesessen" seien, als sie ihre Sexualphantasien für bare Münze nahmen. Das Adlersche System, das ganz auf den Aggressionstrieb gegründet ist, läßt keinen Raum für die Liebe. Auf das, von der Psychoanalyse doch gebührend gewürdigte Moment des Krankheitsgewinnes fällt in seiner Neurosenlehre der Hauptakzent.

Ein anderer Teil dieser Lehre ist nichts anderes als eine Art „sekundäre Bearbeitung" von rein psychoanalytischen Erkenntnissen. Statt Schutzmaßregeln wird hier das Wort „Sicherung" eingesetzt, statt Phan-

102   Dr. S. Ferenczi.

tasie „Fiktion". Der Adlersche „männliche Protest" ist nichts anderes,
als die von ihrem psychologischen Mechanismus losgelöste Verdrängung, die -- in merkwürdigem Gegensatz zur sonstigen Asexualität der
Lehre — sexualisiert gedacht ist. Dabei wird die mit dem Aggressionstrieb allerdings nicht mehr erklärbare weibliche und passive Triebbetätigung gar nicht berücksichtigt und der biologische, soziale und psychologische Sinn des Wortes „männlich" vermengt. So entsteht infolge der
Umdeutungen und Entstellungen der psychoanalytischen Tatsachen (dem
dritten Bestandteil der Lehre) eine heillose Begriffsverwirrung. — Im
Lichte der Adlerschen Auffassung ist die Neurose nur ein Nebenerfolg der
allgemeinen Verkümmerung, der Organminderwertigkeit, obzwar die tägliche Beobachtung lehrt, daß Mißgestaltung sich mit voller psychischer
Gesundheit zumeist verträgt. Das Unbewußte spielt bei Adler eine
untergeordnete Rolle, es hat keine Beziehung zum System und tritt als
psychologische Besonderheit des „nervösen Charakters" auf. Das Moment des Infantilismus, dieses bedeutsame Stück der psychoanalytischen
Lehre, kehrt hier als Minderwertigkeitsgefühl des Kindes wieder. Die
Detailmechanismen der Symptome und Phänomene,. die Begründung der
Mannigfaltigkeit der Symptome finden überhaupt keine Berücksichtigung.
— Aus alldem ist klar ersichtlich, daß diese Lehre mit der Psychoanalyse
nichts zu schaffen hat. Sie nennt sich auch folgerichtig nicht mehr
Psychoanalyse, sondern „Individualpsychologie".

Die Adlersche Lehre ist, obzwar radikal falsch, doch konsequent,
kohärent, und gründet sich immerhin auf eine Trieblehre. Die Jungsche Modifikation hingegen hat den Zusammenhang der Phänomene mit
dem Triebleben gelockert. Auch Jung und seine Anhänger knüpften den
Kampf gegen die Psychoanalyse an eine Neuerwerbung an. Sie wiesen
im einzelnen nach, daß das Material der sexuellen Vorstellungen zur
Darstellung der höchsten religiösen und ethischen Interessen verwendet
werden kann, mit anderen Worten, sie beschrieben spezielle Fälle der
Sublimierung. Sie sagen aber nicht mehr, daß sexuelle Triebkräfte
in asexuelle umgewandelt wurden, sondern, daß diese Komplexe von vornherein etwas „Höheres" waren, einen „anagogischen" Sinn hatten; hier
fügten sich dann leicht abstrakte Gedankengänge ein, die eher Ethik und
religiöse Mystik, als Naturwissenschaft sind. Sogar der Ödipuskomplex
ist nicht real, sondern von vornherein nur „symbolisch" zu nehmen; die
Mutter darin bedeutet „das Unerreichbare", auf welches man im Interesse
der Kulturentwicklung verzichten muß; der im Mythos getötete Vater ist
der „innere Vater", von dem man sich frei zu machen hat, um selbständig
zu werden. An Stelle des Konfliktes zwischen Ich und Libido tritt bei
Jung der zwischen der „Lebensaufgabe" und der „psychischen Trägheit".
Die Individualforschung wurde von der Jungschen Technik zurückge-

drängt: sie schreibt vor, bei der Vergangenheit so kurz als möglich zu verweilen und den Hauptakzent auf den aktuellen Konflikt zu verlegen. Dieser Abwendung von der Vergangenheit ist es wohl zuzuschreiben, daß Jung und seine Anhänger in den sexuellen Darstellungen des Traumes und der Neurose nur archaische Ausdrucksweisen höherer Gedanken sehen, die nicht mehr Träger von Libidoquantitäten sind.

So erscheint denn die Jungsche Modifikation als eine solche Entstellung der Freudschen Lehre, daß sie, wenn sie sich dennoch Psychoanalyse nennt, sich einer Art Mimikry schuldig macht.

Die Tatsache, daß Adler und Jung, die sich so lange und so intensiv für Freud eingesetzt haben, von ihm abfallen konnten, findet in analogen Erscheinungen bei Analysen ihre Erklärung. Die Erfahrung zeigt, daß die Totalreflexion der analytischen Erkenntnisse nicht nur von der Oberfläche, sondern auch von jeder tieferen Schichte her erfolgen kann, an welcher sich ein besonders starker Widerstand vorfindet [1]).

*

Eine psychiatrisch-klinische Mitteilung Freuds (21) führt uns die für die Neurosenlehre wichtige Tatsache vor Augen, daß sich die Libidoentwicklung auch auf dem Boden einer bereits erfolgten pathologischen Fixierung in der normalen Richtung fortsetzen kann. Eine Paranoische, deren Gefühlsbeziehungen dem eigenen Geschlechte gelten und deren Wahnideen sich zuerst auf weibliche Personen bezogen, kann mit dem gesund gebliebenen resp. entwickelten (unfixiertem) Teile ihrer Libido den Weg zum Manne suchen und finden, so daß ihre Wahnideen nunmehr auf einen Mann projiziert werden. Auch der sogenannte Neurastheniker wird durch seine unbewußte Bindungen inzestuöser Liebesobjekte davon abgehalten, ein fremdes Weib zum Objekt zu nehmen und in seiner Sexualbetätigung auf die Phantasie eingeschränkt. Auf dem Boden der Phantasie bringt er aber den ihm sonst versagten Fortschritt zu stande und kann Mutter und Schwester durch fremde Objekte ersetzen.

*

Aus der Reihe von „metapsychologischen" Aufsätzen Freuds heben wir als für die Neurosenlehre bedeutsam zunächst die Arbeit über die Verdrängung (23) hervor. Wir erfahren daraus, daß dieser Prozeß aus zwei chronologisch gesonderten Akten

---

[1]) Obzwar ich mich in diesem Referate auf positive Fortschritte der Neurosenlehre beschränkte, hielt ich es für angebracht, das Wesen der zwei bekannten Abfallbestrebungen in der Darstellung Freuds dem Leserkreise des „Jahresberichtes" mitzuteilen. Ref.

besteht. Vorbedingung eines Verdrängungsvorganges ist, daß irgendeinmal eine Urverdrängung stattgefunden habe, die darin bestand, daß der Vorstellungsrepräsentanz eines Triebes die Übernahme ins Bewußte versagt wurde. Damit ist eine Fixierung
gegeben. Die zweite Phase ist die eigentliche Verdrängung;
eigentlich ist sie eine Nachdrängung, die ins Bewußtsein gelangte Abkömmlinge der verdrängten Repräsentanz betrifft, oder
solche Gedankenzüge, die — wenn auch anderswoher kommend —
in assoziative Verbindung zu ihr geraten sind und wegen dieser
Beziehung dasselbe Schicksal, wie das Urverdrängte erfahren. Es
handelt es sich dabei nicht nur um Abstoßung vom Bewußten her, sondern auch um Anziehung seitens des Urverdrängten. Der Verdrängungsprozeß vernichtet nur die Bewußtheit der Vorstellungen; diese
können sich aber weiter organisieren, neue Verbindungen anknüpfen,
ja: sie entwickeln sich reichhaltiger in der Verdrängung, das heißt
der Aufsicht des Bewußtseins entzogen. Diese Überwucherung der
unbewußten Vorstellungen täuscht in der Analyse der Neurotiker
Triebe von gefährlicher Stärke vor, ohzwar es sich nur um die infolge gestauter Triebansprüche gesteigerte Phantasietätigkeit handelt.
Sind die Assoziationen weit genug vom Urverdrängten entfernt,
so können sie, trotz ihrer Beziehung zu ihr, bewußt werden. Solche
Abkömmlinge des Verdrängten läßt die Psychoanalyse durch freie
Assoziation produzieren; als solche entstellte und entfernte Abkömmlinge des Verdrängten sind aber auch die neurotischen Symptome aufzufassen.

Das Verdrängte übt einen kontinuierlichen Druck in der Richtung zum Bewußten hin aus, dem durch unausgesetzten Gegen-
druck das Gleichgewicht gehalten werden muß, dies setzt beständige Kraftausgabe voraus; deren Aufhebung aber bedeutet ökono-
misch eine Ersparung. Die Verdrängung betrifft die Triebrepräsen-
sentanz, die Vorstellung, der ihr entsprechende Affektbetrag
wird entweder ganz unterdrückt oder in Angst verwandelt.
Im letzteren Falle ist die Verdrängung mißglückt. Die neurotischen Symptome schafft nicht die Verdrängung, sondern die Wiederkehr des Verdrängten, wobei das Motiv der Verdrängung, die Unlustersparung, vereitelt wird. Bei der Angsthysterie,
z. B. der Tierphobie, erfolgt die Ersatzbildung auf dem Wege der

Verschiebung (Vater — Tier), aber erst eine weitere Leistung der Verdrängung, eine Vermeidung (Phobie) verhütet die Unlust. Bei der Konversionshysterie ist der Vorstellungsinhalt der Triebrepräsentanz dem Bewußtsein gänzlich entzogen; als Symptom findet sich eine rein somatische Innervation, eine überstarke Erregung oder Hemmung, die wie durch Verdichtung die gesamte Besetzung auf sich gezogen hat. Mit dieser Leistung ist der Verdrängungsvorgang bei der Hysterie abgeschlossen; einer zweiten Phase (wie bei der Phobie) bedarf es hier nicht. Bei der Zwangsneurose wird die Verdrängung (wie überall) durch Libidoentziehung, und zwar von den sadistisch-analerotischen Triebvorstellungen bewerkstelligt; die Ersatzbildung besteht in einer Reaktionsbildung, der Steigerung der Gewissenhaftigkeit, das heißt der Verschiebung des Interesses auf die Gegensätze der bisherigen Ziele der Libido. Auch diese Verdrängung mißlingt aber; es bilden sich Symptome: soziale Angst, Gewissensangst, Vorwurf, in denen der zeitweilig unterdrückte Affektbetrag restlos wiederkehrt; auch die abgewiesene Vorstellung kehrt in einem Verschiebungsersatz (oft als Verschiebung auf ein Kleinstes) wieder. Schließlich kommt es zum selben Spiel von Flucht durch Vermeidungen und Verbote, wie bei der hysterischen Phobie, zu einem erfolglosen und unabschließbaren Ringen.

Das Gemeinsame jeder Verdrängungsleistung ist aber, wie gesagt, die Abweisung der Vorstellung vom Bewußten, wodurch eben die motorische Fesselung des Impulses, die Unmöglichkeit, sie in Handlungen umzusetzen, gewährleistet ist.

*

Die topische, dynamische und ökonomische Beschreibung des Verdrängungsvorganges bringt uns Freuds Abhandlung über das Unbewußte (24). Die Frage, wann und wie ein Affekt unbewußt werden kann, beantwortet Freud dahin, daß dies nur möglich ist durch wirksame Hemmung seiner Abfuhr. Unbewußtwerden einer Vorstellung und Abfuhrhemmung des mit ihr verknüpften Affektes erschöpfen also alle der Verdrängung zu Gebote stehenden Mittel. Bei der Verdrängung findet eine Trennung des Affekts von seiner Vorstellung statt, worauf beide ihren gesonderten Schicksalen entgegengehen; so lautet deskriptiv die Formel der Verdrängung. In Wirklichkeit kommt der Affekt überhaupt nicht zu stande, bis nicht der Durchbruch zu einer neuen Vertretung im System Bw — zur Ersatzvorstellung — gelungen ist. Zum Gelingen einer Verdrängung ist eine Gegenbesetzung seitens des Vorbewußten nötig, die dieses System gegen das Andrängen der unbewußten Vorstellung schützt. Die Urverdrängung ist nichts als Gegenbesetzung; bei der eigentlichen Verdrängung (dem Nachdrängen) kommt die Entziehung der vbw. Besetzung hinzu.

Bei der Angsthysterie verlangt eine ubw. Liebesregung nach Umsetzung ins System Vbw, doch die vbw. Besetzung zieht sich von ihr fluchtartig zurück, worauf die unbewußt bleibende Libido als Angst abgeführt wird. Bei Wiederholung der Angstentwicklung knüpft sich die fliehende Besetzung an den Verschiebungsersatz (s. o.), die die Rolle der Gegenbesetzung übernimmt. Von nun an kommt die Angst nur mehr von der Ersatzvorstellung aus zur Entwicklung, von hier aus aber um so heftiger. Die weitere Aufgabe der Hemmung der Angstentwicklung fällt einem Vorbau von an die Ersatzvorstellung assoziierten Vorstellungen zu, der mit besonderer Intensität besetzt wird und eine hohe Empfindlichkeit gegen Erregung bezeigt; die Erregung auch des entferntesten Teiles in diesem Vorbau wirkt als Angstsignal, der das weitere Vordringen der Besetzung gegen die Ersatzvorstellung zu hemmt. So wird diese Vorstellung nach Art einer Enklave vom übrigen ubw. Vorstellungsinhalt möglichst isoliert. Je stärker der vom Ubw her andrängende Trieb, ein um so größerer Kreis von Angstsignalvorstellungen muß die Ersatzvorstellung umgeben, die den Anlaß zu den phobischen Vermeidungen, Verzichten und Verboten geben. Die Ersatzvorstellung wirkt als Gegenbesetzung gegenüber der (zu verdrängenden) unbewußten Vorstellung, der phobische Vorbau als Gegenbesetzung gegenüber der Ersatzvorstellung. Dieser Abwehrmechanismus projiziert die innere Triebgefahr nach außen, indem er sie in eine äußere, von der Wahrnehmung her drohende verwandelt.

Bei der Konversionshysterie verdichtet sich die ganze Triebbesetzung aus dem Ubw im somatischen Symptom, das aber zugleich als Gegenbesetzung auch dem Abwehr- oder Strafbestreben des Systems Bw dient.

Bei der Zwangsneurose tritt die Gegenbesetzung am sinnfälligsten in den Vordergrund, und zwar an den Reaktionsbildungen. Am besten gelang die Verdrängung bei der Hysterie, wahrscheinlich weil hier das Abwehrsymptom auch Abfuhrvorgänge gestattet, während bei der Angsthysterie und der Zwangsneurose die Abwehr nur aus Gegenbesetzungen besteht, die keine Abfuhrmöglichkeiten schaffen und vor Angstentwicklung minder gut schützt.

Viel besser als den Übertragungsneurosen gelingt aber die Abziehung der bewußten Besetzung, der Fluchtversuch des Ichs, bei der sogenannten narzißtischen Neurose (Dem. praecox, Paranoia), wo die Triebbesetzung von den Stellen, die die unbewußte Objektvorstellung repräsentieren, überhaupt eingezogen wird.

Die in diesen Ausführungen versuchte Betrachtungsweise, die den Gesichtspunkten der Topik und der Dynamik, auch die der Ökonomie der psychischen Energiequantitäten an die Seite stellt, ist es, die auf Freuds Vorschlag den Namen Metapsychologie erhalten hat.

*

In der „Metapsychologischen Ergänzung zur Traumlehre" (25) teilt uns Freud wesentliche Neuigkeiten über das für die Neurosenlehre so gewichtige Problem der Genese der Halluzinationen mit. Was wir hierüber aus dem allgemeinen Teile seiner „Traumdeutung" erfuhren, war, daß, wenn der normalerweise vom Ubw gegen das Bw progredient Weg der psychischen Erregung infolge einer Störung verlegt ist und die Erregung zurückstauen, regredieren muß, es zur Wiederbesetzung des Rohmaterials der ubw. Erinnerungsspuren im Wahrnehmungs-(W-)System kommen kann: das wäre die Halluzination. Da es aber auch andere Arten der Wiederbelebung dieser E-Spuren gibt (z. B. das „Erinnern"), mußte Freud zur Annahme kommen, daß zum Zustandekommen der Halluzination außer der Regression eine spezifische Störung der Fähigkeit zur Realitätsprüfung notwendig ist. Das Organ dieser Prüfung ist im Bw(W-)System selbst; es hat die Funktion, Auskunft darüber zu geben, ob eine psychische Erregung von innen (den psychischen E-Systemen) oder von außen (von der Wahrnehmung her) kommt. Unser ganzes Verhältnis zur Außenwelt hängt von dieser Fähigkeit ab. Die Halluzination besteht also in einer

Besetzung des Systems Bw(W), aber nicht, wie normal, von
außen, sondern von innen, wobei die Regression sich über die
Realitätsprüfung hinwegsetzt. Zur Realitätsprüfung muß das Bw
über eine motorische Innervation verfügen, bei deren Ingangsetzung
ein Signal darüber erhalten wird, ob man sich der Erregung aktiv
überhaupt entziehen kann (Außenreiz) oder nicht (Innenreiz, Trieb).
Bei der halluzinatorischen Wunschpsychose (Amentia) bricht das
Ich die Beziehung zur schmerzlichen Realität ab; damit ist der
Weg der Wunschphantasien über die Realitätsprüfung hinweg ge-
öffnet. Bei der halluzinatorischen Psychose in der Dementia praecox
zerfällt das Ich des Kranken so weit, daß die Realitätsprüfung
nicht mehr die Halluzination verhindert. Übrigens sind die Halluzinationen bei dieser Psychose sekundäre, meist später einsetzende
Symptome, die beim Versuch der Wiederbesetzung der Objekt-
erinnerungsspuren mit Libido entstehen. Ähnliche „Restitutions-
versuche" im Dienste der Selbstheilungstendenz sind die Verbi-
gerationen der Schizophrenen (Besetzung der Worterinnerungsreste) und die Projektionssymptome der Paranoia (Verfolgungswahn).
Auch im letzteren Falle handelt es sich um eine Störung der
Realitätsprüfung, der Paranoische bestrebt sich, beschwerlich werdende Innenreize nach außen zu verlegen. Zum Schlusse wird ein
Blick auf die Bedeutung geworfen, welche eine Topik des Ver-
drängungsorganes für unsere Einsicht in den Mechanismus der seelischen Störungen gewinnt. Beim Traum betrifft die Entziehung
der Besetzung (Libido, Interene) alle Systeme gleichmäßig, bei den
Übertragungsneurosen wird die Ubw Besetzung zurückgezogen, bei
der Schizophrenie die des Ubw, bei der Amentia die des Bw.

*

Freuds Arbeit über „Trauer und Melancholie" (26)
beschließt die Reihe seiner metapsychologischen Abhandlungen.
Wir erfahren daraus, daß die Disposition zur melancholischen Erkrankung in die Vorherrschaft des narzißtischen Typus der Objektwahl verlegt werden muß und daß die für diese Krankheit charakteristische Nahrungsverweigerung auf eine Regression von der Objektbesetzung auf die orale Libidophase (Abraham) zurückzuführen
ist. Die Selbstanklagen der Melancholiker sind eigentlich Anklagen
gegen Personen, mit denen sich der Patient nach dem Typus der

narzißtischen Liebeswahl identifizierte. Die unzweifelhaft genuß-
reiche Selbstquälerei der Melancholie bedeutet, ganz wie das entsprechende Phänomen der Zwangsneurose die Befriedigung von sadistischen und Haßtendenzen, die einem Objekt gelten und eine Wendung gegen die eigene Person erfahren haben.

Dieser Sadismus löst uns auch das für die Psychopathologie
so wichtige Rätsel der S e l b s t m o r d n e i g u n g. Wir wußten längst,
daß kein Neurotiker Selbstmordabsichten verspürt, der solche nicht
von einem Mordimpuls gegen andere auf sich zurückwendet. Nun
lehrt uns die Analyse der Melancholie, daß das Ich sich nur dann
töten kann, wenn es durch die Rückkehr der Objektbesetzung sich
selbst wie ein Objekt behandeln kann. Bei der Verliebtheit wie bei
dem Selbstmord wird das Ich, wenn auch auf gänzlich verschiedenen
Wegen, vom Objekt überwältigt. Das Ich wird bei diesem Vorgang
vollkommen entleert, und die Selbstwahrnehmung dieses Zustandes
erklärt uns die Verarmungswahnideen der Melancholiker. Der gedankenreiche, im Original nachzulesende Schlußteil dieser Arbeit
beschäftigt sich mit der Psychoanalyse der Zyklothymien, besonders
der Manie.

*

Freuds Aufsatz „Über einige Charaktertypen aus der psychoanalytischen Arbeit" (27) beschäftigt sich mit den „A u s n a h m e n",
von denen die Analyse feststellt, daß sie eine frühzeitige narzißtische Kränkung mit ·ihren übergroßen Ansprüchen wieder gut
machen wollen (z. B. Verunstaltung, Krankheit im frühesten Kindesalter), dann mit denen, „d i e a m E r f o l g s c h e i t e r n", deren emp-
findliches Gewissen sie am Erfolg erkranken läßt, anstatt an der
Versagung, wenn der Erfolg den Triumph des Ödipuskomplexes bedeuten würde. Der „V e r b r e c h e r a m S c h u l d b e w u ß t s e i n"
gibt die psychische Motivierung dieser psychopathologisch wie krimi-
nologisch bisher unaufgeklärten Besonderheit.

*

Freuds „E i n e S c h w i e r i g k e i t d e r P s y c h o a n a l y s e"
(28) versucht uns die psychologische Erklärung des sich gegen die
psychoanalytischen Lehren allseits erhebenden Widerstandes zu geben.

Der Narzißmus der Menschheit — heißt es hier — hat bis
jetzt zwei schwere Kränkungen von seiten der wissenschaftlichen

Forschung erfahren: 1. Die Zerstörung der narzißtischen Illusion, daß sich sein Wohnsitz, die Erde, ruhend im Mittelpunkte des Weltalls befindet. um den sich alle Gestirne drehen (Kopernikus). Dies war die kosmologische Kränkung. 2. Die biologische Kränkung durch den Darwinismus, der dem Menschen die vermeintliche Sonderstellung unter den Geschöpfen der Erde raubte. Hiezu kommt nun 3. die Feststellung der Psychoanalyse, die Idee, daß das Ich „nicht Herr im eigenen Hause" ist: die Lehre von der Unbewußtheit im Seelenleben. Damit und mit der Behauptung von der psychischen Bedeutung der Sexualität lenkt die Psychoanalyse Abneigung und Widerstände auf sich.

*

Aus der umfangreichen Arbeit von Freud: „Geschichte einer infantilen Neurose" (29) wollen wir hier nur das für die allgemeine Neurosenlehre Verwertbare hervorheben.

Analysen von kindlichen Neurosen können ein besonders hohes theoretisches Interesse beanspruchen. Sie erweisen die volle Unzulänglichkeit der seichten oder gewaltsamen Umdeutungsversuche, die mit dem analytischen Tatsachenmaterial vorgenommen wurden. Die Kinderanalysen zeigen in flagranti den überragenden Anteil der so gern verleugneten libidinösen Triebkräfte an der Gestaltung der Neurose auf und lassen die Abwesenheit fernliegender kultureller Zielstrebungen erkennen, von denen das Kind nichts weiß und die ihm darum nichts bedeuten können. Die tiefreichende Analyse des beschriebenen Falles liefert den Beweis, daß ein Kind im zarten Alter von 1½ Jahren wirklich im stande ist, einen so komplizierten Vorgang, wie die Beobachtung des elterlichen Koitus in sich aufzunehmen, getreu im Unbewußten zu bewahren, dieses Material nachträglich (hier im vierten Lebensjahr) zu überarbeiten, und daß die Psychoanalyse tatsächlich ein Verfahren ist, dem es gelingen kann, Einzelheiten einer solchen Szene auch Jahrzehnte nach ihrem Vorfall in zusammenhängender und überzeugender Weise bewußt zu machen. Analysen, wie die vorliegende, sind auch ein beredtes Argument gegen die Geringschätzung der frühinfantilen Eindrücke; (bekanntlich wollen ja manche die Verursachung der Neurosen fast ausschließlich in den ernsthaften Konflikten des späteren Lebens suchen; diese behaupten, daß die Bedeutsamkeit der Kindheit uns

in der Analyse nur durch die Neigung der Neurotiker vorgespiegelt
wird, ihre gegenwärtigen Interessen in Reminiszenzen und Symbolen
der früheren Vergangenheit auszudrücken). Der Fall beweist auch
von neuem, wie notwendig es ist, alle unbewußten Gedankengänge,
ohne Rücksicht darauf, ob sie nur Phantasien sind oder Erinnerungen
an reale Vorkommnisse entsprechen, in der Analyse aufzudecken.
Ein „abgekürztes Verfahren" hätte die zum Verständnis des Falles
nötigen Zusammenhänge niemals aufklären können. Es werden
Szenen aus so früher Zeit in der Regel nicht als Erinnerungen reproduziert, sondern müssen schrittweise
und mühselig aus einer Summe von Andeutungen erraten — kon-
struiert — werden. Nun behaupten die Gegner, diese Konstruktionen mache der Analytiker und dränge sie den Patienten auf.
Die Entscheidung über diesen Streitpunkt ist nicht möglich, solange die Gegner es nicht versuchen, solche „Konstruktionen"
streng nach der Methode Freuds selber zu machen; vielleicht be-
kämen sie auf die Art einen Eindruck davon, wie sich die einzelnen Tatsachen in der Analyse ohne und oft gegen den Willen
des Analytikers zu solchen Annahmen gruppieren, wie sich eine
falsche Annahme bald refaktär erweist usw. Im Gegensatz zu
Jung, der die aktuellen Konflikte auf Kosten des Infantilen in
den Vordergrund stellt, behauptet Freud, daß der Kindheits-
einfluß sich bereits in der Anfangssituation der
Neurosenbildung fühlbar macht, indem er in entscheiden-
der Weise mitbestimmt, ob und an welcher Stelle das Individuum
in der Bewältigung der realen Probleme des Lebens versagt.

Schon die Tatsache einer neurotischen Erkrankung im vierten
und fünften Jahr der Kindheit beweist, daß infantile Erlebnisse
für sich allein im stande sind, eine Neurose zu produzieren. Hier
findet man als Ursache das Scheitern an solchen „Lebensaufgaben",
die mit höheren Ideen nichts zu tun haben und nur im geforderten
Verzicht auf primitive Triebregungen bestehen.

Die in der Analyse konstruierte „Urszene" aus der frühesten
Kindheit (Beobachtung des elterlichen Koitus, Kastrationsbedrohung,
Verführung) kann wirklich erlebt oder phylogenetische Erbschaft
sein. Das Kind greift zum phylogenetischen Erleben, wo sein eigenes
Erleben nicht zureicht; es ist aber methodisch unrichtig, zur Er-

klärung aus der Phylogenese zu greifen, ehe man alle Möglichkeiten der Ontogenese erschöpft hat. (In diesen Fehler verfällt
eben J u n g.)

Die phylogenetisch mitgebrachten Schemata besorgen, wie die
philosophischen „Kategorien", die Unterbringung der Lebenseindrücke.
F r e u d vertritt die Anschauung, sie seien Niederschläge der menschlichen Kulturgeschichte. Das Schema kann auch über das individuelle Erleben siegen, sich an seine Stelle setzen. Ein i n s t i n k-
t i v e s W i s s e n, eine Ahnung noch kommender Erlebnisse, den
tierischen Instinkten entsprechend, wirkt bei der Reaktion auf die
allerfrühesten Sexualeindrücke mit. Dieses Instinktive wäre der
Kern des Unbewußten, eine primitive Geistestätigkeit, die später
durch die zu erwerbende Menschheitsvernunft überlagert wird, dabei aber die Kraft behält, höhere seelische Vorgänge zu sich herabzuziehen. Die Verdrängung wäre die Rückkehr zu dieser instinktiven Stufe und der Mensch würde so mit seiner Fähigkeit zur
Neurose seine große Neuerwerbung bezahlen und durch die Möglichkeit der Neurosen die Existenz der früheren instinktartigen
Vorstufe bezeugen. Die Bedeutung der frühen Kindheitstraumen
läge aber darin, daß sie diesem Unbewußten einen Stoff zuführen,
der es gegen die Aufzehrung durch die nachfolgende Entwicklung
schützt.

Von dieser Perspektive betrachtet, erscheint dem Referenten
die psychoanalytische Neurosenlehre F r e u d s als der Ausgangspunkt unseres besseren Wissens über den Aufbau der Menschen-
seele, über deren Entwicklungsgang von einfachen Triebregungen
bis zu einem zu höchsten Kulturleistungen befähigten, komplizierten
Mechanismus und über das Spiel und der Ökonomie der Energien,
die sich auf diesem Apparat betätigen. Auch hat F r e u d s Neurosenlehre uns den Weg gezeigt, auf dem Probleme einer weiteren
Klärung zugeführt werden können, bei denen die philosophische
und erkenntnistheoretische Spekulation bisher versagt hat.

Die ungeheure Fülle des zu referierenden Materials brachte
es mit sich, daß ein Referat über F r e u d s neuere neurosenpsycho-
logische Werke, obzwar die wichtigsten Stellen wortwörtlich zitiert

wurden, den Eindruck, den man sich davon in den Originalen holt, nicht im entferntesten wiedergeben kann[1]).

*

Einen Beitrag zur Kenntnis der Entstehung sexueller Perversionen liefert uns Freuds Arbeit „Ein Kind wird geschlagen" (30). Nachdem Freud in einer eingehenden Untersuchung die Herkunft der masochistischen Perversion aus dem Ödipuskomplex festgestellt hat, nimmt er die Gelegenheit wahr, neuerlich darauf hinzuweisen, daß die Motive der Verdrängung nicht sexualisiert werden dürfen, wie das Adler in seiner Aufstellung vom „männlichen Proteste" tut. „Den Kern des seelisch Unbewußten bildet die archaische Erbschaft des Menschen, und dem Verdrängungsprozeß verfällt, was immer davon beim Fortschritt zu späteren Entwicklungsphasen als unbrauchbar, als mit dem Neuen unvereinbar und ihm schädlich zurückgelassen werden soll. Diese Auswahl gelingt bei einer Gruppe von Trieben besser, als bei anderen. Letztere, die Sexualtriebe, vermögen es, kraft besonderer Verhältnisse, die Absicht der Verdrängung zu vereiteln und sich die Vertretung durch störende Ersatzbildungen zu erzwingen. Daher ist die der Verdrängung unterliegende infantile Sexualität die Haupttriebkraft der Symptombildung und das wesentliche Stück ihres Inhalts, der Ödipuskomplex der Kernkomplex der Neurose." Freud vermutet, daß auch die sexuellen Abirrungen des kindlichen wie

---

[1]) Nachzutragen wäre noch einiges aus der letztreferierten Arbeit. Die Wiedergeburtsphantasie, auf die Jung seinerzeit die Aufmerksamkeit gelenkt hatte, erwies sich im beschriebenen Falle als intimster Ausdruck der Homosexualität des Patienten in verstümmelter Wiedergabe. Dem Adlerschen „männlichen Protest" wird u. a. entgegengehalten, daß die Verdrängung keineswegs immer die Partei der Männlichkeit nimmt, und die Weiblichkeit betrifft. — Die Grenzen der Heilbarkeit der Neurosen betrifft eine Äußerung Freuds über die „psychische Entropie", die Unmöglichkeit, eine stärkere Libidofixierungsstelle von der Besetzung vollständig zu befreien. Dies hängt mit der Klebrigkeit der Libido, ihrem Festhalten an alten Objekten und Zielen zusammen. In höherem Alter erstarren die Libidobesetzungen überhaupt und die psychische Beeinflußbarkeit hört auf.

des reifen Alters von dem männlichen Komplex abzweigen.

In diesen Sätzen finden wir das Wichtigste, was die Freudschen Forschungen der letzten Jahre zur Ergänzung unseres Wissens über die psychoanalytische Neurosenlehre beitrugen, auf das gedrängteste zusammengefaßt.

*

Der uns leider durch den Tod entrissene Professor Putnam stellt in einer seiner von tiefernster Überzeugung getragenen Arbeiten (66) die allgemeinen Gesichtspunkte der psychoanalytischen Bewegung fest. Wir geben die wichtigsten Sätze seiner Ausführungen in extenso wieder:

Heute, wo man, dank der Psychoanalyse, den kausalen Mechanismus der Neurosen um so viel besser versteht, dürften die Ärzte nicht einfach fortfahren, den Hauptnachdruck bei der Diagnose immer noch auf Erkrankung eines einzelnen Organes, eine Stoffwechselstörung, zu legen und als Therapie auch weiterhin nur auf andauernde Ruhe, Suggestion oder Überredung hinzuweisen. Die Psychoanalyse ist mehr als ein neues Linderungsmittel; sie beweist die Herkunft dieser Krankheit von Gefühlskonflikten, die ohne fremde Hilfe nicht zu lösen sind. Die Psychoanalyse liefert die vollständigste Anamnese; sie ist dabei ein Erziehungsmittel zur Vernunft, Moral und Sittlichkeit. Zur Erlangung dieses Zustandes ist aber die schonungslose Entlarvung aller „unmoralischen" verdrängten Strebungen notwendig und das Verantwortungsgefühl auch auf diese auszudehnen. Das Verdrängte ist unerziehbar und schafft faule Kompromißbildungen. Mißerfolge der Kur sind oft von Eigenheiten des Arztes verursacht; Selbstanalyse der Ärzte ist also Vorbedingung der Beschäftigung mit Psychoanalyse. Die psychoanalytische Forschung bringt außer einer neuen Therapie der Neurosen eine neuartige pädagogische Prophylaxe, die sich auf die bessere Kenntnis des Seelenlebens des Kindes stützt. Die Psychoanalyse trägt zur Lösung der großen äußeren Lebensprobleme dadurch bei, daß sie jedem einzelnen Menschen hilft, die Rätsel seines eigenen Innenlebens zu lösen.

*

Abrahams „Untersuchungen über die früheste prägenitale Entwicklungsstufe der Libido" (1) wenden sich nach kursorischem Überblick über die Freudschen prägenitalen Organisationen überhaupt, dem Studium der kannibalistischen Regungen bei einem Schizophrenen zu. Bei diesem Kranken überwiegt die orale Zone an Bedeutung über die anderen erogenen Zonen. Die Sexualfunktion und Ernährungsfunktion sind im Saugakt miteinander verknüpft, dem Sexualobjekt gegenüber besteht das Verlangen nach Einverleibung. Dann folgt eine allgemeine Charakterisierung ähnlicher Gelüste bei Normalen und Neurotikern: Anfälle von Heißhunger sind oft die Äußerungsform libidinöser Regungen; in vielen dieser Fälle gewann die im· erwachsenen Alter persistierende Saugelust einen beherrschenden Einfluß, wirkte bestimmend auf das Verhalten und störend auf die sonstige Funktion der oralen Zone (Essen, Sprechen). Alle Neurotiker werden von Verstimmungen befallen, wenn sie einer ungewohnten oralen Befriedigung entsagen müssen; anderseits verscheucht bei vielen die lustvolle orale Befriedigung die bestandene Verstimmung. Bei der Melancholie scheint eine unbewußte sadistische Wunschtendenz zu herrschen, die Vernichtung des Liebesobjektes durch Auffressen zu vollziehen. Ein Teil der schweren Selbstanklagen der Melancholiker weist auf diese Triebregungen hin, noch deutlicher tun das die sogenannten „lykanthropischen" Wahnvorstellungen, die das Auffressen der Menschen zum Inhalte haben; dieselben Regungen werden in negativer Form durch die Nahrungsverweigerung der Geisteskranken dargestellt; die Angst vor Verhungern dagegen ist eine infolge der Verdrängung auftretende Angstverwandlung der kannibalistischen Triebe. Das Sagenmotiv der „Zerstücklung" und die mythologischen Erzählungen vom Gott, der seine eigenen Kinder vertilgt, sind völkerpsychologische Parallelen zur kannibalistischen Periode des Einzelmenschen, zu der — wie wir sehen — auch die Neurosen so gerne regredieren.

Dieser gedankenreiche Aufsatz Abrahams trug den 1919 zum erstenmal zur Verteilung gelangten psychoanalytisch-literarischen Preis davon.

*

116   Dr. S. Ferenczi.

A b r a h a m s Arbeit über „n e u r o t i s c h e Exogamie" (2)
beschäftigt sich mit der Tatsache, daß manche Neurotiker, einer
inneren Nötigung folgend, ihre Neigung lediglich solchen Personen
zuwenden, welche einem anderen Stamme angehören. Die innere
Nötigung hat bei diesen Individuen den gleichen Effekt, wie der
äußere, gesetzliche Zwang bei den primitiven Völkern. Die gemeinsame Wurzel der neurosenpsychologischen wie der ethnologischen Tatsache ist die Inzestscheu.

*

V. T a u s k, ein allzufrüh dahingegangener Schüler F r e u d s,
förderte unsere Einsicht in die Ökonomie des psychischen Geschehens
(77). Die Überwindung des Widerstandes in der psychoanalytischen
Kur ist einer relativen Entwertung dieses Motivs zuzuschreiben.
Der Gewinn an psychischer Leistungsfähigkeit, der sich aus der
Verfügung über eine nicht entbehrliche (und doch verdrängte) Vorstellung ergibt, ist die Lustprämie für die Überwindung des Widerstandes. Die Unlust, deren Verhütung der Widerstand sichern
wollte, wird ein Mittel zum Lusterwerb. Die Verteilung der Be-
wußtseinsfähigkeit an die Vorstellungen geschieht nach jener Lust-
oder Unlustqualität, die ihnen infolge der individuellen psychischen
Entwicklung zukommt. Unmittelbar vor der Reproduktion einer
erogenen Vorstellung pflegt nach T a u s k eine Reihe lustvoller Gedanken aufzutauchen, mit denen sich das Subjekt gleichsam R e -
k o m p e n s e leistet für die das Selbstbewußtsein herabsetzende Tatsache. Diese Rekompense entwerten das Verdrängungsmotiv.

*

Nach Paul F e d e r n (13) besteht die vollkommene Analyse darin,
die libidinösen Anpassungen auf ihre ersten libidinösen Quellen zurückzuführen, die ursprünglichen infantilen, ungeeigneten Hemmungen und Fixierungen bewußt zu machen und durch normale
Beherrschung zu ersetzen. Dies geschieht vorwiegend im Wege der
Übertragung (nach dem L u s t p r i n z i p), bei deren schrittweiser
Auflösung das Individuum an der Überwindung der Widerstände
verspätet das R e a l i t ä t s p r i z i p anzuwenden lernen muß.

*

K a p l a n (41) versuchte in seinen „Grundzügen der Psychoanalyse" die F r e u d schen Lehren zusammenhängend darzustellen,

wählt aber hiezu — statt der pragmatischen — die umständlichere kasuistische Methode. Ein späteres Werk (42) desselben Autors enthält eine Sammlung wichtiger Kapitel der allgemeinen Psychologie im Lichte der Psychoanalyse. „Die Verdrängung und die psychische Polarität" bringt den Ambivalenzbegriff mit der von Pikler propagierten Idee in Verbindung, nach der keine Vorstellung ohne das gleichzeitige Dasein ihres Gegensatzes denkbar ist und nur mit Hilfe der Abstraktion vom Gegensätzlichen repräsentierbar wird.

*

Luise von Karpinska (45) versuchte in einer lesenswerten Arbeit „die Grundlinie der psychologischen Konzeptionen Freuds hervorzuheben, um eine erste allgemeine Orientierung in denselben zu ermöglichen". Gute Einführung besonders für Fachpsychologen.

*

Eine vergleichende Studie zwischen Freuds Libidotheorie und der Eroslehre Platos führte Nachmansohn (58) zur Konstatierung der Wesensgleichheit beider. „Plato sieht ebenso wie Freud im Arterhaltungstrieb und den damit verbundenen psychischen Funktionen das Wesen der Liebe. Auch der griechische Denker dehnt den Eros auf das Kind aus und sieht in der elterlichen Liebe zu den Kindern und umgekehrt denselben Eros, der zwischen zwei reifen Personen verschiedenen Geschlechtes waltet. Die Sublimierungstheorie Freuds findet sich noch ausführlicher bei Plato . . . ., beide leiten die höchsten kulturellen Leistungen vom Arterhaltungstrieb ab." „So sehen wir, daß die so angefeindete Libidolehre Freuds im größten griechischen Denker und Ethiker einen Vorläufer gefunden."

*

Ein erster und mutiger Versuch, die Freudsche Lehre in der organischen Medizin anzuwenden, verdanken wir Groddeck (32). Es soll dem Verfasser gelungen sein, rein organische Krankheiten — Entzündungen, Geschwülste usw. — als körperliche Reaktionen auf psychische Konflikte zu erkennen und psychoanalytisch zu teilen. So unerwartet, ja unwahrscheinlich solche Behauptungen klingen, sind sie doch nicht a priori abzuweisen; unmöglich wird sie sicherlich niemand finden, der sich von der gegenseitigen Beeinflußbarkeit des Psychischen und Physiologischen in der Psycho-

analyse überzeugt hat. Natürlich bedarf eine solche Behauptung
noch weiterer und viel stringenterer Beweise, als sie hier geliefert
werden.

*

In seiner bedeutsamen Arbeit über „Physisch und Psychisch
in der Pathologie" will Bleuler (6) das Physische durch den
Begriff des „Organischen", das Psychische durch den des „Funktionalen" ersetzen, und weist in einer ganzen Reihe normaler wie
pathologischer Zustände das Zusammenwirken beider nach, ohne
die Existenz rein psychogener und rein organischer Zustände in
Abrede zu stellen. Mit Hilfe der Kenntnis der Freudschen Lehre
vom Unbewußten vermochte der Autor „psychische Schaltungen"
auch in Prozessen nachzuweisen, die früher für rein organische
galten. Man bekommt beim Lesen dieser Arbeit den Vorgeschmack
einer glücklicheren Zeit, wo Psychiater und Pathologen mit ver-
einten Kräften an Problemen arbeiten werden, die weder von der
psychischen, noch von der organischen Seite her restlos zu lösen sind.

*

Ortvay weist in einer kurzen Mitteilung (61) auf die bemerkenswerte Ähnlichkeit zwischen den Vererbungsgesetzen
nach Mendel, und den Freudschen Verdrängungsmecha-
nismen hin. Die Unterdrückung eines erblichen Merkmals (Rezessivität) ist der Verdrängung formal analog. Hier wie dort wird
ein Merkmal in einen latenten Zustand versetzt, in dem es sich
manchmal gar nicht, andere Male nur in kleinen charakteristischen
Zügen äußert. Hier wie dort kann es statt „Dominenz" und „Rezessivität" zu Kompromißbildungen kommen; die latente Anlage
kann die dominierende überwältigen (Analogie mit der Psychose).
Es scheint, daß die Erbeinheiten in ganz demselben Verhältnis zueinander stehen wie die affektbetonten Komplexe. Die Ähnlichkeit
des Verhaltens weist auf einen tieferen Zusammenhang hin. Ortvay glaubt überall, wo ein tieferer psychischer Konflikt und Verdrängung zu finden sei, als tiefste Schicht neben dem eventuell
rezenten Anlaß und infantilen Eindruck einen Konflikt verschiedener Erbeinheiten vermuten zu können. Er fordert
die Mitarbeit der Psychoanalytiker an den Vererbungsproblemen.

Unter den Erbeinheiten (Genen) müssen auch die psychischen Charakterzüge berücksichtigt werden.

*

In O. Groß' Aufsätzen über den „inneren Konflikt" (33) wird versucht, die der Freudschen Neurosenlehre zu Grunde liegende Sexualtheorie dadurch zu verharmlosen, daß die infantile Sexualität auf ein „Kontaktbedürfnis" des Kindes reduziert wird. Auf die Versagung dieses Kontaktes, die „Vereinsamung" führt Groß fast alle Perversionen, Neurosen und Charakteranomalien zurück. Mehr eine Reihe aphoristischer Aufstellungen als überzeugende Folgerungen.

*

Eitingon (7) weist im einzelnen nach, daß bei Jung an Stelle der Psychologie eine biologisch-ethische Kulturphilosophie getreten sei.

*

Auch Dr. Weißfeld (78) wendet sich gegen Jung, der biologische mit psychologischen Gesichtspunkten vermenge, während Freud für möglichst strenge Scheidung beider eintritt. Weißfeld beschäftigt sich in seiner Arbeit mit dem Grenzgebiet zwischen Affektivität und vegetativen Erscheinungen. Jungs Ansichten heben eigentlich die unumstößliche Tatsache der Affektverwandlungen auf, anstatt sie zu erklären; seine „Libido" oder „Wille" vermag den Transformationen nicht gerecht zu werden. Verfasser setzt die Prinzipien einer Affektverwandlungstheorie an ihre Stelle.

*

Adolf F. Meijer (54) schenkte uns die trefflichste der bisher erschienenen Kritiken über die Irrtümer der Jungschen Schule, die um so bemerkenswerter ist, als derselbe Autor vor Erscheinen der letzten Jungschen Publikation noch keinen wesentlichen Unterschied zwischen den Meinungen Freuds und Jungs sah. Jetzt sagt er von Jung, daß ihm die Einsicht in den Begriff der Verdrängung fehle und er vom Unbewußten nur verschwommene Vorstellungen habe; es fehle ihm auch der Sinn für die dynamischen und ökonomischen Verhältnisse.

*

Pfister (63) wendet sich in einer mit Beispielen belegten Abhandlung gegen die Jungsche und Adlersche „Dehistorisierung" der Psychoanalyse, die die sexuellen Phantasien und ihre pathologischen Rückwirkungen als rein symbolischen Ausdruck asexueller Strebungen, als bloßes „Als ob" zu deuten oder, besser gesagt, zu überdeuten versucht. Pfisters Krankengeschichten (wie wohl jedes Analytikers) zeigen uns, daß die Patienten nicht mit dem Begriffe „Autorität", sondern mit einem wirklichen Vater in Konflikt geraten und nicht an einem „Widerstand gegen die innerlich gebotene Anpassungsleistung", sondern an Störungen der Libidoentwicklung erkranken.

In einer anderen kritischen Arbeit tritt Pfister (64) der ungeheuerlichen Behauptung eines Jung-Schülers entgegen, daß antisoziale Explosionen von der Art der Brandstiftung als „archaische Sublimierungsversuche" gedeutet werden können. Die logische Unmöglichkeit und psychologische Haltlosigkeit dieser Annahme wird hier trefflich demonstriert.

*

Bleuler (4) gab uns eine „Kritik der Freudschen Theorien". Eine komplementäre (negative) Kritik der Psychoanalyse, angeblich die notwendige Ergänzung einer früheren, positiven Stellungnahme.

*

Ernest Jones, London (38): „Prof. Janet über die Psychoanalyse." Prof. Janet (Paris) gab vor dem internationalen Kongreß in London in einem Vortrag eine Kritik der Psychoanalyse und Jones weist die zum Teil auf Unkenntnis, zum Teil auf Widerstand und Tendenz beruhenden Irrtümer und Entstellungen in dieser Kritik nach. Insbesondere wird auf die Fortschritte, die die Psychoanalyse gegenüber den an sich sehr wertvollen Untersuchungen Janets bedeutet, hingewiesen, die aber Letzterer herabzusetzen oder nur als Umdeutungen seiner Ansichten hinzustellen bemüht war, wobei er sich dazu hinreißen ließ, einen groben Mangel an Objektivität zu verraten.

Zum Schlusse einige Autoreferate:
Ausgehend von der Krankheitsgeschichte eines Mannes, der nach operativer Kastration paranoid dement wurde, beschäftigte

sich Referent mit der Frage, ob eine narzißtische Neurose traumatogen sein könne, und beantwortet sie positiv. Körperliche Erkrankung oder Verletzung kann eine traumatische Regression zum Narzißmus resp. eine narzißtische Neurose verursachen; dies sind die „Pathoneurosen" (14). Infolge der von der Krankheit gesetzten Reize kann eine Körperstelle Genitalqualitäten annehmen, genitalisiert werden. Hiefür sprechen Beobachtungen bei den verschiedensten Organerkrankungen, wo nicht nur Einziehung allen Interesses und aller Libido, sondern eine lustvolle Reizbarkeit des erkrankten Organs zu stande kommt. Am empfindlichsten in dieser Beziehung sind die erogenen Zonen, doch keine Körperstelle ist ganz frei von Erogeneität, überall liegt also die Möglichkeit pathoneurotischer Erkrankung vor. Von den erogenen Zonen werden die Haut, der Mund, der Anus und das Genitale in dieser Hinsicht einzeln in Betracht gezogen, besonders letzteres. Die Puerperalpsychosen z. B. werden auf pathoneurotische Störungen infolge des Genitaltraumas beim Gebärakt zurückgeführt; vom Genitale wird die Libido, infolge der pathologischen Steigerung zum Teil aufs Kind übertragen (wie auch vom Darm auf seine Kontenturen). Die Neigung der Dementen zur Selbstkastration ist ein brutaler Selbstheilungsversuch von der lokalen Libidoanhäufung. Wahrscheinlich kommt diese Libidosteigerung beim organischen Heilungsvorgang eine nützliche Rolle zu. Das Problem des Masochismus ist ohne Zuhilfenahme der pathoneurotischen „Schmerzlust" nicht zu lösen. Von hier aus winkt uns auch das Verständnis für die weiblichen (passiven) Sexualziele und die weibliche Genitalität. Die ursprünglich nur schmerzliche Körperverletzung bei der Defloration wird infolge der pathoneurotischen Libidosteigerung sekundär, lustvoll; diese Verletzung überträgt die Erogeneität von der Klitoris auf die Vagina, aufs Instrument, das die Wunde gesetzt hat, und auf den Träger dieser Waffe.

*

Mit dem Namen Materialisationsphänomene (14) bezeichnet Ref. psychoanalytische Zustände, bei denen ein Wunsch wie magisch aus den im Körper verfügbaren Materien plastisch dargestellt wird; sie ist das Grundphänomen der Konversionshysterie und bedeutet die Regression zur „Protopsyche", der Reflexstufe der psy-

122 Dr. S. Ferenczi.

chischen Phänomene. Die die Materialisation erregende Kraft stammt bei der Hysterie aus der Genitalsexualität. Die normale Scheidung der Funktionen des Realitätsorgans von denen des erotischen Zentralorgans (Genitale), wird bei der Hysterie aufgehoben, und infolge dieser Vermengung sind die Hysterischen zu „Mehrleistungen" befähigt, zum Sprung aus dem Psychischen ins Physische. Es kommt dabei auch ein Stück der organischen Grundlage, auf die die Symbolik im Psychischen aufgebaut ist, zum Vorschein. Das hysterische Symptom ist „heterotope Genitalfunktion". Die Materialisationsphänomene werfen auch ein Licht auf das physiologische Korrelat der künstlerischen Begabung.

*

Bei einem ersten Versuche der „aktiven Technik" (16) in der Psychoanalyse vermochte Referent nachzuweisen, daß es gleichsam experimentell gelingen kann, zum freien Flottieren gebrachte Affekte zur Wiedervereinigung mit den ihnen historisch entsprechenden Repräsentanzen zu bringen. Das Absperren unbewußter Abflußwege der Erregung z. B. erzielt oft mittels „Druckerhöhung" der Energie die Überwindung des Zensurwiderstandes. Diese Art Experimentalpsychologie ist wie nichts geeignet, uns von der Stichhältigkeit der Freudschen Neurosenlehre zu überzeugen.

*

Aus einem Aufsatz über „hysterische Hypochondrie" mag ein Satz zitiert werden: „Es hat den Anschein, als ob dieselbe Organlibidostauung je nach der Sexualkonstitution des Kranken einen rein hypochondrischen oder aber einen konversionshysterischen ‚Überbau' bekommen könnte."

*

Auf Grund der Analyse eines „passageren" Konversionssymptoms (15) kam Referent zur Vermutung, daß die Erklärung jedes psychogenen Körpersymptoms und jeder Konversionserscheinung die Annahme eines tertium comparationis zwischen dem in Frage stehenden seelischen und körperlichen Vorgang erfordere, als welches die Identität des feineren Mechanismus angesehen werden müsse.

*

In einer Abhandlung über die wissenschaftliche Bedeutung der Freudschen Sexualtheorien (17) kommt Referent zur Schlußfolgerung, daß Freud die Anleihe, die er bei den biologischen Wissenschaften machte, mit reichlichen Zinsen zurückzahle, indem er auf diese befruchtend rückwirke und das erste Beispiel dafür statuiere, daß biologische Probleme von der psychologischen Analyse her zugänglich sein können.

Psychoanalytische Therapie.

Referent: J. H. W. van Ophuijsen.

Litoratur: 1. Abraham: Über eine besondere Form des neurotischen Widerstandes gegen die psychoanalytische Methodik. Z. V. S. 173. — 2. Ders.: Zur Prognose psychoanalytischer Behandlungen in vorgeschrittenem Lebensalter. Z. VI. S. 114. — *3. Bieling: Über Psychotherapie. Zeitschr. f. Balneologie. 6. — *4. Elsenhans: Zur Psychologie der Einwirkung auf andere Menschen. Deutsche Psychologie. 1918. H. 1. — 5. Ferenczi: Schwindelempfindung nach Schluß der Analysenstunde. Z. II. S. 272. — 6. Ders.: Einschlafen des Patienten während der Analyse. Z. II. S. 274. — 7. Ders.: Diskontinuierliche Analysen. Z. II. S. 514. — 8. Ders.: Technische Schwierigkeiten einer Hysterieanalyse. Z. V. S. 34. — 9. Ders.: Zur Frage der Beeinflussung des Patienten in der Psychoanalyse. Z. V. S. 140. — 10. Ders.: Zur psychoanalytischen Technik. Z. V. S. 181. — 11. Freud: Über fausse reconnaissance („déjà raconté") während der psychoanalytischen Arbeit. Z. II. S. 1. — 12. Ders.: Weitere Ratschläge zur Technik der Psychoanalyse (2). Z. II. S. 485. — 13. Ders.: Weitere Ratschläge zur Technik der Psychoanalyse (3). Z. III. S. 1. — 14. Ders.: Wege der psychoanalytischen Therapie. Z. V. S. 61. — 15. Ders.: „Ein Kind wird geschlagen." Z. V. S. 151. — 16. Ders.: Vorlesungen zur Einfülrung in die Psychoanalyse. Leipzig 1917. — 17. Gött: Psychotherapie in der Kinderheilkunde. Münch. Med. Wschr. 1914. Nr. 25. — *18. v. Hartungen: Die Bedeutung der Psychoanalyse für die modernen Sanatorien. Klin.-Ther. Wschr. Bd. 19. S. 651. — 19. Horney: Die Technik der psychoanalytischen Therapie. Ztschr. f. Sexualwissensch. IV. S. 185. — *20. Juliusburger: Seelische Krankenpflege. Das neue Deutschland 1918. — 21. Jung: Die Psychologie der unbewußten Prozesse. Schweizer Schr. f. allgemeines Wissen. H. 1. — 22. Kaplan: Grundzüge der Psychoanalyse. Leipzig 1914. — *23. Lang: Zur Bestimmung des psychoanalytischen Widerstandes. Psychologische Abhandlungen, herausg. von Jung. Bd. 1. S. 1. — *24. Loy: Psychotherapeutische Zeitfragen. Leipzig 1914. — 25. Maeder: Heilung und Entwicklung im Seelenleben. Schweizer Schriften f. allgemeines Wissen. H. 7. Zürich 1918. — 26. Marcinowski: Glossen zur Psychoanalyse. Ztschr. f. Psychother. 1914. S. 162. — *27. Ders.: Ärztliche Erziehungskunst und Charakterbildung. München 1916. — *28. Ders.: Neue Bahnen zur Heilung nervöser Zustände. Berlin 1916. — *29. Pfister: Wahrheit und Schönheit in der Psychoanalyse. Schweizer Schr. f. allgem. Wissen. Zürich 1918. — 30. Reik: Einige Bemerkungen zur Lehre vom Widerstande. Z. III. S. 12. — *31. Schmid: Die neuesten Entwicklungsstadien der Psychoanalyse und ihre therapeutische Bedeutung. Deutsche Med. Wschr. 1914. S. 518. — 32. Schultz: Die seelische Krankenbehandlung (Psychotherapie). Jena 1919. —

*33. Schultz: Zur Psychologie der psychoanalytischen Praxis. Ztschr. f. Psychotherapie u. med. Psychologie. 1919. H. 5. — 34. Simmel: Kriegsneurosen und psychisches Trauma. Leipzig 1918. — *35. v. Stauffenberg: Der heutige Stand der Psychotherapie. Münch. Med. Wschr. 61. II. 23/24. — 36. Stekel: Die verschiedenen Formen des Widerstandes in der psychoanalytischen Kur. Zbl. IV. S. 610. — *37. Ders.: Die Ausgänge der psychoanalytischen Kuren. Österr. Ärztextg. 1914. H. 10/11. — *38. Ders.: Der Wille zum Schlaf. Wiesbaden 1915. — *39. Stern: Die psychoanalytische Behandlung der Hysterie im Lazarett. Psychiatr. Neurol. Wschr. 1916. Nr. 1/2. — *40. Veraguth: Der gegenwärtige Stand der Psychotherapie. — 41. Vollrath: Polikliniken für Psychotherapie an den Irrenanstalten. Psychiatr. Neurol. Wschr. 1919. Nr. 25/26.
Bemerkung: Die mit einem * versehenen Arbeiten werden nur im Literaturverzeichnis erwähnt (zum Teil waren sie Ref. nicht zugänglich).

Die Behauptung J u n g s und seiner Anhänger. sie seien zu ihren neuen Auffassungen durch die Anwendung derselben Methode gelangt, welche von F r e u d gelehrt wird, hat viele dazu verführt, von einer J u n g schen Schule der Psychoanalyse zu reden. Daß die theoretischen Anschauungen J u n g s nicht übereinstimmen mit denen, welche F r e u d als charakteristisch für die Psychoanalyse erklärt hat, wurde wiederholt, zuletzt von M e i j e r in seinem Aufsatz über Dr. C. G. J u n g s Psychologie der unbewußten Prozesse (Z. V, S. 302), nachgewiesen. Diese letzte Arbeit J u n g s (21) bringt nun auch die Bestätigung der Vermutung, welche im vorigen Jahrbuch von J o n e s ausgesprochen wurde, daß die Ausführung der strengen Regeln der psychoanalytischen Technik bei der Behandlung durch die J u n g sche Schule ebenso mit halbem Herzen vorgenommen worden ist, wie es sich für ihre Annahme der psychoanalytischen Theorie jetzt herausgestellt hat, und daß in der Zukunft die Verleugnung der einen mit der Abkehr von der anderen gleichen Schritt halten wird. Dies gibt der Autor zu und erläutert an dem Beispiel einer Traumdeutung, daß er eine andere Untersuchungsmethode anwendet. Leider hat dasjenige, was er für eine „Deutung" erklärt, kaum eine Ähnlichkeit damit. so daß der große Unterschied, welcher zwischen der F r e u d schen Technik und der seinigen besteht, noch lange nicht genügend hervortritt. Da auch M a e d e r (25) sich inzwischen zu einer neuen „Psychognogie" bekannt hat, scheint es angezeigt, sich gegen den Gebrauch des Ausdruckes: J u n g sche Schule der Psychoanalyse, energisch zu wehren.

Für F r e u d und seine Schüler hat es — mit einer Ausnahme — keine Veranlassung gegeben, der sogenannten psychoanalytischen

Grundregel — und der daraus resultierenden Technik — untreu
zu werden, da sich diese nach wie vor als die einzig fruchtbare
Methode erwiesen hat, in die Tiefen des Unbewußten einzudringen.
Horney (19) hat ihr ein sehr übersichtliches Referat gewidmet,
in welchem sie auch die üblichen Erscheinungsformen des Widerstandes und der Übertragung einer Betrachtung unterzieht. Daß
die Vorlesungen zur Einführung in die Psychoanalyse Freuds (16)
die große Bedeutung dieser Grundregel immer wieder betonen und
sie in verschiedenen Zusammenhängen hervorheben, ist begreiflich.
Man findet sie in den Vorlesungen über die Auflösung von Symptomhandlungen usw., über den Traum und die Traumdeutung, und zuletzt über die psychoanalytische Therapie wieder. Die Kritik hat
sich hie und da über diese Wiederholung aufgehalten. Wer sich
aber praktisch mit der Psychoanalyse befaßt, wird aus eigener Erfahrung wissen, daß die größte Schwierigkeit dieser Arbeit gerade
in dem konsequenten Festhalten an der Grundregel liegt, und nichts
ist wertvoller, als daran erinnert zu werden, besonders in den Momenten, in welchen der therapeutische Ehrgeiz dazu verlocken
könnte, zu heilen ohne verstanden zu haben!

Eine strenge, auch äußere theoretische Kenntnisse fördernde
Analyse wird aber (15) nicht früher als korrekt beendet bezeichnet werden können, ehe nicht die Amnesie behoben ist, welche
dem Erwachsenen die Kenntnis seines frühen Kindeslebens, vom
zweiten bis zum fünften Jahre etwa, verhüllt.

Kaplans Arbeit (22) ist nicht in dem Maße, in welchem
man es ihrem Titel nach erwartet hätte, geeignet, dem Lernenden
die Überzeugung beizubringen, daß nur von einer konsequenten Anwendung des Prinzips der freien Assoziation gute Erfolge sowohl
in therapeutischer wie in wissenschaftlicher Hinsicht zu erwarten
sind. Auch die Art, in welcher der Autor dasjenige darstellt, worauf
seiner Meinung nach die therapeutische Wirkung der Psychoanalyse
beruhe, ist nicht recht befriedigend. Die Nebeneinanderstellung der
in Betracht kommenden Faktoren: das Abreagieren, die Auflösung
der falschen Verknüpfung, die psychoanalytische Absolution, die
Erleichterung der Sublimierung, die Übertragung, erschwert es, deren
relative Bedeutung richtig einzuschätzen und bereitet den Studie-

renden nicht auf deren Erscheinungsformen in der psychoanalytischen
Praxis vor.

Das Kapitel, welches Schultz (39) in seinem Buche über
die Psychotherapie der Psychoanalyse widmet, weist so viele Ungenauigkeiten auf, daß es als vollständig ungenügend zurückgewiesen
werden muß.

Eine Wohltat sind dem Analytiker in bezug auf die Schwierigkeiten der Praxis die Formulierungen Freuds, durch welche er im
Laufe seiner Auseinandersetzungen wiederholt daran erinnert, welches
Ziel man sich bei der Behandlung zu setzen habe und wie man sich
vorstellen soll, es zu erreichen. Es verdienen deshalb die Ratschläge
zur Technik der Psychoanalyse in den Mittelpunkt dieser Betrachtungen gestellt zu werden. So heißt es z. B. (12): „Zuerst, in der
Phase der Breuerschen Katharsis, gab es die direkte Einstellung
des Moments der Symptombildung und das konsequent festgehaltene
Bemühen, die psychischen Vorgänge jener Situation reproduzieren zu
lassen, um sie zu einem Ablauf durch bewußte Tätigkeit zu leiten.
Erinnern und Abreagieren waren damals die mit Hilfe des hypnotischen Zustandes zu erreichenden Ziele. Sodann, nach dem Verzicht auf die Hypnose, drängte sich die Aufgabe vor, aus den
freien Einfällen des Analysierten zu erraten, was er zu erinnern
versagte. Durch die Deutungsarbeit und die Mitteilung ihrer Ergebnisse an den Kranken sollte der Widerstand umgangen werden;
die Einstellung auf die Situationen der Symptombildung und jene
anderen, die sich hinter dem Moment der Erkrankung ergaben, blieb
erhalten, das Abreagieren trat zurück und schien durch den Arbeits-
aufwand ersetzt, den der Analysierte bei der ihm aufgedrängten
Überwindung der Kritik gegen seine Einfälle (bei der Befolgung
der psychoanalytischen Grundregel) zu leisten hatte. Endlich
hat sich die konsequente heutige Technik herausge-
bildet, bei welcher der Arzt auf die Einstellung eines
bestimmten Moments oder Problems verzichtet, sich
damit begnügt, die jeweilige psychische Oberfläche
des Analysierten zu studieren und die Deutungs-
kunst wesentlich dazu benützt, um die an dieser her-
vortretenden Widerstände zu erkennen und dem
Kranken bewußt zu machen. Es stellt sich dann eine neue

Art von Arbeitsteilung her: der Arzt deckt die dem Kranken unbekannten Widerstände auf; sind diese erst bewältigt, so erzählt
der Kranke oft ohne alle Mühe die vergessenen Situationen und Zusammenhänge. Das Ziel dieser Techniken ist natürlich unverändert
geblieben. Deskriptiv: die Ausfüllung der Lücken der Erinnerung,
dynamisch: die Überwindung der Verdrängungswiderstände." Und
in Anschluß daran: „Der Analysierte erinnert überhaupt nichts von
dem Vergessenen und Verdrängten, sondern er agiert es. Er reproduziert es nicht als Erinnerung, sondern als Tat, er wiederholt
es, ohne zu wissen natürlich, daß er es wiederholt." Es hätte nicht
klarer gesagt werden können, was wir unter den Erscheinungen
der Übertragung zu verstehen haben und wie wir ihnen gegenüber-
stehen sollten. Auch die nachfolgende Ausführung verdient, in
diesem Zusammenhang wörtlich wiedergegeben zu werden: „Wir
haben nun gehört, der Analysierte wiederholt, anstatt zu erinnern,
er wiederholt unter den Bedingungen des Widerstandes; wir dürfen
nun fragen, was wiederholt oder agiert er eigentlich? Die Antwort
lautet, er wiederholt alles, was sich aus den Quellen seines Verdrängten bereits in seinem offenkundigen Wesen durchgesetzt hat,
seine Hemmungen und unbrauchbaren Einstellungen, seine pathologischen Charakterzüge. Er wiederholt ja auch während der Behandlung alle seine Symptome. Und nun können wir merken, daß
wir mit der Hervorhebung des Zwanges zur Wiederholung keine
neue Tatsache, sondern nur eine einheitlichere Auffassung gewonnen
haben. Wir machen uns nur klar, daß dieses Kranksein des Analysierten nicht mit dem Beginn seiner Analyse aufhören kann, daß
wir seine Krankheit nicht als eine historische Angelegenheit, sondern als eine aktuelle Macht zu behandeln haben. Stück für Stück
dieses Krankseins wird nun in den Horizont und in den Wirkungs-
bereich der Kur gerückt, und während der Kranke es als etwas
Reales und Aktuelles erlebt, haben wir daran die therapeutische
Arbeit zu leisten, die zum guten Teil in der Zurückführung auf
die Vergangenheit besteht. Das Erinnernlassen in der Hypnose
mußte den Eindruck eines Experiments im Laboratorium machen.
Das Wiederholenlassen während der analytischen Behandlung nach
der neueren Technik heißt ein Stück realen Lebens heraufbe-
schwören. . . ."

Bevor wir uns, geführt von diesen Betrachtungen, weiter mit den Publikationen über die besonderen Schwierigkeiten der regelrechten Handhabung der psychoanalytischen Technik befassen, scheint es angezeigt, auf den Aufsatz Ferenczis (8) einzugehen, welcher vorhin als Ausnahme in bezug auf das Festhalten an der psychoanalytischen Grundregel angedeutet wurde. Verfasser beschreibt darin den Fall einer hysterischen Patientin, welche in der Kur, die mit mehreren Unterbrechungen stattfand, immer nur bis zu einem gewissen Punkt vorwärts kam und dann nicht weiter rückte. „Im Laufe ihrer unermüdlich wiederholten Liebesphantasien, die sich immer mit dem Arzte beschäftigen, machte sie öfters, wie beiläufig, die Bemerkung, daß sie dabei ‚unten fühlt‘, das heißt erotische Genitalempfindungen hat. Doch erst nach so langer Zeit überzeugte mich ein zufälliger Blick auf die Art, in der sie auf dem Sofa liegt, daß sie die ganze Stunde über die Beine gekreuzt hält. Dies führte uns — nicht zum erstenmal — zum Thema der Onanie, die ja von Mädchen und Frauen mit Vorliebe in der Weise ausgeführt wird, daß sie die Beine aneinanderpressen. Sie negierte, wie auch schon früher, aufs entschiedenste, jemals derartige Praktiken getrieben zu haben." „Ich muß gestehen . . . daß es noch längere Zeit dauerte, bis ich auf den Einfall kam, der Patientin diese Körperhaltung zu verbieten. Ich erklärte ihr, daß es sich dabei um eine larvierte Art der Onanie handelt, die die unbewußten Regungen unbemerkt abführt und nur unbrauchbare Brocken ins Material der Einfälle gelangen läßt. Den Effekt dieser Maßnahme kann ich nicht anders als foudroyant bezeichnen. Die Patientin, der die gewohnte Abfuhr zur Genitalität verwehrt blieb, war in den Stunden von einer fast unerträglichen körperlichen und psychischen Rastlosigkeit geplagt; sie konnte nicht mehr ruhig daliegen, sondern mußte die Lage fortwährend wechseln. Ihre Phantasien glichen Fieberdelirien, in denen längst vergrabene Erinnerungsbrocken auftauchten, die sich allmählich um gewisse Ereignisse der Kindheit gruppierten und die wichtigsten traumatischen Anlässe der Erkrankung erraten ließen." Nachdem der Autor seiner Patientin außerdem die unbewußte Onanie außerhalb der Behandlungsstunde untersagt hatte und darauf hatte feststellen können, daß die verschiedensten Symptomhandlungen zu Onanieäquivalenten wurden,

nachdem er auch einen nach dem Verbot sich einstellenden Harndrang
nachzugeben verboten hatte und Patientin während einiger Zeit zur
wirklichen Masturbation griff, um sich Erleichterung zu verschaffen,
gelang es, ihr ein normales Sexualleben zu verschaffen, welches
ihr bis dahin versagt geblieben war. Der befriedigende Erfolg, den
der Autor mit seinem Verbot erreicht hat in einem Fall, in dem
sonst nichts Bleibendes erreicht worden wäre, läßt ihn die folgende
neue Regel aufstellen: Man muß während der Kur auch an die
Möglichkeit der larvierten Onanie und der Onanieäquivalente denken,
und wo man deren Anzeichen bemerkt, sie abstellen. Nach weiteren
Ausführungen über die larvierte Onanie und ihren Unterschied von
der bewußt geübten Masturbation, sagt er ferner: „Das Vorbild
dieser ‚aktiven Technik‘ verdanken wir Freud selbst. In der Analyse von Angsthysterien griff er — wenn es zu ähnlicher Stagnation
kam — zum Auskunftsmittel, die Patienten aufzufordern, gerade
jene kritischen Situationen aufzusuchen, die bei ihnen Angst auszulösen geeignet sind, nicht etwa, um sie an die ängstlichen Dinge
zu ‚gewöhnen‘, sondern um falsch verankerte Affekte aus ihren
Verbindungen zu lösen. Wir erwarten dabei, daß die zunächst un-
gesättigten Valenzen dieser zum freien Flottieren gebrachten Affekte
vor allem die ihnen adäquaten und historisch entsprechenden Vorstellungen an sich reißen werden. Auch hier also, wie in unserem
Falle das Unterbinden angewöhnter, unbewußter Ablaufswege der
Erregung, und das Erzwingen der vorbewußten Besetzung und bewußten Übersetzung des Verdrängten." Es möge hier die vom Autor
gemeinte Stelle aus einem Aufsatz Freuds (14) wiedergegeben
werden: „Unsere Technik ist an der Behandlung der Hysterie erwachsen und noch immer auf diese Affektion eingerichtet. Aber
schon die Phobien nötigen uns, über unser bisheriges Verhalten
hinauszugehen. Man wird kaum einer Phobie Herr, wenn man ab-
wartet, bis sich der Kranke durch die Analyse bewegen läßt, sie
aufzugeben. Er bringt dann niemals jenes Material in die Analyse,
das zur überzeugenden Lösung der Phobie unentbehrlich ist. Man
muß anders vorgehen. Nehmen wir das Beispiel eines Agoraphoben;
es gibt zwei Klassen von solchen, eine leichtere und eine schwerere.
Die ersteren haben jedesmal unter der Angst zu leiden, wenn sie
allein auf die Straße gehen, aber sie haben darum das Alleingehen

noch nicht aufgegeben; die anderen schützen sich vor der Angst, indem sie auf das Alleingehen verzichten. Bei diesen letzteren hat man nur dann Erfolg, wenn man sie durch den Einfluß der Analyse bewegen kann, sich wieder wie Phobiker des ersten Grades zu benehmen, also auf die Straße zu gehen und während dieses Versuches mit der Angst zu kämpfen. Man bringt es also zunächst dahin, die Phobie soweit zu ermäßigen, und erst wenn dies durch die Forderung des Arztes erreicht ist, wird der Kranke jener Einfälle habhaft, welche die Lösung der Phobie ermöglichen." Daß sich Ferenczi mit Recht auf das Vorbild Freuds berufen kann, geht aus dem Angeführten klar hervor. Seine Mitteilung hätte vielleicht an Wert gewonnen, wenn er ausdrücklich hervorgehoben hätte, daß die Widerstandssituation, welche ihn gezwungen hat, einzugreifen, auch als Wiederholungs- oder Übertragungserscheinung aufgefaßt worden war — was von ihm natürlich nicht übersehen wurde — und wenn er seiner neuen Regel etwa die Einschränkung hinzugefügt hätte, daß man zum Abstellen der larvierten Onanie erst übergehe, wenn dieselbe sich als Quelle des vorhandenen Widerstandes zeigt. Daß es sich bei diesen Maßnahmen um eine prinzipielle — wenn auch nur zeitweise und unter ganz genau umschriebenen Bedingungen angewandten — Änderung der psychoanalytischen Technik handelt, indem der Arzt die Übertragung des Patienten ausnützt, anstatt sie sofort zu analysieren, muß aber, wie es dem Referenten scheint, ausdrücklich betont werden.

Auch im Falle der Zwangsneurose schlägt Freud (14) eine aktive Therapie vor, indem er sagt: „Es scheint mir wenig zweifelhaft, daß die richtige Technik hier nur darin bestehen kann, abzuwarten, bis die Kur selbst zum Zwange geworden ist, und dann mit diesem Gegenzwang den Krankheitszwang gewaltsam zu unterdrücken."

Freud (14) hebt als wichtigen Grundsatz der Aktivität des analytisch behandelnden Arztes hervor, daß er fordern muß, daß die Kur, soweit es möglich ist, in der Entbehrung — Abstinenz — durchgeführt wird. Gegen die voreiligen Ersatzbefriedigungen muß eingeschritten werden. Der Kranke soll, was sein Verhältnis zum Arzt betrifft, unerfüllte Wünsche reichlich übrig behalten.

132 J. H. W. van Ophuijsen.

In seinem schon genannten Aufsatz (12) geht Freud weiter auf die Gefahren ein, welche das „Wiederholen" mit sich bringen könnte. Für den Arzt bleibt das Erinnern, das Reproduzieren auf psychischem Gebiete das Ziel. Er richtet sich auf einen beständigen Kampf mit dem Patienten ein, um alle Impulse auf psychischem Gebiete zurückzuhalten, welche dieser ins Motorische lenken möchte, und feiert es als einen Triumph der Kur, wenn es gelingt, etwas durch die Erinnerungsarbeit zu erledigen, was der Patient durch eine Aktion abführen möchte. . . . Vor der Schädigung durch die Ausführung seiner Impulse behütet man den Kranken am besten, wenn man ihn dazu verpflichtet, während der Dauer der Kur keine lebenswichtigen Entscheidungen zu treffen, etwa keinen Beruf, kein definitives Liebesobjekt zu wählen, sondern für alle diese Absichten den Zeitpunkt der Genesung abzuwarten. . . . Das Hauptmittel aber, den Wiederholungszwang des Patienten zu bändigen und ihm zu einem Motiv für's Erinnern umzuschaffen, liegt in der Handhabung der Übertragung. Wir machen ihn unschädlich, ja vielmehr nutzbar, indem wir ihm sein Recht einräumen, ihn auf einem bestimmten Gebiete gewähren lassen. Wir eröffnen ihm die Übertragung als den Tummelplatz, auf dem ihm gestattet wird, sich in fast völliger Freiheit zu entfalten, und auferlegt ist, uns alles vorzuführen, was sich an pathogenen Trieben im Seelenleben des Kranken verborgen hat. Wenn der Patient nur soviel Entgegenkommen zeigt, daß er die Existenzbedingungen der Behandlung respektiert, gelingt es uns regelmäßig, allen Symptomen der Krankheit eine neue Übertragungsbedingung zu geben, seine gemeine Neurose durch eine Übertragungsneurose zu ersetzen, von der er durch die therapeutische Arbeit geheilt werden kann. Die Übertragung schafft so ein Zwischenreich zwischen der Krankheit und dem Leben, durch welches sich der Übergang von der ersteren zum letzteren vollzieht. Der neue Zustand hat alle Charaktere der Krankheit übernommen, aber er stellt eine artifizielle Krankheit dar, die überall unseren Eingriffen zugänglich ist. Er ist gleichzeitig ein Stück des realen Erlebens, aber durch besonders günstige Bedingungen ermöglicht und von der Natur eines Provisoriums. Von den Wiederholungsaktionen, die sich in der Übertragung zeigen, führen dann die bekannten Wege zur Erweckung der Erinnerungen, die sich nach Überwindung der Widerstände wie mühelos einstellen."

Es schien dem Referenten notwendig, diese so außerordentlich wichtigen Betrachtungen wörtlich wiederzugeben, da sie, wie sonst keine Formulierungen, geeignet sind, über den heutigen Stand der psychoanalytischen Wissenschaft aufzuklären und dem psychoanalytischen Praktiker eine Führung zu sein. Zum Schlusse mögen noch folgende Sätze einen Platz in diesem Abschnitt des Referates finden (12): „Die Überwindung der Widerstände wird bekanntlich dadurch eingeleitet, daß der Arzt den vom Analysierten niemals erkannten Widerstand aufdeckt und ihn dem Patienten mitteilt. Es scheint nun, daß Anfänger in der Analyse geneigt sind, diese Einleitung für die ganze Arbeit zu halten. ... Man muß dem Kranken die Zeit lassen, sich in dem ihm nun bekannten Widerstand zu vertiefen, ihn durchzuarbeiten, ihn zu überwinden, indem er ihm zum Trotze die Arbeit nach der psychoanalytischen Grundregel fortsetzt. Erst auf der Höhe desselben findet man dann in gemeinsamer Arbeit mit dem Analysierten die verdrängten Triebregungen auf, welche den Widerstand speisen, und von deren Existenz und Mächtigkeit sich der Patient durch solches Erleben überzeugt. Der Arzt hat dabei nichts anderes zu tun als zuzuwarten, einen Ablauf zuzulassen, der nicht vermieden, auch nicht immer beschleunigt werden kann. Hält er an dieser Einsicht fest, so wird er sich oftmals die Täuschung, gescheitert zu sein, ersparen, wo er doch die Behandlung längs der richtigen Linie fortführt."

Nachdem der erste Abschnitt dieses Referates sich hauptsächlich mit den allgemeinen Gesichtspunkten befaßt hat, welche sich aus der psychoanalytischen Praxis in bezug auf die Technik der Behandlung ergeben haben, mögen jetzt die Publikationen zur Besprechung gelangen, welche sich mit den verschiedenen Erscheinungsformen des Übertragungsphänomens beschäftigen. In erster Linie kommen hier in Betracht Freuds Bemerkungen über die Übertragungsliebe (13). Der Autor greift den Fall heraus, daß eine Patientin sich in den Arzt verliebt und setzt ausführlich auseinander, wie dieser sich demgegenüber zu verhalten habe. Daß sein Verhalten anders sein wird als es der Laie etwa von ihm erwarten würde, ist selbstverständlich, da er die Liebe der Patientin aus

mehreren Gründen als eine Wiederholungserscheinung aufzufassen
geneigt ist, welche ihr Auftreten den besonderen Bedingungen der
Kur zu verdanken hat und welche, wenn sie auch die größte Übereinstimmung mit der echten Verliebtheit hat, daneben mehrere Eigentümlichkeiten aufzeigt, welche ihr eine eigene Bedeutung zukommen
lassen. Die Patientin selbst überzeugt man mit diesen Gründen
nicht, aber es ist möglich, sie durch den Nachweis, daß die Verliebtheit den Charakter eines Widerstandes trägt, daß sie sich in so
wenigen Punkten von anderen Verliebtheiten unterscheidet usw., dazu zu bringen, daß sie sich die Analyse ihrer Liebesgefühle gefallen
läßt. In keinem Falle brächte es eine therapeutische Notwendigkeit
mit sich, den Wünschen der Patientin nachzugeben, im Gegenteil
würde ein solches Nachgeben den Erfolg der Behandlung vollständig
ausschließen. Auf psychischem Gebiete läßt man jedoch die Patientin gewähren und gewinnt dadurch die Gelegenheit, ihre Wunschregungen auf infantile Vorbilder zurückzuführen.

Abraham (1) beschreibt eine besondere Form des neurotischen
Widerstandes gegen die psychoanalytische Technik, welche darin
besteht, daß der Patient nicht zeitweise, wie es in jeder Behandlung
passiert, sondern während der ganzen Behandlungsdauer ohne Unterbrechung die psychoanalytische Grundregel, das freie Assoziieren ablehnt. „Die Patienten, von denen hier die Rede sein soll, erklären
kaum jemals spontan, daß ihnen nichts einfalle. Sie sprechen vielmehr in zusammenhängender, selten unterbrochener Rede, ja einzelne von ihnen sträuben sich dagegen, auch nur durch eine Bemerkung des Arztes in ihrem Redefluß unterbrochen zu werden.
Aber sie geben sich nicht dem freien Assoziieren hin. Sie sprechen
programmatisch, bringen ihr Material nicht zwanglos vor. . . . . Dem
Arzt, dessen Blick für die Form des Widerstandes dieser Patienten
noch nicht geschärft ist, täuschen sie eine außerordentliche und nie
ermüdende Bereitwilligkeit zur Psychoanalyse vor. Ihr Widerstand
verbirgt sich hinter scheinbarer Gefügigkeit." Abraham hat
feststellen können, daß bei allen diesen Patienten eine Identifikation
mit dem Arzt, nach der Vorlage einer Identifikation mit dem Vater,
und zwar auf dem Boden eines außerordentlich stark entwickelten
Narzißmus das Motiv für diese Form des Widerstandes bildet.
Die Patienten zeigen ein ungewöhnliches Maß von Trotz; sie miß-

gönnen dem Arzt die Vaterrolle, unterwerfen sich ungern oder gar
nicht, wollen alles besser wissen. Der Arzt soll keinen Beitrag
zur Behandlung geliefert haben, sie wollen vielmehr alles selbst
und allein machen. Ein Zug von Neid ist in ihrem Benehmen nicht
zu verkennen. In sämtlichen zur Untersuchung und Behandlung
gelangten Fällen konnten ausgeprägte sadistisch-anale Züge festgestellt werden. In scheinbarem Widerspruch zur bekannten analerotischen Sparsamkeit steht der Umstand, daß die Patienten für
ihre Behandlung, welche begreiflicherweise viel Zeit in Anspruch
nimmt, bereitwillig materielle Opfer bringen. Dies ließe sich so
erklären, daß die Patienten ihrem Narzißmus gerne Opfer bringen.
Die Sparsamkeit-findet man auf psychischem Gebiete wieder in
der Art, wie sie das unbewußte Material an sich halten. Abraham
legt das größte Gewicht auf eine erschöpfende Analyse des Narzißmus der Patienten in allen seinen Äußerungen, besonders in
seinen Beziehungen zum Vaterkomplex. Gelingt es, die narzißtische
Verschlossenheit des Patienten zu überwinden und eine positive
Übertragung zu bewerkstelligen, so kommen eines Tages zu seiner
Überraschung freie Assoziationen auch in Gegenwart des Arztes
zu stande.

Ferenczi bespricht eine Anzahl von Arten, wie der Patient
im Widerstand sich gegen die genaue Befolgung der psychoanalytischen Grundregel wehrt (10). Es gibt Zwangsneurotiker, welche
die Aufforderung des Arztes wie absichtlich mißverstehend, nur
sinnloses Zeug assoziieren. Unter Umständen gehen sie noch weiter
und fragen den Arzt, was sie tun sollen, wenn ihnen sogar nicht
mehr Wörter, sondern unartikulierte Laute, Tierlaute oder Melodien
einfallen sollten. Es gelingt manchmal auch aus den sinnlosen
Assoziationen herauszudestillieren, was der Patient uns zu ver-
bergen versucht, aber auf jeden Fall kann man daraus auf die
böse Absicht schließen, welche den Patient zu seinem Benehmen
verführt. Eine andere Äußerungsform des „Assoziationswiderstan-
des" ist die bekannte Behauptung, daß dem Patienten gar nichts
einfällt. Sehr oft geschieht es, daß die Kranken die psychoanalytische
Grundregel nicht buchstäblich genug nehmen. In allen diesen Fällen
stellt sich heraus, daß sie etwas verschweigen möchten. Nützen
weitere Aufklärungen nicht, dann ist es manchmal angezeigt, das

Schweigen der Patienten mit Schweigen zu beantworten. Es kann unter solchen Umständen ein Teil der Stunde vergehen, ohne daß etwas gesagt wird, aber das Schweigen des Arztes verträgt der Patient schlecht, so daß er schließlich doch sein Benehmen ändert. Auch die Drohung mancher Kranken, während der Stunde einzuschlafen, braucht uns nicht zu beunruhigen. Auch wenn es wirklich dazu kommen sollte, dauert der Schlaf meistens nur sehr kurze Zeit. Es wird der Arzt hie und da gefragt, was geschehen soll, wenn es dem Patienten einfiele, plötzlich zu einer Handlung überzugehen: wegzulaufen, den Arzt zu mißhandeln, etwas zu zertrümmern. Die Antwort auf diese Frage lautet selbstverständlich, daß er den Auftrag bekommen habe, alles zu s a g e n, nicht zu tun, was ihm einfallen sollte. Seine Befürchtung, der Gedanke könne ihm zu mächtig werden, wäre auf die infantilen Verhältnisse zurückzuführen. In vereinzelten Fällen kommt es tatsächlich zu Handlungen verschiedener Art. Auch dann ist es die beste Technik, die Patienten gewähren zu lassen; bei geduldigem Abwarten seitens des Arztes vergeht der Tatendrang der Patienten meistens schnell. An der Forderung, daß man den Patienten die Mühe der Überwindung des Widerstandes gegen das Aussprechen gewisser (obszöner) Wörter nicht ersparen darf, muß unter allen Umständen festgehalten werden.

Auch R e i k (30) und S t e k e l (36) befassen sich mit dem Problem des Widerstandes, hauptsächlich insofern dieser seinen Ursprung in Gefühlen negativen Charakters findet. Beide Autoren geben eine Anzahl von Beispielen aus der psychoanalytischen Praxis, die sehr geeignet sind, dem Lernenden einen Eindruck zu verschaffen von den Schwierigkeiten, welche die psychoanalytische Arbeit bieten kann. Der kurze und flüchtig andeutende Aufsatz S t e k e l s bietet ihm demgegenüber gar keine Stütze. R e i k hat versucht, die Widerstandserscheinungen zu zerlegen und kommt dazu, anzunehmen, daß zur Konstituierung des Widerstandes insbesondere drei Komponenten zusammenwirken: narzißtische, feindselige (und mit ihnen eng verknüpfte homosexuelle) Strömungen und analerotische Tendenzen. Es würde zu weit führen, seine Ausführungen hier in extenso wiederzugeben. Jedoch möge dem Referenten gestattet sein, daran zu erinnern, daß auch eine sogenannte positive Übertragung zu Widerstandserscheinungen Anlaß geben kann, so daß abzuraten ist von

der Gewohnheit, Übertragung mit positiver Übertragung und Widerstand mit Übertragung negativer Gefühle gleichzusetzen.

Marcinowski (26) widmet dem Begriffe des „Krankheits-
willens" eine sehr interessante und ausführliche Besprechung, worin
er die Berechtigung, diesen Ausdruck zu gebrauchen, einer Untersuchung unterwirft. Er räumt die Einwände gegen diesen Gebrauch
aus dem Wege, indem er den Lustcharakter des neurotischen Symptoms feststellt und an einigen Beispielen klarlegt. Auch die Über-
tragungserscheinungen sind besonders geeignet, den Analytiker von
der Wirksamkeit des Willens zur Krankheit zu überzeugen. Der
Autor gibt den Weg an, wie man dem Patienten diesen Begriff
beibringen soll, ohne unnötige Widerstände wachzurufen.

Das interessante Thema der Übertragung des Arztes auf seine
Patienten, der sogen. „Gegenübertragung", wird von Freud (13),
Ferenczi (10) und Reik (30) besprochen. Der Inhalt der Bemerkungen Freuds ist enthalten in demjenigen, was aus seinem Aufsatz über die positive Übertragung mitgeteilt wurde. Die Vorbedingung zur Beherrschung der Gegenübertragung ist natürlich das
Analysiertsein des Arztes selbst, aber auch der Analysierte ist
von Eigenheiten des Charakters und aktuellen Stimmungsschwan-
kungen nicht so unabhängig, daß die Beaufsichtigung der Gegenübertragung überflüssig wäre. Erst allmählich erlernt man die
Fähigkeit, weder zuviel noch zu wenig Interesse zu zeigen, weder
die Interessen der Patienten sich zu eigen zu machen, noch sie ablehnend und schroff zu behandeln oder ungeduldig zu werden (Ge-
genwiderstand Reiks). Diese Fähigkeit erlaubt dem Analytiker
schließlich das Gewährenlassen des eigenen Unbewußten, welches
uns ermöglicht, die im manifesten Rede- und Gebärdenmaterial ver-
steckten Äußerungen des Unbewußten des Patienten intuitiv zu
erfassen.

Diese letzte Formulierung der Aufgabe des Analytikers durch
Ferenczi ist einer von Freud aufgestellten technischen Regel
entliehen, welche sich mit dem Behalten des in der Analyse mitgeteilten Materials beschäftigt. „Die Technik besteht einfach darin,
sich nichts besonders merken zu wollen und allem, was man zu
hören bekommt, die nämliche ‚gleichschwebende Aufmerksamkeit'
entgegenzubringen. . . . Die Vorschrift (ist) das notwendige Gegen-

stück an den Analysierten, ohne Kritik und Auswahl alles zu
erzählen, was ihm einfällt. . . . Die Regel für den Arzt läßt sich
so aussprechen: Man halte alle bewußten Einwirkungen von seiner
Merkfähigkeit ferne und überlasse sich völlig seinem ‚unbewußten
Gedächtnis‘, oder rein technisch ausgedrückt: Man höre zu und
kümmere sich nicht darum, ob man sich etwas merke.“ In diesem
Zusammenhang ist es angezeigt, den Fall zu erwähnen, welchen
Freud (11) als „fausse reconnaissance“ während der psychoanalytischen Arbeit beschreibt. „Es ereignet sich nicht selten . . . daß
der Patient die Mitteilung eines von ihm erinnerten Faktums mit
der Bemerkung begleitet: ‚Das habe ich Ihnen aber schon erzählt‘,
während man selbst sicher zu sein glaubt, diese Erzählung von
ihm noch niemals vernommen zu haben. Äußert man diesen Widerspruch gegen den Patienten, so wird er häufig energisch versichern,
er wisse es ganz gewiß, er sei bereit, es zu beschwören usw.; in
demselben Maße wird aber die eigene Überzeugung von der Neuheit des Gehörten stärker. Es wäre nun ganz unpsychologisch, einen
solchen Streit durch Überschreien oder Überbieten mit Beteuerungen
entscheiden zu wollen. Ein solches Überzeugungsgefühl von der
Treue seines Gedächtnisses hat bekanntlich keinen objektiven Wert
und da einer von beiden sich notwendigerweise irren muß, kann
es ebensogut der Arzt wie der Analysierte sein, welcher der Pa-
ramnesie verfallen ist. Man gesteht dies dem Patienten zu, bricht
den Streit ab und verschiebt dessen Erledigung auf eine spätere
Gelegenheit.

In einer Minderzahl von Fällen erinnert man sich dann selbst,
die fragliche Mitteilung bereits gehört zu haben, und findet gleichzeitig das subjektive, oft weit hergeholte Motiv für deren zeit-
weilige Beseitigung. In der großen Mehrzahl aber ist es der Analysierte, der geirrt hat und auch dazu bewogen werden kann, es
einzusehen. Die Erklärung für dieses häufige Vorkommnis scheint
zu sein, daß er bereits wirklich die Absicht gehabt hat, diese Mitteilung zu machen, daß er eine vorbereitende Äußerung wirklich
ein- oder mehreremal getan hat, dann aber durch den Widerstand
abgehalten wurde, seine Absicht auszuführen, und nun die Erinnerung an die Intention mit der an die Ausführung derselben verwechselt.“

Daß die Einführung der sogenannten aktiven Therapie die Indikation für die Anwendung der Psychoanalyse erweitert, ist klar. Freud meint dazu: „Wir können es nicht vermeiden, auch Patienten anzunehmen, die so haltlos und existenzunfähig sind, daß man bei ihnen die analytische Beeinflußung mit der erzieherischen vereinigen muß, und auch bei den meisten anderen wird sich hie und da eine Gelegenheit ergeben, wo der Arzt als Erzieher und Ratgeber aufzutreten genötigt ist. Aber dies soll jedesmal mit großer Schonung geschehen, und der Kranke soll nicht zur Ähnlichkeit mit uns, sondern zur Befreiung und Vollendung seines eigenen Wesens erzogen werden."

In diesem Zusammenhang möge erwähnt werden, daß Freud auch in Aussicht stellt, daß für weitere und unbemittelte Volkskreise Ordinationsinstitute werden errichtet werden, in denen psychoanalytisch behandelt werden wird, wahrscheinlich, indem man das reine Gold der Analyse reichlich mit dem Kupfer der Suggestion legieren müssen und die Hypnose heranziehen wird.

Hinweisend auf die Poliklinik der Berliner Psychoanalytischen Vereinigung, welche auf obengenannte Anregung Freuds hin gestiftet wurde, hält Vollrath (41) ein begeistertes Plädoyer für die Errichtung von Polikliniken für Psychotherapie in den Irrenanstalten.

Die Modifikationen der psychoanalytischen Technik, die z. B. von amerikanischen Autoren versucht wurde, haben die Absicht, die Indikation des Verfahrens zu erweitern. Man muß aber gestehen, daß auch zur Indikation der unveränderten Psychoanalyse noch nicht das letzte Wort gesagt worden ist. Abraham (2) zeigt z. B., daß man die psychoanalytische Behandlung von älteren Patienten nicht mehr einfach ablehnen soll. Er hat nämlich die Erfahrung gemacht, daß man auch bei Patienten, die das Alter von vierzig, sogar von fünfzig Jahren überschritten haben, bisweilen einen recht guten Erfolg haben kann. „Prognostisch günstig sind auch noch in vorgeschrittenem Alter diejenigen Fälle, in welchen die Neurose mit voller Schwere erst eingesetzt hat, nachdem der Kranke sich schon längere Zeit jenseits der Pubertät befand und sich mindestens etliche Jahre hindurch eine annähernd normale, sexuelle Einstellung und soziale Brauchbarkeit erfreut hat." „Das Lebensalter, in welchem

die Neurose ausgebrochen ist, fällt für den Ausgang der Psychoanalyse mehr ins Gewicht als das Lebensalter zur Zeit der Behandlung."

Obwohl Gött (17) sich der Psychoanalyse gegenüber nicht
ganz ablehnend verhält, möchte er sie noch nicht zur Behandlung
von neurotischen Kindern angewandt sehen. Offenbar sind ihm die
schönen Erfolge unbekannt, welche die, natürlich für diesen Zweck
abgeänderte Psychoanalyse in der Kinderpraxis bereits eingetragen
haben.

Zum Schluß sei in diesem Referat eine Arbeit erwähnt, welche
in bezug auf die darin beschriebene Technik eigentlich nicht einen
Fortschritt bedeutet, nämlich Simmels: Kriegsneurosen und psychisches Trauma (34). Die angewandte Behandlung ist der kathartischen Methode gleichzusetzen, bedient sich wie diese der Hypnose.
Es bestätigen die Erfahrungen Simmels jedoch vollständig die
analytische Neurosenlehre, und deshalb hat seine Broschüre für den
Analytiker einen besonderen Wert.

Spezielle Pathologie und Therapie der Neurosen und Psychosen.

Referenten: Dr. Karl Abraham und Dr. J. Hárnik.

Literatur: 1. Abraham K.: Über eine konstitutionelle Grundlage der lokomotorischen Angst. Z. II. S. 143. — 2. Ders.: Das Geldausgeben im Angstzustand. Z. IV. S. 252. — 3. Ders.: Über Ejaculatio praecox. Z. IV S. 171. — 4. Ders.: Bemerkungen zu Ferenczis Mitteilung über „Sonntagsneurosen". Z. V. S. 203. — 5. Bleuler E.: Lehrbuch der Psychiatrie, Berlin 1916. — 6. Bleuler und Maier: Kas. Beitrag zum psychol. Inhalt schizophrener Symptome. Jahrb. f. d. ges. Neurol. 43. 1918. — 7. Deutsch Helene: Ein kasuistischer Beitrag zur Kenntnis des Mechanismus der Regression bei Schizophrenie. Z. V. S. 41. — 8. Eisler J.: Ein Fall von krankhafter Schamsucht. Z. V. S. 193. — 9. Ferenczi S.: Einige klinische Beobachtungen bei der Paranoia und Paraphrenie. Z. II. S. 11. — 10. Ders.: Psychogene Anomalien der Stimmlage. Z. III. S. 25. — 11. Ders.: Über zwei Typen der Kriegsneurose. Z. IV. S. 131. — 12. Ders.: Sonntagsneurosen. Z. V. S. 46. — 13. Ders.: Nonum prematur in annum. Zschr. III. S. 229. — 14. Ders.: Pecunia olet. Z. IV. S. 327. — 14a. Ders.: Die psychischen Folgen einer Kastration im Kindesalter. Z. IV. S. 263. — 15. Ders.: Von Krankheits- oder Pathoneurosen. Z. IV. S. 219. — 16. Ders.: Symmetrischer Berührungszwang. Z. IV. S. 266. — 17. Ders.: Hysterie und Pathoneurosen. Intern. Psa. Bibl. Nr. 2. 1919. I. Über Pathoneurosen (s. Nr. 15); II. Hysterische Materialisationsphänomene; III. Erklärungsversuche einiger hysterischer Stigmata; IV. Technische Schwierigkeiten einer Hystericanalyse (vgl. das Referat über die Therapie S. 129); V. Die Psychoanalyse eines Falles von hysterischer Hypochondrie; VI. Über zwei Typen der Kriegshysterie (s. Nr. 11). — 18. Freud S.: Mitteilung eines der psychoanalytischen Theorie widersprechenden Falles von Paranoia. Z. III. S. 321. — 19. Ders.: Trauer und Melancholie. Z. IV. S. 288. — 20. Ders.: Aus der Geschichte einer infantilen Neurose. Sammlg. kl. Schrift. IV. Folge. 1919. S. 578 ff. — 21. Freud, Ferenczi, Abraham, Simmel und Jones: Zur Psychoanalyse der Kriegsneurosen. Diskussion am 5. Internat. Psychoanalyt. Kongreß, Budapest 1918. Leipzig und Wien 1919. — 22. Friedjung J. K.: Über die sog. rezidivierenden Nabelkoliken der Kinder. Berl. Klin. Wochenschr. 51. Jahrg. H. 8. — 23. Golouschew S. S.: Zur Kasuistik der Psa. Zbl. IV. S. 478. — 24. Hollós L.: Psychoanalytische Beleuchtung eines Falles von Dementia praecox. Z. II. S. 367. — 25. Juliusburger O.: Alkoholismus und Sexualität. Ztschr. f. Sex.-Wiss. II. S. 357. — 26. Kaplan M.: Der Beginn eines Verfolgungswahnes. Z. IV. S. 330. — 27. Lang: Über Assoziationsversuche bei Schizophrenen. Jahrb. V. S. 705. — 28. Landauer K.: Spontanheilung einer Katatonie. Z. II. S. 441. — 29. Ders.: Zur Psychologie der Kriegshysterie und ihrer Heilung. Zschr. f. d. ges. Neurol. 25. Juni 1919. — 30. Oberholzer: Über Shockwirkung infolge Aspiration und psychischen Shock bei Katatonie. Ztschr. f. d. ges. Neurologie u. Psychiatrie. Bd. XXII. H. 2. 1914. — 30a. Ders.: Beteiligung des Unlustmotivs an epileptischer Amnesie und deren Aufhellung. Psychiatr.-neurolog. Wochenschr. Nr. 10/1914. — 31. Pfister: Die verschiedenartige Psychogenität der Kriegsneurosen. Ztschr. V. S. 288. — 32. Pötzl: Über einige Wechselwirkungen hysterieformer und organisch-zerebraler Störungsmechanismen. Jahrb. f. Psychiatr. und Neurol. Bd. 37. 1917. (Referat in Z. V. S. 222.) — 33. Rähmi L.: Die Dauer der Anstaltsbehandlung bei Schizophrenen. Diss. Zürich 1919. — 34. Reik Th.: Zur lokomotorischen Angst. Z. II. S. 515. — 35. Rorschach H.: Analyse einer schizophrenen Zeichnung. Zbl. IV. S. 53. — 36. Sadger: Zur Psychologie und Therapie des Tunichtguts und des Trinkers. Wiener Klin. Rundsch. Nr. 20/1914. — 37. Ders.: Über Nachtwandeln und Mondsucht. Schr. XVI. 1914. — 38. Ders.: Ein Beitrag zum Verständnis des Tic. Z. II. S. 354. — 39. Ders.: Ein merkwürdiger Fall von Nachtwandeln und Mondsucht. Z. IV. S. 254. — 40. Ders.: Kleine Mitteilungen aus der psa. Praxis. Z. IV. S. 48. — 41. Ders.: Deutung und Heilung paronoider Zustände bei einem Fall von traumatischer Neurose. Neue ärztl. Zentralztg. April 1919. — 42. Schilder u. Weidner: Zur Kenntnis symbolähnl. Bildungen im Rahmen d. Schizophrenie. Ztschr. f. d. ges. Neurol. u. Psych. 1914. Bd. 26. H. 2. — 43. Simmel E.: Kriegsneurosen und psychische Trauma. Ihre gegenseitigen Beziehungen, dargestellt auf Grund psychoanalytischer, hypnotischer Studien. München u. Leipzig 1918. — 44. Stärcke A.: Rechts und links in der Wahnidee. Z. II. S. 431. — 45. Ders.: Ein einfacher Lach- und Weinkrampf. Z. V. S. 199. — 46. Ders.: Die Umkehrung des Libidovorzeichens beim Verfolgungswahn. Ztschr. V. S. 285. — 47. Steiner Maxim.: Die Störungen der männlichen Potenz. Zweite, unveränderte Aufl. 1917. (Ref. im Jahrb. VI.) — 48. Strohmayer W.: Über die Rolle der Sexualität bei der Genese gewisser Zwangsneurosen. Ztschr. f. d. ges. Neurol. u. Psych. 1919. 15. Bd. 1. u. 2. H. — 49. Tausk V.: Zur Psychologie des alkoholischen Beschäftigungsdelirs. Z. III. S. 204. — 50. Ders.: Über eine besondere Form von Zwangsphantasien. Z. IV. S. 52. — 51. Ders.: Bemerkungen zu Abrahams Aufsatz „Über Ejacula'io praecox". Z. IV. S. 315. — 52. Ders.: Über die Entstehung des Beeinflussungsapparates in der Schizophrenie. Z. V. S. 1. — 53. Ders.: Diagnostische Erörterungen auf Grund der Zustandsbilder der sog. Kriegspsychosen. Wr. med. Woch. 1916. Nr. 37—38. — 54. Wanke G.: Über Jugendirresein. Halle 1919. Jurist.-psychiatr. Grenzfragen. X. 7/8. — 55. Wulff M.: Simulation oder Hysterie? Z. II. S. 259.

A. Konversions- und Angsthysterie.

Stärcke (45) weist in sehr instruktiver Art das Zusammenwirken entgegengesetzter verdrängter Triebregungen in den Symptomen eines hysterischen Ausnahmszustandes nach und erörtert besonders die Beziehungen der Symptome zum Narzißmus und zu verschiedenen erogenen Zonen.

Wulff (55) weist nach, daß simulierte Krankheitssymptome bei einem Hysterischen ebenso durch unbewußte Faktoren determiniert waren, wie uns dies für die echten Krankheitserscheinungen geläufig ist.

Sadgers Buch (37) bietet einen ersten Versuch, den so befremdenden Phänomenen des Schlafwandelns und der Mondsucht von psychoanalytischen Gesichtspunkten her neue Aufklärungen zuzuführen. Seine Resultate lassen sich folgendermaßen zusammenfassen: Das Nachtwandeln stellt einen motorischen Durchbruch des Unbewußten dar und dient wie der Traum der Erfüllung heimlicher, verpönter Wünsche zunächst der Gegenwart, hinter denen sich aber ganz regelmäßig kindliche bergen. Beide sind von sexuell-erotischer Art. Als Hauptwunsch dürfte anzusprechen sein, daß der Nachtwandler zur geliebten Person ins Bett steigen will, wie in der Kindheit. Oft kommt es beim Nachtwandeln zur Identifikation mit dem geliebten Objekt. Als infantiles Vorbild des Nachtwandelns kann oft das Sichschlafenstellen des Kindes betrachtet werden, indem dabei allerlei Verpöntes, namentlich sexueller Art, straflos begangen werden kann. Das gleiche Motiv der Straflosigkeit regiert auch den erwachsenen Nachtwandler. Der motorische Durchbruch des Schlafes und der Bettruhe geht darauf zurück, daß sämtliche Nachtwandler eine erhöhte Muskelerregbarkeit und Muskelerotik aufzuweisen haben, deren endogene Reizung das Aufgeben der Bettruhe wettmachen kann. Der Weg aber, der sich vom Wunsche zum motorischen Durchbruch erschließt, wird vom Autor nicht eingehender verfolgt. Ein genaueres Eingehen auf den von Freud in der Traumdeutung skizzierten Bau des seelischen Apparates wäre, wie Reik in seiner Kritik des Sadgerschen Werkes hervorgehoben hat, dabei unumgänglich notwendig gewesen.

Nachtwandeln und Mondsucht finden sich häufig mit Hysterie vereint. Der Einfluß des Mondes auf den Lunatismus ist nur zum geringsten Teil bekannt, vornehmlich in seiner psychischen Überdeterminierung. So ist es wohl zweifellos, daß das himmlische Licht an das Licht in der Hand eines geliebten Elternteiles erinnert, der nächtlich in besorgter Liebe den Schlaf des Kindes kontrollierte. Mit dem Angerufenwerden durch diesen hängt wohl auch zusammen, daß nichts so prompt den Wandelnden weckt als die Nennung seines Namens. Auch das Fixieren des Nachtgestirns hat möglicherweise erotische Färbung, sowie das Anstarren des Hypnotiseurs zur Er-

144   Dr. Karl Abraham und Dr. J. Hárnik.

zielung der Hypnose. Andere psychische Überdeterminierungen
scheinen nur individuell zu gelten. Eine besondere Anziehungskraft
des Mondes endlich, die den Mondsüchtigen förmlich aus dem Bette
zwingen und zu größeren Spaziergängen verlocken soll, kann möglicherweise tatsächlich bestehen, doch haben wir über diesen Punkt
nicht einmal wissenschaftliche Hypothesen. Hingegen scheint die
Möglichkeit vorhanden, durch die psychoanalytische Methode Schlaf-
wandeln und Mondsucht dauernd zu heilen.

Nachtwandeln und Mondsucht ließen sich noch in einem Fall
Sadgers (30) auf das Verlangen des Sohnes nach der Mutter
zurückführen, deren Verkehr mit dem Vater der Patient als Kind
vielfach beobachtet hatte. (Der Mond dient als Muttersymbol, ähnlich wie die Sonne den Vater zu vertreten pflegt.)

Ferenczi (10) beschreibt einen bei zwei jungen Männern beobachteten Wechsel zwischen hoher und tiefer Stimmlage je nach
homosexueller (weiblicher) oder heterosexueller Triebeinstellung.

Ferenczi (12) beobachtete kurzdauernde Neurosen oder
Exazerbationen bestehender nervöser Leiden, die sich regelmäßig an
Sonntagen und sonstigen arbeitsfreien Tagen einstellen. Er führt
die Erscheinung auf das Nachlassen des vom Alltag ausgeübten
Druckes zurück. Die auf diese Weise periodisch (brunstartig) frei-
werdende Libidomenge, welche eines der Motive für die Veranstal-
tung von „Festen" abgibt, kann der Neurotiker nicht bewältigen.
Es kommt zur Verdrängung und Konversion in nervöse Symptome.

Ferenczis Ausführungen ergänzt Abraham (4) durch Hinweis auf die häufigen Fälle, in welchen neurotisch Disponierte oder
Neurotiker sich nur an ihrer täglicher Arbeit aufrecht erhalten,
die ihnen eine Ersatzbefriedigung bedeutet. Sobald diese Tätigkeit
unterbrochen wird, sind sie der Neurose preisgegeben.

Eisler (8) weist den Zusammenhang des krankhaften Errötens
mit der Onanie nach. Er erblickt in dem Erröten ein Konversions-
symptom, welches einer „Verlegung nach oben" seine Lokalisation
verdankt. Ursprünglich lag eine mit der Masturbation verknüpfte
Exhibitionsneigung vor, die vom Genitale nach demjenigen Körperteil abwanderte, der dauernd unverhüllt getragen wird.

Zur Erklärung der Angst vor aktiver und passiver Fortbewegung reichen die bekannten Momente (Fixierung an bestimmte

Personen. Ausweichen vor Versuchungen usw.) nicht aus. A b r a - h a m (1) weist nach, daß eine besondere sexuelle Konstitution anzunehmen ist, welche eine abnorm starke Lust an aktiver und passiver Bewegung mit sich bringt. Diese Lust muß wegen inzestuöser Verknüpfungen der Verdrängung anheim fallen und liefert nun Angst. Während der Behandlung kann man die Rückverwandlung der Angst in Lust beobachten. Hervorgehoben wird ferner die Neigung der Patienten zu psychischen Spannungszuständen und zu dem der Vorlust entsprechenden „Vorangst".

Zu ähnlichen Ergebnissen gelangt R e i k (34), der besonders auf die Bedeutung der Genitalerschütterung bei passiven Bewegungen hinweist.

In seiner Abhandlung über die Ejaculatio praecox gibt A b r a - h a m (3) eine gedrängte Übersicht der vielfachen Wurzeln des Symptoms. Bei den an Ejaculatio praecox Leidenden ist nicht die Glans penis die leitende erogene Zone. Die Urethra, richtig gesagt ihr perinealer Teil, hat eine abnorm starke erogene Bedeutung. Die Ejaculatio praecox erweist sich als ein teils lustbetontes, teils unlustvolles Fließenlassen des Sperma, und damit als direkter Abkömmling der infantilen Form der Urinentleerung. Die Anamnese der Patienten enthält stets reichliche Tatsachen urethralerotischen Charakters. Die Sexualität dieser Männer hat den männlich-aktiven Charakter eingebüßt. Die Ejaculatio praecox hat beim weiblichen Geschlecht ihr vollkommenes Analogon in der Frigidität. Bei Männern mit Ejaculatio praecox ist neben der Urethra noch die entwicklungsgeschichtlich dem Scheideneingang entsprechende Dammpartie stark erogen.

Männer mit Ejaculatio praecox sind entweder schlaff, energielos oder hastig, überaktiv. Beide Extreme lassen uns auf Widerstände gegen die spezifisch männlichen Funktionen schließen. Die Psychoanalyse erweist bei den Patienten ein hohes Maß von verdrängtem Sadismus. Der Vorgang der Ejaculatio praecox macht sie für das Weib ungefährlich; der Penis hat seine Rolle als Waffe des Sadismus eingebüßt. Stets sind die Patienten mit starker Kastrationsangst behaftet; die Angst vor dem Verlust des Gliedes ist eines der Momente, welche sie zum Koitus unfähig machen.

Ein großer Teil der Sexualwiderstände dieser Männer erklärt sich aus dem Narzißmus. Mit der Tendenz zur Herabsetzung, Enttäuschung und Besudelung des Weibes treffen exhibitionistische Regungen zusammen.

In einer ausführlichen kritischen Arbeit sucht Tausk (51) zu erweisen, daß Abraham die Bedeutung der Onanie und der verdrängten Homosexualität für die Ätiologie der Ejaculatio praecox unterschätzt, ferner die Analogie von Ejaculatio praecox und weiblicher Frigidität nicht genügend bewiesen habe.

Referent möchte an dieser Stelle den Einwänden Tausks in gewissem Umfange Recht geben, jedoch auch darauf hinweisen, daß die Gesichtspunkte der Homosexualität und Onanie in dem von ihm hervorgehobenen Narzißmus aufgehen. Eine spätere gründliche Bearbeitung des Gegenstandes wird den verschiedenen Ursachen der Ejaculatio praecox besser gerecht werden.

Ferenczis Buch (17) enthält bedeutungsvolle und aufschlußreiche Abhandlungen, die, soweit sie in diesen Abschnitt gehören, der Reihenfolge nach besprochen werden sollen.

Nr. II bringt „Gedanken zur Auffassung der hysterischen Konversion und Symbolik". Es gibt sehr viele hysterische Symptome, deren Erzeugung eine entschiedene Mehrleistung an Innervation erfordert, Leistungen, zu denen der normale neuro-psychische Apparat unfähig ist. Verfasser weist auf ähnliche Mehrleistungsfähigkeit unter hypnotischer, suggestiver und autosuggestiver Beeinflussung, unter dem Druck der Erziehungsarbeit, beim Kinde und in der Affektentladung hin. Er wählt zur genaueren Untersuchung die hysterischen Symptome am Magendarmtrakt: den globus hystericus (unbewußter Fellationswunsch), das Erbrechen bei der wirklich oder eingebildet schwangeren Hysterica, die hysterogene Rolle des Mastdarmes und des Anus (Kotstange als männliches Glied). Diese Art der körperlichen Darstellung von unbewußten sexuellen Wünschen unterscheidet sich wesentlich von Halluzinationen und Illusionen und verdient eine besondere Namensgebung. Man kann es ein Materialisationsphänomen nennen, da sein Wesen darin besteht, daß sich in ihm ein Wunsch, gleichsam magisch, aus der im Körper verfügbaren Materie realisiert und — wenn auch in primitiver Weise — plastisch dargestellt wird.

Diesen „rätselhaften Sprung aus dem Seelischen ins Körperliche" (Freud) werden wir leichter verstehen, wenn wir uns daran erinnern, daß dasselbe psycho-physische Phänomen die Grundlage für die meisten der sogenannten Ausdrucks- oder Gemütsbewegungen abgibt. Eine Vergleichung mit der halluzinatorischen Wunscherfüllung im Traume führt zur Einsicht, daß der unbewußte Wunsch beim Materialisationsphänomen auf die unbewußte Motilität überspringt. Dies bedeutet eine topische Regression bis zu einer Tiefe des psychischen Apparates, in der Erregungszustände nicht mehr mittels — wenn auch nur halluzinatorischer — psychischer Besetzung, sondern einfach durch motorische Abfuhr erledigt werden. Zeitlich entspricht dieser Topik eine sehr primitive onto- und phylogenetische Entwicklungsstufe, auf der das Psychische auch formal bis zum physiologischen Reflexvorgang vereinfacht erscheint. Das reflektorisch wunscherfüllende Materialisationsphänomen ist also die Regression zur „Protopsyche". — Diese Erscheinungen von der energetischen Seite her betrachtet, entstammt bekanntlich die bei der Konversion sich betätigende Kraft der genitalen Triebquelle. Die Hysterie bedeutet einen Einbruch genitaler Triebregungen in die Denksphäre, resp. die Abwehrreaktion auf diesen Einbruch. Die mißglückte Verdrängung bewirkt ein Zusammendrängen der störenden Triebanwandlungen aufs psychische Sinnesorgan (Halluzination) oder in die unwillkürliche Motilität im weitesten Sinne (Materialisation). Es kommt zur Produktion eines hysterischen Idioms, einer aus Halluzinationen und Materialisationen zusammengesetzten symbolischen Sondersprache. Eine Vergleichung dieser genitalen Symbolik mit der wohlbekannten Traumsymbolik führt zur Vermutung, daß in der Hysterie ein Stück der organischen Grundlage, auf die die Symbolik im Psychischen überhaupt aufgebaut ist, zum Vorschein kommt. Die Organe, in die die Sexualität der Genitalien symbolisch verlegt wird, sind die hauptsächlichen Lokalisationsstellen der Vorstufen der Genitalität, das heißt die erogenen Zonen des Körpers. Also handelt es sich um eine Genitalisierung der erogenen Zonen und Partialtriebe, bei der jene Vorstufen nur als Leitzonen der Erregung dienen, diese Erregung selbst aber in ihrer Art und Intensität den

10*

Genitalcharakter auch nach der Verlegung beibehält. Kurz gesagt: das hysterische Symptom ist eine heterotope Genitalfunktion. Verwandte Gesichtspunkte beherrschen den Gedankengang der darauffolgenden Arbeit Nr. III in Ferenczis Buch. Die vergleichende Gegenüberstellung der traumatischen Hemianästhesie mit dem hemianästhetischen Stigma führt zu dem Ergebnis, daß in beiden Fällen eine libidinöse Verwendung der verdrängten bewußtseinsunfähigen Berührungsempfindungen anzunehmen ist. Der Unterschied zwischen den beiden wird durch das Fehlen eines spezifischen körperlichen Entgegenkommens beim Trauma resp. das Bestehen eines solchen beim Stigma abgegeben, also einer physiologischen Disposition der behafteten Körperstellen zur Auflassung der bewußten Besetzung und zur Überlassung ihrer Empfindungsreize an die unbewußten libidinösen Regungen. Die Tatsache, daß die Halbseitenanästhesie häufiger an der einer schwächeren Aufmerksamkeitsbesetzung bedachten linken Körperhälfte zu finden ist, führt weiterhin zum Verständnis der konzentrischen Einengung des Gesichtsfeldes. Ist doch die Peripherie des Sehfeldes dem Bewußtsein entrückter und der Schauplatz undeutlicher Sensationen, welche sehr leicht zum Rohmaterial unbewußter libidinöser Phantasien werden können. Dieselbe Verdrängung optischer Sensationen und an das Sehorgan assoziierter Gefühlsregungen dürfte die Empfindungslosigkeit der Binde- und Hornhaut bei Hysterischen erklären. Die hysterische Anästhesie des Rachens dient der Darstellung von Genitalphantasien durch den Schluckprozeß. Bei der Rachenhyperästhesie handelt es sich um die Reaktionsbildung gegen dieselben perversen Phantasien; der globus hystericus als „Materialisierung" solcher Wünsche samt ihrer Abwehrtendenz hat uns schon oben beschäftigt. Zusammenfassend sagt der Autor: Die hysterischen Stigmata bedeuten die Lokalisation konvertierter Erregungsmengen an Körperstellen, die infolge ihrer besonderen Eignung zum körperlichen Entgegenkommen sich unbewußten Triebregungen leicht zur Verfügung stellen, so daß sie zu „banalen" Begleiterscheinungen anderer (ideogener) hysterischer Symptome werden.

Ein formal und inhaltlich sehr abwechslungsreiches und interessantes Krankheitsbild bot der Fall dar, dessen Behandlungsgeschichte F e r e n c z i weiterhin folgen läßt (Nr. V). Es handelt sich da um ein Gemenge von rein hypochondrischen und von hysterischen Symptomen, sowie Anwandlungen in der Richtung der Paraphrenie, deren Analyse — außer dem sehr rasch erzielten Heilerfolg — bedeutsame theoretische und prognostische Ausblicke gewährte. Zu besserem Verständnis derselben sei hier ein von F r e u d über das Wesen der Hypochondrie entwickelter Gedankengang[1]) kurz rekapituliert.

F r e u d stellt die Hypochondrie als dritte Aktualneurose neben die Neurasthenie und die Angstneurose hin. Er vermutet, daß die Hypochondrie von der Ichlibido abhängt, wie die anderen von der Objektlibido. Der von peinlichen und schmerzhaften Körperempfindungen geplagte Hypochondrische zieht Interesse wie Libido von den Objekten der Außenwelt zurück und konzentriert beides auf das ihn beschäftigende Organ, wobei nachweisbare Veränderungen gar nicht vorliegen. Die peinlichen Sensationen dürften jedoch in Organveränderungen begründet sein, und zwar in Veränderungen — hauptsächlich wohl Steigerungen — der Erogeneität in den Organen, welchen dann eine Veränderung der Libidobesetzung im Ich — eine Stauung der Ichlibido — parallel geht.

Auch F e r e n c z i gelingt es in seinem Falle nachzuweisen, daß die hypochondrischen Parästhesien ursprünglich auf der narzißtischen Bevorzugung des eigenen Körpers beruhten, dann aber — etwa nach Art des „körperlichen" Entgegenkommens — zu Ausdrucksmitteln hysterischer (ideogener) Vorgänge wurden. So kommt er zur Vermutung, daß dieselbe Organlibidostauung — je nach der Sexualkonstitution der Kranken — einen rein hypochondrischen oder aber einen konversionshysterischen „Überbau" bekommen kann. In dem beschriebenen Falle handelte es sich anscheinend um die Kombination beider Möglichkeiten und die hysterische Seite der Neurose ermöglicht die Übertragung der hypochondrischen Sensationen. Eine r e i n e Hypochondrie aber, bei der diese Abfuhrmöglichkeit nicht besteht, ist unheilbar.

---

[1]) Zur Einführung des Narzißmus. Jahrb. VI. Bd. S. 9.

Anhang. Die genuine Epilepsie scheint im allgemeinen dem Gesichtskreis des Analytikers etwas entrückt zu sein. In einer kasuistischen Mitteilung weist Oberholzer (30) psychische Motivierung der epileptischen Amnesie nach.

B. Zwangszustände.

Manche Neurotiker unterliegen dem Zwang, ein einzelnes, scheinbar sinnloses Wort vor sich hin zu sprechen. Tausk (50) weist in diesen Zwangswörtern Reste vorwurfsbesetzter Gedankengänge nach.

Den Zwang zur Berührung symmetrischer Körperteile entlarvt Ferenczi (16) als die Überkompensation des Zweifels, ob es nicht besser wäre, eine bestimmte Körperstelle in der Medianebene (das Genitale) zu berühren.

Sadger (38), der dem gleichen Thema schon früher eine Arbeit gewidmet hat, erweist wiederum, daß der Tic der Abwehr verpönter Triebregungen dient. Daß es bei gewissen Neurotikern gerade zur Ausbildung eines Tic, das heißt eines motorischen Symptoms kommt, leitet Verfasser von verdrängter „Muskelerotik" her.

Ferenczi (17, Nr. IV) macht die Bemerkung, seine Erwartung gehe dahin, daß sich bei der Analyse viele Tics als stereotypisierte Onanieäquivalente entpuppen werden. Die merkwürdige Verknüpfung der Tics mit der Koprolalie (z. B. bei Unterdrückung der motorischen Äußerungen) wäre dann nichts anderes, als der Einbruch der von den Tics symbolisierten erotischen — meist sadistisch-analen — Phantasien ins Vorbewußte mit krampfhafter Besetzung der ihnen adäquaten Worterinnerungsreste.

Abraham (2) erkennt in dem zwanghaften Geldausgeben, zu welchem manche Neurotiker besonders in Angstzuständen neigen, ein Äquivalent für die ihnen unmögliche Verausgabung ihrer Libido auf normalem Wege. (Regression auf die Analzone.)

Freud (20) brachte uns wieder eine jener grundlegenden Krankengeschichten, welche auf die ungeahnten Möglichkeiten der psychoanalytischen Erforschung und Behandlung ein neues Licht werfen. Ihr Gegenstand ist eine infantile Neurose, die als Angst-hysterie (Tierphobie) begann und sich dann in eine Zwangsneurose

(Zwangsfrömmigkeit) umsetzte, die aber nicht während ihres Bestandes, sondern erst 15 Jahre nach ihrem Ablauf analysiert worden ist, nachdem der Patient im jugendlichen Mannesalter einer neuerlichen schweren neurotischen Erkrankung (Zwangsneurose) erlegen war.

Die Entstehung dieser infantilen Zwangsneurose auf dem Boden der sadistisch-analen Sexualorganisation bestätigte im ganzen, was Freud früher „über die Disposition zur Zwangsneurose"[1]) ausgeführt hatte. Es bestand aber vorher eine starke Hysterie, der neben Angstsymptomen auch Konversionserscheinungen in der Form von Darmstörungen zukamen. Diese Darmsymptomatik hatte sich wenig verändert aus der Kinderneurose in die spätere fortgesetzt und vermochte bei Beendigung der sich über mehrere Jahre erstreckenden Behandlung gute Dienste zu leisten. Schließlich mußte noch in der Analyse für eine Eßstörung, die sich eine geraume Zeit vor der Tierphobie beim Kinde gezeigt hatte, die Bedeutung einer allerersten neurotischen Erkrankung in Anspruch genommen werden, so daß Eßstörung, Tierphobie, Zwangsfrömmigkeit die vollständige Reihe der infantilen Erkrankungen ergeben, welche die Disposition für den neurotischen Zusammenbruch in den Jahren nach der Pubertät mit sich brachten. Naheliegend scheint die theoretisch so bedeutsame Aufstellung, daß jede Neurose eines Erwachsenen sich über seiner Kinderneurose aufbaut, die aber nicht immer intensiv genug ist, um aufzufallen und als solche erkannt zu werden.

Ohne die Einzelheiten der Deutungsarbeit wiederzugeben, soll nun eine Übersicht der Sexualentwicklung des Patienten skizziert werden, wie sie sich aus der synthetischen Betrachtung der gewonnenen Aufschlüsse ergab. Als frühestes Zeichen der Neurose muß die Störung der Eßlust (um das zweite Lebensjahr) gelten, welche als Erfolg eines Vorganges auf sexuellem Gebiete aufzufassen ist. Als die erste kenntliche Sexualorganisation ist ja von Freud die sogenannte kannibale oder orale beschrieben worden, in welcher die ursprüngliche Anlehnung der Sexualerregung an den Eßtrieb noch die Szene beherrscht. Wenn auch direkte Äußerungen dieser Phase nicht zu erwarten sein werden, zeigt doch manchmal die Beeinträchtigung des Eßtriebes, daß eine Bewältigung

---

[1]) Sammlung kl. Schr. III. Vgl. das Referat im Jahrb. VI. S. 322.

sexueller Erregung dem Organismus nicht gelungen ist. Das Sexualziel dieser Phase könnte nur der Kannibalismus, das Fressen sein;
es kam beim Patienten später durch Regression von einer höheren
(genitalen) Stufe her in der Angst zum Vorschein: vom Wolf gefressen zu werden. Die Übersetzung dieser Angst lautet: vom Vater
koitiert zu werden (s. weiter unten). Es scheint, daß zu dieser
oralen Phase im Falle der Störung auch eine Angst gehört, die
als Lebensangst auftritt und sich an alles heften kann, was dem
Kinde geeignet scheint. Bei dem Patienten wurde sie von der Um
gebung dazu benützt, um ihn zur Überwindung seiner Eßunlust,
ja zur Überkompensation derselben anzuleiten. Auf die mögliche
Quelle seiner Eßstörung führt aber die grundlegende Annahme,
daß die Prozesse der Sexualreifung durch einen ganz besonderen
Umstand beschleunigt worden sind.

Es mußte nämlich angenommen werden, daß dieses Kind im
Alter von $1^1/_2$ Jahren (also noch vor der Zeit der Eßschwierig-
keiten) Zeuge des von hinten ausgeübten Geschlechtsverkehrs zwischen seinen Eltern wurde und hierauf mit einer Kotentleerung rea-
gierte, das heißt seine sexuelle Erregung in analer Weise zum Ausdruck gebracht hatte. Diese „Urszene" der Koitusbeobachtung
die auch sonst als Urphantasie zum ererbten, phylogenetischen
Besitz gehört — übte die nachhaltigsten Wirkungen in der Entstehung der Neurose aus, entfaltete aber in der Eßstörung auch
direkte, wenngleich unscheinbare Wirkungen.

Mit $2^1/_2$ Jahren sehen wir dieses Kind im Beginne einer Entwicklung, welche als normale anerkannt zu werden verdient, vielleicht bis auf ihre Vorzeitigkeit: Identifizierung mit dem Vater,
Harnerotik in Vertretung der Männlichkeit. Mit Rücksicht auf den
Inhalt der Urszene kann man sagen, daß diese Vateridentifizierung
bereits der Stufe der Genitalorganisation — mit dem Sexualziel
des urethral aufgefaßten Koitus — entspricht.

Das männliche Glied spielte dann seine Rolle unter dem Einfluß
einer Verführung durch die ältere Schwester weiter, welche einmal
nach dem Glied des nun $3^1/_4$jährigen Kindes gegriffen und damit
gespielt hatte[1]. Diese Verführung hat aber nicht bloß die Ent-

[1] Wieder die Tatsache, daß in diesem Falle etwas als unbestreitbare
Realität gelten muß, was sonst eine auf Grund phylogenetischer Erbschaft entstehende Phantasie sein mag.

wicklung gefördert, sondern sie noch in höherem Grade gestört und abgelenkt. Sie gab ein passives Sexualziel, welches mit der Aktion des männlichen Genitals im Grunde unverträglich ist. Beim ersten äußeren Hindernis, bei einer Kastrationsandrohung, brach (mit $3^3/_4$ Jahren) die noch zaghafte genitale Organisation zusammen und regredierte auf die ihr vorhergehende Stufe der sadistisch-analen Organisation. Doch setzte die Verführung ihren Einfluß fort, indem sie die Passivität des Sexualziels aufrechthielt. Sie verwandelte jetzt den Sadismus zu einem großen Teil in sein passives Gegenstück, den Masochismus. Es ist fraglich, ob man dem Charakter der Passivität ganz auf ihre Rechnung setzen darf, denn die Reaktion des $1^1/_2$jährigen Kindes auf die Koitusbeobachtung war bereits vorwiegend eine passive. Neben dem Masochismus, der die Sexualstrebung des Kindes beherrschte und sich in Phantasien äußerte, blieb auch der Sadismus bestehen und betätigte sich gegen kleine Tiere.

Eine entscheidende Wendung führt nun der vierte Geburtstag des Kindes herbei. Zu diesem Zeitpunkt nämlich bringt ein in der Analyse zu überragender Bedeutung gelangter Angsttraum die Koitusbeobachtung von $1^1/_2$ Jahren zur nachträglichen Wirkung und zeigt den Ausbruch der eigentlichen Neurose, der Tierphobie, an. Die abgebrochene genitale Organisation wird im Traume mit einem Schlage, aber im Sinne der Weiblichkeit, wieder eingesetzt, der Wunsch, vom Vater so wie damals die Mutter geschlechtlich befriedigt zu werden, halluzinatorisch erfüllt. Doch kann der im Traum vollzogene Fortschritt nicht festgehalten werden. Es kommt zur Verdrängung, zur Ablehnung des Neuen und dessen Ersetzung durch eine Phobie. Die Analyse des Angsttraumes zeigt, daß die Verdrängung sich an die Erkenntnis der Kastration anschließt. Das Neue wird — unter dem Einfluß der narzißtischen Männlichkeit des Genitales — verworfen, weil seine Annahme den Penis kosten würde. Das Verdrängte ist also die homosexuelle Einstellung im genitalen Sinne, die sich unter dem Einfluß der neuen Erkenntnis gebildet hatte. Sie bleibt nun aber fürs Unbewußte erhalten, als eine abgesperrte tiefere Schichtung konstituiert. Das Ich schützt sich durch Angstentwicklung vor dem, was es als übermächtige Gefahr wertet, vor der homosexuellen Befriedigung. Aber es wird

154   Dr. Karl Abraham und Dr. J. Hárnik.

infolge des Verdrängungsvorganges nicht die Angst vor dem Vater, sondern die vor dem Wolf bewußt. Ein Anteil der homosexuellen Regung wird dabei in dem bei ihr beteiligten Organ festgehalten; der Darm benimmt sich von da an und ebenso in der Spätzeit wie ein hysterisch affiziertes Organ.

Der Zustand nach dem Traume kann in folgender Art beschrieben werden: Die Sexualstrebungen sind zerspalten worden, im Unbewußten ist die Stufe der genitalen Organisation erreicht und eine sehr intensive Homosexualität konstituiert, darüber besteht auch weiterhin die frühere sadistische und überwiegend masochistische Sexualströmung, nur sind ihr die Angsterscheinungen beigemengt. Das Ich hat seine Stellung zur Sexualität im ganzen geändert, es befindet sich in hysterischer Sexualablehnung und weist die herrschenden masochistischen Ziele mit Angst ab, wie es auf die tieferen homosexuellen mit der Bildung einer Phobie reagiert hatte. Das Kind zeigt eine der Umgebung stark auffallende Charakterveränderung (Reizbarkeit, Ängstlichkeit, „Schlimmheit").

Die Verwandlung dieses Zustandes in den der (mit 4½ Jahren einsetzenden) Zwangsneurose geschieht nicht spontan, sondern durch fremden Einfluß von außen, indem dem Kinde absichtlich die Bekanntschaft mit den Lehren der Religion und mit der heiligen Geschichte vermittelt wird. Das Ergebnis wird das von der Erziehung gewünschte: das wilde, verängstigte Kind wird sozial, gesittet und erziehbar. Der sadistisch-masochistischen Sexualorganisation wird ein langsames Ende bereitet, das im Vordergrund stehende Verhältnis zum Vater, welches bisher in der Wolfsphobie Ausdruck gefunden hatte, äußert sich nun in Zwangsfrömmigkeit, während die Wolfsphobie rasch verschwindet. An Stelle der Angstablehnung der Sexualität tritt eine höhere Form der Unterdrückung derselben. Allein diese Überwindungen gehen nicht ohne Kämpfe vor sich, als deren Zeichen blasphemische Gedanken erscheinen, und als deren Folge eine zwanghafte Übertreibung des religiösen Zeremoniells sich festsetzt, deren Zeichen dann bis über das achte Lebensjahr hinausreichen. Wenn so die tiefste, bereits als unbewußte Homosexualität niedergeschlagene Sexualströmung noch drainiert werden konnte, so fand die oberflächlichere masochistische Strebung eine unvergleichliche Sublimierung ohne viel Verzicht in der Leidensgeschichte

164

Christi, der sich im Auftrage und zu Ehren des göttlichen Vaters hatte mißhandeln und opfern lassen. Die Religion hatte also gesiegt; doch erwies sich ihre triebhafte Fundierung unvergleichlich stärker als die Haftbarkeit ihrer Sublimierungsprodukte. Sowie das Leben in der Person eines Lehrers einen neuen Vaterersatz brachte, dessen Einfluß sich gegen die Religion richtete, wurde sie fallen gelassen und durch anderes (durch die dem sublimierten Sadismus entsprechenden militärischen Interessen) ersetzt.

Es kann an dieser Stelle nicht an die für die allgemeine Neurosenlehre hochwichtigen Folgerungen, die sich Freud aus dieser Analyse ergaben, eingegangen werden[1]. Vielmehr werfen wir noch einen Blick auf den Anlaß der späteren Erkrankung des Patienten. Er brach zusammen, als eine organische Affektion des Genitales seine Kastrationsangst aufleben machte und so seinem Narzißmus Abbruch tat. Er erkrankte also an einer narzißtischen „Versagung". Diese Überstärke seines Narzißmus stand in vollem Einklang mit den anderen Anzeichen einer gehemmten Sexualentwicklung, daß seine heterosexuelle Liebeswahl bei aller Energie sehr wenig psychische Strebungen in sich konzentrierte, und daß die homosexuelle Einstellung, die dem Narzißmus um so vieles näher liegt, sich als unbewußte Macht bei ihm mit großer Zähigkeit behauptet hatte.

C. Kriegsneurosen.

Aus der verwirrenden Vielseitigkeit der Erscheinungen bei den sogenannten Kriegsneurosen sucht Ferenczi (11) zwei Typen herauszuheben. Die eine ist durch das Bestehen einer peripheren Lähmung, Kontraktur oder anderer lokaler Erscheinungen gekennzeichnet und entspricht durchaus der Breuer-Freudschen Konversionshysterie. Der andere bietet als wichtigste Äußerung den Affekt der Angst, zu welcher sich verschiedenartige körperliche Begleitsymptome hinzugesellen. Verfasser weist auf den Zusammenhang der Symptome mit den verdrängten Erinnerungen an eine bestimmte Ausgangssituation. Andere wichtige Gesichtspunkte zur Kriegsneurosenfrage werden in der späteren Publikation des Autors aus-

---

[1] Vgl. das Referat dortselbst S. 110 ff.

führlicher behandelt. (Vgl. die Kriegsneurosendebatte auf dem Budapester Kongreß, 1918.) Die erste während des Weltkrieges erschienene Veröffentlichung über therapeutische Ergebnisse der Psychoanalyse bei den Kriegsneurosen ist diejenige Simmels (43). Simmel hat nach dem kathartischen Verfahren von Breuer und Freud gearbeitet und berichtet von den unbewußten Wurzeln der neurotischen Symptome und von beachtenswerten Heilerfolgen. Teils infolge der angewandten Methodik, teils infolge der äußeren Verhältnisse sind die Analysen großenteils unvollständig. Dem Autor gebührt aber das große Verdienst, nachdrücklich auf die Bedeutung der Psychoanalyse für Verständnis und Heilung der Kriegsneurosen hingewiesen zu haben.

Der erste Band der Internationalen Psychoanalytischen Bibliothek (21) enthält die Referate über die Kriegsneurosen vom Budapester Kongreß (1918), außerdem einen Beitrag von Jones und eine Einleitung von Freud. Freuds Einleitung gibt einige der leitenden Gesichtspunkte für die psychoanalytische Betrachtung der Kriegsneurosen, hebt die Bedeutung des Unbewußten, des Narzißmus usw. hervor und konstatiert ausdrücklich, daß die Libidotheorie der Neurosen durch die Kriegserfahrungen keineswegs widerlegt sei.

Ferenczi weist eingehend nach, wie sich die Schulneurologie in der Auffassung der Kriegsneurosen dem psychoanalytischen Standpunkt in manchen Hinsichten genähert habe, was u. a. in der teilweisen Übernahme der Freudschen Nomenklatur zum Ausdruck komme. Man sei dazu gelangt, die neurotischen Symptome als Ausdrucksmittel psychischer Tendenzen anzusehen, wobei manche Autoren sogar mit dem „Unbewußten" operieren.

Der instruktiven und erschöpfenden Übersicht der Kriegsneurosenliteratur läßt Ferenczi noch eine kurze Darstellung seiner eigenen Anschauung folgen. Er betont die gesteigerte „Ich-Empfindlichkeit" der Kriegsneurotiker und legt der weitgehenden Regression ihrer Libido zum Narzißmus große Bedeutung bei. Die Kranken benehmen sich wie kleine, hilflose Kinder, die nichts Eigenes leisten können, sondern völlig auf die Pflege und Fürsorge der anderen angewiesen sind.

A b r a h a m nimmt in seinem Korreferat den Gesichtspunkt des Narzißmus auf und weist ihn schon in der Vorgeschichte vieler Männer nach, die jetzt an einer Kriegsneurose erkrankt sind. Bei vielen solchen „Disponierten" wirkt ein psychisches Trauma unheilvoll, wenn es die (narzißtische) Vorstellung von der eigenen Unverletzlichkeit und Unsterblichkeit erschüttert. Daß schwere organische Schädigungen, wie Verlust eines Auges oder einer Extremität, verhältnismäßig gut, ja mit Euphorie überwunden werden, erklärt sich u. a. aus einer Steigerung der Selbstliebe. Ebenfalls für den Verlust der soldatischen Hingabefähigkeit und für das Überwuchern analer Charakterzüge (Rentenkampf!) bildet der Rückfall in den Narzißmus eine wesentliche Ursache. Das Gefühl, schwer und unheilbar geschädigt zu sein, erklärt sich bei objektiv geringfügiger Schädigung aus der inneren Wahrnehmung eines psychosexuellen Umschwunges. Dem Kranken ist ein erheblicher Teil seiner Objektliebe verloren gegangen, und hierin liegt für ihn allerdings ein schwerer Verlust. Bezüglich der Aussichten der psychoanalytischen Therapie der Kriegsneurosen, wenn sie in größerem Umfange ermöglicht werde, gibt A b r a h a m sich günstigen Erwartungen hin.

S i m m e l, der bereits in seiner oben zitierten Monographie für die analytische Therapie der Kriegsneurosen eingetreten ist, begründet in seinem Budapester Korreferat nochmals seinen Standpunkt über kathartisch wirkendes Abreagieren. S i m m e l legt großen Wert auf das Abreagieren in der Hypnose, betont aber außerdem besonders den Wert der Traumdeutung und benützt auch die Hypnose dazu, die Patienten in seinem Beisein träumen zu lassen. Unter seinen vielfältigen therapeutischen Erfahrungen erörtert S i m m e l namentlich die hysterischen Anfälle. In ihnen gelangen verdrängte Affekte, die sich unter der militärischen Disziplin nicht hatten äußern können, zur Abfuhr.

In therapeutischer Hinsicht berichtet S i m m e l außerordentlich Günstiges. Zum Schlusse hebt er den Unterschied in der Wirkungsweise seines und der sonst geübten Verfahren hervor. Während diese im wesentlichen auf einer Anwendung von Zwang und Einschüchterung beruhen, nimmt die Psychoanalyse dem Patienten die Fesseln der Krankheit ab.

Der Beitrag von J o n e s, der als Vortrag in englischer Sprache erschienen ist und daher in diesem Literaturbericht unter den englischen Arbeiten besprochen wird, erörtert die Frage, inwieweit die Kriegserfahrungen F r e u d s Theorie widerlegen oder unterstützen. J o n e s findet in den Kriegsneurosen das Motiv der Flucht in die Krankheit, die Erfüllung verdrängter Wünsche usw. Er kommt ebenfalls zu dem Ergebnis, daß die Kriegsneurose eine Reaktion gegen die sich verdrängende Ich-Libido, also gegen den Narzißmus sei.

P f i s t e r (31) weist darauf hin, daß es Kriegsneurosen gibt, bei denen es sich nicht um eine n a r z i ß t i s c h e Libidostauung, sondern um eine regelrechte Ü b e r t r a g u n g s n e u r o s e handelt. Sie hätten vollen Anspruch auf den Namen Kriegsneurosen und böten klinisch denselben Anblick dar, und doch liege ihre Ursache in einer Liebesversagung. Man fände sie häufig in den Gefangenen- und Interniertenlagern, welche die Gefahr der Rückkehr an die Front von vornherein ausschlößen. Wobei doch der Autor dem Ich-Konflikt eine ihm nicht zugestandene entscheidende Rolle in der Genese dieser traumatischen Neurosen unterschiebt. Daß den Kriegsneurosen fast immer übertragungsneurotische Anzeichen beigemengt sind, ist am Kongreß ausgesprochen und auch vom Autor richtig erkannt worden.

D. Geistesstörungen.

B l e u l e r s Lehrbuch der Psychiatrie (5) verdient hier der Erwähnung in erster Linie, weil es geeignet ist, die psychoanalytische Betrachtungsweise der Geistesstörungen in weiten Kreisen der Ärzte zu propagieren.

W a n k e (54) gibt eine Darstellung des Krankheitsbildes der Dementia praecox unter Anwendung psychoanalytischer Gesichtspunkte.

R ä h m i s Dissertation (33) gibt interessante Belege für den praktischen Wert eines verbesserten psychologischen Verstehens der Geisteskrankheiten. Der Nachweis wird erbracht, daß die Anstaltsbehandlung der Schizophrenen sich seit Anwendung der psychoanalytischen Auffassungen bedeutend verkürzt hat.

Der von F r e u d (18) besprochene Fall von Paranoia wider-spricht der Theorie nur äußerlich. Der „Verfolger" der paranoi-schen Patientin ist ein M a n n, während die Theorie der paranoischen Projektion uns erwarten läßt, daß die verfolgende Person dem gleichen Geschlecht wie die verfolgte angehört. Es wird aber nach-gewiesen, daß der Wahn sich ursprünglich gegen eine weibliche Person (Muttervertreterin) richtete, und daß die Patientin erst auf dem Boden der Paranoia den Fortschritt vom Weibe zum Manne vollzog.

K a p l a n (26) konnte bei einem jungen Manne einen Ver-folgungswahn in statu nascendi beobachten. Der Ausbruch erfolgte auf das väterliche Verbot heterosexueller Betätigung, welches die Libido in narzißtisch-homosexuelle Bahn wies.

Die uns vom Traum her geläufige Bedeutung von Rechts und Links fand S t ä r c k e (44) auch in den Wahnbildungen eines Geistes-kranken. Er gibt u. a. die ansprechende Erklärung, daß Links die tiefer verdrängte, also weniger bewußtseinsfähige Tendenz ver-trete. In dem mitgeteilten Falle macht S t ä r c k e es wahrschein-lich, daß ursprünglich Vorn und Hinten (Genital- und Analzone) die Bedeutung hatten, welche dann von Rechts und Links über-nommen wurde.

F e r e n c z i (9) bringt Beobachtungen über die latente Homo-sexualität, über verdrängte Inzestwünsche usw. bei Geisteskranken, ferner Bemerkungen über die paranoische Systembildung und über den Zusammenhang katatonischer Erscheinungen mit sexuellen Sensationen.

Ein akut Geistesgestörter gab H o l l ó s (24) gute Einblicke in dem Aufbau der Psychose. Bemerkenswert ist neben dem fast un-verhüllten Hervortreten der inzestuösen Regungen die Bedeutung verdrängter R i e c h l u s t.

Bei Ausbruch der Psychose befand sich die katatonische Pa-tientin L a n d a u e r s (28) in homosexueller Einstellung gegenüber ihrer Stiefmutter, in feindseliger Einstellung gegenüber dem Vater, mit welchem sie sich unbewußt gleichzeitig identifizierte. Die Spontanheilung setzte mit einer Umkehrung dieser Einstellung ein, welche durch Libidoübertragung auf eine etwas virile Pflegerin in der Irrenanstalt ermöglicht war. Verfasser würdigt eingehend die Vorgänge der narzißtischen Objektwahl bei der Patientin sowie die mit dem Narzißmus zusammenhängende Neigung zur Identifizierung.

Mit seiner Arbeit über den „Beeinflussungsapparat" im Wahn der Geisteskranken hat der unserer Wissenschaft so früh entrissene T a u s k (52) einen letzten psychoanalytischen Beitrag geliefert, der von glänzender psychologischer Begabung zeugt und das Problem erschöpfend behandelt.

Wie in den Maschinenträumen, so stellt auch in den Wahngebilden der Apparat zunächst das Genitale des Kranken dar. Ein Hinabsteigen zu den tieferen Schichten zeigt uns aber, daß der gesamte Körper vom Unbewußten als ein einziges Genitalorgan aufgefaßt wird. Der Autor erörtert weiter den Vorgang der Projektion, durch welchen die Genitalveränderungen (Erektion usw.) auf eine äußere Einwirkung zurückgeführt werden. Er bringt dieses Verhalten in Zusammenhang mit dem Narzißmus. Im frühen narzißtischen Alter ist das Kind noch nicht im stande, zwischen seinen eigenen körperlichen Impulsen (wie Stuhldrang usw.) und den von anderen Personen an ihm vorgenommenen Eingriffen bestimmt zu unterscheiden. Der schizophrene Prozeß besteht in einer Regression auf dieses frühe Stadium der Libidoentwicklung.

S t ä r c k e (46) weist nach, daß der Inhalt des Verfolgungswahnes sehr oft die anale Verfolgung ist. Es sei wahrscheinlich, daß anfänglich eine unbewußte Identifizierung des geliebten Objektes mit dem Skybalum vorhanden war und daß in dieser Identifizierung der nähere Grund für die spezielle Ambivalenz in der paranoischen Wahnbildung gegeben ist. Das Skybalum ist der primäre (reelle) Verfolger, der anale Gewalttaten ausübt, welche zu gleicher Zeit Lusttaten sind. So wird die aus der Analerotik dem Narzißmus zufließende Komponente teils positiver, teils negativer Natur sein. Bei der Entstehung eines Wahnsystems regrediert wenigstens ein Teil der sublimierten Homosexualität zur narzißtischen Analerotik; diese wird, soweit sie positiv ist, zur Rekonstruktion (in der Form des Größenwahnes) verwendet, soweit sie negativ ist, als Verfolgungswahn in die Projektion abgeführt.

Die von D e u t s c h (7) beobachtete Geisteskranke war mit zwei Jahren erblindet. Als sie im erwachsenen Alter geisteskrank wurde,

traten bei ihr visuelle Träume auf, die sie vorher (wie andere Früh-
Blinde) nicht gekannt hatte. Verfasser nimmt an, daß die Schizo-
phrene im Traum auf tiefere seelische Schichten regredierte, als
Normale es im Traum vermögen.

Einen Vorstoß in das wenig erforschte Gebiet der Melancholien
unternimmt F r e u d, indem er eine Form derselben behandelt.

Von der Trauer, mit welcher sie viele Züge gemeinsam hat,
unterscheidet sich diese Melancholie dadurch, daß sie sich auf einen
dem Bewußtsein entzogenen Objektverlust bezieht. F r e u d (19)
führt den Nachweis, daß die Selbstanklagen des Melancholischen
eigentlich dem Liebesobjekt gelten, von dem er enttäuscht worden
ist. Durch diese Enttäuschung wurde die Objektbesetzung erschüttert
und damit eine narzißtische Besetzung des Ich herbeigeführt. Das
letztere wird mit dem Objekt identifiziert. Das Objekt wird also
aufgegeben, während die Liebe zu ihm sich in die narzißtische
Identifizierung flüchtet. Die Selbstquälerei des Melancholischen
und seine Selbstmordneigung werden aus der Ambivalenz der Gefühle verständlich. Haß und Rachsucht befriedigen sich am eigenen Ich.

Verlust des Objekts und Ambivalenz finden wir auch bei
Zwangszuständen, die sich an einen Todesfall anschließen. Der
Melancholie eigen ist eine Regression der Libido ins Ich.

Der Umschlag von der Depression zur Manie harrt noch der
Erklärung. Sicher aber enthält die Manie ein Gefühl des Triumphes
über die gelungene Überwindung des Objektverlustes.

Durch Einführung des Begriffes der Pathoneurosen unternimmt
es F e r e n c z i (19), die ätiologische Rolle der narzißtischen Regressionen von einer neuen Seite her zu beleuchten.

Ausgehend von einem Falle von t r a u m a t i s c h e r (durch
operative Kastration ausgelöster) P a r a n o i a verweist er auf seine
schon früher ausgesprochene Annahme, wonach das Liebesleben körperlich Kranker durch die Zurückziehung der Libido vom Objekt
und die Konzentrierung alles egoistischen wie libidinösen Interesses
im Ich gekennzeichnet wird (K r a n k h e i t s n a r z i ß m u s). Doch
kann eine organische Krankheit, eine Verletzung oder Beschädigung,
nicht nur eine narzißtische, sondern eventuell eine das libidinöse
Objektverhältnis noch beibehaltende, „übertragungsneurotische"

Libidostörung zur Folge haben, für welchen Zustand der Autor
den Namen Krankheitshysterie (Pathohysterie) vorschlägt
und seine Unterschiede von der Sexualneurose Freuds[1]) und
von der Hypochondrie, der dritten Aktualneurose[2]), abgrenzt.
Zu einer weitergehenden Regression in den Narzißmus und zur Entwicklung eines Krankheitsnarzißmus oder echten narzißtischen Neurose kann es kommen, 1. wenn der konstitutionelle Narzißmus schon
vor der Schädigung allzu stark war, so daß die kleinste Verletzung
das ganze Ich trifft, 2. wenn das Trauma lebensgefährlich ist oder
für solches gehalten wird, das heißt die Existenz (das Ich) überhaupt bedroht (traumatische Neurose, Kriegsneurosen), 3. infolge der Beschädigung eines besonders stark libidobesetzten Körperteiles, mit dem sich das ganze Ich leicht identifiziert.

Solche Körperteile sind im allgemeinen die erogenen Zonen,
besonders aber das Genitale (Paranoiaerkrankung nach Kastration!)
und die „genitalisierten" Gesichtspartien. Diese Stellen sind eher
als andere dazu geneigt, auf ihre Erkrankung oder Verletzung narzißtisch zu reagieren. Es hat aber den Anschein, daß überhaupt an
verletzten oder erkrankten Körperstellen eine größere Libidomenge
aus den übrigen Organbesetzungen zusammenströmt. Wenn sich aber
das Ich dieser lokalisierten Libidosteigerung mittels der Verdrängung
erwehrt, so mag eine hysterische, wenn es sich mit ihr vollkommen
identifiziert, eine narzißtische Pathoneurose, eventuell einfacher Krankheitsnarzißmus erzeugt werden.

Oberholzer (29) behandelt in beschreibender Form Erscheinungen, die vielleicht durch Ferenczis eben dargelegte Gesichtspunkte eine tiefergehende Erklärung finden könnten. In zwei Fällen
von Schizophrenie (Katatonie) haben Angst und Schrecken aus-
lösende Schockwirkungen (Ich-Bedrohung) ein vorübergehendes
Zurückfinden zur Realität ermöglicht[3]).

E. Alkoholismus.

Tausk (49) zieht zum Verständnis des alkoholischen Beschäftigungsdelirs eine bei neurotischen Personen vorkommende Traumform, den Beschäftigungstraum, heran. Dieser gleicht dem Delir

---

[1]) Vgl. das Referat darüber im Jahrb. VI. S. 327.
[2]) Vgl. das Referat über Nr. 17. V. S. 149.
[3]) Vgl. jetzt auch Freud: Jenseits des Lustprinzips. 1920. S. 31.

darin, daß der Träumer mit alltäglichen Verrichtungen eifrig beschäftigt und dabei von der Angst des Nichtfertigwerdens geplagt
ist. Der Beschäftigungstraum ist ein Koituswunschtraum, dazu
bestimmt, die Impotenzangst oder andere Sexualhemmungen zu verdecken. Mit dem Koituswunsch tritt der Trieb zur Onanie in
Konflikt. Das Beschäftigungsdelir dient der Darstellung der gleichen Tendenzen. Der Alkoholiker ist heterosexuell gehemmt. Er
erwehrt sich der Homosexualität, ebenso der autoerotischen Betätigung, seine Libido verharrt also auf der Objektstufe. Von besonderem Interesse ist der eingehende Nachweis, daß „Arbeiten"
in der Sprache des Traumes bzw. des Unbewußten überhaupt die
Bedeutung der Sexualbetätigung hat.

In einem für weitere ärztliche Kreise bestimmten Artikel
illustriert S a d g e r (36) an einem gut gewählten Fall den Zusammenhang zwischen unbefriedigten Liebesbedürfnissen (verdrängter
Homosexualität) und Trunksucht.

J u l i u s b u r g e r (25) kommt in seiner kasuistischen Arbeit zu
ähnlichen Resultaten.

Ethnologie und Völkerpsychologie.

Referent: Dr. Géza Róheim (Budapest).

Die mit einem * versehenen Arbeiten sind vom psychoanalytischen Standpunkt geschrieben [1]).

Literatur: 1. *Abraham: Über Einschränkungen und Umwandlungen der Schaulust bei den Psychoneurotikern. Jb. VI. 1914. 25—89. — 2. *Ders.: Über neurotische Exogamie. J. III. 1914. 499—501. — 3. Bernard Ankermann: Verbreitung und Formen des Totemismus in Afrika. Zeitschrift für Ethnologie. 1915. Jahrgang XLVII. 114—180. — 4. Ders.: Totenkult und Seelenglaube bei afrikanischen Völkern. Ebenda. 1918. 89—153. — 5. I. Larguir des Bancels: Sur les Origines de la Notion del' Ame a propos d'une Interdiction de Pythagore. Archives de Psychologie. Tome XVII. 1918. 58. — 6. Hans Bächtold: Zum Ritus der verhüllten Hände. Schweizerisches Archiv für Volkskunde. XX. (Festschrift für Hoffmann-Krayer.) 1916. 6. — 7. *Hans Blüher: Die Rolle der Erotik in der männlichen Gesellschaft. Jena 1919. 2 Bände. — 8. Franz Boll: Oknos. Archiv für Religionswissenschaft. 1918. 151. — 9. F. Bork: Tierkreisforschungen. Anthropos. 1914. Heft 12. — 10. *A. A. Brill: Die Psychopathologie der neuen Tänze. J. III. 1914. 401. — 10a. Buschan: Das Männerkindbett. Zeitschr. f. Sex.-Wissen. II. S. 203. — 11. *Robert Eisler: Der Fisch als Sexualsymbol. J. III. 105. — 12. *Paul Federn: Die vaterlose Gesellschaft. Wien 1919. (Der Aufstieg Nr. 12/13.) — 13. Eugen Fehrle: Zum Vorhüllen im deutschen Volksglauben. Schweizerisches Archiv für Volkskunde. 1916. XX. 120. — 14. *Béla Felszeghy: A pán complexum (Pan-Komplex). Huszadik Század 1919. — 15. *S. Ferenczi: Zur Psychogenese der Mechanik. J. V. 1919. 394. — 15a. W. Foy: Über das indische Ioni-Symbol. 1916. — 16. *S. Freud: Das Tabu der Virginität. Sammlung kleiner Schriften zur Neurosenlehre. Vierte Folge. 1918. 229. — 17. *Fritz Giese: Sexualvorbilder bei einfachen Erfindungen. J. III. 524. — 17a. Hall G. Stanley: Spiel, Erholung, Rückschlag.

---

[1]) Ich hielt es hie und da für angebracht, die Aufmerksamkeit der Psychoanalytiker auch auf Arbeiten zu lenken, die der Psychoanalyse fernstehen, aber das Material doch so zusammenzufassen, daß eine psychoanalytische Fortführung der Arbeit für den Geschulten dabei unmittelbar auf der Hand liegt, oder aber, die zu Schlußfolgerungen gelangen, die auf psychoanalytische Fragen Bezug haben. Hier ist die Auswahl eine rein subjektive, ich erkenne bereitwilligst an, auch ein Mehr oder ein Weniger wäre ebensogut möglich gewesen. Werke, wie z. B. Wundts Völkerpsychologie, mit denen eine Auseinandersetzung vom Standpunkte der Psychoanalyse wohl den Rahmen eines Referates sehr überschritten hätte, wurden nicht berücksichtigt.

Zschr. f. Sex. Wiss. VI. 1919. — 18. Morton Jellinek: A sarn eredete. (Ursprung der Fußbekleidung.) 1917. — 19. ʿErnest Jones: Die Empfängnis der Jungfrau Maria durch das Ohr. Jb. VI. 1914. 135. — 20. C. Gasquoine Hartley: The Position of Woman in Primitive Society. 1914. — 21. ʿLeo Kaplan: Grundzüge der Psychoanalyse. 1914. — 22. *Ders.: Psychoanalytische Probleme. 1916. — 23. *Ders.: Hypnotismus, Animismus und Psychoanalyse. 1917. — 24. P. D. Kreichgauer: Das Symbol für „Kampf" im alten Mexiko. Anthropos. 1914. 381. — 25. Ders.: Die Klapptore am Rande der Erde in der altmexikanischen Mythologie. Anthropos. Bd. XII. XIII. 272. — 26. *Ludwig Levy: Die Sexualsymbolik der Bibel und des Talmuds. Ztschr. f. Sex.-Wiss. 1914. I. 273. 318. — 26a. *Ders.: Die Sexualsymbolik des Ackerbaues in Bibel und Talmud. Ztschr. f. Sex.-Wiss. II. S. 437. — 26b. *Ders.: Sexualsymbolik in der Simsonsage. Ztschr. f. Sex.-Wiss. 1916. H. 6/7. — 27. *Ders.: Sexualsymbolik in der biblischen Paradiesgeschichte. J. 1917. V. 16. — 28. Ders.: Die Schulsymbolik im jüdischen Ritus. Monatsschrift für Geschichte und Wissenschaft des Judentums. LXII. 1918. 178. — 29. Ders.: Ist das Kainszeichen die Beschneidung? J. V. 1919. 290. — 30. Lindworsky P. J.: Vom Denken des Urmenschen. Zugleich ein Wort zur Annäherung von Psychologie und Ethnologie. Anthropos. 1917/18. II. 3/4. — 31. *John Löwenthal: Zur Mythologie des jungen Helden und des Feuerbringers. Zeitschrift für Ethnologie. 1918. 42. — 32. M. Marcuso: Vom Inzest. Juristisch-psychiatrische Grenzfragen. X. Bd. Heft 3/4. 1915. — 33. Eugen Mogk: Das Ei im Volksbrauch und Volksglauben. Zeitschrift des Vereines für Volkskunde. 1915, 215—223. — 34. Elsie Clew Parsons: Links between Religion and Morality in Early Culture. American Anthropologist. 1915. 11. — 35. Dies.: The Reluctant Bridegroom. Anthropos. 1915/16. XI. — 36. Dies.: Discomfiture and Evil Spirits. The Psychoanalytic Review. 1916. III. 289. — 37. *Siegmund Pfeifer: Äußerungen infantil-erotischer Triebe im Spiele. J. V. 1919. 213. — 38. *Otto Rank: Der Doppelgänger. J. III. 97. — 38a. *Ders.: Psychoanalytische Beiträge zur Mythenforschung. Internationale Psychoanalytische Bibliothek. Nr. 4. 1919. — 39. *Theodor Reik: Die Couvade und die Psychogenese der Vergeltungsfurcht. J. III. 1914. 409. — 39a. *Ders.: Couvade und Mutterschutz. Die Neue Generation. XI. 1915. H. 7/8. — 40. *Ders.: Völkerpsychologisches. Z. III. 1915. 180. — 41. *Ders.: Die Pubertätsriten der Wilden. J. IV. 1915. 125, 189. — 42. *Ders.: Probleme der Religionspsychologie. Internationale Psychoanalytische Bibliothek. Nr. 5. 1919. — 43. *Ders.: Das Kainszeichen. J. V. 31. — 44. *Ders.: Psychoanalytische Studien zur Bibelexegese. J. V. 325. — 44a. Renz Barbara: Schlange und Baum als Sexualsymbole in der Völkerpsychologie. Archiv für Sexualforschung. I. 1916. II. 2. — 45. Géza Róheim: A medve és az ikrek. (Der Bär und die Zwillinge.) Ethnographia. 1914. 93. — 46. *Ders.: Az élet fonala. (Der Lebensfaden.) Ethnographia. 1916. 275. — 47. *Ders.: A kazár nagyfejedelem és a turulmonda. (Der Großfürst der Chasaren und die Turulsage.) Ethnographia. 1917 und in Buchform 1917. — 48. *Ders.: A kazár és a magyar nagyfejedelem. (Der Großfürst der Chasaren und der der Magyaren.) Ethnographia. 1918. 142. — 49. *Ders.: Psychoanalysis és ethnologia. (Psychoanalyse und Ethnologie.) I. Az ambivalentia és a megforditás törvénye. (Die Ambivalenz und das Gesetz der Umkehrung.) Ethnographia. 1918. 49. II. A symbolumok tartalma és a libidó fejlödéstörténete. (Die Bedeutung der Symbole und die Entwicklungsgeschichte der Libido.) Ebenda. 206. — 50. *Ders.: Nefanda carmina. Ethnographia. 1918. Jahrg. XXIX. 271. — 51. *Ders.: Spiegelzauber. Internationale Psychoanalytische Bibliothek. Nr. 6. 1919. (Kap. I—III auch J. V. 62.) — 52. *Ders.: Allerseelen im Volksbrauch und Volksglauben. Pester Lloyd. 1919. 4. XI. — 53. *Ders.: Skt. Nikolaus im Volksbrauch und

Volksglauben. Pester Lloyd. 1919. 7. XII. (52 und 53 unter dem Pseudonym
„Helios".) — 54. Paul Sartori: Diebstahl als Zauber. Schweizerisches Archiv
für Volkskunde. XX. 1916. 380. — 55. Paul Schilder: Wahn und Erkenntnis.
Monographien aus dem Gesamtgebiete der Neurologie und Psychiatrie. Heft 15.
Berlin 1918. 57—112. Kap. III. Völkerpsychologie und Psychiatrie. — 56. H. Sil-
berer: Durch Tod zum Leben. Beitr. z. Geschichte der neueren Mystik und
Magik. 4. 1915. — 56a. N. Soederblom: Das Werden des Gottesglaubens. 1916.
— 56b. Heinz Werner: Die Ursprünge der Metapher. Arbeiten zur Entwicklungspsychologie. Heft 3. 1919. — 57. Waldemar Zude: Der Kuckuck in der
Sexualsymbolik. Zeitschrift für Sexualwissenschaft. IV. 1917/18. 88.

Die Grundlegung der psychoanalytischen Völkerpsychologie ist
unbestrittenerweise Freuds „Totem und Tabu", indem hier die
phylogenetischen Parallelen des ontogenetischen Ödipuskomplexes aufgedeckt wurden. Die hier gewonnenen Resultate wurden in den Arbeiten von Reik bestätigt, denen wohl die bedeutendsten Fortschritte dieser Berichtsperiode zu verdanken sind.

Reik geht von der Beobachtung aus, daß ein gemeinsamer Grundzug der
Männerweiheriten in der Tötung und Wiederbelebung der Jünglinge zu finden
ist (41). Wir dürfen annehmen, daß das beutegierige Ungeheuer, welches die
Jungen angeblich verschlingt, das Totemtier darstellt, welches die Primitiven
bekanntlich als ihren Ahnherrn verehren. Um diese Riten zu verstehen, müssen
wir von der ambivalenten Rolle ausgehen, welche die Väter als Quäler und Be-
schützer der Jugend gegenüber einnehmen. Es ist klar, daß wir in den Un-
geheuern nur die projizierte Feindseligkeit der Väter zu erblicken haben. Dieselben Regungen sind im Ritus der Beschneidung am Werke. Dieser ist als
Kastrationsäquivalent zu verstehen, welches das Inzestverbot aufs wirksamste
unterstützt. Motiviert ist der Ritus durch die unbewußte Vergeltungsfurcht
des zum Vater gewordenen Mannes: er fürchtet die Realisierung seiner eigenen,
gegen den Vater gerichteten Kastrationswünsche, deren geschädigtes Objekt er
nun selbst sein konnte, vom eigenen Kinde (oder: sein Ubw. versteht die im
Ubw. der Kinder latenten Triebe und rächt sich an diesen laut dem Prinzip des
jus talionis); er identifiziert sich solchergestalt mit dem eigenen Vater, der im
Ritus als Großvater-Ungeheuer erscheint. Tötung und Auferstehung verhalten
sich zu einander wie die Elemente der zweizeitigen Zwangshandlungen der
Neurotiker: in der einen Handlung kommt der Haß, in der zweiten die Liebe
und Zärtlichkeit zum Ausdruck: dadurch deuten die Väter den Söhnen ihre
Bereitschaft an, sie in den Kreis der Männer aufzunehmen, aber erst, wenn sie
auf ihre Infantilismen verzichten.

Der Verfasser sieht in den Pubertätsriten eine Wiederholung der Ursitua-
tion, wie wir sie bei der Entstehung des Totemsystems denken müssen. Hier
wie dort folgt auf die vehemente Durchsetzung der Feindseligkeit die reaktive
Zärtlichkeit, die sich in der Identifikation mit dem Totem ausdrückt. (S. 192.)
Daß der Jüngling vom Totemtier, also vom Vater, wiedergeboren wird,
bedeutet die Loslösung aus der Inzesteinstellung, durch Rückgängigmachen der
Grundursache des Inzestbegehrens, der Geburt von der Mutter. In diesen
Pubertätsriten stehen einander bereits zwei Altersklassen gegenüber. Diese
Altersklassen sind überall, bei den Primitiven schon von Schurtz, als die
Trägerinnen des Stammesgedankens aufgezeigt worden, in ihnen offenbart sich
die gegenseitige Sympathie, das heißt die unbewußten homosexuellen Regungen.

Hier findet sich also die Bestätigung der F r e u d schen Vermutung, derzufolge die Brüder nach der Ursache des Vatermordes irgend eine Organisation gegründet haben müssen, die auf der homosexuellen Gefühlseinstellung ruhte.

Eine ähnliche Kompromißbildung zwischen Odipuseinstellung und Vergeltungsfurcht, Aggressivität und Zärtlichkeit ist auch das Männerkindbett der Primitiven (39). (Vgl. auch 39a, 10a.)

Das Männerkindbett entsteht, indem das Gefühl der Zärtlichkeit für den Sohn die Vergeltungsfurcht unterdrückt, so daß diese sich nur mehr in Kompromißhandlungen, das heißt Riten, äußert.

Inhaltlich verwandt ist die Arbeit über das Kainszeichen (43), welches von der Bibelkritik als Stammestätowierung der Keniter aufgefaßt wird. Auch hier handelt es sich um Odipuseinstellung und Vergeltungsfurcht. Wir hätten also in der Marke Kains ursprünglich ein Kastrationsäquivalent, Talionsstrafe des begangenen Inzests. Der Versuch L e v y s (29), die Argumente des Verfassers zu widerlegen, scheint mir durchaus unzureichend und auf einem Verkennen der Mechanismen des Ubw. zu beruhen. In dem ersten Teil von R e i k s „Probleme der Religionspsychologie" sind vier Arbeiten vereinigt, und zwar Nr. 39, 41, in erweiterter Fassung, ferner „Kolnidre" und „Der Schofar".

Bei den Primitiven gilt als ein wesentlicher Teil des Eides eine Handlung, welche das Unglück symbolisiert, das den Meineidigen treffen soll, z. B. das Gefressenwerden durch ein wildes Tier. Eine alttestamentliche Analogie findet sich zu diesen Formen des Eides im „Brith", dem Bunde zwischen Jahve und Abraham. Laut dem Verfasser ist die Brith die Vorstufe des Opfersakramentes, eine Zwischenform, die sich aus dem Urbild der Totemmahlzeit entwickelt hat. Die Selbstverfluchung muß als Reaktion auf eine vorausgegangene Gewalttat betrachtet werden, deren Natur der Ritus der Tierteilung andeutet, wenn man ihn mit der F r e u d schen Erklärung des Totemismus vergleicht. Ursprünglich handelt es sich um eine Selbstbestrafung für unbewußte Mordimpulse. Die Zerteilung des Tieres sei eine symbolische Wiederholung des Vatermordes; daran schließt sich die in Aussicht gestellte fürchterliche Strafandrohung im Falle einer Wiederholung. „Die Brith stellt uns den ersten, feierlichen Versöhnungsversuch mit dem toten Vatergott vor Augen" (S. 155). In der Kolnidre-formel handelt es sich, so meint der Verfasser, eben um die Auflösung der durch die Brith übernommenen Verpflichtungen, gegen deren Einhaltung im Gläubigen unbewußte Gegenströmungen bestehen.

Wir hätten also im Kolnidre nichts Geringeres als das öffentliche Bekenntnis, das Geständnis, die Beichte „gewünschten Vater- und Gottesmordes".

Gerade die Sühnehandlung, die Opferung eines Sündenbockes (Totemtier), stellt die Erneuerung des Verbrechens dar, und ist somit dem Durchbruch der verpönten Regungen im Kolnidre analog. Hierauf folgt eine Untersuchung über einen anderen Ritus des Versöhnungstages, über das Schofarblasen. Ursprünglich ist es Jahve selbst, der am Sinai das Widderhorn ertönen läßt, oder eigentlich als Widder brüllt. R e i k läßt das Material über Stiere und Widder als Götter im alten Orient folgen: die Schlußfolgerung, daß auch Jahve einst als Stier oder Widder verehrt wurde, liegt auf der Hand. Besonders geeignet zur Symbolisierung der väterlichen Gottheiten sind die Hörner, die überall als Symbole der Kraft gelten. Der Priester, der das Schofar bläst und so die göttliche Stimme nachahmt, identifiziert sich also mit Gott wie jene Söhne der Urhorde, die den Vater ermordeten, allmählich das Wesen und die Äußerungsformen des Vaters nachahmten.

Das Schofarblasen ist nach Überlieferung einer Erinnerung an die Opferung Isaaks. Die Sinaioffenbarung entspricht also den Riten, welche uns die Forscher von der Pubertätsfeier der Primitiven berichten. Wie bei der Opferung Isaaks wird auch bei den Männerweihheriten die Tötung der Söhne angedeutet, und wie der Befehl zur Opferung des Sohnes, Abraham entgegen von Jahve ausgeht, so ist auch der Schwirrholzgeist, ein Ungeheuer, demgegenüber die Väter ihre einzuweihenden Söhne in Schutz nehmen. Mit Recht hat die späte Tradition das Schofarblasen mit jenem Bericht von Isaaks Opferung verbunden: lebt doch auch in ihm, wenngleich verhüllt genug, die Erinnerung an die alte Blutschuld. Der Verfasser zählt in vollkommen überzeugender Weise die gemeinsamen Züge auf (Heiligkeit, Absonderung, Stimme des Urvaters usw.), die dem Schofar und dem Schwirrholzgeist der Pubertätsriten eignen. Die Stimme des Schofars wird mit dem Brüllen eines Stieres verglichen, das Schwirrholz heißt im Englischen bull-roarer.

Die Stimme Jahves also, die nach dem biblischen Bericht vom Sinai tönt und die Juden erschreckt, ist ihrem Wesen nach mit der Stimme des Schwirrholzes, welche die Jünglinge bei der Männerweihe erschüttert, identisch. „Der großartige Apparat, der in der Sinaiperikope aufgeboten wird, darf nicht irre machen: hier wie dort werden die Mitglieder eines primitiven Klans, die jetzt die ehernen Grundgesetze der Stammesreligion kennen lernen sollten, durch geheimnisvolle und unheimliche Töne erschreckt, in welchen sie die Stimme ihres schrecklichen Gottes erkennen."

Schlagend wird dies durch das australische Material erwiesen, hier finden wir die Schwirrholzgeister als Söhne des Gottvaters, die von ihm als Strafe ihrer Auflehnung getötet wurden, deren Stimme im Schwirrholz weiterlebt. (S. 247.) Mit dem Ursprung der Musik ist auch der des Tanzes verwoben, die Juden, die das goldene Kalb umtanzen, identifizieren sich mit der Gottheit. Der Hymnus der griechischen Tragödie ist eine Nachahmung des Schreiens des Dionysios, der Laute des Bocks sowie der Chorreigen die Nachahmung seiner Sprünge und Bewegungen. In einem Anhang geht der Verfasser vom Moses des Michelangelo aus und setzt seine Deutung der Sinaivorgänge fort. Die Hörner und der ganze Gesichtsausdruck deuten eine Identifikation mit Jahve an. „Die Erkenntnis von der psychologischen Identität Jahves und des goldenen Stierbildes liefert den Schlüssel zum Verständnis der ganzen Erzählung." (S. 271.) Das Kalb wird aber in Pulverform auch vom Volke verzehrt und hier haben wir das sakramentale Essen, das Totemopfer.

In den zwei letzten Arbeiten (Kolnidre und Schofar) werden einzelne Züge eines Jahresfestes (Versöhnungstag) aus den Männerweihheriten gedeutet: daran knüpft sich eine kleine Arbeit des Referenten (53).

Die verschiedenen kinderschreckenden Masken der Winterfeste im europäischen Volksglauben sind herabgesunkene Vertreter der

Maskengestalten der Naturvölker, die im Ritus der Männerweihe auftreten.

Die kleineren Beiträge Reiks können als eine Fortsetzung der Richtung angesehen werden, die im „Kolnidre" und „Schofar" angebahnt wurde. Die Erzählung vom nächtlichen Ringkampf Jakobs mit Jahve zu Pennel wurde von Roscher als ein Ringen mit dem Alp gedeutet. (W. H. R. Roscher: Ephialtes, 1900, 38--41.) An diesen Alpträumen aber hat das sexuelle Schuldbewußtsein mit der Furcht vor der drohenden Strafe (Kastration) einen bedeutenden Anteil. Im Sohar findet sich die Meinung vertreten, die Spannader, die Gott dem Jakob verletzt, sei eigentlich der Phallos. In der Arbeit über Pubertätsriten wurde schon der Nachweis geführt, daß das Hinken eine symbolische Kastration ist. „Wenn wir die Sage nun noch einmal lesen, fällt uns in der neuen Beleuchtung auf, daß diese ganze Situation, der Überfall, das Ringen mit einem geheimnisvollen Wesen, der neue Name und endlich die Verstümmelung des Penis .... Ähnlichkeit mit anscheinend weit abliegenden Vorgängen aufweist: mit den Pubertätsriten primitiver Völker." (S. 333.)

Die zweite Abhandlung, „Die Türhüter", ist eine Erklärung von Jeremias 35, 4. Bei Zephanja wird das Hüpfen über die Schwelle erwähnt. Das Treten auf der Schwelle ist ein Symbol für das Zerstören des Hauses, eine Symptomhandlung, welche die ubw. feindlichen Absichten gegen den Besitzer des Hauses (Jahve) verrät. Abschnitt III versucht, die Sünde der Volkszählung daraus zu erklären, daß sie gerade die ubw. feindliche Absicht der Vertreter der Vaterimago (Gott-Vater, König-Vater) gegen das Volk (Söhne) verrät. Abschnitt IV, Die Bedeutung des Schweigens, geht von der bei den Propheten beliebten Metapher eines Strafgerichtes als eines Opfers aus. Aus dem Opferritual der alten Araber wissen wir, daß sie nach vollzogener Schlachtung eine Zeitlang stumm den Altar umgeben. Dieses plötzliche Verstummen ist nur eine Selbstbestrafung, ein symbolisches Totsein nach dem Tode des Vaters, welches als Urbild aller Opfer aufgefaßt werden muß. Daß damit nur eine der Wurzeln des rituellen Schweigens erklärt ist, gibt Reik natürlich zu.

Ausgehend von dem modernen und mittelalterlichen Geheim-
bundwesen, versucht Silberer (56) eine Deutung der Wieder-
geburtsidee in den Männerweiheriten der Naturvölker. Das Material wird vorwiegend in Anlehnung an Frazer behandelt. Manche
Einzelheiten der Symbolik der Männerweihebräuche, wie Feuerreiben,
Baum (S. 39, 40), werden ins richtige Licht gerückt, im ganzen
kommt es aber bloß zur „anagogischen" Deutung der Wiedergeburt
als einer „radikalen Umwälzung im Leben" und als Symbol der
„Beziehung zum Göttlichen" (S. 50). Erklärungen, die eben das
zu Erklärende unerklärt lassen, zumal aber seit den Arbeiten Reiks
über denselben Gegenstand als vollkommen überholt gelten müssen.

Die nächste Arbeit führt uns vom Totemismus zur nächsthöheren
Erscheinungsform derselben Komplexe zum Sakralkönigtum[1]). Referent versucht (69), die zerstreuten Angaben über Sakralkönigtum
bei den Uralaltaiern in den Frazerschen Zusammenhang einzufügen und auch darüber hinausgehende Schlußfolgerungen zur psychologischen Erklärung dieser Riten, zu ziehen.

Der erste Abschnitt handelt über das doppelte Königtum. Bei den alten
Ungarn, Chasaren und anderen uralataischen Völkern findet man die Institution
des doppelten Königtums, d. h. die Oberherrschaft ist in eine sakrale und welt-
liche Hälfte gespalten (Mikado und Shogun). Die Herrscher des Mikadotypus
sind die Projektionen der unbewußten Vorstellung des alternden Vaters, während
der Shogun dem erwachsenen Sohne, dem Führer des Männerbundes, entspricht,
als solcher aber zugleich eine Abspaltung, Verdoppelung, des Vaters ist. Laut
der Überlieferung in Tonga gab ein Königsmord die Ursache zur Errichtung des
Doppelkönigtums: der Sohn rächt den Vater und teilt seine Würde mit seinem
Bruder. Das „Rächen" verdankt seinen Ursprung einer sekundären Bearbeitung, ursprünglich war eben der Sohn der Mörder seines Vaters. Bei den Moithoi
erscheint ein zweiter Herrscher, dessen Funktion darin besteht, daß er alle
Sünden und bösen Geister (d. h. die unbewußten Triebregungen) vom Radscha
und Volke abwendet und auf sich nimmt. Ein ähnlicher Doppelgänger des
Königs findet sich bei den Ewhe: er trägt des Königs unverwundbar machenden
Mantel, muß sich aber vor dem Weibe und vor dem Urinieren hüten (Unverwund-
barkeit als Überkompensierung der Kastrationsangst). Gehorsam wird bloß den
Vertretern des Shoguntypus gezollt: der Mikado ist eine Entthronung und zu-
gleich eine Apotheose des Vaters. Der zweite Abschnitt unterzieht die Riten
des Königsmordes und der Krönung einer Analyse. Bei den Shilluk wird der
König getötet, wenn er seine zahlreichen Weiber nicht mehr befriedigen kann.
Seine Hauptaufgabe besteht darin, Regen zu zaubern oder von Nyakang zu er-
flehen. Dieser Nyakang ist ein kegelförmiger Gegenstand, menschenähnlich
geschnitzt, das Abbild des ersten Königs. (Das Wort bedeutet zugleich Familie,
Großvater und Schlange.) Somit scheint die regenzaubernde Tätigkeit des

---

[1]) Das Referat ist bei den Arbeiten in ungarischer Sprache, da das Original
der Mehrzahl der Analytiker nicht zugänglich ist, etwas ausführlicher gehalten.

Königs eine Projektion seiner Geschlechtskraft zu sein, während Nyakang und die entsprechenden Gottheiten wiederum übernatürliche Projektionen des Vaters und des Phallos sind. Ebenso wird Etzels Tod in der Brautnacht der sexuellen Impotenz und dem darauf folgenden Königsmord zugeschrieben, und das Nasenbluten als Ursache seines Todes ist eine Verschiebung des Kastrationskomplexes nach oben. Nun wird der Sakralkönig der Chasaren getötet, und zwar vom Shogun, der Wut des Volkes ausgeliefert, wenn der Regenfall ausbleibt, das Land in irgend ein Unglück gerät, oder nach anderen Quellen, nach dem Ablauf von 40 Jahren. Isstakhri und Ibn Haukal haben jedoch eine andere Variante aufgezeichnet. Bei seiner feierlichen Inthronisation wird dem Großkönig ein Seidenstrick um die Kehle gelegt und er wird so lange gewürgt, bis er beinahe erstickt. Nun fragt man ihn, wie lange er noch herrschen will, und wenn er innerhalb der von ihm angegebenen Periode stirbt, geschieht ihm nichts, übertritt er aber diese, so wird er getötet. Analoge Bräuche der Tukiu, Mpongwe usw. werden herangezogen. Verfasser sieht in ihnen eine ambivalente Handlung, eine Wiederkehr des Verdrängten, indem die Absicht des Königsmordes gerade zur Zeit der Unterwerfung zum Durchbruch gelangt. Im Huldigungsakt steckt eine bloße Prolongation seines Lebens und dabei wird die Verantwortlichkeit für seinen Tod auf ihn selbst abgewälzt. Diese aggressiven Huldigungsriten sind den Angriffen der Nachbarn auf den eben Vater Gewordenen (Celebes, Karaiben) zu vergleichen und von ihnen abzuleiten. Die Todesart der Könige, das Hängen, ist durch den Wunsch des Vermeidens des Blutvergießens determiniert, indem wieder die zärtliche Seite der Gefühle gegenüber dem Vater zum Ausdruck kommt. Angaben über den Brauch, daß Söhne „aus Pietät" ihre Väter erhängen, werden aus Fidschi usw. herangezogen.

Historisch ist es nicht belanglos, daß der große Sprung der Magyaren am Anfang des elften Jahrhunderts vom asiatischen Nomadenleben in das europäische Mittelalter, ebenso durch eine regressive Neubelebung der sakralen Macht des Großkönigs (Stephan der Heilige) durchgeführt wird, wie der Mikado es ist, unter dessen Ägide es möglich wird, das mittelalterliche Japan in einen hochmodernen Staat zu verwandeln. Abschnitt III behandelt das Verhältnis zwischen dem Herrscher und dem Himmlischen. Die Himmelsprojektion der Vatergewalt ist eine weitergehende Verdrängung der unbewußten Komplexe, was aber natürlich keiner historischen Reihenfolge entspricht. Der Herrscher ist der Vater der Untertanen, aber der Sohn des Himmels. Die solare Symbolik, die himmlischen Lanzen und Schwerter als Königssymbole bei Ostasiaten und Uralaltaiern werden behandelt. „Das Grab des Herrschers" heißt der IV. Abschnitt. Wie Etzel und Alarich findet auch der Chasarenkönig sein Grab im Flusse und kehrt somit in den Mutterleib zurück. (Sein Grab heißt „Paradies".) Die zwanzig Gräber, die ihm zur Täuschung der bösen Dämone errichtet werden, sollen den Mord zwanzigmal wiederholen (Zusatz im Referat) und zugleich die Dämone der Reue irreführen. Die Totengräber werden geopfert, um die Spuren der Freveltaten zu verdecken, aber auch, um die Schuld des Vatermordes auf ihre Schultern abzuwälzen und die Talionstrafe an den Totengräbern zu vollziehen. Im Flußbett beendet also der König seine irdische Laufbahn und im Wasserstrom betritt er sie wieder. (Zweiter Teil: Die Turulsage; Abschnitt I: Emeses Traum.) Emese, die Mutter des geopferten Almos, träumt nämlich einen Traum, wie Mandane „ab eventu divine nominatus est Almos (d. h. der Geträumte) quia matri eius pregnanti per somnium apparuit divina visio in forma astaris, que quasi veniens eam gravidavit. Et innotuit ei, quod de utero eius egrederetur torrens et de lumbo eius reges gloriosi propa-

172 Dr. Géza Róheim.

garentur, sed non in sua multiplicareutur terra". Die symbolische Bedeutung
des Wassers ist als Fruchtwasser und auch als Ejakulation aufzufassen. Ural-
altaische Sagen werden herangezogen, in denen die Ahnen des Stammes „Fluß"
oder ähnlich heißen. Nun haben wir eine Variante des Traumes der Mandane,
in der eine Weinrebe die Stelle des Flusses einnimmt, und dasselbe Symbol
mit derselben Deutung der zukünftigen Größe der Nachkommen findet sich im
Traume des Gründers der osmanischen Dynastie, der Er-Togrul, der männliche
Turul (Adler oder Falke) heißt, also mit dem befruchtenden Vogel im Traume
der Emese (Astur) zusammenfällt. Almos ist nämlich „de genere Turul" und
der Vogel Turul war das Abzeichen der Magyaren. Adler und Falke als
Stammesabzeichen, d. h. Totems, innerhalb des uralaltaischen Völkerkreises werden angeführt. Die Gold schreiben die Geburt magischen Vögeln zu, die
vom Weltbaum (vergleiche die Bedeutung der Bäume in den vorigen Träumen)
die Seelen in den Leib der Frauen hineinbringen. Bei den Jakuten träumt
nun die Frau, die berufen ist, einen zukünftigen Schamanen zu gebären, einen
Traum, der dem Traume der Emese völlig analog ist. Der Adler ist die Seele
des ungeborenen Kindes und fliegt damit in die mythischen Regionen, wo ein
mystischer Mond und eine mystische Sonne Feld und Tal beleuchten, und
der Adler ein Ei legt, es ausbrütet und mit dem Schnabel öffnet. Das heraus-
kriechende Kind wird dann von der Tiermutter (ijä-köl) erzogen, die also wie
die säugenden Tiere der Heldensage ein Symbol der Mutter ist. Die Eigeburt
entspricht den infantilen Geburtstheorien, das Ei ist natürlich die Gebärmutter.
Die phallische Bedeutung des Adlers, der somit als Reduplikation des Weltbaumes
erscheint, erhellt aus dem Umstand, daß nur derjenige Schamane fähig ist, eine
Hautkrankheit (sexuellen Ursprungs) mit der Zeremonie des Feuerschlagens zu
heilen, der vom Adler stammt. Die Strafe für die Übertretung der Verbote des
Adlerfetisches ist das Aussterben des Stammes, und die Jakuten nennen den Adler
„Schöpfer-Großvater". Deshalb eben muß der Sakralkönig und Nationalheld, der
Sohn der Emese, von einem Adler, als Symbol der Väter- und der Zeugungskraft,
abstammen. Die ständige Verbindung des königlichen Geschlechtes mit irgend
einer Tierart wird im letzten Abschnitt (königliche Totems) untersucht. Welcher
psychische Zusammenhang verbindet also den gewaltsamen Tod des Almos mit
seiner magischen Geburt und tierischen Abstammung? Außer den uralaltaischen
Stämmen sind die spezifischen Totems der Könige in Afrika häufig. Gegenüber
dem Totem und dem König ist die ambivalente Einstellung der Menschen die
gleiche: Verbot des Tötens und Gebot des Opfertodes. Bei den Haussa wird
das Totemtier von den Obersten des Klans jährlich bei der Ernte getötet, mit
seinem Blut schmieren sie ihre Stirn ein und sein getrockneter Schädel wird
bis zum nächsten Jahr in der Hütte des Häuptlings aufbewahrt. Der Priesterkönig des Löwenstammes heißt „Der Löwe der Stadt" und seines Amtes ist es,
den Löwen zu töten, wenn dessen Kraft im Abnehmen begriffen ist, d. h. wenn
es den Mitgliedern des Löwenstammes schlecht geht. Nach zwei Jahren will
man aber einen neuen Priesterkönig haben und verklagt daher den „Löwen der
Stadt" bei dem wirklichen Löwen, der ihn zuerst als seinen Bruder verteidigt,
dann aber, um nicht als mitschuldig zu erscheinen, den Priester-Löwen tötet.
Diese gegensätzliche Spaltung der Vaterimago in eine tierische und menschliche
Hypostase enthält den Schlüssel der Entwicklung in sich: die königlichen Totems
bezeichnen einen Übergangspunkt von der zoomorphen zur anthromorphen Projektion der Vaterimago.

Wie die Funktion des Totems, von dem die Inkarnation der
Kinderseelen abhängt, eine Symbolisierung der väterlichen Zeugungs-

kraft ist, so zieht die Introjektion stets weitere Kreise, bis die Sakralkönige in ihrer Allmachtsphantasie nicht nur die Mutter, nicht nur alle menschlichen Mütter, sondern die ganze Welt befruchten: von ihrer Zauberkraft (das heißt Potenz) hängt der Regenfall, die Fruchtbarkeit der Tiere und Pflanzen ab.

Nr. 40 ist ein Nachtrag zur vorigen Arbeit und zugleich eine Beantwortung der Einwürfe, die von historischer Seite gemacht wurden.

Das doppelte Königtum entspricht ontogenetisch dem Gegensatzpaar Vater-Sohn, funktional den psychischen Typen der Intro- (Mikado) und Extraversion (Schogun). Die Häuptlinge in der eigentlich totemistischen Phase werden eben darum nicht getötet, weil an ihrer und des Vaters Stelle dieses Schicksal das Totemtier trifft, so daß wir die mythische Ermordung des Almos in der Kulturentwicklung etwa auf dem Übergangspunkt zwischen Totemismus und Sakralkönigtum ansetzen können. Zwei weitere Beispiele des sakralen Königsmordes (Magyaren und Heruler) werden angeführt.

Die hochinteressante Arbeit L o e w e n t h a l s (31) bedeutet den Anschluß eines Fachmannes auf dem Gebiete der Amerikanistik an die Psychoanalyse. In der Arbeit des Referenten geht der Weg vom Totemismus zum Sakralkönigtum; hier sehen wir die Zusammenhänge zwischen Totemismus, Vegatationskulten und Kulturheroen.

Die altmexikanische Mythologie berichtet, wie der Gott, „der junge Fürst", mit der Göttin, „die aufgerichtete Blume", in einer Höhle den Maisgott erzeugten, aus dessen Körper dann die verschiedenen Früchte und Pflanzen entstehen. Dieser „junge Fürst" ist aber identisch mit Tezcatlipoca („Spiegeljüngling"). Laut einer Variante stiehlt dieser Tezcatlipoca die Göttin dem Regengott Tlaloc. Mythologisch ist aber der „Maisgott" und „der junge Fürst" ein und dieselbe Person, somit Sohn und Gatte der Blumengöttin. Der Maisgott ist zugleich der junge Sonnengott, der Blumenfürst und der Morgenstern. Als Morgenstern ist er der Feuerbringer, der Feuerbringer aber ist wiederum Tezcatlipoca, diesem entspricht Loki in der skandinavischen Mythologie. Axel O l r i k und andere halten Loki für einen Menschen, auch der Frauenraub und Feuerfund des Tezcatlipoca wird sich also auf eine menschliche Tat beziehen. Die Gestalt der Blumengöttin wird auch einer mythologisch vergleichenden Betrachtung unterzogen. Sie ist die Erdgöttin und auch Itzpapalotl, „Obsidianschmetterling", d. h. die Seele einer im Kindbett verstorbenen Frau. Als Frau des Blumenfürsten, des Sohnes des ersten Menschen, ist sie auch die erste der im Kindbett gestorbenen Frauen, und aus ihrem Körper entsteht die Tabaksstaude. Als Obsidianschmetterling ist sie auch die Meerschnecke; diese wiederum ist ein Attribut des Mondes, „gleich wie die Schnecke aus dem Gehäuse hervorkommt, so kommt der Mensch aus dem Bauche seiner Mutter hervor", heißt es im Kommentar. Der Verfasser kommt zur sehr richtigen Schlußfolgerung, daß die Liebesgeschichte des „jungen Fürsten" und der Blumengöttin ursprünglich einen anderen Sinn hatte und erst nachträglich auf die Natur bezogen wurde. Um diesen Sinn zu ergründen, zieht L ö w e n t h a l die mexikanische Sage vom

Sündenfall heran. In Tamoanchan, d. h. im Hause des Herabkommens, des Ge-
borenwerdens, „wo die Blumen stehen", versündigen sich die Götter, indem sie
Rosen und Zweige von den Bäumen schneiden. Deshalb werden „der Herr
unseres Fleisches" und „die Herrin unseres Fleisches" erzürnt und vertreiben die
Götter aus dem Paradies. Nun hat aber der Ausdruck Blumenbrechen bei den
Mexikanern und Cora einen ganz bestimmten Sinn, und zwar bedeutet es „Ge-
schlechtsverkehr mit einer Frau haben". Die Sage will also andeuten, daß die
Söhne des Urelternpaares den Eltern in das Gehege kommen, d. h. mit Frauen
Geschlechtsverkehr haben und deshalb von den Eltern vertrieben werden. Diese
Frauen müssen die Töchter des Urelternpaares sein, denn unter den wider die
Ureltern verbündeten Göttern wird ja auch Itzpapalotl, die Gebärende, aufgezählt,
„und weshalb wäre die Geschichte vom Sündenfall der Götter für den Erzähler
sonst so wenig bewußtseinsfähig, daß er zu der Einkleidung mit dem Blumen-
garten seine Zuflucht nehmen mußte?" (S. 50.) Der Frauenraub war die Ursache des ersten Krieges im Himmel, von dem der Krieg herkommt, und erst
nach dem Sündenfall wird Tezcatlipoca mit einem Schlangenfuß (d. h. mit einem
phallischen Symbol [Ref.]) abgebildet. Verfasser reduziert also die Geschichte vom
Sündenfall der Götter auf folgenden Kern: „In der alten Zeit drangen die Söhne,
die einen Bund wider den Vater hatten, dem Vater in das Gehege, taten ihm
Gewalt an, nahmen ihm seine Weiber weg, machten sich mit ihrem Raube davon", und beruft sich dabei auf F r e u d : Totem und Tabu. 131. (S. 51). Unter
den aufrührerischen Göttern ist nun Tezcatlipoca der König, der Vater,
Huitzilopochtli, der Jüngling, der Krieger. „Manche Anspielungen der Codices
scheinen anzudeuten, daß zwischen diesen beiden ein homosexuelles Verhältnis
besteht. Nun ist aber Tezcatlipoca „der mit dem abgerissenen Fuß'. Die Spa-
nier haben diese Darstellungen des Gottes unterdrückt, als hätten sie darin
etwas Ungehöriges erblickt." „In der Tat bedeutet nun, wie ich des öfteren und
längeren ausgeführt habe, in der Sprache des Traumes und der Neurotiker:
das männliche Glied verlieren, soviel wie zum Weibe werden; wer aber ein
passiver Homosexueller ist, wird seinem „Freunde" gegenüber Weib, d. h.
hat kein männliches Glied mehr, der eine Fuß ist ihm weggenommen worden".
(S. 52, 53.) Für die Homosexualität der Heilbringer-Feuergötter werden sodann
skandinavische (Loki) Fox- und Chauk-Parallelen herangezogen, der Feuerbringer
wird mit dem unteren Feuerbrett in Gedankenverbindung gebracht und liegt
daher unten beim Geschlechtsakt (Feuerquirlen). Der Verfasser stellt nun die
Frage, ob die passive Homosexualität zu den Eigenschaften des Frauenräubers
oder des Feuerbringers gerechnet werden soll, und fügt eine Erörterung des
Kultbrauches am Feste der „Fahnenaufrichtung" (3. Dezember) an. Ein Darsteller des Quetzalcouatl tötet mit einem Pfeilschuß die Teigfigur des Huitzilopochtli, sein Leib wird nun verteilt und gegessen, und zwar verehrt man sein
„Herz" dem König, seine Knochen den Großhansalten, während die Jünglinge,
die „Gotteshüter", seinen Leib essen. Nun ist aber Quetzalcouatl ebenso wie
Tezcatlipoca ein Morgensternheros und auch ihm werden geschlechtliche Beziehungen zur Blumengöttin zugeschrieben. Einer seiner Abspaltungen erscheint
als Bruder und Gefährte des Huitzilopochtli.

Somit rekonstruiert der Verfasser die Urgeschichte der menschlichen Familie wie folgt: „Nach dem Fall des Urvaters hat der
Führer der Söhne versucht, die Weiber und die Machtfülle des Ermordeten an sich zu reißen, da ist ihm sein bisheriger Liebling
an der Spitze der Brüder entgegengetreten und hat ihm getan wie

er dem Vater. Des Weiteren wird man sich denken dürfen, daß die Brüder sich über die Weiber mit Ausheiratsbestimmungen einigten, und immer, wenn der Tag der Tat sich jährte und ihnen die Reue kommen wollte, durch Töten und Auffressen eines ,der ihren Bruder bzw. ihren Vater vorstellte — mochte er gleich ein ganz Fremder, ein Tier oder ein Teigmann sein', ihren Bund und ihre Schuld erneuten." (S. 56.)

„Die Geschichte des jungen Helden und seiner Geliebten ist zugleich . . . auch die Entstehungsgeschichte von Totemismus und Exogamie." (S. 58.) Die bekannte arabische Opferung eines jungen Knaben oder eines weißen Kamels an den Morgenstern wird nach Robertson-Smith (Narratio des heiligen Nilus) herangezogen und dem Kampfe zwischen Tezcatlipoca und Huitzilopochtli (Tod des Morgensterns) gleichgesetzt. Hieran schließt sich Germanisches: insbesondere das weihnachtliche Eberessen zu Oxford und der Kuchen in Ebergestalt in Schweden. Der Eber ist Ingvi oder Freyr Stammvater der Angeln und Schweden. „Ißt man also aus heidnischer Zeit in England und in Schweden den Eber, so ißt man den Stammvater." Der totemistische Eber wird später, da er die Felder verwüstet, zum Korndämon umgedeutet. Die ganz hervorragende Arbeit verdient eingehend studiert zu werden, sie gehört zu denen, die Probleme lösen und Fragestellungen anregen.

Hieran schließen sich ein paar kleinere Arbeiten zum Totemismus und dessen Grenzfragen. Zunächst die rein ethnologischen, insoferne sie hier zu erwähnen sind[1]). Bork (9), der den Totemismus vom Zodiak ableiten will, sei nur als Beispiel des Absurden erwähnt. Eine gute Zusammenfassung des afrikanischen Materials gibt Ankermann (3). Die Sagen, die den Totemismus auf eine Blutsbrüderschaft zurückführen, die zwischen den menschlichen Ahnen der Sippe und dem Totemtier in der Urzeit geschlossen wurde, sind im Lichte der Reik schen Auffassung von dem Ursprung der Brith von großem Interesse. (Vgl. Nr. 42.) Totemlegenden kommen auch vor, in denen das Totemtier ein Muttersymbol ist. (Romulus-Remus und die Wölfin.) In manchen Fang-Sagen handelt es sich

— —

[1]) Die Diskussion über den Totemismus im Anthropos und F. Boas „The Origin ob Totemism. American Anthropologist 1916" sollen separat referiert werden.

um ein Tier, welches zuerst bei der Beerdigung des Stammvaters
geopfert und verbrannt wurde, eine schlagende Bestätigung der
Freudschen Auffassung vom Ursprung des Totemopfers, indem
wir dieses Opfern bei dem Begräbnis als symbolische Wiederholung
des Vatermordes auffassen. (Vgl. dazu über „Zweimal töten" in
den Begräbnisriten „Spiegelzauber", 1919, 197.) Auch das Material
über überwiegend patrilineare Vererbung des Totems und über Totemismus und Exogamie ist für den Psychoanalytiker beachtenswert.
Die nächste Arbeit vom Referenten (45) bewegt sich auf einem
Grenzgebiete, und zwar handelt es sich hier nicht um Totemismus,
sondern um die Projektion der Vaterimago auf eine Tierart — ein
Unterschied, der, wie wir sehen werden, von den Psychoanalytikern
vernachlässigt wird.

Bei Lappen und Wogulen findet sich der Glaube, daß nur zwei Brüder
den Bären besiegen können. Genauer zugesehen, handelt es sich aber nicht
um zwei beliebige Brüder, sondern um Zwillinge. Bei verschiedenen Natur-
völkern findet sich die Anschauung, daß die Zwillinge, da es ihrer eben zwei
sind, auch zwei Väter haben müssen, und der nicht irdische Vater ist dann
regelmäßig irgend ein Tier. Die übernatürliche Kraft der Zwillinge ist also
ein Erbteil ihrer übernatürlichen Geburt, daher die Sagen von den Dioskuren,
von denen nur der starke Bruder göttlicher, der schwache jedoch irdischer Abstammung ist. Die Zwillinge töten demnach den Bären, weil einer von ihnen,
oder beide, Bärensöhne sind. Die Zweizahl der Brüder hat, wie ich jetzt glaube,
allgemeinere Bedeutung; im Anschluß an Rank dürfen wir in ihnen die Vertreter des Brüderklans sehen.

Wie wir bereits angedeutet haben, liegt im Totemismusproblem
die Gefahr der Begriffsverallgemeinerung und Verwirrung verborgen.
Der übrigens vorzüglichen und aufschlußreichen Arbeit von Abraham (1) ist es nicht ganz gelungen, diese Klippen zu vermeiden.
Die Analyse der neurotischen Lichtscheu ergibt, daß der Sonne in
erster Reihe die Bedeutung eines Vatersymbols, in minder ausge-
prägter Weise auch die eines Muttersymbols zukommt. Im Zusammenhang mit den „Mutterleibsphantasien" gelingt es dem Verfasser,
neben der negativen auch die positive Bedeutung der Dunkelheit
aufzudecken: die Neurotiker, welche der Dunkelheit einen Lust-
wert zuschreiben (Schlafzeremoniell usw.), vollführen dabei eine
Regression in den Mutterleib, in das Reich der Geburt und des
Todes. Die Gespenster sind Ersatzgegenstände der eigentlich be-
gehrten Eltern, auf die Kehrseite des Voyeurtums wird dann das
biblische Verbot, sich ein Bildnis der väterlichen Gottheit zu machen,

gedeutet. (Vgl. eine andere Deutung Nr. 42.) Kapitel V trägt die
Überschrift „Die Herkunft der Sonnen- und Gespensterphobie aus
dem infantilen Totemismus", und es ist eigentlich nur dieser Abschnitt, der durch unsere Bemerkung über die Gefahren der un-
genügenden ethnologischen Orientierung des Psychoanalytikers getroffen ist. Abraham begnügt sich nicht mit der gelungenen Ableitung der Sonnen- und Gespensterphobie gewisser Neurotiker aus
der Vaterbedeutung dieser Symbole; er glaubt vielmehr von hier
aus bis zum Totemismus der Primitiven vordringen zu können.
Nun ist das vor allem ein logischer Fehlschluß. Ein Totem ist
allerdings, wie wir seit Freud wissen, ein Vatersymbol, aber ist
darum jedes Vatersymbol auch gleich ein Totem? Keinesfalls, sondern es kommen gewisse weitere Kennzeichen hinzu, um aus dem
allgemeineren Begriff „Vatersymbol" den spezifischen „Totem" zu
gewinnen. Namentlich handelt es sich um eine magisch-mystische
Beziehung zwischen einer menschlichen Gruppe einerseits und
einer (meist tierischen) Spezies anderseits. Man mag sich allen-
falls mit einer für die Psychoanalyse erweiterten Fassung des Totem-
begriffes zufriedengeben und alle Fälle hinzurechnen, in denen
irgend eine tierische Art für ein Kind oder einen Neurotiker als
Vater- (oder auch Mutter-, Bruder-, Schwester-)Symbol auftritt, obzwar auch das nicht streng gerechtfertigt ist, da auch die nicht totemistischen Fälle der Zoolatrie bei den Primitiven ebensogut Beziehungen zum Vaterkomplex aufweisen können wie der eigentliche
(das heißt auch soziologisch fest umschriebene) Totemismus und
diese eigentlich den europäisch-individuellen Fällen näher stehen.
Die Sonnen- und die Gespensterphobie aber aus dem ganz verschiedenen, wenn auch im Punkte des Ursprunges (Vatersymbol) über-
einstimmenden Totemismus zu erklären, scheint mir überflüssig und
unzutreffend: diese sind Vatersymbole, die man zur Erläuterung
des primitiven Gespensterglaubens und Sonnenkultes (diese sind
ethnologisch nicht jünger als der Totemismus) sehr wohl heranziehen
kann, aber in keine nähere Beziehungen zum Totemismus, recte und
eigentlich, Klantotemismus bringen soll. In einem kurzen Aufsatz
(2) macht derselbe Verfasser die richtige Bemerkung, daß die neurotische Exogamie, das heißt die Fixierung der Liebesfähigkeit des
Neurotikers an einen dem mütterlichen genau entgegengesetzten

178 Dr. Géza Róheim.

Typus von Weiblichkeit (fremde Rasse usw.), diese Inzestflucht des Neurotikers, sein Gegenstück in der Exogamie der primitiven Völker habe. Mit der religionswissenschaftlichen Seite der Totemismusfrage hängt auch die Hypothese des Urmonotheismus (anthropo- und zoomorphe Projektion der Vaterimago) zusammen, worüber vorläufig Soederblom (56a) nachzulesen ist.

Das Buch von Gasquoine Hartley (20) interessiert den Psychoanalytiker, insoferne es in die Gruppe von Arbeiten gehört, welche die soziologischen Zustände der Primitiven von der Atkinsonschen Urhordentheorie ausgehend zu verstehen suchen. Eigentümlich und wohl aus persönlichen Komplexen der Verfasserin (Frauenrechtlerin) zu verstehen ist es, daß sie die Empörung gegen den väterlichen Tyrannen von den Töchtern, die sich gegen seine Agressivität sträuben, ausgehen läßt. Die Ableitung der matrilinearen Verwandtschaftsorganisation aus dem Umstand, daß der Vater in der Urhorde wohl für sich abseits lebt, während die unreifen Individuen (weiblich und männlich) sich den Müttern anschließen, dürfte der gelungenste Teil des Buches sein.

Um einstweilen noch bei dem Gegenstand der primitiven Endo- und Exogamie zu bleiben, erwähnen wir die Arbeit von Marcuse über den Inzest (32). Verfasser schließt sich Freud an, indem er für die Ursprünglichkeit des Inzestes in der Phylogenese eintritt und die Abneigung dagegen als ein Kulturprodukt bezeichnet, wobei er sich aber nur auf die bösen Erfahrungen beruft, die man bei inzestuösen Verbindungen gemacht haben soll (S. 5) und die Atkinson-Freudsche Auffassung nicht heranzieht. Das jus primae noctis wird richtig als Überlebsel der väterlichen Rechte gedeutet. Auf die ontogenetische Seite der Frage übergehend, schwankt er fortwährend zwischen Anerkennung und Abweisung der Freudschen Ergebnisse; im ganzen herrscht aber die Auffassung der Vulgärpsychologie vor.

Die gemeinsamen Urquellen von Religion und Ethik sind dem Psychoanalytiker längst bekannt, in der Ethnologie jedoch vielfach noch bestritten. Darum leistet Parsons (34) eine nützliche Arbeit, indem sie das einschlägige Material zusammenstellt und sichtet. Die zweite Arbeit der Verfasserin geht schon auf das Spezialgebiet der Sexualpsychologie über und gelangt auch zu psychologischen, allerdings nur zu funktionalen Deutungen (35). Die Erklärung der verschiedenen Anzeichen der Scham und der Weigerung bei der Hochzeit als Überlebsel der Raubehe ist schon darum als vollständig veraltet zu betrachten, weil wir ja ähnliches nicht nur bei der Braut, sondern auch beim Bräutigam antreffen. Diese Riten sind der Ansicht der Verfasserin zufolge Reaktionsarten auf die zu erwartende Veränderung im sozialen Milieu der Verlobten, denn dem Primitiven ist jede Neuerung im höchsten Grade zuwider. Die Verfasserin folgt Crawley und nähert sich im gewissen Maße hier schon der psychoanalytischen Auffassung. Wir würden sagen: bei der Hochzeit entsteht ein·Konflikt zwischen Narzißmus und Objektlibido, so daß ein Teil der narzißtischen Libido in Angst umgewandelt und in diesen Riten abreagiert wird. Bezeichnend für den narzißtischen Identifikationsmechanismus der Riten ist der Bericht Plutarchs, wonach die Braut dem Bräutigam zuerst in männlicher Kleidung mit kurzgeschorenen Haaren vorgestellt wird.

Auf diesem Gebiete bewegt sich auch die Arbeit von Freud (16), wobei wieder helles Licht auf ein bisher unanalysiertes Gebiet der Ethnologie fällt.

Gerade die Tatsache, daß die Defloration als feierlicher Akt betrachtet wird, widerlegt die Ansicht, daß die Primitiven keinen Wert auf Virginität legen. Das Erklärungsbedürftige an diesen Riten ist vielmehr darin zu suchen, daß die Entjungferung als eine bedeutsame Leistung betrachtet wird, der aber der spätere Ehegatte des Mädchens ausweicht. Die verschiedenen und in der Überdeterminierung teilweise neben und übereinander zu Recht bestehenden Erklärungsmöglichkeiten werden nun von Freud der Reihe nach angeführt. (Blutscheu, Neophobie, Tabu des Weibes überhaupt usw.) Alle diese Ansichten treffen zwar einen Teil der Wahrheit, bleiben uns aber die Antwort auf die Frage schuldig, warum gerade der spätere Ehemann die Entjungferung vermeiden und einem anderen anvertrauen soll. Der erste Koitus läßt das Weib häufig unbefriedigt, es bedarf längerer Zeit und häufigerer Wiederholung des Sexualaktes, bis sich bei diesem die Befriedigung auch für das Weib einstellt. Ein analysierter Fall gab Freud Gelegenheit, in die Natur dieses Zustandes einen tieferen Einblick zu gewinnen: eine Frau schlug ihren Mann nach jedem Koitus. In der Fridigität ist es diese feindliche Reaktion, welche die Zärtlichkeit nicht zur Geltung kommen läßt. Die Gefahr, welche so durch die Defloration des Weibes rege gemacht wird, bestünde darin, sich die Feindseligkeit desselben zuzuziehen, und gerade der spätere Mann hätte allen Grund, sich solcher Feindschaft zu entziehen. Der Schmerz, den die Jungfrau bei der Defloration verspürt, findet seine unbewußte Fortsetzung im narzißtischen Gefühl der Kränkung, die aus der Zerstörung eines Organes erwächst. Dies würde vielleicht eine Begründung der manuellen Defloration geben, damit bliebe aber noch der von einem anderen als dem Ehemann nach der Defloration vollzogene erste Koitus unerklärt. Wenn wir aber die Tatsache in Betracht ziehen, daß der erste Koitus gewöhnlich von

12*

180 Dr. Géza Róheim.

einem Vaterersatz (Priester, Ältester. Gottheit) vollzogen wird, so scheint der Schlüssel des Ritus die Inzesteinstellung der Libido zu sein. Der Sohn erhält eine Frau, die der Vater vor ihm besaß, die also eine geeignete Stellvertreterin der Mutter ist: an der Frau wird die Defloration von jemandem vollzogen, der ihr als Vaterersatz erscheinen kann. Ähnlich werden auch das Jus primae noctis und die Tobiasehe als Anerkennung der älteren Rechte des Patriarchen gedeutet. Durch den ersten Koitus wird auch beim Weibe der Penisneid aktiviert. Sie will die an ihr vollzogene Kastration mit gleicher Münze vergelten. Ferenczi meint, diese Feindseligkeit des Weibes könne aus der Epoche vor der Differenzierung des Geschlechtes stammen.

„Es ist also die noch unfertige Sexualität des Weibes, die sich in den paradoxen Reaktionen an dem entladen soll, der sie zuerst den Sexualakt kennen lehrt. Dann ist aber das Tabu der Virginität sinnreich genug, und wir verstehen die Vorschrift, welche gerade den Mann solche Gefahren vermeiden heißt, der in ein dauerndes Zusammenleben mit dieser Frau eintreten soll." (S. 247.)

Eine verhältnismäßig geringe Zahl von Arbeiten bewegt sich auf dem Gebiete des Animismus, der in den ethnologischen Büchern und auch im Leben der Primitiven doch einen so breiten Raum einnimmt. Das Wichtigste ist hier von Rank (38) geleistet worden.

Ausgehend von einem Filmdrama von Hainz Heinz Ewers „Der Student von Prag" unterzieht O. Rank die Gestalt des Doppelgängers in der Literatur, dann aber auch in Mythologie und Volksglauben einer eingehenden Analyse. Überall ist der Doppelgänger deutlich als eine narzißtische Projektion der eigenen Persönlichkeit, des Unbewußten oder genauer als Abspaltung der narzißtischen Komplexe im Unbewußten zu erkennen. Insbesondere findet die Rolle des Porträts, Schattens, Spiegels usw. ihre Erklärung in der Neubelebung der analogen völkerpsychologischen Elemente. Wie alle tabuierten Dinge, so zeigt auch der Schatten das Merkmal der Ambivalenz: neben der Todesbedeutung entsteht diejenige vom Schatten als Schutzgeist, vom befruchtenden Schatten. Jedenfalls aber bedeutet, wie dies ethnologisch längst feststeht, der Schatten bei den meisten Primitiven ganz bewußterweise die Seele, und zwar die Seele als Abbild, als schwächeren Doppelgänger des Körpers. Die abergläubischen Anschauungen, die sich auf das Spiegelbild beziehen, gehen, wie beim Schatten, von der Unheils- und Todesbedeutung aus. Wie beim Schatten läßt sich auch beim Spiegelbild die schöpferisch-erotische Bedeutung nachweisen. Sucht man nun auf Grund der Frazerschen Annahme nach einer Erklärung, warum in der Narkissossage die an den Anblick des Doppelgängers geknüpfte Todesvorstellung durch das Motiv der Selbstliebe verdeckt worden ist, so wird man an die allgemeine Tendenz der unbewußten Mechanismen nach Verdrängung der peinlichen Vorstellungen denken müssen. Insbesondere neigt die Todesbedeutung zur Überkompensation durch die Liebesbedeutung (Parzen usw.), worauf auch das Erscheinen des Geliebten im Spiegel der Mädchen zurückzuführen ist. Nun geht der Verfasser daran, die neurotische Todesangst, die sich im Schatten-, Seelen- und Spiegelglauben manifestiert, zu analysieren, und findet ihre Erklärung in dem sich von der Todesvorstellung bedroht fühlenden Narzißmus des Individuums. Somit ist die Seelenvorstellung überhaupt eigentlich als Wunschabwehr des gefürchteten ewigen Unterganges entstanden.

„Wie bei der Bedrohung des Narzißmus durch die Geschlechtsliebe, so kehrt auch bei der Todesbedrohung die ursprünglich mit
dem Doppelgänger abgewehrte Todesvorstellung in ihm selbst wieder, der ja nach allgemeinem Aberglauben den Tod selbst ankündigt
oder dessen Verletzung das Individuum schädigt." (S. 163.) Die
Gleichung Narzißmus = Animismus ist somit das Ergebnis dieser
Abhandlung.

Die Arbeit des Referenten über die magische Bedeutung des
Spiegels (51) ist gewissermaßen eine Fortsetzung der Rankschen.
Die Kindheit als narzißtisches Lebensalter weist auch die meisten
Spiegelverbote auf, in denen wir Reaktionsbildungen gegen die nar-
zißtische Ichliebe erblicken.

In dem Fingernagel als Stellvertreter des Spiegels ist ein Zeichen der
narzißtischen Überwertigkeit des eigenen Körpers zu erblicken, während die
Keuschheit als Vorbedingung der narzißtischen Visionen im Sinne der nicht
erreichten narzißtischen Objektwahl zu deuten ist. Neben dieser Keuschheit
finden wir bei Seher und Seherin oft auch übernatürliche Ehegemahle, nämlich
ihre eigenen heterosexuellen Abspaltungen. (S. 25.) Der Spiegel kommt vielfach
in Bräuchen vor, in denen die Reinkarnation des Vaters im Kinde angestrebt
wird, hier deutet sie eben das narzißtische Wiederauffinden des geliebten Ichs
im Kinde an. (S. 106.) Das Zerbrechen des Spiegels (Kap. VI) geht von der
unbewußten Determiniertheit der Fehlhandlungen aus. Wenn ein Mädchen den
Spiegel zerbricht, so heißt es im Volksglauben, dann wird sie keinen Mann bekommen, das heißt sie will eben keinen bekommen, sie vernichtet gleichsam das
zukünftige (narzißtische) Libidoobjekt. Das Zerbrechen des Spiegels kündet auch
häufig den Tod an, weil er eine Ersatzhandlung für die Tötung einer Person
ist. Wenn man nach einem Todesfall das Geschirr zerbricht, so tötet man
gleichsam zum zweitenmal den Toten. Die Primitiven vernichten in solchen
Fällen Hab und Gut des Toten, verwüsten Gärten, reißen Häuser nieder usw.
Die Furcht vor dem Toten entsteht nach Freud aus einer Projektion der eigenen
unbewußten Feindseligkeit, hier lernen wir einen anderen Kunstgriff des Unbewußten zur Verhüllung der eigenen Feindseligkeit gegen den Toten kennen,
indem das Objekt des Wutausbruches vom Toten auf den feindlichen Zauberer,
der seinen Tod verursacht haben soll, verschiebt. Das Verdrängte entladet sich
aber auf motorischem Wege, indem man zwar den unbekannten Zauberer beschimpft, aber das Haus des Toten verwüstet. Kapitel VII handelt vom ver-
hängten Spiegel bei Todesfällen. Kap. VIII: Die Himmelskörper und der Spiegel.
Bei vielen primitiven Völkern findet sich die Angabe, die Seele folge der Sonne.
Die Seele folgt eben dem Weg des ersten Toten, des Urvaters der Menschheit,
dessen Tod jedem folgenden Tod als Urbild und Begründung gedient hat. Viele
Völker behaupten, die Sonne sei ein Vatersymbol. Bulgaren und Australier
(Viktoria) glauben, der Anblick des Ebenbildes in der Sonne künde den Tod
an; der Doppelgänger ist mit dem verstorbenen Vater identisch geworden.
„Das Spiegelbild ist die Seele des Individuums, die Sonne die Spiegelung des
Vaters am Himmelsgewölbe." (S. 231.) Bei den Finsternissen ist es verboten:
der Sonne ins Angesicht zu schauen, diese gelten ja entweder als Tod (Todes-
kampf) oder als Koitus des Himmelskörpers. Das ursprüngliche Verbot gilt

der Schaulust des Kindes; von der Beobachtung des elterlichen Sexualverkehres wird das Verbot auf den Himmel projiziert, und daher heißt es auch, daß die Finsternisse (das heißt der Tod der Eltern) die Folgen der Sünden des Menschengeschlechtes sind. Das Durchbrechen dieses Schauverbotes ist das Prototyp der Auflehnung, wer dies durchzuführen vermag, ist eben ein Zauberer.

Das inhaltliche dieser Auflehnung verstehen wir, wenn wir daran erinnern, daß man in Vörösvár bei Finsternis den Mond erblickt, wie er von einem Kinde gefressen wird. In den Riten der Festtage läßt sich eben wie in der Psychologie des Zauberers ein Durchbruch des Verdrängten beobachten, hieher gehört z. B. das Beobachten der tanzenden Sonne am Ostersonntag im Wasserspiegel. In diesen Riten soll die belebende Wärme des Sonnenvaters auf die Erde herabgezaubert werden.

Theoretisch Neues, wenn auch noch nicht vollkommen Gesichertes auf diesem Gebiete bringt die Arbeit von J o n e s (19), indem sie die Hauchseele aus dem Flatuskomplex erklärt (eine Kritik dieser Ansicht, aber eine unzutreffende, ist 5), während A n k e r m a n n wieder eine gute ethnologische Materialsammlung gibt (4). R e f e r e n t versucht in einer kleinen Arbeit, die Begräbnisbräuche aus einer mechanischen Wiederholung der Handlungen der Lebensgemeinschaft, und das Allerseelenfest aus einer Jahresperiodizität der Begräbnisbräuche (52) zu erklären.

Noch weniger ist über p r i m i t i v e M a g i e geschrieben worden. Neu ist die vom R e f e r e n t e n herrührende Unterscheidung des Aktiv- und Passivmagischen. Referent geht vom Spiegel im Liebeszauber aus (51, Kap. IV) und gelangt dabei zu einer allgemeinen Theorie des Liebeszaubers und der Liebesorakel. Die Riten des Liebeszaubers sind Koitusnachahmungen, symbolische Abbilder des Koitus, die aus dem Konflikt von Libido und Verdrängung entstehen, einen dem Koitus analogen Vorzustand hervorrufen und somit auch wunscherfüllend wirken. (S. 136.) Nr. 6, 13 und 54 sind für den Analytiker aufschlußreiche Materialsammlungen einzelner magischer Zwangshandlungen. Den Fluchzauber behandelt R e f e r e n t als eine Art Probehandlung, der Glaube an die magische Wirksamkeit ist die endopsychische Wahrnehmung einer Handlungsreihe, die vom Spruch über dem Ritus zur Realhandlung anwächst (50). Die Psychologie des Zauberers wurde oben schon gestreift: was speziell den Seher betrifft, scheint die narzißtische Konstitution nachweisbar zu sein (51). Hieran schließt sich die Arbeit von S c h i l d e r, da der Psychotiker den verschiedenen Typen des Zauberers beim Primitiven entspricht. Der größte Teil des

Buches von Schilder ist einer ziemlich eingehenden Erörterung
der Frage gewidmet, wie sich bei den voneinander scheinbar so weit
abgelegenen Wissensgebiete der Völkerpsychologie (das heißt die
psychologische Interpretation der ethnologischen Befunde) und der
Psychiatrie zueinander verhalten. Schilder vergleicht die Zaubervorstellungen der Kranken mit denen der Primitiven. Dem
Mada und Orenda entsprechen ganz analoge Vorstellungen der
Paranoiker. Schilder macht auch auf wichtige Unterschiede zwischen dem Zauberglauben der Primitiven und der Geisteskranken
aufmerksam. Bei dem Geisteskranken wird die zauberische Wirkung
erlitten und nicht ausgeübt. In Ausdrücken, die hie und da an
Jung erinnern, schildert der Verfasser die Bedeutung des Sexuellen
für die Zaubervorstellungen. Er meint, es wäre wahrscheinlich, daß
animistische Vorstellungen erst durch sekundäre Bindungen von
Zaubermacht an bestimmte Persönlichkeiten zu stande kämen. (S. 106.)

Natürlich findet sich die Symbolik als Hauptthema bei
einer Anzahl von Arbeiten. Wichtig ist die Arbeit von Werner
(56 b), der eine eingehende und ethnologisch gut durchgeführte Behandlung der Metapher als einer Art bewußten Symbolbildung
gibt. Indem er in der Metaphorik eine Folgeerscheinung der „tabu-
istischen Einstellung" sieht, nähert er sich auffallend psychoanalytischen Anschauungen (Bedingtheit des Symbols von der Verdrängung), obwohl er diese nicht zu kennen scheint. Hieher gehören
drei der in Buchform vereinigten Abhandlungen von Rank (Nr. 38 b,
Kap. II, VI, VII), die erweiterte Fassungen schon erschienener Arbeiten sind. Die schöne und umsichtige Arbeit von Jones handelt
besonders eingehend über die symbolischen Abzweigungen des
Flatuskomplexes (19).

Die Könige sind die Vertreter des donnernden Zeus, sie sind auch die
typischen Vaterrepräsentative der Gesellschaft. Andererseits ist die Verbindung
zwischen Donner und Flatus eine in obszönen Witzen feststehende Assoziation.
Daher die Beeinflußbarkeit der Geister durch das donnerähnliche Getöse: man
vertreibt Geister durch den Lärm, den Teufel durch den Flatus (Luther);
auch der Hymengesang und Musikinstrumente, das Schwirrholz usw. gehören
laut dem Verfasser in diesen Zusammenhang. Stummheit als Mythenmotiv
bedeutet Tod und Impotenz, Reden und Lachen bedeutet Liebe und Leben,
daher die Empfängnis durch das Wort.

· Referent versucht in einer ungarischen Arbeit (49) die ausführliche ethnologische Begründung und Bestätigung der Haupt-

thesen der Psychoanalyse. Bisher ist nur der erste Teil und die
Hälfte des zweiten Teiles von dieser Arbeit erschienen. Im ersten
Teil soll auf das Verhältnis der Schichten Bw. und Ubw. sowie
auf die funktionalen Phänomene einiges Licht fallen, der zweite
ist der völkerpsychologischen Bestätigung der psychoanalytischen
Auffassung der Symbolik und der Entwicklungsgeschichte der Li
bido gewidmet, während eine Arbeit über die Endogamie (Ödipuskomplex) den Abschluß bilden soll.

Die erste Arbeit „Ambivalenz und das Gesetz der Umkehrung" nimmt jene
Riten zum Ausgangspunkt, in denen eine von zwei entgegengesetzten psychischen
Strömungen in der Realität, die andere bloß in symbolischer Weise zum Aus-
druck gelangt. (Vgl. die Märchen von der „Meistermagd": „bin gekommen und
auch nicht", und die Libationsopfer, die den Geistern als den Besitzern der Ge-
wässer dargebracht werden.) Die Entsagung, das Opfern des ersten Schluck
Wassers, ist eine partielle, das heißt symbolische Entladungsform, und die
Götter, denen diese Opfer gebracht werden, sind Projizierungen der negativen
Komponenten der ambivaleuten psychischen Einstellung. Die ursprünglichste
Form dieser Primitialopfer ist in den totemistischen Intichiumariten der Zentral-
australier nachweisbar. Die Australier entsagen dem ersten Bissen zu Gunsten
der ältesten Totemmitglieder, genau wie andere Primitive den ersten Schluck
oder Bissen den Totengeistern oder Göttern opfern. Die Vermutung ist nicht
abzuweisen, daß hinter dem funktionalen auch eine ontogenetische Deutung des
Brauches notwendig ist, in welcher dann die Kinder die Rolle der Opferer, beziehungsweise der Totemmitglieder, die Eltern die Rolle der Götter, beziehungsweise der Totemältesten spielen. Die Mutter kostet die Speise und gibt sie erst
dann dem Kleinen: dies könnte zur Fixierung der Handlung und zur Bildung
solcher fiktiver „Vorkoster" in den mythischen Wesen führen. Genau so ver-
fährt der Primitive auch, wenn er sich von irgend einem Gegenstand trennen
muß: das Haften an dem Gewohnten, das unbewußte „Nicht-hergeben-wollen",
äußert sich auch in der Zurückbehaltung eines kleinen Teiles (Darstellung
durch ein Kleinstes). Der Ritus dient zur Beschwichtigung der unbewußten
Widerstände: sie tun so, „als ob" sie mit dem kleinen Haarbüschel das ganze
Tier zurückgenommen, ihre vorige Handlung rückgängig gemacht hätten. An
der Behringstraße schneiden die Eskimos ganz kleine Stückchen von allen Gegenständen, die sie weggeben, ab, in der Meinung, damit das Wesen, die Seele
des Gegenstandes zu behalten. In den bisher behandelten Fällen finden wir
die zwei Strömungen der ambivalenten Einstellung, von denen die stärkere sich
in der Realität durchsetzt, während die schwächere sich mit einem Symbol begnügen muß. In anderen Fällen wird die Gleichgewichtlage der beiden Strömungen durch die Antithese zweier gleichwertiger Handlungen ausgedrückt. Der
erste Hieb des Helden tötet den Riesen, doch den zweiten soll er unterlassen,
sonst erwacht sein Gegner zu neuem Leben. Durch die Entladung der einen
Komponente der ambivalenten Strömungen wird es den bisher verdrängten entgegengesetzten Gefühlen erst möglich, ins Bewußtsein zu gelangen. Erst töten
die Ostjaken den Bären, dann beweinen sie ihn und veranstalten ein Fest ihm
zu Ehren. In anderen Fällen ist die Reihenfolge eine umgekehrte, zuerst
Apotheose und dann Tod des Opfers, z. B. beim Bärenopfer der Giljaken und
Aino in Mexiko usw. Die psychische Einstellung, die wir im Tabu und ähnlichen

Ausdrücken vorfinden, muß aus der Überlagerung der entgegengesetzten Strömungen erklärt werden. Der zweite Abschnitt handelt von der Umkehrung und der funktionalen Symbolik. Eine häufige Art der Symbolbildung in der Mythologie ist die Umkehrung, deren Bedeutung, allerdings nicht in der psychologisch richtigen Weise, schon von Frobenius (Gesetz der Umkehrung) erkannt wurde. Im mexikanischen Opferkult wird die Göttin verjüngt, indem ihr der Kopf abgeschlagen wird, und ein anderer Darsteller die Rolle der Göttin übernimmt. Die ambivalente psychische Einstellung macht es verständlich, daß nach dem „Töten" sofort die entgegengesetzte Strömung Oberhand gewinnt und man durch eine Wiedergeburt die vorige Handlung rückgängig macht. Märchenmotive können also deshalb das Gegenteil ihrer scheinbaren Bedeutung darstellen, weil alle unsere Vorstellungen und Strebungen mehr oder minder auch negative Elemente enthalten, die dann von der Zensur da benützt werden, um die unbewußten Komplexe nur in der Umkehrungsform bewußt werden zu lassen. Nach der Ermordung eines Feindes hielten die Dakote ein Freudenfest und zogen Trauerkleider an. Auf Grundlage Frazerschen Materials ist es Freud mit Leichtigkeit gelungen nachzuweisen, daß der Primitive dem Stammesfremden oder Feind gegenüber ambivalent eingestellt ist. Die ambivalente Einstellung des heidnischen Propheten Bileam zu Israel erklärt die Umkehrung des Fluches in einen Segen. Laut Deuteronomium 23, 6, war es Jahve, das heißt das Unbewußte, das die Wörter in ihr Gegenteil umkehrte. Die Wörter für „Fluchen" und „Segnen" sind im Hebräischen von demselben Stamm abgeleitet. Im Egbaland (Westafrika) verehrt man den Gott Obalufen, der alle Wünsche seiner Anhänger in umgekehrter Weise erfüllt. Die wahre Bedeutung dieser Vorstellungen wird uns noch deutlicher, wenn wir jene Gruppe der Umkehrungen in Betracht ziehen, die zugleich autosymbolisch als Darstellungen der funktionalen Kategorie zu verstehen sind. So bedeutet in der „Grundsprache" Schrebers alles das Umgekehrte, und im Jenseits (das heißt im Unbewußten) der Dajaz bedeutet bitter: süß, liegen: stehen, und umgekehrt, und die Sprache der Geister ist eine „umgekehrte Sprache". Ähnliches wird in manchen zum Saturnalientypus gehörigen Festen in Nordamerika und Europa nachgewiesen, z. B. dem Traumfest der Huronen: tobende Leute gehen von Haus zu Haus, den Inhalt ihrer Träume mit Gebärden andeutend, und lassen so lange nicht von ihrem Rasen, bis man ihnen nicht das Gewünschte gibt. Wessen Träume nicht erraten wurden, der starb bis zum nächsten Fest; wem aber sein Traumwunsch in Erfüllung ging, der erfreute sich eines langen Lebens und blieb gesund. In diesen Angaben ist eine Reihe der Freudschen Anschauungen enthalten. Erstens die Tatsache, daß unsere Träume im Dienste der halluzinatorischen Wunscherfüllung stehen, zweitens, daß wir den Traumgedanken vom manifesten Trauminhalt unterscheiden müssen, drittens daß das Erraten des Traumgedankens die (Psychoanalyse!) pathogenen Komplexe verschwinden läßt, und endlich, daß wir die umgekehrten Handlungen als zensurierte Wunscherfüllungen aufzufassen haben. Nach den autosymbolischen Beweisen der Umkehrung versucht der Verfasser, die in Umkehrungsform erscheinenden Beispiele der autosymbolischen oder funktionalen Kategorie zu analysieren: das heißt Fälle, in denen der Mythos die psychischen Tendenzen, denen er entsprungen ist, selbst bezeichnet, nur daß sie dabei die Relation zwischen Ursache und Wirkung umgekehrterweise darstellen. (Vgl. Kaplan: Psychoanalytische Probleme. 1916. 65.) Die Kayan erzählen von Urwesen, die ihre Hände und Füße noch nicht zu benützen wußten, und sagen „The way children crawl about is a survival of this awkwardness", was natürlich umgekehrt richtig ist: der Zustand der Urwesen ist eine Projektion des entogenetischen Urzustandes. Das Gesetz der autosymbolischen Umkehrung im Mythos

besagt, daß der Mythos seine Scheinrealität, seine Scheinunabhängigkeit vom
Innenleben nur dann bewahren kann, wenn er seinen eigenen Ursprung bloß
in der Umkehrungsform verrät. Die Augenblick- und Sondergötter (Usener),
die Tätigkeitsgötter (Preuss), aber auch alle jene Bestandteile des Mythos und
der Religion gehören hieher, die vom Einfluß der Götter auf den Menschen handeln; wir haben es mit einer psychologischen Begründung der bekannten Wahrheit zu tun, daß der Mensch seine Götter nach seinem eigenen Ebenbild erschafft.
Die autosymbolische Umkehrung gibt der Fata Morgana des Mythos den Schein
eines übernatürlichen Seins. Der zweite Teil der Arbeit handelt von dem Inhalt
der Symbole und der Entwicklungsgeschichte der Libido; bisher ist jedoch nur
der erste Abschnitt („Inhalt der Symbole") erschienen. Bei den Huichol ist
eine Art Sexualisierung des Alls zu finden; der Penis ist in ihrer Auffassung
eine Schlange und folglich sehen sie Schlangen in den meisten Naturerschei-
nungen und kultisch bedeutsamen Objekten, und ihre Götter erscheinen in
Schlangenform. Die Schlange verursacht Schwangerschaft und der schlangen-
gestaltige Bräutigam im Märchentypus „Amor und Psyche" ist eigentlich der
Penis, die Libido. Diese libidinöse Bedeutung führt uns herab zu den Urformen
der Libido, indem manche Sagen hinter dem Schlangenbräutigam, in mehr minder
deutlicher Weise die beiden Urformen der weiblichen Objektwahl erkennen
lassen, den Vater und den Sohn. Faunus nimmt allerlei Gestalten an, bis es
ihm in Schlangengestalt gelingt, seiner Tochter Bona Dea beizuwohnen, und
Zeus als Schlange pflegt Geschlechtsverkehr mit seiner Mutter Rhea und mit
seiner Tochter Persephone. Die von den anthropoiden Urahnen ererbte Schlangen-
furcht wird vom Manne durch den Vorgang der Libidinisierung verdrängt, er
introjiziert die Schlange, indem er sie mit dem eigenen Glied identifiziert. Bei
der Frau entsteht dieses Symbol auf anderem Wege: sie verdichtet ihre beiden
gefährlichen Feinde, die Schlange, vor der sie sich (im Sinne des Realitätprinzips)
einfach fürchtet, mit dem Penis, den sie in ambivalenter Weise fürchtet und
herbeiwünscht. Das zweite Beispiel ist die rituelle Bedeu-
tung des Überspringens und Überschreitens. (Siehe Zeitschrift VI, 1920, S. 242.)
Das Zerbrechen des Glases als Hochzeitsritus deutet auf eine glückliche, kinder-
reiche Ehe. Die Deflorationssymbolik ist besonders deutlich in Marokko, wo
die Männer eine Flagge, welche die Braut in der Hand hält, zerstückeln, damit
das Zerreißen des Hymens dem jungen Ehemann gelingen soll. Der Ritus der
zerbrochenen Eier bildet den Übergang zu den Sagen von der Eigeburt. Es
liegt nahe, das Osterei, welches von den Mädchen als Lohn für das Peitschen
ihren Geliebten geschenkt wird, auf die Gebärmutter zu deuten. Nach der Symbolik des Koitus, der Defloration und des weiblichen Genitale behandelt der
Verfasser die symbolische Bedeutung der Ejakulation im Ritus. Bei den Ruanda
spuckt der Mann Milch auf den Busen des Mädchens und sagt: „Gib mir den
Freudenruf, ich habe geheiratet." Daneben kommt als paralleler Hochzeits-
brauch das schon von Winternitz richtig gedeutete Bewerfen mit Reis,
Körnern oder kleinen Kügelchen, welches bewußterweise als Befruchtungszauber
aufgefaßt wird, ebenfalls als eine nach oben verschobene Ejakulation in Betracht.
Der letzte Abschnitt handelt von der Symbolik des Exkrementellen. Im Assy-
rischen heißt das Gold „Exkrement der Hölle". Bei den Primitiven, wo kein
Gold vorhanden ist, kommt anderen, besonders reinen und glitzernden Gegenständen, wie z. B. dem Bergkristall, den Korallen und Perlen dieselbe exkrementelle Bedeutung zu, nur mit dem Unterschiede, daß die analerotische Bewertung
der Exkremente, welche auf der bisher höchsten Entwicklungsstufe als ökonomischer Wert des Goldes erscheint, bei den Allerprimitivsten in der magischen
Kraft der Bergkristalle vertreten ist. Von hier aus geht dann die Entwicklung

durch Zwischenglieder ästhetischer Bewertung (Schmuck) in die ökonomische Bewertung, als Geld, über. Die Schätze, das Gold der Geister, verwandelt sich bei Tageslicht in Fäzes, d. h. die libidobesetzten Komplexe des Unbewußten verlieren ihre Bedeutung, wenn sie ans Tageslicht des Bewußtseins gezogen werden. Umgekehrt verwandelt sich das Exkrementelle, aus dem Unbewußten ins Bewußte dringend, in Gold: so die Kohle des Erdmanns oder das Kehricht der Geister. Wie weitgehend die Auffassung F r e u d s sich in dieser Frage völkerpsychologisch als treffend erweist, zeigt eine Angabe aus Nordindien, in welcher der Zusammenhang zwischen Analerotik und Analcharakter ausgesprochen ist: „Some whitches are believed to learn the secrets of their craft by eating filth. Such a woman in popular belief is always very lovely and scrupulosly neat in her personal appearance."

Eine allgemeine Arbeit zur Symbolik gibt auch L e v y (26), eigentlich mehr Materialsammlung. (Essen, Apfel, Ei, Brot, Kelch, Fisch, Garten, Brunnen, Quelle, Wasser, Regen, Tür, Haus.) Vgl. auch I. N a c h t : Euphemismes sur la Femme dans la Litterature Rabbinique, Revue des Etudes Juives LIX, 1910, 36. (Mühle, Brot, Fisch.) Die bis in die kleinsten Einzelheiten durchgeführte Analyse der biblischen Paradiesgeschichte von demselben Verfasser ist ein lehrreiches Beispiel der Leistungsfähigkeit der psychoanalytischen Methode.

Von den Arbeiten über einzelne Symbole (vgl. auch 26 a, 26 b, 15 a) ist besonders E i s l e r hervorzuheben (11. Fisch als Penis und als Vagina, in Hochzeitsbräuchen usw.). Über Schuhsymbolik sind 18 und 28 zu vergleichen. 57 ist in keiner Hinsicht auf der Höhe der wissenschaftlichen Forschung. Die schöne Arbeit von F e l s z e - gh y ist inzwischen in deutscher Sprache erschienen (14). Die Arbeiten K r e i c h g a u e r s (24, 25) sind vom Standpunkt der Mondmythologie geschrieben, enthalten aber wichtiges Material zur psychoanalytischen Deutung der Symbolik.

Die zweite Arbeit ist ein Beitrag zu den Motiven der Symplegaden und der zuklappenden Tür und Felsen im Märchen. In Mexiko heißt es, der Tote müsse zwischen zwei Bergen durchgehen, die sich berühren. Wenn wir in den Symplegaden als Rache der Unterwelt schon eine Andeutung finden, daß der Ausgangspunkt des ganzen Vorstellungskreises am menschlichen Körper zu suchen ist, so finden wir auch den eigentlichen Ursprung des Mythos, wenn wir hören, daß der Neugeborene als ein aus dem Wohnorte „der alten Götter", aus dem höchsten Himmel Herabgekommener begrüßt wurde. Diese „Alten Götter" sind nämlich die eigentlichen Schutzgottheiten der Symplegaden. Die Symplegaden sind eben die Öffnung, durch welche der Neugeborene das Licht der Welt erblickt, wohin der Tote wieder zurückkehrt. Verfasser sieht nun in der ganzen mexikanischen Mythologie überall „Symplegadensymbole", manches davon dürfte in Anbetracht der unbewußten Bedeutung der Symplegaden richtig sein, z. B. das Vikariieren von Symplegaden und Auge in der Ornamentik, das meiste jedoch sehr übertrieben.

Mogk (33) versucht, die Zauberkraft des Eies aus der Tatsache zu erklären, daß es eine Quelle des Lebens ist, daß aus ihm ein neues Wesen geboren wird. Die Eier, die in Gräbern gefunden werden, sollen den Toten neue Lebenskraft zuführen. Aus diesem Vorstellungskreise erklärt sich auch die Vorstellung der kleinen Seelen als Eier, die sich im Kopfe der großen Seelen befinden und sich nach dem Tode des Menschen in die großen Seelen verwandeln (Giljaken). Die kleine Seele im Ei ist der Embryo, der erst nach dem Tode aus dem Ei schlüpft und zu vollem Leben erwacht. „Nun versteht man auch die weitverbreiteten Märchen vom Lebensei, wonach das Leben eines Menschen oder mythischen Wesens in einem Ei verborgen ist, so daß man dem Betreffenden das Leben raubt, wenn man sich in den Besitz dieses Eies setzt." (S. 217. 218.) Die Vorstellung vom Lebensfaden erklärt Referent in einer ungarischen Arbeit (46). Wenn man den Faden abschneidet, heißt es in Celebes, wird das Kind geboren, woraus ganz deutlich ist, daß das Abschneiden des Lebensfadens beim Tode bloß eine Umkehrung dessen ist, daß die Nabelschnur des Kindes bei der Geburt abgeschnitten wird. Der magisch-mystische Zusammenhang zwischen dem Menschen und seiner Nabelschnur (oder Placenta), die sympathetische Einheit mit dem Baum, unter welchem die Nachgeburt vergraben wurde, „die Außenseele" in dieser Nachgeburt, sind bloß Ausdrucksformen der Bindung an die Mutter. Einen Beitrag zur funktionalen Symbolik gibt Parsons (36), indem die Dämonen der Menstruation, der Hochzeit, der Geburt, des Todes usw. als Ausdrucksformen der von der Notwendigkeit der sozialen Neuanpassung entbundenen Unlustgefühle gedeutet werden. Es ist auffallend, daß die Verfasserin A. van Genneps „Les rites de passage" (1919) nicht erwähnt. In der interessanten Arbeit von Kaplan findet sich so manches Völkerpsychologische. Ausdrucksbewegungen dienen ursprünglich bloß der Abreagierung der gestauten Affekte und werden erst später dazu verwendet, um dem andern etwas mitzuteilen. Gottesurteile sind primitive Reaktionsexperimente: durch eine Fehlhandlung verrät sich das Schuldbewußtsein des Sünders (55). In der Anwendung auf völkerpsychologische Erscheinungen unterliegt die analytische Methode einer notwendigen Modifikation; die Varianten eines Themas werden wie

die einzelnen Einfälle der Kranken gesammelt und dienen zur gegenseitigen Erhellung. Der Spuk der Rügener Sage, der mit dem
Wanderer gleichen Schritt hält, wird aus der Auseinanderlegung
und Projektion der Persönlichkeit des Wanderers, die Sagen vom
Wechselbalg ebenso treffend als eine Äußerungsform verdrängter
Feindseligkeit gegenüber dem Kinde gedeutet. (S. 75, 96.) Der Ausdruck des Widerstandes der Realität ist die Zeit und das Unbewußte,
das Kind und der Primitive rechnen nicht mit dem Zeitfaktor.
Die Ödipuseinstellung des weiblichen Geschlechtes wird an einigen
Beispielen verdeutlicht (Lots Töchter, Adonis). Die Verfolgung
durch den Vater ist die Erfüllung des sexuellen Wunsches der
Tochter. Hier handelt es sich um einen Verfolgungswahn auf hysterischer Grundlage, während die Hexe (Stiefmutter) als Verfolgerin
zu den paranoiden Gebilden gerechnet werden muß. (S. 118.) Die
Riesen stellt man sich gewöhnlich als ein früheres Geschlecht der
Erdbewohner vor, wohlverständlich sind sie die mythischen Abbilder der Eltern, welche die Menschen an Körpergröße ähnlich
überragen wie die Erwachsenen die Kinder und die natürlich den
Menschen auf Erden vorangegangen sind. Die Dummheit des Riesen
entspringt der Tendenz infantiler Helden, die Eltern zu hintergehen.
(S. 124.) Die Arbeit von Boll ist ein Beitrag zur Traummythologie
im eigentlichen Sinne des Wortes (8).

Ohne Kenntnisse von der Psychoanalyse zu verraten, kommt Boll (9)
doch zu Schlußfolgerungen, die auch psychoanalytisch richtig, wenn auch nicht
ausreichend sind. Neben den mythischen Figuren des Sisyphos, Tantalos, der
Danaiden und anderen großen Büßern in der Unterwelt, finden wir den Oknos
(den Zauderer), einen alten Mann, der entweder hilflos vor einigen Hölzern auf
dem Boden sitzt, während sein Esel, den ein Ephebe am Schwanze packt, in
die Knie bricht, oder nach einer anderen Variante flicht er ein Seil, während
die neben ihm stehende Eselin auf der anderen Seite das Seil wieder wegfrißt.
Aus seinen eigenen subjektiven Eindrücken und aus dem Vergleich mit einer
Stelle bei Jeremias Gotthelf kommt der Verfasser zur Schlußfolgerung, daß es
sich um die Phantasie eines Traumes handelt, den er in Anlehnung an Scherner
als Behinderungstraum kennzeichnet. Eine schlagende Bestätigung dieser Vermutung ist es, daß dieselbe Seilflechter in den Yatakas als das siebente Traumbild des Königs Koçala vorkommt, nur daß hier statt einer Eselin ein hungriger
weiblicher Schakal das Seil frißt. Die ionische Deutung von Oknos als dem
vergeblich fleißigen Mann eines liederlichen Weibes, trifft nach unserer Auffassung so ziemlich das Richtige. Eselin und Schakal sind im Traum als die
Frau, das Seilflechten als Sexualakt, die vergebliche Mühe bekanntlich als die
Onanie (vgl. die Beziehungen der Onanie zur Unentschlossenheit) zu deuten.

Pfeifer liefert die erste Anwendung der psychoanalytischen
Methode auf das Spiel. (Vgl. auch 17 a.) Nach der Analyse von
individuellen Spielen geht der Verfasser auf das folkloristische Material über, und zwar indem er das bekannte Spiel „Fuchs ins Loch"
zum Ausgangspunkt nimmt.

Das Loch ist ein Symbol des Mutterleibes, die „Mère Garuche", die
Mutter mit der Peitsche, das heißt Penis (Frau Holle mit dem eisernen Zahn,
das heißt kastrierter Fuchs, männliches Symbol). Also bedeutet das Spiel, daß
der väterliche Penis sich in der mütterlichen Vagina befindet, gleichzeitig aber
auch, daß die Mutter einen ebensolchen Penis hat wie der Knabe, bzw. ihn
früher gehabt, aber durch Kastration verloren hat. Der hinkende Held des
Spieles wird mit Hilfe der hinkenden Mythengestalten analysiert. Mythen-
helden büßen oft ihr Glied beim Eindringen in ein Mutterleibssymbol ein. In
die Kategorie der gegensätzlichen Determinierung gehört der Wechsel in der
Person des Fuchses. Das Kind aus der Spieler(Brüder-)schar, auf welches der
Vater die Macht, seine feindlich gesinnten Kinder (Brüder) zu bestrafen und
den Inzest zu begehen, durch einen Peitschenschlag magisch überträgt, übernimmt diese Rolle nicht nur aus äußerem Zwang, sondern auch infolge einer
affektiven Einfühlung in die Vaterrolle. Während die Fuchsrolle im Spiel als
eine Art Strafe erscheint, stellt sie also in der Wirklichkeit eine Wunscherfüllung dar. Der Wechsel in der Fuchsrolle entspricht dem fortlaufenden Wechsel
der Generationen. Hier berühren wir die im Spiele auffällige Erscheinung der
Reihenbildungen und Doublettierungen, welche sich sowohl auf die Symbole
wie auf die Motive und Personen erstreckt. Von hier aus entwickelt der Verfasser eine interessante Theorie über die Bedeutung der Reihenbildung im psychischen Leben: das Minus in der Befriedigung am Ersatzobjekt und die dadurch
erzeugte seelische Spannung bildet einen Anlaß zur Vermehrung der Objekte.
Eine andere Gattung psychischer Reihen spiegelt die wechselnden Kräftever-
hältnisse zwischen dem Ich und der Libido, insbesondere handelt es sich um
Symbole, deren Angstcharakter die Rolle der Verdrängung in ihrem Ursprung
beweist. Der Märchenheld hat anstatt direkt gegen diesen feindlichen Vaterimago gegen dessen unzählige Kinder, Diener, Tiere zu kämpfen, die abgeschla-
genen Köpfe des Drachen wachsen wieder nach usw. Man gelangt zur Einsicht,
daß das Unbewußte mit dieser Spaltung ein Ziel verfolgt, und zwar die Angstentwicklung der überschüssigen Inzestlibido durch diese Verdünnung des Abreagierens in Raum und Zeit vermeiden.

Der Mechanismus der Reihenbildung gehört eben auch wie
Verdichtung, Verschiebung usw. zu den wichtigsten Mitteln der
Verdrängung und hat eine besondere Bedeutung im Spiele, da er
die Übertragung auf die Mitspieler, später auch auf die Außenwelt
überhaupt, ermöglicht. Andere Beispiele werden zur Erhärtung
der Rolle des Inzestkomplexes beim Spiele angeführt. Die Vorlust-
rolle, die angenehme Triebbetätigung, besteht darin, die psychische
Stimmung so zu verändern, daß ein Umkippen der seelischen Bereitschaft zur Realitätsanpassung auf die Seite der Lustprinzips-
herrschaft erfolgt. (S. 267.) „Das Auftreten des Spieles mit ver-

drängtem Inhalt fällt mit dem Anfang des großen Verdrängungs-
schubes der Kindheit zusammen und besonders die typischen Spiele
mit ‚mythologischem‘ Inhalt füllen ungefähr die Zeit vom dritten
Lebensjahr bis zur Pubertät aus, wo eine starke Abnahme der
Spieltätigkeit eintritt. Es liegt auf der Hand anzunehmen, daß
in diesem Zeitraum, den Freud ‚die Latenzzeit‘ benannt hat und
der auf den ersten Blick ein Vakuum im sexuellen Leben des
Menschen zu bilden scheint, die vorher so mächtige und lustbringende
infantile Sexualität nicht verschwindet, sondern nur in das Spiel
überströmt." (S. 281.)

Diese Berichtsperiode hat uns auch die Anwendung der
Psychoanalyse auf die Erscheinungen der Soziologie
(abgesehen von der Soziologie der Primitiven) gebracht[1]). Blüher
verficht zwei Hauptthesen (7). 1. Die Rolle der homoerotischen
Strömungen des Gefühlslebens im Aufbau der menschlichen Gesellschaft und des Staates sind zu erweisen (der Verfasser meint, daß
diese ganz eigentlich das Soziale sind im Gegensatz zur Familie
und zu den ökonomischen Erklärungsversuchen). 2. Diese Strömungen selbst aus einer „nichtpathographischen" „natürlichen"
Theorie der Inversion zu erklären. Die psychoanalytische Theorie
von dem Ursprung der Homosexualität aus der Inzestflucht, sucht
er durch die Behauptung zu widerlegen, daß der Analytiker eben
nur neurotische Vertreter des Typus inversus zu Gesicht bekommt.
Gerade auf ethnologischem Gebiet stellt sich aber das Sekundäre
der Inversion gegenüber dem Ödipuskomplex deutlich heraus. Um
zum Männerbund zu gehören, muß man die Pubertätsfeier mit-
gemacht haben, diese aber ist eine symbolische Wiederholung des
Urkampfes zwischen den Vätern und Söhnen der Horde. Die Homoerotik, die nach der Auffassung Freuds zuerst als einigendes
Band der Brüderhorde auftrat, war bloß ein „Ersatzgefühl" des
Mutterinzestes; „der Not gehorchend nicht dem eigenen Trieb", das
heißt, der einstigen Not, die in der Gestalt des eifersüchtigen Vaters
auftrat, wehren die Mitglieder des Männerbundes dem weiblichen
Geschlechte den Eingang ins Männerhaus: und wo sie dies dennoch gestatten, ist es nicht eine Verfallserscheinung, wie Blüher
will, sondern eine Wiederkehr des Verdrängten.

---

[1]) Vgl. dazu den betreffenden Abschnitt, S. 195 ff.

Von der Gesellschaftslehre zur Psychologie der politischen Bewegungen leitet die schöne Arbeit von Federn (12), auf das Gebiet der Massenpsychologie greift die Arbeit von Brill (10) über, der die Muskelerotik zur Erklärung der neuesten Tanzepidemien heranzieht.

Das letzte Anwendungsgebiet, mit dem wir es innerhalb der Ethnologie zu tun haben, ist die materielle Kultur. Manches Einschlägige ist schon aus den Arbeiten über Symbolik herauszuschälen (vgl. 18, 28). Ausschließlich diesem Gegenstand sind aber nur zwei Arbeiten gewidmet (15, 17). Die Arbeit von Giese (17) geht von richtigen Grundgedanken aus, ist aber leider sozusagen vollkommen spekulativ gehalten. Giese unterscheidet die männlichen und weiblichen Sexualvorbilder und drittens die Darstellungen der beiden Organe in Kongressus, dann aber auch Nachahmungen der Ejakulation, Erektion, der sekundären Geschlechtsmerkmale usw. Diese Vergleiche anzustellen, ist nicht schwer, alles kommt auf die eingehende Beweisführung an. Ferenczi (15) unterscheidet zwischen Projektions- und Introjektionsmaschinen und schafft somit eine brauchbare Grundlage einer eingehenden ethnologischen Untersuchung, da die Frage nach der Psychogenese der Mechanik letzten Endes doch nur mit ethnologischem Material lösbar sein wird. Im Spiegelzauber des Referenten (51) wird der Versuch gemacht, einen wichtigen Teil der materiellen Kultur, nämlich die Domestikation der Tiere, aus libidinösen Triebkräften (Saugenlassen) zu erklären und die Riten bei der Einführung neuer Haustiere in die Hausgemeinschaft als jedesmalige Regression auf die Urstufe zu deuten. (S. 156.)

Wenn wir nun eine Zusammenfassung der Fortschritte, die in der Anwendung der Psychoanalyse in den letzten fünf Jahren auf ethnologischem und völkerpsychologischem Gebiete zu verzichnen ist, versuchen, so müssen wir innerhalb der uns gesteckten Grenzen drei Hauptanwendungsgebiete unterscheiden. Diese wären a) die geistige Kultur und Soziologie der Naturvölker samt ihren Überlebseln in höheren Kulturkreisen, b) die Anfänge der materiellen und wirtschaftlichen Kultur, c) eine Differentialpsychologie der Völker. Sowohl an Zahl der Arbeiten wie an Wichtigkeit der Ergebnisse ist die erste Gruppe bei weitem überwiegend. Auf dem

Gebiete der geistigen Kultur lassen sich zwei Hauptthemata unterscheiden: der Ödipuskomplex und was damit unmittelbar verbunden ist einerseits, und die Libidotheorie, wie sie in den „Drei Abhandlungen zur Sexualtheorie" niedergelegt ist, anderseits. Als phylogenetische Parallele des Ödipuskomplexes wurde der Totemismus schon früher von Freud in seiner bahnbrechenden Arbeit beleuchtet; jetzt ist es Reik, dem der zweite Schritt auf diesem Pfade gelang, indem er den Reflex des Kampfes zwischen Vater und Sohn in der Urhorde (Atkinson) in den Männerweiheriten aufzeigt. Die Bedeutung dieser Feststellung ist vorläufig noch gar nicht richtig abzuschätzen; es scheint, daß wir es hier mit einer der wichtigsten Wurzeln der Festbräuche überhaupt zu tun haben.

Was die Anwendung der Libidotheorie betrifft, sind hauptsächlich die engen Beziehungen zwischen dem Narzißmus und den Seelenvorstellungen hervorzuheben. Hier wurde die Arbeit Ranks vom Referenten fortgesetzt und soll noch weiter ausgebaut werden. Die völkerpsychologische Beleuchtung des weiblichen Liebeslebens wurde erst in dieser Berichtsperiode von Freud in einer glänzenden Arbeit in Angriff genommen. Mehr minderwichtige Beiträge zur Symbolik enthalten natürlich beinahe alle Arbeiten. Referent versucht auch eine Behandlung der funktionalen Phänomene in der Mythenbildung, auf diesem Gebiete ist sonst wenig geleistet worden und eine eingehende Darstellung des Verhältnisses zwischen Inhalt und Funktion der Symbole wäre sehr erwünscht. Pfeifers Theorie der Reihenbildung ist ein Schritt in dieser Richtung. Neu ist die Anwendung der Psychoanalyse auf das Spiel, auf Staaten- und Gesellschaftsbildung.

Es ist kaum notwendig zu betonen, daß noch unendlich viel Arbeit auf diesem Gebiete zu leisten sein wird; wichtige Kapitel der Völkerpsychologie sind von der Psychoanalyse noch ganz unberührt: so die Gottesvorstellungen, Magie, Hochzeits- und Totengebräuche der Primitiven. Meistens wird von den Psychoanalytikern primitives Material hauptsächlich nach Frazer herangezogen, während die ebenfalls sehr lehrreiche europäische Volkskunde weniger Berücksichtigung findet. Nach der ersten Periode der Grundlegung im „Totem und Tabu" haben wir in der zweiten Phase die Ansätze des systematischen Aufbaues einer psychoanalytischen Völkerpsychologie zu verzeichnen. Es ist wahrscheinlich, daß die Zeit einmal kommen wird, da man auf psychoanalytischer und folkloristischer Grundlage etwas wie eine Differentialpsychologie der Völker wird schreiben können, denn was sich bisher auf diesem Gebiete als Völkerpsychologie gebärdet, kann man höchstens als eine Art „Vorwissenschaft" gelten lassen; dem Referenten scheint es, als ob diese Differentialpsychologie der Zukunft einzig eine quantitative sein könnte, die sich im Kräftespiel zwischen der Verdrängung und der Libido ausdrückt.

Soziologie.

Referent: Aurel Kolnai.

Literatur: 1. Adler A.: Bolschewismus und Seelenkunde. Intern. Rundschau. IV. Jahrg. H. 15. u. 16. Zürich 1918. — 2. Bernfeld S.: Die Psychoanalyse in der Jugendbewegung. J. V. S. 283. — 3. Blüher H.: Die Rolle der Erotik in der männlichen Gesellschaft. Eine Theorie der menschlichen Staatsbildung nach Wesen und Wert. 2 Bde. Jena 1917. — 4. Ders.: Familie und Männerbund. (Der neue Geist.) Leipzig 1918. — 5. Ders.: Staat und Eros. Die Neue Generation. 1917. Nr. 9. — 6. Federn P.: Zur Psychologie der Revolution. Die vaterlose Gesellschaft. Wien-Leipzig 1919. — 7. Ferenczi S.: Zur Ontogenie des Geldinteresses. Z. II. S. 506. — 8. Ders.: Zur Psychogenese der Mechanik. Kritische Bemerk. über eine Studie von Ernst Mach. J. V. S. 394. — 9. Frank K.: Die Parteilichkeit der Volks- und Rasseabergläubischen. Wien-Leipzig 1919. — 10. Freud S.: Zeitgemäßes über Krieg und Tod. J. IV. S. 1. — 11. Jekels L.: Der Wendepunkt im Leben Napoleons I. J. III. 313. — 12. Jones E.: Krieg und Sublimierung. Internat. Revue. Zürich 1915. — 13. Kaplan L.: Der tragische Held und der Verbrecher. J. IV. S. 96. — 14. Kolnai A.: Gnade und Gerechtigkeit. Neue Gemeinschaft. 1919. — 15. Lorenz E.: Zur Psychologie der Politik. Klagenfurt 1919. — 16. Pfister O.: Zur Psychologie des Krieges und Friedens. Wissen und Leben. Zürich 1914. — 17 Rappaport M.: Sozialismus, Revolution und Judenfrage. Leipzig-Wien 1919. — 18. Reik Th.: Die Couvade. J. III. 407. — 19. Ders.: Die Pubertätsriten der Wilden. J. IV. 125, 189. — 20. Rose A. H.: Die arbeitslose Frau. Psychoanalytische Skizze. Die Umschau. XIX. Nr. 15. 1915. — 21. Schulhof H.: Individualpsychologie und Frauenfrage. München 1914. — 22. Strasser V.: Massenpsychologie und Individualpsychologie. Ztschr. f. Individualpsychologie. I. S. 156.

Die Psychoanalyse hat keine Tätigkeit auf soziologischem Felde in dem Sinne entfaltet, wie beispielsweise auf mythologischem. Unser Material ist demnach aus völlig heterogenen Bruchstücken zusammengeballt, und es läßt sich nur mit Mühe irgendwie gliedern. Vom rein theoretischen Gesichtspunkt aus wären natürlich noch zahlreiche andere Arbeiten in Betracht gekommen, die jedoch in andere Rubriken als die der eigentlichen Soziologie eingeteilt wurden, obwohl sie auch für diese von Interesse sind; anderseits enthalten auch

13*

die hier berücksichtigten Schriften viel Nicht-Soziologisches und
nicht minder auch Nicht-Psychoanalytisches. Doch soll die Reihenfolge ihrer Behandlung durch ihren Gegenstandskreis bestimmt
werden.

Die methodologische Frage wird von Strasser (22)
berührt. Ihre Ausführungen bezeugen, wie tief der Gegensatz zwischen der Psychoanalyse und der Adlerschen „Individualpsychologie", die der Artikel zur Grundlage hat, verankert ist. Die Verfasserin will „das Leben nicht aufs Tote zurückführen", und an
Stelle der Analyse eine „Psychosynthetik" aufbauen, wobei die
„Oberfiktionen" die Hauptrolle spielten; das Individuum wäre im
Einklang damit eine von vornherein abgeschlossene Einheit, die
zwar mit den Außeninstanzen verwoben, aber in keiner Weise aus
ihnen erklärbar sei. Das unseres Erachtens wichtigste soziologische
Ergebnis der Freudschen Lehre, die Ermittlung der individuum-
bildenden Funktion der Gemeinschaft, hat zu Adlers System gar
keinen Zugang; diese einseitige „Ichpsychologie" muß eine entsprechend einseitige „Massenpsychologie" zeitigen, die allein den
„Machttrieb" der Einzelnen als Grundstein des Gemeinwesens kennen will.

Die Anfänge der Kulturentwicklung gehören nur
mittelbar hieher. Wir müssen diesbezüglich Reiks Totemismus-
forschungen (18, 19) anführen, die die Behauptungen von „Totem
und Tabu" sehr beträchtlich erweitern und vertiefen. Unter anderen
wird jene Frage, die dieses grundlegende Werk Freuds noch
durchaus offen ließ: was eigentlich den Brüderclan nach der Ermordung des Vaters zur Reue und Sühne bewegt hatte, von Reik
der Lösung bedeutend näher gebracht. Er macht es annehmbar, daß
die Mitglieder der Bruderhorde in ihren eigenen Söhnen den zurück-
kehrenden Vater vermutet haben mögen, was sich in den Bestimmungen der Couvade, wonach der Mann vom neugeborenen Kinde fern
gehalten werde, ausdrückt. Wir fragen, ob diese Erkenntnis nicht
für die Psychologie späterer — revolutionärer — gesellschaftlichen
Bewegungen bzw. ihrer Schwankungen ausgebeutet werden könnte.
Die „Pubertätsriten" sind ein wichtiger Abschnitt im Mechanismus
der Abwendung von dem Inzest, der Familie, der Frau, also in
der Gründung der „männlichen Gesellschaft" (Blüher). Der

Bruderclan ist in bestimmtem Maße erotischer Selbstzweck geworden, er ist als Männerbund keine Zusammenrottung von Ödipen mehr, sondern ein mit der Familie in Antagonismus stehendes, in sich gefestigtes und daseinsberechtigtes Gebilde, woraus die Gesellschaft selbst stammt.

Denselben Gegenstand behandelt B l ü h e r s (3) Hauptwerk, das sich psychoanalytischer Erkenntnisse und Gedankenwege reichlich bedient. Allerdings müssen wir uns dem Kritiker E. L o r e n z (Imago 1920) anschließen, welcher betont, daß der Inhalt des Buches seinem anspruchsvollen Untertitel gar nicht Genüge tut: der Leser vernimmt nichts über Staat oder Nation, sondern lediglich über typische „männliche Gesellschaften", wie Wandervogel, Studentenverbindungen, Ritterorden. Dessenungeachtet fällt diese Arbeit vollauf in unseren Kreis, da sie sich mit den psychologischen Grundlagen der heute bestehenden Gesellschaft befaßt. Nun bemerken wir noch im voraus, daß die wichtigsten Anschauungen des Autors mit den bereits erwähnten und auch anderen Sätzen der Psychoanalyse in scharfem Widerspruch stehen. Das Band zwischen den F r e u d - R e i k schen und den B l ü h e r schen Männerbundtheorien ist in der Tat ein sehr loses. Wird die Homoerotik der Bruderhorde und ihrer Nachbildungen in der psychoanalytischen Totemismuskonzeption aus dem ursprünglichen Inzest-Regressionswunsche abgeleitet, wird dabei das ganze Männerbundwesen als ein bereits sekundäres, im weiteren Sinne neurotisches Phänomen betrachtet (im Massenleben kann das „Pathologische" noch viel weniger scharf umgrenzt werden als beim Individuum), so ist B l ü h e r daran, die Inversion als eine der heterosexuellen Anlage psychologisch, und nebenbei gesagt, ethisch ebenbürtige Urform darzutun.

Die Inversion ist seinem System nach keine Perversion. Ungeachtet derjenigen Erklärungsversuche, die mit „Degeneration" und ähnlichen Hilfsbegriffen hantieren, ist sie auch psychologisch nicht auf Ursprünglicheres zurückführbar. Es gibt sogar ungleich mehr Männer mit vorwiegend invertierter Geschlechtsneigung, als es gemeinhin angenommen wird; und darunter sind weder „Effeminierte" noch „Inzestflüchtige" zu verstehen. Neurotische Typen sind sehr häufig, und zwar insbesondere träumerische, sentimentale Phantasten einerseits, Sittlichkeitsfanatiker anderseits; diese verdrängen aber nicht den Urtrieb des Inzests und seiner Abbilder, sondern den der Inversion. Diese Verdrängung wird in der „bürgerlichen Gesellschafts- ordnung" durchaus begünstigt, da der Inversionstrieb die darin so sorgsam behütete Familie gefährdet. Im übrigen ist die In- version sogar geistiger als die Heteroerotik. Eine „Heilung" davon könne es nicht geben; überhaupt seien im Sexualleben keine anderen Möglichkeiten da, als entweder ein „Faun" oder ein „Mucker" zu sein. Der erstere Weg bezeichnet nicht das ganz rohe Ausleben; jede Kultur verdanke ihr Zustandekommen einem Ausmaß von Ver- drängung. Und nicht die Verdrängung werde von der Kultur wach- gerufen.

All diese Erörterungen sind durch verschiedentliche, mitunter ganz besonders feine Detailskizzen umwoben, aus welchen wir nur wenige herausgreifen können. Eine interessante Parallele wird zwi- schen der Galanterie des Frauenhelden und der Freundschaft des Männerhelden gezogen. Der mystische und der polemische Typus des invertierten Neurotikers könnten die Wurzeln mancher politi- schen Einstellung entdecken helfen. Es wird überzeugenderweise aus- einandergesetzt, wie man „junge Leute zur Rede zu bringen" ver- mag: wie die Pose des Psychiaters gleich hoffnungslos ist wie die des Moralpredigers[1]. Tag für Tag sehen wir die alle Frauen aus ihrem Schoß verbannende Männergesellschaft in dem Trinkgelage, dem Tabakskolleg. Auch bei Entdeckern kann man etlichemal eine ausschließliche Betonung der mannmännlichen Erotik nachweisen. Die Wandervogelbewegung ist in erster Linie eine Verneinung des unserer Schule eigenen Systems der Altersklassen, das die Entfal- tung der Homoerotik in der Jugend zu hemmen bestimmt ist. Sehr anregend sind die Lehrertypen unserer Zeit geschildert: die „Ju- gendfreunde", die „dem Weib und der Familie verfallenen" usw.

In dem zweiten Band entwickelt der Verfasser zuerst seine Auffassung über mannweibliche Erotik und Gattenwahl; in bezug auf die letztere bekennt er sich zu der psychoanalytischen Inzest- theorie. Er erklärt, der Mann sei grundsätzlich bigam: er bedarf der Ehefrau und der Hetäre; diese ist nichts anderes als die Frau mit einem Stich ins Männliche oder Invertierte, die ihrer Weib- lichkeit ebendeshalb bewußter ist.

----
[1] Im Zusammenhang hiemit siehe Ber feld (2).

Hiernach werden H. Schurtz' bekannte Ausführungen im Dienste der Inversionstheorie gedeutet; diese Behauptungen Blühers sind auch durchaus plausibel. In den primitiven Männerbünden sind Absperrung gegen das Weib, esoterische Erotik und Vorherrschaft des Typus inversus die Leitmotive. Die Wandervogelbewegung ist nunmehr etwas ganz Ähnliches. Ihr Niedergang wurde dadurch hervorgerufen, daß in ihr infolge des äußeren Druckes allmählich der Mucker die Oberhand gewann und die „geistige", selbstwertige, gedämpft-erotische Vereinigung in einen touristisch-hygienisch-patriotischen Zweckverband umgestaltete. Auch wurde der Versuch einer Mädcheninvasion in den Wandervogel unternommen; an der Hand dieser Regung spricht sich der Verfasser über die Chancen einer „weiblichen Gesellschaft" ziemlich skeptisch aus. Ein anderer Männerbund ist das Freimaurertum; hierin soll ein kräftigerer Durchbruch der Erotik dadurch verhindert worden sein, daß sich bei der Gründung des Bundes die betreffenden englischen Intellektuellen — zufällig — in bereits ältere Maurergesellen verliebt hatten![1]) In den militärischen Kameraderien tun sich streng festgesetzte Verhältnisse kund: eine männliche Gesellschaft, die sich in dem auferzwungenen Zusammenleben notwendigerweise ausbildet. (Sparta.) Die Katastrophe des Templerordens bedeutet einen Zerfall, der dem des Wandervogels entgegengesetzten Charakters ist: die Auflösung wird nicht durch die Hypertrophie der Zweckverbände der „Metöken", sondern durch die unzureichend gehemmte manifeste Sexualität gezeitigt, die mit einer unüberwindlichen Trägheit verquickt ist. In den studentischen Verbindungen schlagen die Liebeskonflikte, die im Kreise gleichfalls ständiger Verhältnisse aufblitzen, oft ins Politische um. Der hereinbrechende Liberalismus lockerte natürlich die Korpstraditionen überaus, doch wird bereits das Bedürfnis eines neuen geistigen Baues empfunden.

Staat, Bund und Adel wären die vornehmsten Typen der männlichen Gesellschaft. Der Staat ist von der Herde, die ein Familienerzeugnis war, grundverschieden. Der Bund ist insbesondere ein moralisches Reservoir: „im Bund wird nicht gesunken". Der Adel sei nicht mit dem heutigen Geburtsadel verwechselt; er sollte tatsächlich etwas Edles sein. Die kleine Arbeit Blühers (4), die

---

[1]) Ein krasses Beispiel der soziologiefremden Denkweise Blühers.

200   Aurel Kolnai.

das oben Referierte zusammenfaßt, enthält noch die Bemerkung,
daß wahre Kraft und Geistigkeit weder in einem von der Frau
beeinflußten, noch in einem zweckverbändlerischen, aktiengesell-
schaftsmäßigen Gemeinwesen, sondern lediglich in dem Machtstaat
der mannmännlichen Erotik gedeihen kann.

Ohne zu einer umfassenden Kritik ausholen zu wollen, lenken
wir die Aufmerksamkeit bloß darauf, daß Blühers Theorie eines-
teils der biologischen Grundlage entbehrt und gleichsam in der
Luft schwebt, andernteils im Soziologischen selbst versagt. Die einfache und sich aufdrängende Frage: Weshalb breitet der Staat, vor-
geblich selbst eine männliche Gesellschaft, seine schützende Hand
über die doch seinem Wesen so unverwandte Familie und hemmt
er gleichzeitig in strengerer oder nachsichtigerer Weise die eigentlichen Männerbünde? — kann von dieser Theorie nicht beantwortet
werden und bringt sie in ärgste Verlegenheit. Aber eben jener Einwirkung wird von seiten Blühers keine Beachtung zu teil, die
die Gesellschaft auf ihre Mitglieder ausübt. Er sieht nichts als
das Götzenbild der „ex machina" entsprungenen Homoerotik, leitet
die ganze menschliche Kollektivität aus ihr ab und hat wiederum
für diese, sobald er ihrem anti-homoerotischen Betragens gerecht
werden muß, nur die wegwerfende Geste: „bürgerliche Gesellschaft"
übrig. Nur flüchtig sei erwähnt, daß Blüher die Kenntnis der
Linie „Verdrängung—Verurteilung", die in der Psychoanalyse so
ungemein bedeutsam ist, augenscheinlich abgeht; deshalb vielleicht
vermag er sich den Geist bloß in dem Ausleben und der Macht
vorzustellen. Doch birgt Blühers Werk unleugbar zahlreiche
fruchtbare Ansätze in sich. Die Erhellung der psychologischen Einheit von Macht und Erotik, des Gegensatzes von Macht-
gesellschaft und Zweckgesellschaft sind wertvolle Ergebnisse; ebenso die Erschließung der Rolle der Altersklassen und
die energische psychologische Unterminierung des in der Tat un-
geistigen und den theoretischen wie den praktischen Anforderungen
unterlegenen Bourgeois-Pseudoliberalismus. Und besonders in einem
Punkte ist dieser Versuch — zugegeben, gerade nur ex contrario —
lehrreich: er strebt dahin, die Staatsbildung zu erklären und würdigt
die Erde, den Grund und Boden keines Wortes! Seine Einseitigkeit
soll uns zum positiven Nutzen werden. Bedenken wir die ander-

weitig erwiesene Rolle der Verbindung Fürst-Erde in der Staats bildung. welche Verbindung allerdings patriarchalischer sein mag als die Männerbundserotik, hingegen aber sehr stark demokratisch sublimierbar ist (französische Revolution!), so wird uns eines klar: Wäre Blüher dessen je gewahr geworden, so hätte er keineswegs die Behauptung gewagt, daß 1. Macht und Geist einander zugeordnet seien. 2. der Liberalismus — der wirkliche, den er eben nicht kennt — keines Eroskapitals habhaft sei. — Wir glauben, hieraus wird einst auf die Probleme der verschiedentlichen Reaktionen und Reformationen, in betreff des Katholizismus und Protestantismus, des „lateinischen und germanischen Geistes" usw. ein Licht geworfen werden.

Über soziologisch belangreiche individuelle Interessen bzw. Tätigkeiten handeln zwei Beiträge Ferenczis. In dem einen (7) unterzieht er den „kapitalistischen Trieb" des Vermögensammelns einer genetischen Analyse und findet dessen libidinöse Wurzel in der infantilen Analerotik, der Ökonomie mit dem Lustgefühl der Kotentleerung. Der lustbezeichnete Kotbegriff wird stufenweise bis zur Geldvorstellung — pecunia non olet — sublimiert. Die maßvolle und unanfechtbare Schlußfolgerung Ferenczis, wonach sich die kapitalistische Neigung aus einer egoistischen und einer libidinösen Quelle nährt, ist durchaus dazu geeignet, in der soziologischen Fundierung des liberalen Sozialismus ausgewertet zu werden. Wir behaupten schlechthin, die mammonistische Erotik ist noch zu wenig sublimiert — Verwechslung der Erde mit den Warenartikeln — und das egoistische, besser rationale Moment im Kapitalismus noch gehemmt durch die allzu grobe, dicke libidinöse Komponente. Die höchste Entwicklungsstufe des Analcharakters: die Gerechtigkeit und der vernunftgemäße Individualismus, sind im Kapitalismus noch nicht erreicht.

Der andere Aufsatz Ferenczis (8) legt klar, daß E. Mach in seinen Betrachtungen über die Genese der Mechanik mehrfach beinahe psychoanalytische Gedankenpfade einschlug. Er ward der Rolle des Irrationalen, Affektiven gerecht, wagte es aber nirgendwo, diesem inhaltlich nahezutreten. Er erkennt das Wirken einer „gewissen Wonneempfindung" in vielen Fällen, so bei den Feuer- und Wasserwerkzeugen, wie auch die introjektive Natur der

primitiven Maschinen, sträubt sich jedoch bereits dagegen, in der
Maschine auch die Projektion zu erblicken, obwohl diese sicherlich
das Wesen der komplizierteren Werkzeuge ausmacht. Wir bemerken hiezu, daß wir darin einen Beitrag zum Komplex „Projektion-
Systembildung-Paranoia" sehen[1].

Die ethischen und kriminologischen Beziehungen der sozialen
Organisation versucht Kaplan (13) in einem Punkt zu beleuchten.
Der Richter ist eine Art Gott-Vater, auch der „innere Richter".
Der tragische Held aber ist die nach außen projizierte Verbrecher-
individualität des Richters. Diese feine, nicht etwa vulgär analytische
Formulierung drückt in der Sprache der Soziologie aus: der tragische Held ist kein asoziales Wesen (wie naive Schulästhetiker
es glauben), sondern in innigster Verflechtung mit seiner Gesellschaft, und sein Gegensatz zu der aktuellen Forderung dieser ver-
anschaulicht den inneren Konflikt der Gesellschaft, der sich natürlicherweise in gewissen Fällen zwangslos darstellen läßt als innerer
Konflikt eines Individuums. – Die Erinnyen sind die Staats-
anwaltschaft. – Raskolnikows Tat ist inzestuös gefärbt. Seine
darauffolgende Erkrankung legt einen Rückfall in den Infantil-
zustand an den Tag. Porphyrius Petrowitsch, der Untersuchungs-
richter, ist sein „innerer Richter", Sonja wieder eine mütterliche
Autorität. – Bei den Primitiven ist die Bestrafung ein festlicher
Anlaß. Der Kampf mit dem Verbrecher entspricht der Tragödie.
– Gewiß sind diese anregenden Einfälle höchst unvollständig und
vermögen die grundlegenden Probleme nur anzudeuten, nicht eigentlich zu stellen. Sie sind aber ebenso bemerkenswert wie unzulänglich.

Die Frauenfrage im Lichte des Adlerschen Systems tritt in
Schulhofs (21) Heft zu Tage. Die Verfasserin setzt sich zum
Zweck, die Gleichberechtigung der Frauen gemäß dem „männlichen
Proteste" als universalen Leitsatz zu begründen. Der bisherige
Vorrang des männlichen Geschlechtes war die Ursache schwerer
Konflikte; der weibliche Individualismus (gezeichnet bei Ibsen)
ist der Protest dagegen. – Eine Polemik würde hier zu weit
führen und wird von unserem Gegenstand nicht erfordert.

----

[1] In seinem „Nachtrag zur Psychogenese der Mechanik" (Imago 1920)
teilt der Verfasser Interessantes über die Stellung Machs zur Psychoanalyse
mit. Sobald der sexuologische Einschlag dieser offenkundig wurde, verdrängte
er seine einst geäußerte Billigung der Breuer-Freudschen Methode.

Nun gelangen wir zu der Psychologie des Krieges. Freud (10) dringt mit der Analyse bewaffnet in die Mentalität des Kriegs publikums und stellt die Frage, wie diese große Enttäuschung in betreff des Kulturniveaus der Gegenwart möglich wurde. Der Krieg ist natürlicherweise nicht als ein äußerer Faktor zu begreifen, dessen unheilvolle Einwirkung die allgemeine Entsittlichung herbeiführte, sondern der Zivilisationsoptimist hat sich eben getäuscht und die oberflächliche Gesittung der Völker weitaus überschätzt. Die Kriegsentartung wurde nicht durch den Krieg gezüchtet, sondern ihre Triebkräfte waren jederzeit aufgestapelt, ihr Ausbruch verdankt dem Kriegszustand die formale Möglichkeit. Wir können nun getrost feststellen, daß diese tiefenpsychologische Auffassung des Krieges nicht weniger einen tiefenpsychologisch orientierten Pazifismus bedingt. Es entgeht dem Blicke Freuds nicht, daß die individuelle Entsittlichung im Gefolge des Krieges ein Ausfluß der sozialen ist, daß die Bestien des Krieges nichts tun, als daß sie die großen Kollektivbestien nachahmen. Die Lockerung der Bande zwischen den Völkern, bei aller partiellen Kohäsionsfestigung innerhalb der einzelnen Nation, lockert auch vielfach die Gewalt der sozialen Sittengebote über den Einzelnen in jeglicher Hinsicht. Wir können nur hinzusetzen, daß der Bolschewismus verwandterweise auf den Krieg zurückführbar ist. Die Triebbefreiung des Krieges wiederholt sich, unter entsprechend abweichenden Formen, in der roten Libidoexplosion.

Ähnliches läßt sich von unserem Verhältnis zum Tode sagen. Das Tabu, das diesen Begriff deckt, unterlag einer Wandlung im Sinne der Primitivität. An unseren Tod können wir in gesteigertem Maße nicht glauben, dem Tod des Feindes hingegen wird der Gefühlsnachdruck entrissen: man sucht ihn ohne jedwede Rücksicht zu töten. Die feinere Peinlichkeitsbetontheit des Todes, die im Kulturmenschen obwaltet, die stillschweigende Annahme des unentrinnbaren Todes nebst der womöglich aufrechterhaltenen leichten Verbannung dieses Themas aus unserem Leben: weicht der primitivheroischen Unterscheidung zwischen „meinem Clan", der fortleben muß und dem feindlichen, der auszurotten ist.

Pfister (16) knüpft an die Betrachtung des Krieges verschiedentliche Auseinandersetzungen über den Stamm und die zwei

dissidenten Schulen der Psychoanalyse an. Er erblickt im Krieg
gleichfalls Regression und hebt den Zwiespalt hervor, der anläßlich
des Krieges im Einzelnen auftritt. Das Individuum identifiziert
sich mit seiner nationalen Einheit; und auf Erscheinungen, wie
Großmachtstellung und Imperialismus kann man die Adlerschen
Schemen unzweifelhaft anwenden. Kommt die Anbahnung des Welt-
friedens in Frage, so darf man auch die neuen Möglichkeiten nicht
aus dem Auge verlieren, die der Kriegsregression zu verdanken
sind. Eine Kräfteweckung hat hiebei unleugbar stattgefunden,
wenngleich sich nacl Friedensschluß regelmäßig ein ethischer Rückfall bemerkbar macht. Um die vorteilhafte Seite der Regression
auswirken zu lassen, muß man sich den sittlichen Kräften der
Kindheit zuwenden und eine allgemeine Kanalisierung der aufge-
rüttelten Kräfte durchführen. Jones (11) berührt an der Hand
der Kriegspsychologie die tiefen Probleme des Zusammenhanges von
Triebinterferenz und Entwicklung, sowie des Gegensatzes von wahrer
und äußerer Veredelung.

Man begreift, daß der wissenschaftlich-aktive Pazifismus von
der Psychoanalyse manches erhoffen mag.

Die soziale Frage der Gegenwart kann ebenfalls psychoana
lytische Annäherung aufweisen. Vielleicht darf Jekels' (12)
Napoleon-Analyse hierher gerechnet werden. Die Wendung des
jungen Korsen ist sein Abfall vom Volkshelden Paoli („il babbo")
nach der Hinrichtung Ludwigs XVI. und Kriegserklärung der
Republik an England. Die geheimen Unterhandlungen Paolis mit
den Engländern rufen in Napoleon die Abscheu gegen die Vorstellung
„attaquer la patrie avec les étrangers" und „Zusammenbringen der
Mutter mit Fremden" wach. Der Tod Ludwigs bedeutet die Frei
werdung der Mutter „Frankreich", die nun die engere Mutter
„Korsika" von ihrer Stelle verdrängt; dieser Vorgang aber nahm
seinen weiteren Verlauf im Versuch Napoleons zur Gründung einer
Weltherrschaft. Unterschiedliche Motive aus dem Eigenleben Napoleons bekräftigen diese Annahme. Mithin scheint der eigentüm-
liche Umstand, daß der weitaus größte Eroborerfürst Frankreichs
(und einer der größten der Welt) von Geburt ein Nichtfranzose,
ja in seiner Jugend ein leidenschaftlicher Gegner der französischen
Reichsgewalt gewesen ist, auf psychoanalytischer Grundlage zu-

mindest in betreff des Individuellen vielfach geklärt zu sein. Ge-
sinnungswechsel mag demnach Symbolwechsel darstellen und dieser
mit sozialen Gärungen in einer Weise zusammentreffen, die noch
eingehende Forschung erfordert, aber auch verdient. Frank (9)
ist bemüht, die Rassenvoreingenommenheit mit Hilfe der Minder
wertigkeitslehre durchsichtiger zu machen. Er bringt aber auch
sexuelle Momente in Erwähnung, die in der Volksseele in der
Richtung des Rassenhasses wirken können. Federn (6) leitet die
kommunistische Bewegung aus dem Vatermordswunsche des Bruderclans ab; vielleicht dürfte es nunmehr glücken, die vaterlose Gesellschaft zu verwirklichen, das Vater-Sohn-Motiv endgültig zu
beseitigen. Da der Vaterglaube im Umsturz seiner Autorität größtenteils verlustig wurde, stellen die Betriebsräte, die Träger der
brüderlichen Vereinigung, die auszubauende Kohäsion dar. Inmitten
dieser Erörterungen verweist der Verfasser auf das Kräftespiel der
„konservativen" und der „oppositionellen" Einstellung in der Kinderseele[1]. Kolnai (14) geht in der Schilderung des kommunistischen
Gnadenprinzips auf den psychoanalytisch gefärbten Begriff des
„embryonalen Glückseligkeitsideals" zurück. Rappaport (17) erkennt Freuds Verdienst an, nennt ihn einen „Gipfelpunkt jüdischen
Denkens", hält ihm jedoch ahnungslosen Materialismus und Monis-
mus vor, die die Kehrseiten des jüdischen Genies seien. Man
wäre versucht, Rappaport, der seines weiland Freundes O. Wei-
ninger Metaphysik anscheinend ohne dessen Schöpferkraft teilt,
für einen Hyperjungianer zu halten.

Es mag aus all dem erhellen, daß die Berührungen zwischen
Psychoanalyse und Soziologie, wenn auch nicht selten recht schüch-
tern und im Dunkeln herumtastend, keineswegs unfruchtbar geblieben sind und zu weitgehenden Erwartungen berechtigen.

---

[1] Zur Kritik der Federnschen Stützung des Kommunismus s. A. Kolnai: Psychoanalyse und Soziologie. I. P. V. 1920. (Fällt zeitlich schon außerhalb dieser Berichtsperiode.)

Mythologie und Märchenkunde.

Referent: Dr. Theodor Reik.

Literatur: 1. John T. Mac Curdy: Die Allmacht der Gedanken und die Mutterleibsphantasie in den Mythen von Hephästos und einem Roman von Bulwer Lytton. J. III. 4. — 2. Freud Sigm.: Mythologische Parallele zu einer plastischen Zwangsvorstellung. Z. IV. S. 110. — 3. Groos Karl: Zur Psychologie des Mythos. Intern. Monatsschr. f. Wiss., Kunst und Technik. Juli 1914. — 4. Kaplan Leo: Grundzüge der Psychoanalyse. Leipzig und Wien 1914. — 5. Ders.: Psychoanalytische Probleme. Leipzig und Wien 1916. — 6. Lorenz Emil: Ödipus auf Kolonos. J. IV. 22. — 7. Rank Otto: Psychoanalytische Beiträge zur Mythenforschung. Internat. Psychoanalyt. Bibliothek. Bd. 4. 1919 (insbes. Kapitel XI—XIII). — 8. Silberer Herbert: Der Homunculus. J. III. 37. — 9. Ders.: Das Zerstückelungsmotiv im Mythos. Ebda. S. 602. — 10. Spieß Karl: Das deutsche Volksmärchen. (Aus Natur und Geisteswelt. Nr. 587.) Leipzig 1917.

Die analytische Mythenforschung hat in dem hier zu besprechenden Zeitraum einen quantitativ geringen Literaturzuwachs aufzuweisen. Die Kriegs- und Nachkriegszeit hielt manchen ihrer Vertreter von der gewohnten wissenschaftlichen Beschäftigung ab. Aber auch innere Momente mögen mitgewirkt haben, um die auf die Mythologie angewandte analytische Produktion zu langsamerem und bedächtigeren Schritt zu veranlassen. So berechtigt die erste Entdeckerfreude war, die darauf hinweisen konnte, wieviel die Analyse zum Verständnis der Mythen geleistet hatte, so untrüglich blieb doch das Bewußtsein, wieviel es noch zu leisten gab und wie viel Schwierigkeiten sich der jungen Wissenschaft noch in den Weg stellen würden. Es war eine neue Methode zur Erkenntnis des psychologischen Gehaltes der Mythen gewonnen, aber gerade jetzt tauchten neue Fragen auf, gelöste Probleme ließen hinter sich plötzlich neue erstehen und Fortschritte der analytischen Arbeit auf ihrem ursprünglichen Gebiete eröffneten neue Aussichten, forderten gebieterisch Berücksichtigung auch auf diesem geisteswissenschaftlichem Felde. Dazu kam das Bedürfnis, sich Rechenschaft über die Verbindungen zu geben, die sich zwischen mythologischen Erscheinungen und solchen auf ethnologischen und religionsgeschichtlichen Gebieten ergaben: umfassendere Fragestellungen rückten die spezielleren in den Hintergrund und die gewonnenen Erkenntnisse entfachten neuen Wissensdurst. Diese neue Periode der analytischen Mythenforschung kündigte sich durch allerlei Anzeichen an, als deren bedeutsamste mir die letzten Arbeiten Ranks erscheinen.

In seiner Sammlung der Arbeiten zur Mythenforschung, die Rank (7) so entscheidende Fortschritte verdankt, läßt sich selbst ein immer deutlicheres In-den-Vordergrund-rücken bestimmter Gesichtspunkte und neben der methodischen Vertiefung auch das Auftauchen prinzipieller neuer Fragen erkennen. Wie bereits in früheren Arbeiten erwies sich besonders im „Doppelgänger" der Vergleich literarischer Gestaltung, mythischer Bildungen und völkerpsychologischer Erscheinungen als fruchtbar; gestattete er doch eine Loslösung von der persönlichen Auffassung eines Motivs und zeigte gerade durch das Nebeneinanderstellen, durch Ähnlichkeiten und Differenzen die in den seelischen Tendenzen wurzelnde Allgemeingültigkeit bestimmter Motive. So wird gerade hier die enge Verknüpfung und tiefe Beziehung der Todes- und Liebesbedeutung der Doppelgängergestalt klar. Freud hatte hinter den Personen Shakespeareschen Dramen die Urbilder mythischer Gestalten auftauchen gesehen („Das Motiv der Kästchenwahl", J. II, 1914) und zugleich mit der latenten Bedeutung jener auch den verborgenen Sinn des alten Mythos aufgedeckt; ähnlich ließ sich die geheime Bedeutung der Narkissossage und der Doppelgängergestalten auf demselben Wege der durch Analyse geführten Vergleichung erkennen. Der methodische Fortschritt, der sich so in der Kombinierung der vergleichenden und der analytischen Methoden äußert, stellt eine Erweiterung und Vertiefung der Mythenforschung dar, deren Fruchtbarkeit Rank selbst ausspricht, indem er die Zerlegung des Mytheninhalts in einzelne, zunächst selbständig zu behandelnde Elemente befürwortet, „zu denen uns die vergleichende Forschung quasi die Einfälle liefert, welche die mythenbildende Gesamtheit zu den einzelnen Themen im Laufe ihrer Ausgestaltung beigesteuert hat". (S. 360.) Die Analyse des „Brüdermärchens" in der gleichen Sammlung zeigt so die analytische Mythenforschung auf einem Höhepunkt, indem es ihr gelingt, alle Entstellungen, Komplikationen, Ersatz- und Reaktionsbildungen, Verdichtungen und Verschiebungen nachzuweisen und die verschieden deutliche Einkleidung der Motive, ihre Übereinstimmungen und Abweichungen durch unbewußte Prozesse zu erklären. Die mythische Verschiebung von ursprünglich dem Vater geltenden eifersüchtigen Regungen auf den älteren bevorzugten Bruder, die im ägyptischen Brüdermärchen und im Osirismythos hervortritt, wird als ein Stück primitiver Kulturleistung erkannt und mit anderen durch die säkulare Verdrängung bedingten Milderungen und Verhüllungen zusammengestellt. In der Aufzeigung des Stammbaumes dieses Märchens gelingt es Rank auch, die jeweiligen Gestaltungen der Motive als Spiegelungen von bestimmten Kulturstufen zu erkennen und die Schichtenbildung der Mythen und Märchen mit Fortschritten in der sozialen Gliederung in Zusammenhang zu stellen. Er verfolgt die Mythenbildung bis in ihre Anfänge, die erst dem partiellen Verzicht auf reale Durchsetzung sexueller und egoistischer Regungen zu verdanken sind. Die Mythen- und Märchenbildung erscheint so als Negativ der Kulturentwicklung, als Ablagerungsstelle der in der Realität unverwertbar gewordenen Wunschregungen und unerreichbaren Befriedigungen. Hatte man früher in der Analyse das Hauptgewicht darauf gelegt, das Verständnis der Märchen und Mythen durch Aufdeckung der darin verwendeten Symbolik und durch Heranziehung der seelischen Mechanismen zu fördern, so waren hier die ersten Schritte unternommen, um das psychologische Verhältnis des Märchens zum Mythos zu bestimmen.

Auf die Resultate dieser Forschungen gestützt, konnte man dahin streben, eine Art psychologischer Entwicklungsgeschichte des Märchens zu gewinnen. Diesen Versuch unternahm Rank in der „Mythus und Märchen" betitelten Arbeit. Man wird nicht behaupten können, daß er dem Autor restlos geglückt ist; allein man muß berücksichtigen, wie groß die entgegenstehenden Schwierigkeiten, wie gering und schwach die zur Verfügung stehenden Hilfsmittel sind. Nur die psychoanalytische Erforschung der urzeitlichen Verhältnisse, wie sie von Freud in „Totem und Tabu" angebahnt wurde, sowie das Verständnis der psychischen Eigenheiten des Märchens konnte diesen kühnen Versuch überhaupt ermöglichen. Spiegelt der Mythos die Abwehrversuche des Vaters gegen die rebellischen Söhne, so repräsentieren die Heldenmärchen nach Rank die vorgeschrittene Entwicklungsstufe des Bruderclans. Der erste synthetische Versuch stützt sich auf die Vergleichung der Motive mit den zu Grunde liegenden, aus der Urgeschichte erschlossenen realen Situationen (es soll nicht verhehlt werden, daß die besondere Betonung der Formgebung, welche den Gegenstand der Untersuchung bildet, dem Referenten zu solcher Bestimmung nicht ausreichend zu sein scheint). Es handelt sich also um die letzten und eigentlichen Probleme der Märchenforschung; um nichts Geringeres als um ein Aufzeigen der äußeren, kulturellen und der inneren, psychologischen Situationen, aus der die Märchengebilde notwendig geworden sind. Rank beschränkt sich nun darauf, die Lösung dieser Aufgabe an einem einzigen, allerdings tragenden Motiv zu versuchen, dem des Kampfes der jungen mit der alten Generation (Motive der Aussetzung, der Aufgabe, der Austreibung der Söhne usw.). Die Analyse vieler Mythen ergibt, daß der Mythos im allgemeinen bestrebt ist, die ursprünglichen Objekte zu ersetzen und die Beziehungen zu ihnen in kulturell wertvollen Taten zu sublimieren (die Beseitigung des Vaters in der Tötung schädigender Ungeheuer). Die besondere und charakteristische Märchengestaltung strebt die Verleugnung der Tendenzen an, die im Mythos noch klar zu erkennen sind; oft werden sogar diese Tendenzen direkt ins Gegenteil verkehrt. Aus dem Hervorwachsen des Mythos aus der patriarchalen Zeit und der Entstehung des Märchens auf dem Boden des Bruderclans erklären sich manche der einschneidenden Differenzen zwischen den beiden Phantasiegebilden. Im Mythos hindern äußere Widerstände den Helden an der Erreichung der wertvollen Aufgabe; im Märchen widersetzen sich innere Hemmungen der Durchsetzung der verpönten Tendenzen. Der Mythos ist polygam, das Märchen monogam, was mit der verschiedenen Realitätsbewertung und -bedeutung zusammenhängt. Der Mythos ist patriarchal, das Märchen sozial; dieses ist ethisch, jener amoralisch. Besonders wichtig aber scheint Rank die Betonung des materiellen Moments — und zwar der besonderen Not des Familienlebens — im Märchen, während der Heroenmythos aller irdischen Not entrückt ist. Aus diesem Zug, der als ein Hinweis auf die äußere Situation der Märchenentstehung zu betrachten ist, erklären sich viele Charakteristika: seine naive Wunscherfüllung, das Schwelgen im Überreichen, Übergroßen usw. Besonders interessant ist es, wenn Rank die in relativ später Zeit erfolgende Märchengestaltung sich an ein „Urmärchen" anlehnen läßt, das die Überwindung einer ersten großen Not mit Hilfe der Phantasie ermöglichte. Verschiedene Momente, wie die in der Wiederkehr der alten Nöte im Brüderclan begründete Enttäuschung am Erfolg, Schuldgefühl und Vergeltungsfurcht wirken zusammen, um im Märchen eben jenes Stück Realität verleugnen zu lassen, das der Mythos in rechtfertigender Weise zeigt. Gerade darin zeigt sich der Selbsttrost als Antrieb der Märchenbildung; das Hauptmotiv seiner Erzählung aber liegt darin, die jüngere Generation zu warnen und abzuschrecken. Ist der Mythos vom Sohne geschaffen, so das Märchen von dem zum Vater avancierten, von Vergeltungsfurcht beseelten Sohn der zweiten Generation. Spiegeln die Mythen die Auflehnung des Sohnes wieder, so haben im Märchen die Eltern wieder die Oberhand gewonnen und suchen die ihnen drohende Auflehnung der neuen Generation zu verhindern. Der Glaube an den Mythos und der Unglaube an das Märchen stammen eben daher, daß jener die Realität ersetzen soll, dieses von der Realisierung der Urwünsche abschrecken will.

Ist in Ranks Arbeiten die analytische Mythenforschung bis an die Grenzen des ihr eigenen Gebietes gelangt und strebt sie hier erfolgreich den Anschluß an die Nachbarwissenschaften an, so verfolgen die Anhänger Jungs den umgekehrten Weg. Nun ist nichts dagegen zu sagen, wenn man gelegentlich die Froschperspektive mit der Vogelperspektive vertauscht, aber es hat sich als unmöglich erwiesen, die Aussichten, die sich von so verschiedenen Standpunkten aus eröffnen, z u g l e i c h e r Z e i t zu sehen. Auch bei Silberer (8, 9) und bei Lorenz (6) wird dies teilweise angestrebt. Das Resultat solcher Bemühung ist nun interessant genug: solange die Autoren auf psychoanalytischem Boden bleiben, liefern sie beachtenswerte Arbeit und scharfsinnige Resultate; auch ihre auf die höheren Seelentätigkeiten bezüglichen Ausführungen mögen manches Wertvolle enthalten (die Analyse ist nicht berufen, darüber zu urteilen); der Versuch aber, das Primitiv-Triebhafte der

Mythen in „anagogischer" Form als das ursprünglich Moralische und von vornherein auf hohe Ideale Gerichtete zu deuten, mißlingt. So kommt es, daß S i l b e r e r in der Analyse der Homunkulusidee (8) nur zur Hälfte — gewiß wertvolle — analytische Arbeit liefert, so daß er außer interessanten Fragestellungen nur Material zu dem von R a n k analysierten Zerstückelungsmotiv im Mythos (5) beizubringen weiß, ohne neue Anschauungen und Resultate, die man gerade von ihm erwartet hätte. S i l b e r e r hat die Fehler seiner großen Vorzüge, wie gerade seine Bedenken gegenüber der analytischen Mythenforschung zeigen. Beschränken wir uns nur auf die in seinem Aufsatz (9) geäußerten, so wäre zu sagen, daß man gewiß nicht behaupten kann, die psychologische Schichtung, die Verhüllungen und Abschwächungen der Mythen entsprechen immer historischen Veränderungen der Mythen, zeigen ein Früher oder Später an. Aber die Aufgabe der z e i t l i c h e n Bestimmungen der Mythengestaltung und ihrer psychologischen Schichten scheint mir überhaupt eine sekundäre und nicht durchaus von der Analyse lösbare. Auch verliert die Analyse keineswegs aus den Augen, wovor S i l b e r e r sie zu warnen sich bemüssigt fühlt, daß nicht nur Milderungen, sondern auch Vergröberungen des Mytheninhaltes in späterer Zeit vorkommen; ja sie trägt diesen Vorgängen teilweise Rechnung, indem sie sie durch die Mechanismen der Wiederkehr des Verdrängten zu erklären sucht. Nun wäre die S i l b e r e r sche Mahnung zur Vorsicht sehr am Platze, wenn man nur nicht bei Lektüre seiner Arbeiten den Gedanken verscheuchen müßte, als gelte auch ihm solche Vorsicht als der Tapferkeit besseres Teil. Indessen ist die anagogische Umbiegung seiner Ansichten unverkennbar. Weniger deutlich und tiefgehend erscheint die Beeinflussung durch J u n g sche Anschauungen bei L o r e n z, dessen schöne, Ödipus auf Kolonos geltende Arbeit (6) ihr besonderes Augenmerk auf den späten Segen, den der greise Held dem ihn beherbergenden Lande bringt, und auf seine mystische Vereinigung mit der Erde richtet. M a c C u r d y s (1) untersucht den Hephästosmythos und strebt den Nachweis für die innige Verbindung zwischen der vorgestellten „Allmacht der Gedanken" und der Idee vom Leben in einem Aufenthaltsort unter der Erde (= Mutterleib) an, die er in ihm gefunden hat.

14*

Eine singuläre Stellung nimmt eine kurze Arbeit F r e u d s (2)
ein, die in der griechischen Baubosage eine mythologische Analogie
zu einer plastischen Zwangsvorstellung, einer merkwürdigen Karri-
katur des Vaters eines Kranken, aufzeigt. Ähnliche, bis in die
Details geführte Vergleiche zwischen neurotischen Symptomen-
bildungen und Mythenmotiven stehen noch aus. In den Aufsätzen
K a p l a n s (4, 5) sind viele von Scharfsinn geführte Mythendeu-
tungen (Wassermythen, Ödipus-, Narzißus-, Riesenkampf-, Tristan-
sage usw.) enthalten, welche sowohl andere seelische Bildungen wie
Traum und Neurosensymptome zum Vergleich heranziehen, als auch
die typische Mythen- und Märchensymbolik berücksichtigen. Dieser
Autor ergänzt die analytisch-vergleichende Betrachtung durch die
Würdigung sozialer und ökonomischer Momente, die in der Entstehung und Entwicklung der Mythen und Märchen wirksam werden.

Von außerhalb der Analyse stehenden Autoren seien nur Karl
G r o o s erwähnt, dessen Aufsatz (3) Mythos und Traum vergleicht
und sich um die psychologische Erklärung der Mischwesen in den
Sagen bemüht, und Karl S p i e ß, der in seinen dem deutschen Volksmärchen geltenden Untersuchungen die Psychoanalyse anerkennend
erwähnt (10).

Hier wurden nur die analytischen Arbeiten der letzten fünf
Jahre behandelt, die sich aus- und nachdrücklich mit Mythologie
beschäftigen. Bei Besprechung der letzten Untersuchungen R a n k s
wurde bemerkt, welchen entscheidenden Impuls auch die Mythenforschung durch die in F r e u d s „Totem und Tabu" niedergelegten
Erkenntnisse empfangen hat. Manche Momente deuten darauf hin,
daß gerade diese Einwirkung für den jungen Wissenszweig von besonderer Bedeutung sein wird.

Religionswissenschaft.

Referent: Dr. Theodor Reik.

Literatur von 1909 bis Ende 1919.[1])

1. Abraham: Traum und Mythus. Schr. 4. 1914. — 2. Ders.: Einige Be-
merkungen über den Mutterkultus und seine Symbolik in der Individual- und
Völkerpsychologie. Zbl. I. 1911. — 3. Ders.: Über einige Einschränkungen und
Umwandlungen der Schaulust bei den Psychoneurotikern, nebst Bemerkungen
über analoge Erscheinungen in der Völkerpsychologie. Jahrb. VI. — 4. Ders.:
Amenhotep IV. J. I. 1912. — 5. Blüher: Die Theorie der Religionen und ihres
Unterganges. Berlin 1912. — 6. Eisler: Der Fisch als Sexualsymbol. J. III.
1914. — 7. Eitingon: Gott und Vater. J. III. 1914. — 8. Ferenczi: Zwangsneurose und Frömmigkeit. Z. II. 1914. — 9. Frank: Die Parteilichkeit der
Volks- und Rassenabergläubischen. Leipzig und Wien 1919. — 10. Freud: Bemerkungen über einen Fall von Zwangsneurose. Jahrb. I. 1919. — 11. Ders.:
Psychoanalytische Bemerkungen über einen autobiographisch beschriebenen Fall
von Paranoia. Ebenda III. 1911. — 12. Ders.: Nachtrag zu dem autobiographisch
beschriebenen Fall von Paranoia. Ebenda. — 13. Ders.: Aus der Geschichte
einer infantilen Neurose. Samml. kl. Schr. IV. 1918. S. 589 ff., 646 ff.[1] —
14. Ders.: Eine Kindheitserinnerung des Leonardo da Vinci. Schr. 17. 1910.
— 15. Ders.: Das Interesse an der Psychoanalyse. Scientia. Bd. XIV. 1913.
Nr. XXXII. 6. — 16. Ders.: Totem und Tabu. 1913. — 17. Ders.: Das Unheimliche. J. V. — 18. Heiler: Das Gebet. 2. Aufl. München 1919. — 19.
Hitschmann: Religiöse Ekstase und Sexualität. Zbl. III. 1912. — 20. Jones:
Der Gottmensch-Komplex. Z. I. 1913. — 21. Ders.: Der Alptraum in Beziehung
zu gewissen Formen mittelalterlichen Aberglaubens. Schr. 14. 1914. — 22.
Ders.: Die Empfängnis der Jungfrau Maria durch das Ohr. Jahrb. VI. 1914.
— 23. Jung: Wandlungen und Symbole der Libido. Jahrb. III. und IV. 1911
und 1912. — 24. Kaplan: Psychoanalytische Probleme. 1916. Abschn. I., IV.,
XII. — 25. Keller: Wandlungen der Psychoanalyse und ihre Bedeutung für die
Religionspsychologie. Arch. f. Religionspsy. II. 1914. — 26. Ders.: „Psychoanalyse" in der Enzyklopädie „Religion in Geschichte und Gegenwart." Hgb.
von Schiele. Tübingen 1913. Bd. IV. — 27. Kielholz: Jakob Böhme. Schr. 17.
1919. — 28. Levy: Die Sexualsymbolik der Bibel und des Talmuds. Zeitschr.

---

[1]) Zur Ergänzung der Bibliographie der auf religionswissenschaftliche Fragen bezüglichen analytischen Literatur (in deutscher Sprache) seien die Titel
zweier Arbeiten angeführt, die vor 1909 erschienen sind: Freud: Zwangshandlungen und Religionsübung. Ztschr. f. Religionspsych. 1907. I. und Muth-
mann: Psychiatrisch-theologische Grenzfragen. Halle 1907.

f. Sexualwiss. I. 1914. — 29. Ders.: Die Sexualsymbolik des Ackerbaues in Bibel
und Talmud. Ebenda. II. 1915. — 30. Ders.: Sexualsymbolik in der Simsonsage. Ebenda. III. 1916/1917. — 31. Ders.: Sexualsymbolik in der biblischen
Paradiesesgeschichte. J. 1917. — 32. Ders.: Ist das Kainszeichen die Beschneidung. J. V. 1919. — 33. Ders.: Die Schuhsymbolik im jüdischen Ritus. Monatsschrift f. Gesch. und Wissenschaft des Judentums. 62. Jg. H. 7—12. — 34.
Lorenz: Das Titanenmotiv in der allgemeinen Mythologie. J. II. 1913. — 35.
Morel: Essai sur l'Introversion mystique. Genève 1918. — 36. Nohl: Die Fruchtbarkeit der Psychoanalyse für Ethik und Religion. Schweizerland 1916. H. 6.
— 37. Österreich: Einführung in die Religionspsychologie und Religionsgeschichte. Berlin 1917. — 38. Pfister: Psychoanalytische Seelsorge und experimentelle Methode. Protestantische Monatshefte. 1909. H. 1. — 39. Ders.:
Ein Fall von psychoanalytischer Seelsorge und Seelenheilung. Evangelische
Freiheit. 1909. H. 3. — 40. Ders.: Die Psychoanalyse als wissenschaftliches
Prinzip und seelsorgerische Methode. Evangelische Freiheit. 1910. H. 2 ff. —
41. Ders.: Zur Psychologie des hysterischen Madonnenkultus. Zbl. I. 1910.
— 42. Ders.: Hysterie und Mystik bei Margareta Ebner. Zbl. I. 1910. — 43.
Ders.: Die Frömmigkeit des Grafen Ludwig von Zinzendorf. Schr. 8. 1910. —
44. Ders.: Hat Zinzendorf die Frömmigkeit sexualisiert? Zeitschr. f. Religionspsych. Bd. V. 1911. — 45. Ders.: Zinzendorfs Frömmigkeit im Lichte Gerhard
Reichels und der Psychoanalyse. Schweiz. Theol. Zeitschr. 1911. H. 5 und 6.
— 46. Ders.: Anwendungen der Psychoanalyse in der Pädagogik und Seelsorge.
J. I. 1912. — 47. Ders.: Die psychologische Enträtselung der religiösen Glosso-
lalie und der automatischen Kryptographie. Jahrb. III. 1911. — 48. Ders.: Die
psychoanalytische Methode. Pädagogium. I. Leipzig 1913. — 49. Ders.: Psycho-
analyse und Theologie. Theologische Literaturzeitung. 5. Juni 1914. — 50.
Ders.: Ein neuer Zugang zum alten Evangelium. Gütersloh 1918. — 51. Rank:
Der Mythus von der Geburt des Helden. Schr. 5. 1909. — 52. Ders.: Das
Inzestmotiv in Dichtung und Sage. 1912 (Kap. IX., X. und XIX). — 53.
Rank und Sachs: Die Bedeutung der Psychoanalyse für die Geisteswissen-
schaften. (Kap. III.) Wiesbaden 1913. — 54. Ders.: Der Künstler. Wien und
Leipzig 1918. 2. Aufl. S. 56 ff. — 55. Ders.: Psychoanalytische Beiträge zur
Mythenforschung. Intern. Psychoanalyt. Bibl. Bd. IV. 1919. (Kap. VI und XIII.)
— 56. Rappaport M.: Sozialismus, Revolution und Judenfrage. Wien 1919.
— 57. Reik: Flaubert und seine „Versuchung des heiligen Antonius". Minden
1912. — 58. Ders.: Die kindliche Gottesvorstellung. J. III. 1914. — 59. Ders.:
Das Kainszeichen. J. V. 1917. — 60. Ders.: Psychoanalytische Studien zur Bibelexegese. J. V. 1919. — 61. Ders.: Probleme der Religionspsychologie. I. Teil.
Das Ritual. Intern. Psychoanalyt. Bibl. Bd. V. 1919. — 62. Riklin: Betrachtungen
zur christlichen Passionsgeschichte. Wissen und Leben. 1913. — 63. Ders.:
Franz von Assisi. Ebenda. 1914. H. VII. — 64. Andreas-Salomé: Vom frühen
Gottesdienst. J. II. 1914. — 65. Schröder: Der sexuelle Anteil an der Theologie
der Mormonen. J. III. 1914. — 66. Ders.: Der gekreuzigte Heilige von Wildis-
bruch. Zbl. IV. 1914. — 67. Ders.: Zum Thema Religion und Sinnlichkeit.
Sex. Probl. März 1914. — 68. Silberer: Probleme der Mystik und ihrer Symbolik.
Wien und Leipzig 1914. — 69. Ders.: Vom Tod zum Leben. Leipzig 1915. —
70. Sombart: Die Juden und das Wirtschaftsleben. München und Leipzig 1918.
S. 280. — 71. Smith: Luthers early development in the light of Psychoanalysis.
(Amer. Journ. of Psychology. Vol. 24. 1913.) — 72. Stekel: Dichtung und Neurose.
Wiesbaden 1909. Abschn. VII. — 73. Ders.: Religion und Medizin. Zbl. II. 1912.
— 74. Ders.: Die Masken der Religiosität. Zbl. III. 1913. — 75. Ders.: Die
Träume der Dichter. Wiesbaden 1912. Abschn. XVIII. — 76. Ders.: Onanie

und Homosexualität. Wien 1917. V. Abschn. — 77. Storfer: Marias jungfräuliche Mutterschaft. Berlin 1914. — 78. Trebitsch: Geist und Judentum. Wien
und Leipzig 1910. — 79. Winterstein: Psychoanalytische Anmerkungen zur Geschichte der Philosophie. J. II. 1913. — 80. _ * _ Der Moses des Michelangelo.
J. III. 1914.

Nachtrag: Eine Artikelreihe der Berliner Zeitschrift „Jeschurun", die
Freuds „Totem und Tabu" kritisch behandeln soll, war dem Referenten leider
nicht zugänglich.

———

Das folgende Referat, das die analytischen Arbeiten auf reli-
gionswissenschaftlichem Gebiete in den letzten zehn Jahren behandeln soll, wird mit Rücksicht auf die große Anzahl der zu besprechenden Beiträge und auf die Knappheit des Raumes das Prinzipielle in den Vordergrund rücken und jedes Eingehen auf Details
vermeiden.

Die Bedeutung der analytischen Forschung für die Religionswissenschaft wird sich am besten so darstellen lassen, daß wir uns
in die Lage eines vorurteilslosen Religionsforschers zu versetzen
versuchen, der nach Verlauf einer längeren Zeit — etwa nach einem
Jahrhundert — die wissenschaftlichen Bemühungen unserer Zeit
auf diesem Gebiete verfolgen will. Beim Vergleich der Situation
auf dem religionswissenschaftlichen Arbeitsgebiete vor der Beschäftigung der Analyse mit religiösen Problemen mit der jetzigen wird
einem solchen Betrachter nicht nur die Bereicherung an positivem
Wissen und die Erweiterung unseres Verständnisses religiöser Vorgänge deutlich werden, sondern auch und insbesondere der methodische Unterschied und Fortschritt, der durch die analytische Religionspsychologie gekennzeichnet wird. Aus solchem Vergleich ergibt
sich eine vorläufige Auskunft über die charakteristischen Merkmale
gerade der psychoanalytischen Forschung, Fragen der Religionswissenschaft zu behandeln; zugleich aber wird dadurch klar, daß
die Psychoanalyse durch ihre Anschauungen Schwierigkeiten zu
überwinden vermag, die für andere Methoden bestehen und die zwischen ihnen klaffenden Gegensätze zu überbrücken versucht.

Unserem Betrachter wird sich also die Situation am Anfang
des 20. Jahrhunderts etwa folgendermaßen darstellen: Die religionswissenschaftliche Forschung wird durch zwei Richtungen beherrscht,
als deren repräsentative Vertreter William James und Wilhelm
Wundt erscheinen. Der Gegensatz dieser Richtungen geht von

216 · Dr. Theodor Reik.

der Differenz ihrer Anschauungen über das Wesen der Religion aus. Versteht man darunter die Summe von bestimmten Riten, Normen, Lehren und Gesetzen, welche innerhalb einer Gemeinschaft Geltung und Befolgung beanspruchen dürfen, so erscheint sie als soziale Institution. Anderseits kann man Religion auch als ein bestimmtes Verhalten oder eine bestimmte Einstellung Einzelner zu Gott beschreiben, ihre Religiosität, Frömmigkeit und ihr religiöses Erleben damit bezeichnen. Nimmt man nun die Religion zum Objekt psychologischer Arbeit, so ergibt sich durch die Differenz dieser beiden Anschauungen der Gegensatz der sozial- und individualpsychologischen Methode, als deren repräsentative Vertreter eben Wundt und James unbestritten anerkannt werden.

Die Möglichkeit, die Methode der angewandten Seelenkunde sowohl auf individualpsychologischem Gebiet als auch auf dem der Völker- und Massenpsychologie zu verwenden, ergab sich frühzeitig aus bestimmten theoretischen Annahmen, zu denen die psychoanalytische Erforschung des Seelenlebens des Nervösen genötigt hatte. Und so fanden die Analytiker keinen Anlaß, dem angeblich so tiefgehenden Gegensatze zwischen individualpsychologischen und völkerpsychologischen Methoden ihre Aufmerksamkeit zuzuwenden, da sich ihre Methode auf beiden Gebieten bereits als fruchtbar erwiesen hatte, sahen nur die zahlreichen Probleme und Schwierigkeiten und versuchten bald hier, bald dort eine Frage der Religionswissenschaft mit den Mitteln ihrer Disziplin zu lösen, ohne zuvörderst Rücksicht auf methodologische Erscheinungen zu nehmen, die es anscheinend verboten, das individuelle und kollektive Seelenleben in prinzipiell gleichmäßiger Art zu behandeln.

Einer ihrer nichtärztlichen Vertreter O. Pfister machte eine bestimmte religiöse Persönlichkeit, den Grafen von Zinzendorf, zum Gegenstand einer Analyse (43—46) und bemühte sich, die Charaktere der Frömmigkeit dieses Schwärmers aus der Eigenart seiner Erotik zu erklären; ähnliche Arbeiten beschäftigen sich mit der Analyse ekstatischer Frommen (41, 42). Derselbe Autor sammelte Zeugnisse religiöser Glossolalie und verwendete zu ihrer Enträtselung Erkenntnisse der psychoanalytischen Praxis und der Triebtheorie, die sich aus dieser ergeben hatten (47). (Osterreich würdigt die Bedeutung der Pfisterschen Glossolalieerforschung

(37). während Heiler in der bisher umfassendsten wissenschaftlichen Arbeit über das Gebet (18) nur die erotische Bedingtheit der Ekstase in der Mystik anerkennt, ohne die anderen Resultate der Analyse, die sich auf die Vorstufen des Gebetes und die Entwicklung des Rituals beziehen, zu berücksichtigen.) In diesen und anderen Arbeiten zeigte die Psychoanalyse, daß sie fähig war, die religiösen Phänomene einzelner Persönlichkeiten und die Vorgänge der Religion, welche sich pathologischen Symptomen annähern, durch die Anwendung der Aufklärungen, welche sie auf ihrem ursprünglichen Arbeitsfelde erhalten hatten, verständlich zu machen.

Aber schon früh ergab sich durch die Beziehungen von Traum und Mythus, auf die Freud zuerst nachdrücklich hinwies, die Möglichkeit, Schöpfungen des kollektiven Seelenlebens durch die Psychoanalyse ihrem psychischen Material, ihren Mechanismus und ihren Erscheinungsformen nach psychologisch zu erfassen. Durch die Leistungen Ranks, Abrahams, Riklins, Jones', Silberers und anderer wurde die psychoanalytische Mythenforschung immer weiter ausgebaut. Der religiöse Mythus erwies sich der Deutung ebenso zugänglich wie der Mythus, dessen religiöse Betontheit nicht von vornherein zu erkennen war: namentlich die Symbolik und die Wunscherfüllung, deren Bedeutung die Traumanalyse gezeigt hatte, erwies sich als hervorragendes Mittel der Deutungstechnik. A. J. Storfer gelang es durch Vergleichung und Deutung des reichen sexualsymbolischen Materials einen beachtenswerten Beitrag zum Verständnis der Marialegende zu liefern (77). Einem bestimmten Zug dieser religiösen Symbolik wandte Jones seine Aufmerksamkeit zu, der die Empfängnis Marias durch das Ohr zum Gegenstand seiner Analyse machte und diese so befremdende Erzählung durch die Heranziehung infantiler Theorien und Anschauungen zu deuten wußte (20). So war durch die psychologischpathologische Erforschung einzelner Persönlichkeiten das Gebiet der subjektiven Religion, durch die Mythenforschung jenes der sozialen Religion von seiten der Analyse betreten worden, noch ehe es zu einer theoretischen Auseinandersetzung über die subjektiven und objektiven Faktoren in der Religionsentwicklung gekommen wäre.

Hatten die ersten analytischen Untersuchungen über das religiöse Gefühlsleben bestimmter Persönlichkeiten (namentlich Pfisters, 41—45) besonderen Akzent auf das Pathologische der Fälle gelegt, und es nur durch die sexuellen Momente und die Mechanismen des unbewußten Seelenlebens dem Verständnis nähergerückt, waren also hier noch deutlich Spuren der Einwirkung der Anschauungen James (aber auch der religionspsychologischen Richtung Flournoys, Delacroix, Murisiers, Kurt Oesterreichs) deutlich, so trat diese Beeinflußung später immer mehr zurück. Pfisters spätere psychologische Arbeiten berücksichtigen, auch wenn sie religiöse Phänomene eines Einzelnen untersuchen, doch auch die institutionelle Religion, in deren Rahmen sich das Individuum auswirkt; die Tradition auf Grund deren oder im Protest gegen die eine Persönlichkeit ihre Tätigkeit entfaltet[1]). Abrahams Analyse der Gestalt Amenhoteps IV und seiner monotheistischen Bestrebungen zeigt in musterhafter Art, wie sich das Überkommene und das Selbsterlebte im religiösen Wirken vereinigen (4). Die institutionelle Religion mußte in dem Maße in den Vordergrund des analytischen Interesses treten, als man die Aufmerksamkeit von den religiösen Gefühlen einzelner Persönlichkeiten ablenkte und die Gemeinschaft in ihrem religiösen Leben ins Auge faßte. Unter den Tatsachen, die sich hier dem Analytiker aufdrängten, waren es besonders die des Ritus, des Zeremoniells und die Einzelheiten des religiösen Kultus, die eine Aufklärung durch die analytische Methode versprachen. An Stelle der individuellen und nuancierten Phänomene, deren Material Bekenntnisschriften, Gebete, lyrische Gestaltungen usw. lieferten und die namentlich die Schweizer Analytiker interessierte, traten objektive Gegebenheiten (Dogmen, Riten, Kulte), deren psychologische Motivation und Mechanismen erst zu erforschen waren. Schon 1907 hatte Freud[2]) hier den ersten Schritt getan, indem er das religiöse Zeremoniell in Vergleich mit dem neurotischen zog. Mit dem bedeutungsvollen Ergebnis des Aufsatzes „Zwangshandlung und Religionsübung" war der Weg zum analytischen Verständnis der sozialen religiösen Erscheinungen gewiesen.

---

[1]) Besonders die eben erschienene Arbeit Pfisters über Paulus in Imago VI, die bereits außerhalb dieses Referates fällt.

[2]) Freud hat in seiner „Geschichte der psychoanalytischen Bewegung" (Jahrb. VI, S. 235) irrtümlicherweise 1910 als Erscheinungsjahr dieser Arbeit angegeben.

Von den objektiven Tatsachen des sozialen und religiösen Lebens der Wilden und der frühen Antike ausgehend. konnte Freud in „Totem und Tabu" (16) ein in großen Zügen entworfenes Bild der Entstehung und Entwicklung der Religion. ihrer tiefsten Voraussetzungen und letzten Ziele geben. Freud geht von den Tabuverboten und -geboten der Wilden aus, deren Analyse sie als Äußerungen einer durch die Ambivalenz bestimmten seelischen Spannung erkennen läßt. Von dem ältesten und am strengsten beobachteten Tabuverbote der Primitiven, das Leben des Totem zu schonen, aus verfolgt Freud den Totemismus als die erste Stufe der Religion und gesellschaftlichen Organisation bis in seine Anfänge. Es kann hier nicht der Gang der Freudschen Untersuchung, die in komprimiertester Form viele Jahrhunderttausende der Kulturentwicklung darstellt, verfolgt werden; es sei nur hervorgehoben, daß sie Entstehung und Entwicklung der Religion als Reaktion auf das große Verbrechen des Vatermordes der Urzeit verstehen läßt, das Tieropfer aus dem Totemismus erklärt und das Wirken von Schuldbewußtsein, Sehnsucht und Trotz gegenüber dem Vater als schöpferische Faktoren in den Religionen zeigt. Es war hier zum erstenmal gelungen, mit den Mitteln der Psychoanalyse zu den Ursprüngen der großen sozialen Institutionen vorzudringen, ihr Werden, ihre Veränderungen und ihre Entwicklungen durch die Wirkung seelischer Mächte zu verstehen. Die Bedeutung der Freudschen Konzeption für die Religionswissenschaft ist — um dies einmal aufrichtig zu sagen — noch nicht zu überblicken; erst die Zukunft kann und wird zeigen, bis zu welchen Tiefen sie führt und zu welchen Folgerungen die Forschung, von ihr angeregt und in ihrer Fortsetzung, gelangen wird.

Freud hat in seiner Theorie der Entstehung und Entwicklung der Religion gewaltige Steine zu einem Bau gefügt, dessen Vollendung noch Generationen von Forschern Stoff zur Arbeit gibt. Unter den ersten, die sich zu solcher ausführenden und ausfüllenden Arbeit anschickten, befanden sich Abraham und der Referent. Abrahams ausgezeichnete Arbeit (3), welche hauptsächlich die Aufklärung bestimmter Einschränkungen und Umwandlungen der Schaulust geben will, findet überraschende Analogien der neurotischen Symptome seiner Patienten in religiösen Gebeten und Verboten sowie Anschauungen antiker und primitiver Religionen. Als besonders wesentlich erscheint seine Ableitung der Sonnen- und Gespensterphobie aus dem infantilen Totemismus, die Bestätigung und Fortführung der Freud schen Totemtheorie zugleich bedeutet. Die Beseitigung des Zweifels in der religiösen Sphäre, das Verbot des Abbildes Gottes, die Entstehung der Grübelfragen im Talmud usw. finden auf diesem analytisch-vergleichenden Wege ihre erste, vielleicht nicht immer ausreichende Aufklärung. Die religionspsychologischen Beiträge des Referenten bemühen sich, die psychische Bedeutung sowie die psychologische Entstehung und Veränderung gewisser Riten und mythischer Bildungen verständlich zu machen. Referent verfolgt dabei den von Freud gewiesenen Weg, der den Vergleich jetziger Gebräuche der Wilden mit den uns bekannten Riten der frühen Antike als außerordentlich fruchtbar erscheinen ließ. So glaubt er in der Couvade und in den Pubertätsriten der Wilden Veranstaltungen zu sehen, deren Vorbilder in langsamer Umformung und Verwandlung zu eminent wichtigen sozialen und religiösen Institutionen wurden (61) und in deren Analyse die verdrängten und verdrängenden Tendenzen, die für diese primitiven Zeremonien bestimmend waren, erkennbar werden. Die Vergeltungsfurcht des Vater gewordenen Sohnes, die in der Couvade eine bedeutsame Rolle spielt, wird als ein wichtiger Faktor in der Seelenwanderungslehre erkannt. Die Pubertätsriten der wilden Stämme stellen Veranstaltungen dar, die der herangewachsenen Generation bei der Überwindung ihrer unbewußten Inzest- und Mordgelüste helfen sollen. Mit der Einführung in die totemistische Religion in diesen Riten wird die junge Generation in die Gesellschaft und den Kult der Männer aufgenommen. Die vielfachen Martern und Prüfungen der Novizen werden den Leiden der Sohnesgottheiten in den antiken Religionen verglichen; der Passionsweg Christi erscheint in diesem Lichte als eine Art Pubertätsritus. Der archaische und konservative Charakter der jüdischen Religion läßt den Vergleich bestimmter Zeremonien mit zwangsneurotischen Symptomen einerseits und mit Riten primitiver Völkerschaften anderseits als heuristisch vorteilhaft erscheinen. Referent glaubt an zwei bedeutsamen Beispielen aus der jüdischen Liturgie, dem Kolnidre und dem Schofar, gezeigt zu haben, daß sich diese anscheinend vereinzelt dastehenden Gebräuche aus der Wirkung unbewußter Vorgänge verstehen und sich in das Gefüge anderer religiöser Zeremonien einreihen lassen. Hier und in der Analyse der Mosessagen ergab sich auch durch die Ergebnisse der analytischen Arbeit Gelegenheit, kurze Seitenblicke auf die psychische Entwicklung des Judentums zu werfen, dessen Besonderheit und Absonderung Referent aus dem Zusammenwirken bestimmter psychischer Dispositionen und der Schicksale dieser Gemeinschaft zu verstehen sucht. Die Analyse des Schofarbrauches und die der Sinaiperikope führten zu Anschauungen über die religiöse und kulturelle Entwicklung des frühen Israel, die von denen der herrschenden Religionswissenschaft sehr abweichen; davon sind besonders die Wirkung der totemistischen Periode und die der revolutionären Tendenzen gegen Jahve und deren Unterdrückung zu erwähnen. In Beiträgen zur Bibelexegese (59, 60) sucht Referent die Fruchtbarkeit der Psychoanalyse auch für dieses schwierige und eifersüchtig bewachte Gebiet zu erweisen, indem er zeigt, wie durch Anwendung analytischer Methoden Probleme der Lösung näher gebracht werden, die sich allen andersartigen Bemühungen gegenüber bisher resistent verhalten haben. Verdienstvolle Arbeiten Levys, die Vertrautheit mit der Sexualsymbolik und philologische Kenntnisse glücklich zu vereinen wissen, geben Aufschlüsse über die auch den Kirchenvätern bekannte Sexualsymbolik in der Paradiessage (31) und verfolgen dieselbe Symbolik in Bibel und Talmud, wo sie in den verschiedenartigsten Formen und schwerer erkennbaren Gestalten auftritt (28, 29, 30, 33). Mit Recht, wenn auch mit unzureichenden Gründen mahnt Levy zur Vorsicht in der analytischen Exegese der Kainssage (32). Die Sexualsymbolik steht auch im Mittelpunkt der analytischen Aufklärung, die Jones in seiner Studie über den Alptraum und seiner Beziehung zu mittelalterlichen Formen des Aberglaubens liefern kann (21). In der Analyse des Teufels- und Hexenglaubens scheinen mir die historischen und religionsgeschichtlichen Faktoren zu wenig berücksichtigt.

Desselben Autors Arbeit über den Gottmenschkomplex wirft ein Licht auf die psychischen Voraussetzungen und seelischen Determinanten des Glaubens, ein Gott zu sein, der sich in manchen seelischen Besonderheiten der betreffenden Personen äußert (20).

Das Fischsymbol als sexuelles Zeichen verfolgt E i s l e r in den
Religionen und Mythologien aller Völker (6).

Eine göttliche Mission meinte der von F r e u d gewürdigte
S c h r e b e r zu fühlen, dessen Phantasien und Wahnsystem heuristisch wertvolle Analogien zu gewissen Vorstellungen höherer und
primitiverer Religionen bieten (11, 12). Weniger aufschlußreich erweisen sich die religiösdichterischen Erzeugnisse der Miß M i l l e r,
die J u n g zum Ausgangspunkt seiner interessanten und weitaus-
greifenden Theorien macht (23). Die J u n g sche Arbeit ist so ausgezeichnet referiert und kritisiert worden, daß eine ausführliche
Besprechung an dieser Stelle füglich entfallen kann. Was die Probleme der Religion anlangt, nähern sich die J u n g schen Betrachtungen den psychologischen Arbeiten gewisser theologischer Schulen:
sie stellen trotz der religiösen „Ungebundenheit" ihres Autors eher
eine religiös-ethisierende Erweiterung der Analyse als eine Analyse
der Religion und Ethik dar. Die Überdehnung des Libidobegriffes
und die übergroße Bedeutung, die J u n g dieser mystisch gewordenen und verschwommenen Kraft zuschreibt, zeigt sich gerade in
der Religionspsychologie als unzulänglich und den Phänomenen un-
angemessen. Auch J u n g wollte wie F r e u d die neurotischen, religiösen und mythologischen Phantasien zueinander in Verbindung
setzen, der gewiß interessante und manchmal fruchtbringende Versuch aber, individuelle Erscheinungen durch völkerpsychologische zu
erklären, schlägt in diesem Falle fehl. Wie in der praktischen
Analyse des Einzelnen läßt J u n g auch in der analytischen Forschung religiöser Probleme das Zurückgehen auf die frühesten Entwicklungsvorgänge vermissen und unterliegt so oft der Gefahr,
bereits hochkultivierte Formen für das seelisch Primäre und Wirksame zu halten. Referent glaubt in der Deutung der Wiedergeburts-
phantasien, die in den Pubertätsriten eine so große Rolle spielen,
gezeigt zu haben, daß J u n g, der diese als Abbilder hochsublimierter,
ethischer und religiöser Bestrebungen ansieht, nur die bewußte Oberfläche der psychischen Dynamik enthüllt — oder besser gesagt —
die tiefer liegenden und primär wirksamen Tendenzen in so ideal gerichtete umdeutet. Ähnliches gilt für S i l b e r e r, der in den Tod-
und Wiederauferstehungsriten der Männerweihe „anagogische" Symbole sieht (69). Gewiß werden die sexuellen grausamen und egoisti-

schen Triebkräfte der Menschheit im Laufe einer langen und wechselvollen Entwicklung sublimiert, aber sie zeigen ihre Herkunft und eigentliche Natur noch dort, wo sie als das Treibende in den höchsten moralischen und religiösen Ideen zu Tage treten. Die Analyse hat gerade ein Interesse daran, das triebhaft-animalische Erbgut als wirksam in dem sozialen Zwecken dienenden Aufbau der Kultur nachzuweisen; sie zeigt regressiv, aus welchen seelischen Kräften diese Kultur erwachsen ist und auf welcher psychischen Grundlage sie letzten Endes ruht. Jung und seine Schule glaubte nun, da Ethik und Religion unleugbar jenen tiefliegenden Wurzeln entspringen, daß es eben die ursprüngliche Natur jener Wurzel sei, nach aufwärts zu streben, daß also — unbildlich gesprochen — schon jene egoistischen und sexuellen Komplexe von Haus aus eine höhere anagogische Bedeutung besitzen. Die partielle Berechtigung der anagogischen Theorie ist von der Analyse niemals bezweifelt worden; was an ihr stichhältig ist, ist der Hauptsache nach bereits früher in der Theorie der Sublimierungsvorgänge erkannt und beschrieben worden. Der Grad der Rückläufigkeit indessen, den die religionswissenschaftlichen Arbeiten der Jung schüler erreichen, wird durch die für sie zentrale Bedeutung und den Gebrauch des Begriffes „Introversion" in ihren analytischen Forschungen erwiesen (Morel, Jung, Riklin, auch Silberer). Ein Vergleich der Opfertheorie Freuds mit jener Jungs zeigt, daß die Jung sche Auffassung, die übrigens das heterosexuelle Moment merkwürdigerweise gerade hier überwertet, die oberste psychische Schicht als das Letzte auffaßt und die primären Tendenzen nur als symbolische Ausdrucksweise gelten läßt; das Opfer erscheint als Verzicht auf das Tierische im Menschen — das sagt auch die Theologie, „wenn auch mit ein bißchen andern Worten". Man sieht hier die Tendenz, das Religiös-Ethische die Analyse durchdringen zu lassen statt umgekehrt. Zu welchen reaktionären und pseudowissenschaftlichen Folgerungen eine solche theologisierende Anschauung führt, mag die Riklinsche Erklärung (62) der Erbsünde zeigen: diese ist ihm „das im Inzestmotive und seiner Symbolik dargestellte rückwärts gerichtete Prinzip. Und wenn die Strafe der Erbsünde die Arbeit ist, zeigt sich darin auch der Grund der Erbsünde: die Scheu vor intentioneller Leistung und Kulturarbeit". Wie man sieht, hat

solche Deutung nichts Analytisches mehr. sondern stellt sich als
moderne Wiederkehr der Scholastik und ihrer symbolisierenden Deutungen mit Benützung der Psychologie dar. Die Prozesse der
Sublimierung und Umdeutung sexueller und grobegoistischer Triebkräfte treten nirgends plastischer zu Tage als in der Weltanschauung
der Mystiker und der großen Frommen des Mittelalters. Das starke
Interesse, das einzelne Schweizer Analytiker und die von ihren
Ansichten beeinflußten Forscher an den Mystikern nahmen, mag
zu einem großen Teile daher stammen; Morel, Riklin, Silberer, Pfister, Kielholz haben deshalb interessante Persönlichkeiten und Erscheinungen der mystischen Sphäre des Religiösen
in den Mittelpunkt ihrer Analyse gestellt (35, 63, 68, 43, 27).

Es wurde berichtet, daß die analytische Religionspsychologie
als eines der jüngsten Anwendungsgebiete der Analyse auf kultur-
geschichtliche Probleme sich von Anfang an auch an die Mythenforschung anschloß, in der schon eine völkerpsychologische Erscheinung mit analytischen Methoden untersucht worden war. In
den Arbeiten von Abraham (1, Prometheussage) und Rank (51,
Geburtsmythus) hatten die beiden Wissenschaften sich stellenweise
schon berührt, bei Jones und Storfer waren weitere Berührungs-
flächen zu Tage getreten und in Freuds „Totem und Tabu" fanden endlich Mythus und Religion ihre psychologische Einreihung
in die seelische Entwicklungsgeschichte der Menschheit. Es sind
demnach Ansätze genug vorhanden, welche die Klarstellung des
Verhältnisses dieser beiden Bildungen der Massenpsyche zueinander
fördern. Dennoch muß man sagen, daß dieses Problem im wesentlichen noch der Lösung harrt. Indessen ist es bereits klar, daß
der Mythus auf dem* Boden des Animismus erwachsen, also prä-
religiös, frühzeitig eine religiöse Verarbeitung gefunden hat und
daß auch in ihm Reaktionen auf das große Verbrechen der Urherde
deutlich erkennbar sind, welche für die Entwicklung der Religion
so bedeutsam werden sollten.

Die Stellung der Religion innerhalb der Kulturgeschichte
hat Freud zu bestimmen gesucht (16); Rank und Sachs (53)
sowie Kaplan (24) haben ihre Ansichten über die Bedeutung der
Religion in der Entwicklung der Menschheit kurz dargestellt. Daß
die animistische Denkweise, die in den Religionen eine so große

Rolle spielt, auch im Kulturmenschen unterirdisch weiter lebt, zeigt Freud, indem er die Gefühlsreaktion des Unheimlichen analytisch untersucht (17).

Die religiöse Kunst ist nur vereinzelt Gegenstand der analytischen Untersuchung geworden: Freuds Analyse der Madonnenbilder Leonardo da Vincis (14) darf bisher als das einzige bedeutsamere Werk dieser Richtung bezeichnet werden. Die anonym erschienene Arbeit über den Moses des „Michelangelo" (30) zeigte in Methode und Art der Anschauung soviel analytische Züge, daß sie als Muster analytischer Beobachtung gewertet werden kann. Ihre Resultate erhielten durch Reik eine nachträgliche, aus der Analyse der Sinaiperikope geschöpfte Verifizierung und Vertiefung. In der analytischen Ableitung und Würdigung der Rolle von Tanz und Musik im religiösen Kult schließt sich Reiks Artikel über das Schofar hier an, in dem die Bedeutung des Totemismus auch für die späten Stadien der Religionsentwicklung hervortritt (61). Eine Dichtung, in der eine Heiligengestalt, die des Antonius, im Mittelpunkt steht, hat Reik (57) zum Objekt einer Analyse gewählt.

Einzelne Bemerkungen Ranks (54) bieten eine kurze Charakteristik des Religionsstifters und des Künstlers nach ihrem verschiedenen seelischen Verhalten und dessen Determiniertheiten.

Kaplans Bemerkungen (über Spinozas Gottesbegriff, über die Sünde usw.) zeigen auch die Möglichkeit, die analytischen Gesichtspunkte auf religionsphilosophischem Gebiete zu verwerten, eine Möglichkeit, die Winterstein in seiner verheißungsvollen philosophischen Arbeit noch näher gerückt hat (79).

Der Entwicklung des kindlichen Gottesglaubens und der religiösen Anschauungen des Kindes ist leider von der Analyse noch nicht die gebührende Aufmerksamkeit geschenkt worden. Freud hatte in der Wiederkehr des infantilen Totemismus die Bedeutsamkeit kindlicher Anschauungen für die vergleichende Religionsgeschichte gezeigt. Vereinzelte, für die spätere Entwicklung des Individuums wichtige Züge finden sich auch in Freuds Artikel „Aus der Geschichte einer infantilen Neurose" (13). In den seelsorgerischen Arbeiten Pfisters erscheinen sporadische und aufschlußreiche Bemerkungen über das religiöse Leben der Kinder. Eitin-

226   Dr. Theodor Reik.

gon und Reik lieferten kleinere Beiträge zum Verständnis kindlichen Gottesglaubens (7, 58). Die einzige größere, in Konzeption
und Inhalt gleich reizvolle Arbeit über dieses Thema ist von Lou
Andreas-Salomé (69). die feinsinnig, analytische Psychologie
mit intuitiver verbindend, vom „frühen Gottesdienst" berichtet. Es
ist zu hoffen, daß weitere Arbeiten bald die Lücke ausfüllen werden.

Der Anwendung der Psychoanalyse in der Seelsorge hat
sich Pfister gewidmet und dabei ansehnliche Erfolge erzielt (38,
39, 40, 46, 48, 50). Gewiß stellt solche Anwendung ein Kompromiß
zwischen seelsorgerischer und analytischer Bemühung dar, bei dem
unentschieden bleibt, welche Rolle die Person des Priesters und
welche die des Analytikers spielt. Das außerhalb der Analyse
stehende religiöse Element vermengt sich, wie ich meine, in dieser
gewiß fruchtbaren und verdienstvollen Tätigkeit mit den therapeutischen Interessen der Analyse, die es bisher und gewiß für immer
ablehnt, sich in den Dienst einer bestimmten moralischen oder religiösen Ansicht zu stellen. Nach der persönlichen Anschauung des
Referenten — und nur die kann an dieser Stelle zum Ausdruck
kommen — ist die Analyse berufen, einmal die Seelsorge zu einem
großen Teile zu ersetzen.

Den vielfachen Verhüllungen der Religiosität des modernen
Menschen geht Stekel nach (74); dieser Autor behauptet übrigens,
daß in den Neurosen allgemein der religiöse Komplex eine große
Rolle spiele; er konstatiert auch eine besondere Form der „Christusneurose". Wieweit sich diese Konstruktion sowie ähnliche Aufstellungen Adlers auf die Wirkungen und Reaktionen einer homo-
sexuell-femininen Einstellung gegenüber dem Vater (= Gott) zurückführen lassen, hat Freud (13) gezeigt. Schröder berichtet
über den sexuellen Anteil an der Theologie der Mormonen (65).

Um die theoretische Klärung der Voraussetzungen, Methoden und Ziele der analytischen Religionspsychologie haben sich
Rank und Sachs in einem gehaltvollen Abschnitt ihrer gemeinsamen Schrift (53) erfolgreich bemüht, die freilich, 1913 erschienen,
durch die Arbeiten der letzten Jahre mancher Modifikationen und
Erweiterungen bedarf. Freud erörtert kurz Gesichtspunkte der auf
die Religionswissenschaft gerichteten Analyse innerhalb der kultur-
historischen Interessen (15). Kellers Artikel in einer Enzyklopädie

(26) sowie seine (25) und Nohls Ausführungen (36) tragen nicht immer einwandfreien informativen Charakter. Reik würdigt die Bedeutung des Rituals für das analytische Verständnis der Religion in der Einleitung seines Buches (61).

Mit aktuellen Problemen, insbesondere mit der Judenfrage, beschäftigen sich unter gelegentlicher, nicht immer wissenschaftlicher Heranziehung der Analyse Sombart (70), Frank (9), Rappaport (56) und Trebitsch (78).

Die Kürze der Zeit — es sind kaum 13 Jahre, seit die Analyse anfing, sich auch mit Problemen der Religionswissenschaft zu beschäftigen — die Größe der entgegenstehenden Schwierigkeiten und die geringe Anzahl der Forscher machen es erklärlich, daß die meisten analytischen Arbeiten auf diesem Gebiete eher Ansätze als Vollendetes und Ausgeführtes bringen konnten. Die Zukunft wird zeigen, wie weit die Religionswissenschaft die ihr von der Analyse gebotenen Anregungen zu nützen weiß und wie weit die von der Analyse gefundenen Resultate auf diesem Gebiete verifiziert werden können. Sie wird auch sicher der Analyse den ihr gebührenden Platz innerhalb der Religionspsychologie einräumen.

* * *

Anhang: Mystik und Okkultismus.

Literatur: 1. Demole V.: Conviction spontanée. Archives de Psychologie. 1913. Nr. 50 und 51. — 2. Dessoir Max: Vom Jenseits der Seele. 3. Aufl. Stuttgart 1919. — 3. Flournoy Theodore: Die Seherin von Genf. (II. Heft der Experimentaluntersuchungen zur Religions-, Unterbewußtseins- und Sprachpsychologie.) Leipzig 1914. — 4. Freimark Hans: Mediumistische Kunst. Leipzig 1914. — 5. Ders.: Die erotische Bedeutung der spiritistischen Personifikation. Z. III. — 6. Freud Sigmund: Das Unheimliche. J. V. 297. — 7. Jones Ernest: Die Empfängnis der Jungfrau Maria durch das Ohr. Jahrb. VI. S. 135. — 8. Kielholz: Jakob Böhme. Ein pathogr. Beitrag z. Psychol. d. Mystik. Schr. XVII. 1919. — 9. Morel Ferdinand: Essai sur l'Introversion mystique. Genève 1918. — 10. Moser Eugen: Psychoanalyse und Mystik. Wissen und Leben. Zürich 1912. — 11. Petersen Margarete: Ein telepathischer Traum. Zbl. IV. — 12. Rank Otto: Der Doppelgänger. J. 1914. — 13. Reik Theodor: Ein Fall von „plötzlicher Überzeugung". Z. II. S. 151. — 14. Riklin Franz: Betrachtungen zur christlichen Passionsgeschichte. Wissen und Leben. Zürich 1913. — 15. Ders.: Franz von Assisi. Ebda. 1914. — 16. Schroeder Theodore: Die gekreuzigte Heilige von Wildisbuch. Zbl. IV. S. 464. — 17. Ders.: Der sexuelle Anteil an der Theologie der Mormonen. J. III. S. 197. — 18. Ders.: Zum Thema Religion und Sinnlichkeit. Sex. Probl. März 1914. — 19. Silberer Herbert: Probleme der Mystik und ihrer Symbolik. Wien 1914. — 20. Ders.: Der

15*

228   Dr. Theodor Reik.

Homunculus. J. III. S. 37. — 21. Dors.: Durch Tod zum Leben. Leipzig 1915.
— 22. Storfer A. J.: Marias jungfräuliche Jungfernschaft. Berlin 1914. — 23.
Vorbrodt S.: Flournoys Seherin von Genf und Religionspsychologie. Leipzig 1911.

Auf dem Gebiete der auf Probleme der Mystik angewandten
Psychoanalyse sind in dem hier in Betracht kommenden Zeitraum
nur wenige Werke zu verzeichnen, die einen Fortschritt bedeuten.
Silberers (19) aufschlußreiches Buch, das analytische Methoden
mit andersartigen verbindet, ist im vorigen Jahresbericht (Jahrb. VI,
S. 424) bereits erwähnt. Dem dort Berichteten darf vielleicht nur
hinzugefügt werden, daß des Autors interessanter Versuch, „Züricher
und Wiener Anschauungen in Harmonie zu bringen" (S. 424), als
mißglückt angesehen werden muß. Aussichtsreicher, wenngleich vielleicht verfrüht, erscheinen Silberers Bemühungen, eine vollständige Synthese analytischer und anderer Betrachtungsweisen herzustellen und die Probleme der Mystik von allen Seiten her zu
erforschen. Wir meinen nämlich, daß der Weg zu einer solchen
Synthese, die sicherlich zu den größten wissenschaftlichen Aufgaben
der Zukunft gehört, mit den uns heute zur Verfügung stehenden
Mitteln noch nicht gefunden wurde und sich so leicht die Gefahr
einstellt, das analytische Moment zu sehr zu unterschätzen, das
heißt also die Wirkung und Bedeutsamkeit verdrängter Triebkräfte
neben anderen Faktoren nicht genügend zu würdigen. Über desselben Autors Homunculusarbeit (20) wurde im Abschnitt über
Mythologie bereits gesprochen (s. S. 211).

In Silberers Buch über Mystik wurde die Bedeutung der
Opferidee besonders hervorgehoben und das anagogische Moment,
wie ich meine, weit überschätzt. Riklins (14), dem christlichen
Passionsmysterium geltender Aufsatz zeigt das Opfer einfach als
Verzicht auf das Tierische, die Erbsünde als das „im Inzestmotiv
und seiner Symbolik dargestellte rückwärts gerichtete Prinzip" und
sieht in dem religiösen Mysterium ein „blutig-ernstes Aktualproblem",
das er sittlich-tätig in die Seele gelegt wissen will. Die Jungsche
Auffassung und Umdeutung der Triebvorgänge, die bei Riklin
hervortritt, hat hier den vielleicht heimlich gewünschten Anschluß
an die ethische oder religiöse Predigt in psychologischer Ausdrucksweise fast restlos gefunden. Das Symbol von Tod und Wiedergeburt.

das Silberer (21) von seinen Urformen bis zu seinen Gestaltungen in der modernen Theosophie verfolgt, wird von diesem Autor als Abbildung eines ethischen, mehr minder wertvollen Strebens erkannt, als Bild der Verwandlung in etwas Besseres, Vollkommeneres. Neben den anagogischen Gesichtspunkten läßt Silberer übrigens auch die analytischen gelten. Silberers Symbolstudien haben durch ihre Unterscheidung von materieller und funktioneller Symbolik auch Morels (9) Anschauungen tiefgehend beeinflußt. Bedeutungsvoller noch wurde für den Schweizer Forscher der Begriff der Introversion, die er als gemeinsamen Zug bei allen Mystikern findet. Er unterscheidet innerhalb der „mystischen Introversion" eine speziellere Form der „Introversion franche" als die reinste und unpersönlichste von anderen gemischteren Typen. Die Natur der Introversion und ihrer individuellen Differenzierungen untersucht Morel, der in seiner Einleitung die psychologischen Erkenntnisse von Charcot, Janet, Bleuler, Freud und Jung in prinzipiell gleichem Ausmaße heranzieht, hauptsächlich bei Pseudo-Dionysius, dessen Bildersprache, Visionen, Riten und metaphysische Anschauungen er deutet, sowie bei Bernhard von Clairvaux, Heinrich Seuse, Madame Guyon und anderen großen Persönlichkeiten der Mystik. Die zentrale Stellung, die Morel der Introversion zuschreibt -- eine Achse, um die sich alles dreht --, hat es von vornherein verhindert, daß wir aus seinem Werke die Aufschlüsse erhalten, die wir über die seelischen Vorgänge bei den Mystikern durch Anwendung der Psychoanalyse erwarten dürfen. Wie wäre dies auch möglich, da Morel z. B. die Liturgie der Mönchsweihe und der Taufe nur gelten lassen will als „le drame tout entier de l'introversion qui se joue liturgiquement"? Immerhin enthält sein Buch manche bemerkenswerte und interessante Beiträge zur Psychologie der Mystiker. Dahin rechne ich z. B. die Würdigung der Bedeutung des Narzißmus in ihrem Seelenleben, die Unterscheidung der weitergehenden Regression bei den männlichen Mystikern von einer minder radikalen bei den weiblichen, deren Sexualität nicht bis zum exklusiven Narzißmus zurückkehre, manche Ansätze analytischer Durchdringung und Deutung, wie z. B. die Rückführung der Seuseschen Trinitätsphantasien auf Wirkungen des Schwankens zwischen Homo- und Heterosexualität usw. In

diesem Sinne darf M o r e l s Buch trotz manchen Schwächen zweifellos als Gewinn bezeichnet werden.

Die Tatsache, daß M o r e l die Rolle der Sexualität bei den
Mystikern — wenn auch mit Einschränkungen — erkennt und
ihre Bedeutung anerkennt, mag ihm den herben Tadel zugezogen
haben, den M o s e r (10) ausspricht. Dieser beruft sich auf die
Lehren J u n g s und M a e d e r s als den Born, aus dem die rechte
Wissenschaft quille, meint, die Psychoanalyse werde die Introversion
als den einzigen Zugang zur geistigen Welt erkennen und sich
von dem Freudschen Pansexualismus loslösen.

Die Vorwürfe, die M o s e r gegen M o r e l hier erhebt und die
sich in ihrer Mischung von wissenschaftlicher Naivität und Ver-
stiegenheit selbst richten, können R i k l i n s (15) Arbeit, die ebenfalls einem der größten Frommen der Mystik gilt, nicht gemacht
werden. Von der symbolischen Deutung eines Mosaiks von G i a c o-
m e t t i, Franz von Assisi darstellend, geht R i k l i n aus, um den
Vorgang der Vergeistigung bei diesem Heiligen zu verfolgen. Besonderer Wert wird dabei darauf gelegt, daß die „niedrigen" Ur-
kräfte durch diesen Prozeß „göttlich, astral oder ätherisch" werden.
Die daran geknüpften erbaulichen Betrachtungen können freilich
das Bedauern nicht verhindern, das der Leser empfindet, der sich
darauf vorbereitet hat, zu erfahren, durch welche seelischen Kräfte
und auf welchen psychischen Wegen aus dem prunkliebenden Ritter
der ekstatische Asket, der Poverello wurde, der den Schwalben predigt und sich nach dem Wiedererleben des Schicksals Christi sehnt.
Das Verständnis einer solchen Wandlung hat uns K i e l h o l z (8)
erschlossen, indem er zeigte, wie aus dem wenig gebildeten Schuster
Jakob Böhme ein theosophisch-mystischer Schriftsteller wird, der
sich als von Gott inspirierter Prophet fühlt und ein tiefsinnig-
verworrenes System baut. Es lassen sich innerhalb des pathologischen
Prozesses bei Böhme drei Phasen deutlich unterscheiden, deren erste
sich eine depressive, durch Selbstvorwürfe vorwiegend sexueller Natur, durch Todesängste, Traurigkeit und Furcht charakterisierte, eine
Übergangsphase, durch Versenkung in die Tiefen der eigenen Persönlichkeit gekennzeichnet, und endlich eine euphorische mit visuellen Sensationen und mit Glücksgefühlen, deren erotische Natur
nicht zweifelhaft ist. Als eigentlich mystisches Erlebnis tritt die

göttliche Beschaulichkeit, der Blick ins Zentrum der Natur in den Mittelpunkt des Prozesses. K i e l h o l z deutet das Centrum naturae als eine zusammenfassende Projektion der psychischen Erlebnisse Böhmes in der Schöpfung und als das Abbild des Geschlechtsaktes im Kosmos. Er läßt erkennen, daß das Werk des Görlitzer Schusters zu einem großen Teil als Sublimation des infantilen Schautriebes zu verstehen ist, welchen Trieb er in der Form des Erkenntnisdranges in der Mystik überhaupt als Hauptfaktor wertet. Die wichtigsten, für Böhme eigentümlichen Personifikationen und Modifikationen biblischer und legendärer Vorgänge werden in ihren psychischen Bedingtheiten erkannt, wobei die infantilen und sexuellen Momente gewürdigt werden (Jungfrau Sophie als mütterlicher Teil der Gottheit, die Unio mystica, der androgyne Adam, Christus, die Natursprache usw.). Die Studie K i e l h o l z', die auch pathologische Prozesse als Parallele heranzieht, unterläßt es nicht, auf die positiven Züge in der Mystik Böhmes und auf ihre Bedeutung für die Kirchen- und Kulturgeschichte hinzuweisen.

Die 1794 geborene Margarete Peter, deren religiös-mystische Schwärmereien die unheilvollsten Folgen nach sich zogen, stellt Theodor S c h r o e d e r (16) in den Mittelpunkt einer psychologischen Analyse. Zahlreiche Fäden laufen von den von A. J. S t o r f e r (22) und E. J o n e s (7) analytisch gedeuteten Geburtsmythen Marias zu der christlichen Marienmystik. Beide Arbeiten, namentlich aber die von J o n e s, werden für spätere, auf dieses Gebiet bezügliche Untersuchungen als unentbehrlich gelten müssen. Weiter zurück noch führt R e i k an einzelnen Stellen seiner das Schophar behandelnden Arbeit, da er sich auf die Umdeutungen der Liturgie durch die Kabbala stützt. Derselbe Autor erblickt in den Pubertätsriten und der mit diesen verbundenen Einführung der Novizen in den totemistischen Kult gleichsam die Keimzelle der Mysterien der antiken Religionen, mit denen er sie vergleicht. Im Gegensatz zu S i l b e r e r (21) legt er besonderes Gewicht auf die triebhafte, von verdrängten Tendenzen bedingte Grundlage dieser Erscheinungen.

Wollen wir endlich auch den Okkultismus und die von den okkulten Wissenschaften behaupteten Tatsachen hier in ihren wenigen Beziehungen zur Analyse heranziehen, so werden auch diese vor allem als Gegenstand analytischer Untersuchung in Betracht kommen. Was ihre auf das Seelenleben bezüglichen Theorien anlangt, kann der Analytiker diesen nur jene aufmerksame und nachprüfende Skepsis entgegenbringen, die er als Begleiterin seiner ersten wissenschaftlichen Bemühungen gewünscht hätte. Wenn sich die Analyse so von der starren und a priori ablehnenden Haltung jener Schulweisheit fernhält, die früher auch nichts von den Dingen zwischen Himmel und Erde, von denen sie sich nur träumen ließ, wissen wollte, so hegt sie anderseits keine Erwartungsvorstellungen in bezug auf einen etwaigen Einfluß dieser Forschungen auf ihre Lehren. Anders ausgedrückt: sie weigert sich keineswegs, durch das Fernrohr zu sehen, hat aber bisher nichts erblicken können, was eine Veränderung ihres Weltbildes bedeuten würde. Wir haben bisher keinen Anlaß gefunden, von der Forschung des Spiritismus, Okkultismus und der Theosophie Entdeckungen zu erwarten, welche die von der Analyse aufgezeigten seelischen Mächte und Gesetze in verändertem Lichte erscheinen ließen oder zu irgend welchen Modifikationen der analytischen Annahmen drängen könnten. Verschiedene Versuche, sowohl von Spiritisten als auch von einzelnen der Analyse nahestehenden Psychologen unternommen, um die Konstatierung der Wirksamkeit psychischer Tiefenmächte durch eine solche übernatürlicher Kräfte zu ergänzen, haben der Realitätsprüfung nicht stand gehalten. Die von S t e k e l und P e t e r s e n (11) sowie anderen Autoren vertretene Anschauung einer telepathischen Funktion des Traumes, der Existenz von Vorahnungen usw. konnte von der Analyse nicht geteilt werden, weil jeder objektive Beweis fehlt und sie außerdem in den Wirkungen, Reaktions- und Ersatzleistungen verdrängter Tendenzen eine ausreichende Erklärung für dergleichen befremdende Erscheinungen gefunden hat. Der bedeutsamste Schritt in dieser Richtung, seit F r e u d in seiner „Psychopathologie des Alltagslebens" die Schöpfung einer Metapsychologie als wissenschaftliches Postulat aufstellte, ist die Theorie von der Allmacht der Gedanken, die eine analytische Aufklärung des Aberglaubens, des Animismus und der Magie ermöglichte. Als Fortsetzung der hier eingeschlagenen Richtung darf man seine Arbeit über das Unheimliche anführen, die zeigt, wie manches okkult Erscheinende sich im Lichte der Analyse als natürliches, wenngleich kompli-

ziertes psychische Gebilde erscheint (6). Die „Doppelgänger"-Arbeit
Ranks (12) ist hier aus dem gleichem Grunde zu erwähnen. Ein
von Dr. Demole (1) zur Diskussion gestellter Fall „plötzlicher
Überzeugung" gestattete eine vollständige Analyse, welche das
seelische Zustandekommen einer merkwürdig anmutenden Erscheinung mit allen ihren Details ausreichend aufklären konnte (13).
Anderseits bezeugen verschiedene Äußerungen ernsthafter Forscher,
die okkultistische Neigungen hegen, daß die Analyse bei ihnen
Gegenstand intensiven Studiums geworden ist. Professor Flournoy
(3) zieht zur Beleuchtung mancher dunkler Zusammenhänge Aufklärungen aus Freuds Schriften heran, und Vorbrodt (23)
betont den Wert der Psychoanalyse für die Religionsforschung.
Auch Dessoir (2) muß ihre Bedeutung für die Untersuchung
okkulter Phänomene anerkennen. Hans Freimark (4) nähert sich
der analytischen Auffassung in der psychologischen Beleuchtung
mediumistischer Kunst und berichtet über Zusammenhänge zwischen
der Art der spiritistischen Personifikationen und der Sexualität der
Medien (5).

Künstlerpsychologie und Ästhetik.

Referent: Dr. Hanns Sachs.

Literatur: 1. Andreas-Salomé L.: Des Dichters Erleben. Neue Rundschau. 1919. März. — 2. Bardas Willy: Zur Problematik der Musik. J. V. 364. — 2a. Berufeld: Zur Psychologie der Lektüre. Z. III. 109. — 3. Coriat: Psychoanalyse der Lady Macbeth. Zbl. IV. 8. 384. — 4. Freud S.: Eine Kindheitserinnerung des Lionardo da Vinci. 2. Aufl. Schr. Nr. 7. 1919. — 5. Ders.: Einige Charaktertypen aus der psychoanalyt. Arbeit. J. IV, 317, und Sammlg. kl. Schr. z. Neur. IV. Folge. 521. — 6. Ders.: Das Unheimliche. J. V. 297. — 6a. Ders.: Eine Kindheitserinnerung aus Dichtung und Wahrheit. J. V 49 u. Sammlg. kl. Schr. z. Neur. IV. Folge. 564. — 7. Furtmüller C.: Schnitzlers Tragikomödie „Das weite Land". Zbl. IV. 28. — 7a. Heinitz: Eine Psychoanalytische Betrachtung der Kunst und Natur. Lit. Ges. 1916. — 8. Hitschmann E.: Ein Dichter und sein Vater. J. IV. 337. — 9. Ders.: Gottfried Keller. Intern. Psa. Bibl. Nr. 7. 1919. — 10. Ders.: Franz Schuberts Schmerz und Liebe. Z. III. 287. — 11. Jekels L.: Shakespeares Macbeth. J. V. 170. — 12. Juliusburger: O.: Shakespeares Hamlet ein Sexualproblem. Die neue Generation. IX. 1913. — 13. Kaplan L.: Der tragische Held und der Verbrecher. J. IV. 96. — 14. Kollarits: Zur Psychologie des Spaßes. Journ. f. Psych. u. Neurol. XXI. II. 5—6. — 15. Körner J.: Die Psychoanalyse des Stils. Lit. Echo. 1919. — 16. Lorenz E.: Die Geschichte des Bergmannes von Falun. J. III. 250. — 17. Ders.: Odipus auf Kolonnos. J. IV. 22. — 17a. Major Erich: Die Quellen des künstlerischen Schaffens. Leipzig 1913. — 18. Mac Curdy: Die Allmacht der Gedanken und die Mutterleibsphantasie. J. III. 382. — 19. Malinckrodt Frieda: Zur Psychoanalyse der Lady Macbeth. Z. IV. 612. — 20. Protze: Der Baum als totemistisches Symbol in der Dichtung. J. V. 58. — 21. Rank Otto: Der Künstler. 2. Aufl. 1918. — 22. Ders.: Der Doppelgänger. J. III. 97 (auch in „Psychoanalytische Beitr. z. Mythenforschung", Intern. Psa. Bibl. Nr. 4. 1919). — 23. Ders.: Das Schauspiel im „Hamlet". J. IV. 41. — 23a. Ders.: Homer. Das Volksepos (II). J. V. 132, 372. — 24. Reik Th.: Artur Schnitzler als Psychologe. Minden 1913. — 25. Ders.: Das Werk Richard Beer Hoffmanns. Wien 1919. — 25a. Reitler: Eine anatomisch-künstlerische Fehlleistung Leonardo da Vincis. Z. IV. 205. — 26. Sachs H.: Homers jüngster Enkel. J. III. 80. — 27. Ders.: Schillers „Geisterseher". J. IV. 69, 145. — 28. Ders.: Zum Thema „Tod". J. III. 456. — 29. Ders.: Der „Sturm". J. V. 203. — 30. Sperber Alice: Von Dantes unbewußtem Seelenleben. J. III. 205. — 31. Sperber H. und Spitzer L.: Motiv und Wort. Leipzig 1918. — 32. Strömcke Heinr.: Sexualprobleme in der dramatischen Literatur. München 1916. — 33. Teller Frieda: Musikgenuß und Phantasie. J. V. 8. — 34. Anonym: Der Moses des Michel Angelo. J. III. 15.

Als die Psychoanalyse über ihr ursprüngliches Gebiet, die Erforschung der Psychoneurosen, hinauszuwachsen begann, war das erste Thema, auf das sie stieß, die psychologische Analyse des Kunstwerkes und der schöpferischen Phantasie. Dieses Zusammentreffen war um so unvermeidlicher, als die „Traumdeutung" auf die Übergänge zwischen den Traumbildern des Schlafenden und den Phantasiebildern des Wachenden, den Tagträumen, hingewiesen hatte. Auch war durch das bekannte Schlagwort von „Genie und Irrsinn", durch die Häufigkeit der Neurose bei bedeutenden Künstlern eine derartige Anwendung der Freudschen Lehre auch solchen, die sonst mit ihren Auffassungen nicht innerhalb der Psychoanalyse standen, nahegelegt worden. Als dann Freuds „Witz und seine Beziehung zum Unbewußten" die psychoanalytisch fundierte Lösung für eines der dunkelsten Probleme der Ästhetik gebracht und Ranks großangelegtes Werk über: „Das Inzestmotiv in Dichtung und Sage", das, was vorher Vermutung gewesen war, durch eine Fülle von Material zur Gewißheit erhoben hatte — da schien es sicher, daß die Mission der Psychoanalyse, neben der eigentlichen psychologischen und psychopathologischen Forschung, vor allem in der Lösung ästhetischer und literarhistorischer Rätsel bestehen werde.

Es ist anders gekommen. Schon die beiden genannten Werke, ja schon die „Traumdeutung" wiesen über die Phantasieleistungen des Individuums hinaus auf die „Säkular-Phantasien" der Menschheit. Diese Bewegung hat an Umfang und Tiefe ständig gewonnen und heute steht es wohl für alle Mitarbeiter an der psychoanalytischen Bewegung fest, daß die Beschäftigung mit den Fragen der Ästhetik und Künstlerpsychologie nur ein kleiner Ausschnitt der Gesamtaufgabe ist; diese selbst umfaßt die ganze Entwicklung des Seelischen, also die menschliche Kulturgeschichte im weitesten und vollständigsten Sinne, und vielleicht hat sie auch damit ihre endgültigen Grenzen noch nicht erreicht.

Diese veränderte Stellung zur psychoanalytischen Forschung überhaupt wirkt auf die Methode und Problemstellung der kunstpsychologischen Untersuchungen auf mannigfaltige Weise ein. An das erste Ziel, im Kunstwerk oder in einer künstlerischen Entwicklung den Kern der unbewußten Phantasietätigkeit, also vor allem den Ödipuskomplex, nachzuweisen, daneben auf die gemeinsamen

Darstellungsmittel von Traum und Kunstwerk (sogenannte Freudsche Mechanismen) hinzuweisen, reihte sich ganz von selbst eine
Kette von neuen und weiter ausgreifenden Fragen. Die Abhängigkeit der künstlerischen, wie der mythischen und religiösen Phantasien von den Urschicksalen der Menschheit trat in den Vordergrund des Interesses.

Die ersten Schritte in der neuen Bahn hat Rank mit seinem
„Künstler", allen anderen weit voraus, getan. In diesem Buch (21),
das inzwischen in neuer Auflage vorliegt, ist die Wendung ins Allgemeine und Entwicklungsgeschichtliche nicht etwa nur durch Andeutungen vorweggenommen, sondern schon in methodischer Form
ausgebaut, längst ehe das völkerpsychologische Material als neue
Grundlage zur Verwertung kam. Es stellt deshalb auch heute noch
in vielen Punkten die beste Formulierung unseres Wissens dar und
bleibt eigentlich nur in einem einzigen hinter dem jetzt erreichten
Standpunkt zurück: Den Ausgangspunkt des komplizierten Kräfte-
spiels, das wir mit dem Schlagwort „Verdrängung" zusammenzufassen gewohnt sind, sucht Rank noch ausschließlich in endo-
psychischen Momenten, wodurch die Seele in seiner Darstellung zu
sehr Ähnlichkeit mit einem durch sich selbst bewegten Perpetuum
mobile gewinnt. Inzwischen haben wir durch Freud erfahren, daß
es eigentlich nur einer weiteren konsequenten Anwendung der psychoanalytischen Methode bedarf, um den von außen kommenden Anstoß zu erraten, d. h. von der psychischen Realität auf die historische Realität des Odipuskomplexes zurückzuschließen.

Als eine feinsinnige Durcharbeitung der seelischen Grundbedin-
gungen künstlerischen Schaffens ist ein Aufsatz aus der Feder von
Lou Andreas-Salomé (1) hervorzuheben. Er hat mit den
übrigen Werken derselben Autorin den Reiz und die Schwierigkeit
exaktester Formulierung gemeinsam, einer Formulierung, die sich
nie mit der geraden Linie allgemeiner Sätze begnügt, aber auch
auf krausen und vielfach verschlungenen Pfaden das Ziel nicht
einen Moment aus den Augen verliert.

Ein Stück grundlegender Künstlerpsychologie aus einem, allerdings überragenden, Einzelfall herauszulesen, das ist die Aufgabe,
die Freud mit seinem Buche über Leonardo da Vinci (4) gelöst
hat. Die zweite Auflage ist durch zwei Funde bereichert, die

Freuds Hypothesen schlagend bestätigen. Der eine, eine Fehlhandlung — oder eigentlich eine Summation von Fehlhandlungen
— Lionardos bei dem Versuch einer schematischen Darstellung des
Geschlechtsaktes, ist von dem verstorbenen Analytiker Dr. Reitler
entdeckt und beschrieben worden, der andere, die „kryptographische"
Darstellung des Geiers auf dem Bilde der „heiligen Anna selbstdritt",
ist das Verdienst des Pfarrers Dr. Pfister.

Einen Einblick in die Kindheit eines großen Künstlers verschafft uns auch Freuds Arbeit über eine am Eingang zu
Goethes Selbstbiographie stehende Episode, durch die zugleich
unser Verständnis für den Mechanismus der sogenannten „Deck-
Erinnerungen" erheblich vertieft wird. Durch den Vergleich mit
dem von ihm und anderen Analytikern gesammelten Material weiß
der Autor aus der scheinbar so gleichgültigen Anekdote den verborgenen Kern herauszuschälen: die zu großen Leistungen und
Erfolgen anspannende Erinnerung, daß die anderen, als willkommene Rivalen empfundenen Geschwister bald wieder aus der Kinderstube verschwunden sind, während es dem Dichter selbst bestimmt
war, zurückzubleiben und mit der geliebten Schwester zusammen
aufzuwachsen. Der unbewußte Affektinhalt der Erinnerung wußte
ihr trotz der bedeutungslosen Verkleidung den richtigen Platz an
der Spitze der Biographie zu erobern.

In einer kleinen Arbeit über den Dichter Dauthendey (8) hat
Eduard Hitschmann dessen Vaterbindung nicht nur als bedeutungsvoll für das dichterische Schaffen, sondern als Quelle eines
von dem Dichter als „telepathisch" betrachteten Phänomens und
seiner religiösen Wandlung nachweisen können. Eingehender hat
sich Hitschmann mit Gottfried Keller beschäftigt (9) und durch
die vergleichende Untersuchung der typischen Motive des Dichters
und seines Verhaltens im Leben gegen Mutter und Schwester, im
geselligen Verkehr und bei der Arbeit, ein ausgezeichnetes Bild
seiner unbewußten Seelentätigkeit entworfen. Als wichtigste Resultate wären zu nennen: Die in erster Linie auf den weiblichen
Busen gerichtete Schaulust und ihre Verdrängung, die dem großen
Menschenschilderer in der Malerei nur die Landschaft freigab; das
Motiv der „halben Familie", der Sohn mit der Mutter, die Tochter
mit dem Vater allein lebend, als Reminiszenz an die Kindheitsepoche

nach dem frühen Tod des Vaters, nach der sich der Knabe später
zurücksehnte, als ein — noch dazu mit der Mutter in unfriedlicher
Ehe lebender — Stiefvater ins Haus kam; die gehemmte Agression
dem Weibe gegenüber und ihre Umkehrung zu masochistischen Phantasien und schließlich der Nachweis der Mutterimago bei der interessantesten Frauenfigur des Dichters, der Judith.

Eine wertvolle und fesselnde Motivuntersuchung bietet auch
Reiks Buch über Schnitzler (24). Das Hauptgewicht wird auf
das feine psychologische Verständnis des Dichters gelegt, das der
Vertrautheit mit dem eigenen Unbewußten — obgleich einer Vertrautheit ganz besonderer Art — entspringt. Besonders interessant
sind die Analysen der Träume, die Schnitzler an bedeutungsvollen
Stellen seiner Werke verwendet. Die Deutung zeigt, daß der Aufbau dieser Träume durchaus den von Freud dargelegten Gesetzen
gemäß ist.

Daß die Beziehung zwischen Unbewußtem und poetischer
Schöpferkraft nicht etwa eine Errungenschaft unserer Generation
sei, beweist die Arbeit von Dr. Alice Sperber, die sich mit Dantes
unbewußtem Seelenleben beschäftigt (25). Von besonderem Interesse
ist die durch reichliches und gut gewähltes Material fundierte Anschauung, daß Vergil und Beatrice als Wiederkehr der Eltern-
imagines anzusehen seien.

Auf die Kindheitserinnerungen Spittelers (26) und die auffällige Übereinstimmung mit den Aufstellungen Freuds hinsichtlich des Wesens und der Wichtigkeit der Kindheitserlebnisse wurde
vom Referenten hingewiesen.

Die Untersuchung von E. Lorenz über „Die Geschichte des
Bergmannes von Falun (16) zeigt in sehr anschaulicher Weise, wie
aus einer einfachen Anekdote, wenn sie den geeigneten Keim dazu
enthält, immer neue Phantasiebildungen hervorwachsen. Im Fortschreiten der dichterischen Bearbeitung offenbart sich der unbewußte
Komplex immer deutlicher, durch dessen Berührung die Phantasie
erweckt wurde, bis er sich in der letzten — Hoffmannsthalschen
— Bearbeitung fast mit klaren Worten ausspricht — etwa, wie die
Träume einer Nacht denselben unbewußten Inhalt mit fortschrei-
tender Deutlichkeit variieren.

In einer anderen Arbeit zeigt derselbe Autor (17), daß der Schluß der Ödipustragödie ganz in dem Sinne der Erfüllung der im Unbewußten erregten Erwartungsvorstellungen — Vereinigung mit der Mutter Erde — verläuft.

Haben die beiden eben genannten Essays den Mutterleibskomplex gestreift, so zeigt uns Mac Curdy (18) einen Roman von Bulwer, der ganz und gar darauf aufgebaut ist. Die Beziehungen zwischen der Mutterleibsphantasie und der „Allmacht der Gedanken" werden durch die Analyse dieses Romans in interessanter Weise beleuchtet.

Die Idee, die sich durch alle diese Untersuchungen wie ein roter Faden hindurchzieht, nämlich die Rückkehr zu primitiven Denkformen auf dem Wege der scheinbar neuschöpferischen Phantasie, ist vielleicht durch kein besseres Beispiel zu belegen, wie durch das von Dr. Protze gefundene (20), in welchem ein Baum alle jene Funktionen ausübt, die von den „Wilden" in typischer Weise ihrem Totem zugeschrieben werden. Jene gemeinsame Idee liegt auch der Arbeit Ranks (22) zu Grunde, wird hier aber in ganz anderer, vollständigerer und systematischer Weise ausgeführt. Von einem in der modernen Literatur noch sehr lebendigen Motiv — dem des „Doppelgängers" ausgehend, schreitet der Autor rückwärts, zu dem Spiegel- und Schattenaberglauben, von da zu dem an Spiegelbild und Schatten geknüpften Seelenglauben der Primitiven, um zuletzt die psychologische Auflösung dieser Phänomene im Narzißmus und dem gegen seine, die Objektliebe hemmende Ausstrahlungen geführten Verdrängungskampf zu finden. Die Arbeit enthält eine Fülle literarhistorischen und volkskundlichen Materials und dürfte durch ihre Methodik, die sich nirgends mit aphoristisch Hingeworfenem begnügt, sondern überall den Zusammenhang herzustellen sucht, vorbildlich werden.

Eine ganze Reihe von Arbeiten beschäftigen sich mit den zwei großen tragischen Figuren Shakespeares: Hamlet und Macbeth. Die Hamletarbeiten (12 und 23) knüpfen selbstverständlich an das von Freud in der „Traumdeutung" Ausgeführte an, wobei das, was Rank über das „Schauspiel" und seine Stellung im Stück zu sagen weiß, als letzte Abrundung der Freudschen Auffassung gelten darf. Noch stärker hat sich das Interesse der bisher nur in einer

Anmerkung der „Traumdeutung" gestreiften Figur der Lady Macbeth zugewendet, der die Publikationen 3, 11, 19 gelten. Die umfas-
sendste dieser Untersuchungen ist die von Jekels (11), die mehr als
ein wertvolles Resultat zu Tage fördert. Von diesen sollen nur zwei
angeführt werden: Die Auffassung der Verteilung des ursprünglich
zusammengehörigen Schuldgefühles vor und nach der Tat auf zwei
Personen und die Entdeckung des Selbstvorwurfes Shakespeares,
der Frau und Kinder verlassen und den einzigen Sohn verloren hatte,
als tiefsten Kern der Figur des Macduff. An diesen Fund knüpft
Freud (5) an und zeigt, wie das Problem der Kinderlosigkeit unterirdisch das ganze Drama durchzieht. In diesem „Komplex" trifft
der in dem Stück verkörperte uralte Natur-Mythus, die Besiegung
des unfruchtbaren Winters durch den unter grünen Zweigen heran-
rückenden Frühling, mit dem aktuellen Anlaß, der Thronbesteigung
Jakobs I. als Nachfolger der unfruchtbaren Elisabeth, die seine
Mutter hatte hinrichten lassen, zusammen. Freud macht es auch
wahrscheinlich, daß der Nachtwandel der Lady direkt auf die in
schlafloser Unruhe verbrachten letzten Wochen der maiden queen --
die sich selbst einst schmerzhaft als „unfruchtbarer Stamm" bezeichnet hat -- zurückgeht. Noch eine andere Figur Shakespeares
wird von Freud an derselben Stelle untersucht· Richard III., dessen
Persönlichkeit aus dem ersten Monolog mit klarer Folgerichtigkeit
entwickelt wird. Er gehört zu jenen, die ein besonderes Anrecht auf
die Durchsetzung ihrer Wünsche zu haben glauben, da sie schon bei
der Geburt von der Natur geschädigt worden sind. Unter den Typus
derer, die am Erfolge scheitern, reiht Freud eine, schon von Rank
untersuchte tragische Figur ein, Rebekka West aus Ibsens Rosmers-
holm. Er zeigt, daß die aktuelle Situation der Rebekka das Resultat
einer typischen Phantasie ist, in welcher sich die Haushälterin an
die Stelle der Hausfrau setzt. Die unbewußte Wurzel dieser Phantasie ist natürlich der Wunsch, die Mutter beim Vater zu ersetzen.
Als Rebekka erfährt, daß diese verpönte Phantasie für sie Realität
war, d. h. daß sie ohne es zu wissen, die Geliebte des eigenen Vaters
war, wird sie unfähig, ihren Erfolg zu genießen und wählt statt
der Ehe mit Rosmer den gemeinsamen Tod.

Die Erörterung Furtmüllers (7) über Schnitzlers „Das
weite Land" stellen im Sinne der Voreingenommenheit des Ver-

fassers für die Adlersche Auffassung den Kampf um die Macht in die Mitte des Geschehens. Eine unglücklichere Wahl als die eines Schnitzlerschen Stückes zum Beweis derartiger Thesen konnte nicht getroffen werden. Die späteren Werke Schnitziers (insbesonders „Casanovas Heimkehr") haben den Versuch, das erotische Problem durch ein egoistisches zu ersetzen, ad absurdum geführt.

In den Arbeiten des Referenten (27 und 29) wird der Versuch gemacht, die Entstehung zweier, der Weltliteratur angehöriger Werke auf die psychische Situation des Verfassers zurückzuführen. Beidemale wird das Problem der Produktionshemmung (bei Schiller der zeitweiligen, bei Shakespeare der endgültigen) gestreift. An der Erzählung Th. Manns (28) wird die Übereinstimmung mit der Traumsymbolik das Verständnis für die Grundlagen der Homosexualität hervorgehoben.

Eine Sonderstellung nimmt die Arbeit über den Moses Michelangelos (34) eines anonymen Verfassers ein. Weder der Ausgangspunkt noch das Resultat fallen eigentlich in das Gebiet der Psychoanalyse. Der Gang der Untersuchung aber, der aus dem Gegenwärtigen das Vergangene, aus kleinen Anzeichen Wichtiges und aus dem Kunstwerk die Seelenströmungen des Schöpfers zu erraten weiß, entspricht ganz und gar der psychoanalytischen Methodik in ihrer reinsten und besten Form.

Unter den auf allgemeine Probleme gerichteten ästhetischen Untersuchungen gründen sich die meisten auf das von Freud an einer oder der anderen Stelle Ausgeführte; das Verdienst liegt in der übersichtlichen Darstellung und der Ausarbeitung ins Einzelne (14, 32). Die von Kaplan aufgestellte Parallele zwischen tragischem Held und Verbrecher (13) ist psychoanalytisch gut begründet und beweist das richtige Gefühl des Verfassers für die neue Richtung unserer Problemstellung. Durch Freuds „Totem und Tabu" wissen wir, daß es sich um mehr als eine Analogie, um die Abspiegelung desselben Urverbrechens in verschiedenen Formen handelt.

Eine ganz eigenartige Untersuchung, die sich stellenweise sehr eng mit der Psychoanalyse berührt, ist die von Sperber und Spitzer (31) über den Zusammenhang zwischen Motiv und Wort angestellte. Spitzer weist an den Werken des grotesken Poeten

242

Dr. Hanns Sachs.

Christian Morgenstern nach, wie das Wort bei ihm der Sache vorausgeht, ja wie das Wort die Phantasie zur schöpferischen Tätigkeit anregt. „Wörter wie Sachen zu behandeln" ist nach Freud eine typische Eigenschaft der Kindheit und Morgensterns Humor gründet sich zu gutem Teil auf der Beibehaltung dieser Eigenschaft. Noch weiter an die Psychoanalyse heran führt die scharfsinnige und reizvolle Untersuchung Sperbers über G. Meyrink. Sperber weist nach, daß dieselben Vorstellungen, die bei Meyrink inhaltlich, als dichterisches Motiv verwendet, vorherrschen, auch seiner Sprache den Stempel aufdrücken und je nachdem, als abgegriffene Wendung oder als origineller Vergleich sich in auffälliger Weise in seine Ausdrucksweise einzudrängen wissen. Wenn Sperber den Einfluß der Affektladung bestimmter Komplexe in ihrer Bedeutung für Stil und Sprache würdigt, so liegt uns nahe, die Untersuchung in der entgegengesetzten Richtung zu vervollständigen, das heißt statt von den „Komplexen" zur Sprache in die Richtung nach außen, von dort nach innen, zu den unbewußten Affektquellen den Weg zu finden. Der von Sperber bei Meyrink gefundene „Komplex der körperlichen Hemmungen" (insbesondere Lähmung, Erblindung und Erstickung) gibt dem psychoanalytisch Geschulten mancherlei zu denken. Der Aufsatz von Körner (15) ist eine Würdigung der beiden eben genannten Arbeiten.

Die beiden Untersuchungen über die Musik (2, 33) geben uns die Hoffnung, daß auch dieses schwierige, von der psychoanalytischen Forschung am weitesten entlegene Gebiet in den Kreis unseres Verständnisses einbeziehbar sein werde. Die Möglichkeit, durch Tonfolgen bestimmte Affekte auszulösen, läßt sich am ehesten durch die Auslösung aus dem Unbewußten erklären. Hitschmann (10) behandelt das Seelenleben des jungen Schubert und seinen Familienkonflikt in Zusammenhang mit einem Traum.

Die Untersuchung von Freud über das Unheimliche (6) führt das früher in einer Anmerkung zu den „Drei Abhandlungen" Gesagte näher aus. Es wird hervorgehoben, daß „heimlich" eines jener Ambivalenzworte ist, die in sich zwei Gegensätze vereinigen, hier etwa den Sinn von „vertraut" und „verborgen, gefährlich". Von besonderem Werte sind dann die näheren Bestimmungen, unter welchen Bedingungen die Wiedererweckung der „Allmacht der Gedanken" einen unangenehmen Eindruck auslöst, weshalb sie eben als „unheimlich" charakterisiert wird. Die volle Wiederbelebung dieser kindlichen Allmacht, wie etwa im Märchen, ruft diesen Eindruck nicht hervor; stellt sich die Dichtung aber mit ihren Prämissen in die Wirklichkeit, so wirkt ein plötzliches Zurückgreifen auf die Allmacht unheimlich, ganz ebenso, wie in der Wirklichkeit selbst, wenn ein Zufall uns einen Augenblick an diese Möglichkeit wieder glauben läßt. Die andere Wurzel des Unheimlichen ruht in der Wiederkehr des Verdrängten, insbesonders aber fällt dem Kastrationskomplex eine bedeutende Rolle zu.

Kinderpsychologie und Pädagogik.

Referentin: Dr. H. Hug-Hellmuth.

Literatur: 1. Abraham K.: Untersuchungen über die früheste prä-
genitale Entwicklungsstufe der Libido. Z. IV. S. 71. — 2. Adler A.: Zur Kinder-
psychologie und Neurosenforschung. Wr. klin. Woch. 1914/217. — 3. Andreas-
Salomé Lou: Zum Typus Weib. J. III. S. 1. — 4. Dies.: Anal and Sexual.
J. IV. S. 249. — 5. Dies.: Drei Briefe an einen Knaben. Leipzig 1917. — 6.
Asnaourow: Sadismus und Masochismus in Kultur und Erziehung. München
1913. — *7. Bartz A.: Kindliche Pornographien. Ztschr. f. Kinderforschung
Band 20. Heft 7/8. 1915. — 8. Bernfeld S.: Zur Psychologie des Unmusikalischen.
Nebst Bemerkungen über Psychologie und Psychoanalyse. Arch. f. d. ges. Psych.
Bd. 34/2. 1918. — 9. Ders.: Die Psychanalyse in der Jugendbewegung. J. V.
S. 283. — 10. Birstein: Mitteilungen aus der Kinderpsychologie. Zbl. IV. S. 81.
— 11. Blüher H.: Gattenwahl und Ehe. J. III. S. 477. — 12. Brahn P.: Psychoanalyse und Kind. Arch. f. Päd. I. Teil. Die päd. Praxis. II/3. 1915. — *13.
Binkle Kurt: Das Geschlechtsverhältnis der Kinder bei den durch den Tod
eines Gatten gelösten Ehen. Erlangen 1914. — *14. Czerny A.: Die Entstehung
und Bedeutung der Angst im Leben des Kindes. Ztschr. f. Kinderforschung.
20. Bd. 1914. Heft 1. — *15. Diettrich A.: Was können wir aus der Psychotherapie der S. Freudschen Schule für die Therapie unserer Seelsorge lernen!
Monatsschrift f. Pastoraltheol. 1916. Febr. 17. Kriegsheft. — 16. Eulenburg A.:
Das sexuelle Motiv bei den „Schülerselbstmorden". Ztschr. f. Sex.-Wiss. März
1917. 12. Heft. — *17. Frank L.: Über Affektstörungen bei Kindern. Korresp.-
Bl. f. Schweizer Ärzte. 1919. Nr. 19. — 18. Freud S.: Drei Abhandlungen zur
Sexualtheorie. III. Aufl. 1915. — 19. Ders.: Vorlesungen zur Einführung in die
Psychoanalyse. Wien 1917. — 20. Ders.: Aus der Geschichte einer infantilen
Neurose. Sammlung kleiner Schriften zur Neurosenlehre. IV. Folge. Wien-
Leipzig 1918. — 21. Ders.: Eine Kindheitserinnerung aus „Dichtung und Wahr-
heit" mit zwei Beobachtungen von Hug-Hellmuth: „Zum Hinauswerfen von
Gegenständen aus dem Fenster von kleinen Kindern." J. V. S. 49. — 22. Ders.:
„Ein Kind wird geschlagen." Beitrag zur Kenntnis der Entstehung der Per-
versionen. Z. V. S. 151. — 23. Friedjung Josef K.: Die Erziehung der Eltern.
Wien 1916. — 24. Ders.: Die Sonderstellung der Kinderheilkunde. Grund-
sätzliches zum pädiatr. Unterricht. Med. Klin. 1917. II. 5. — 25. Ders.: Ärztliche Winke für die Überwachung der kindl. Sexualität. Med. Klin. 1918. H. 14.
— 26. Ders.: Die Pathologie des einzigen Kindes. Ergebn. d. inneren Med. und
Kinderheilkunde. Bd. XVI. 1919. — 27. Ders.: Erlebte Kinderheilkunde. Wiesbaden 1919. — 28. Ders.: Über die sexuelle Aufklärung unserer Schuljugend.
Mitteilungen des d.-ö. Volksgesundheitsamtes. Mai 1920. — 29. Furtmüller K.:
Alltägliches aus dem Kinderleben. Ztschr. f. Indiv.-Psychol. I/2. 1914. —

30. Galant F.: Sexualleben im Säuglings- und Kindesalter. Neurol. Zentralbl. 1919. — *31. Glane-Bulß Helene: Das Schwärmen der jüngeren Mädchen. Die Entwicklungsjahre. Heft 10. Leipzig 1914. — *32. Gaßmann: Praktische Erziehung und Psychoanalyse. Winterthur 1918. — 33. Häberlin P.: Psychoanalyse und Erziehung. Berner Bund. 1914. Sonntagsblatt 9 u. 10. — 34. Ders.: Psychoanalyse und Erziehung. Ztschr. f. Pathopsychologie. Erg.-Band I. 1914. S. 53—69. — 35. Ders.: Psychoanalyse und Erziehung. Z. II. S. 213. — 36. Ders.: Das Ziel der Erziehung. Basel 1917. — 37. Ders.: Kinderphantasien. Schweizer Kindergarten. II/8. - 38. v. Hattingberg H.: Analerotik, Angstlust und Eigensinn. Z. II. S. 244. — 39. Ders.: Zur Psychologie des kindlichen Eigensinnes. Ztschr. f. Pathopsychol. Erg.-Band 1914. I. — *40. Hermann D.: Grundlagen für das Verständnis krankhafter Seelenzustände (psychopatholog. Minderwertigkeit) beim Kinde. 2. Aufl. Langensalza. — *41. Hamburger F.: Über Psychotherapie im Kindesalter. W. M. W. 13. Juni 1914. — 42. Hodann: Das erotische Problem in der Jugendbewegung. Die neue Generation. Bd. XII. H. 7/8. S. 199. — *43. Hoffmann W.: Über die Nervosität im Kindesalter. St. Gallen 1919. — 44. Hug-Hellmuth H.: Vom wahren Wesen der Kinderseele; — J. III, mit Beiträgen von Eitingon M., Gott und Vater (S. 89), Hug-Hellmuth, „Im Zwischenland" von L. Andreas-Salomé (S. 85), Reik, Kindl. Gottesvorstellung (S. 93), Vaterkomplex (S. 94), Kind und Tod (S. 94); — J. III. Hug-Hellmuth, Kinderbriefe (S. 462); — J. V, Hug-Hellmuth. Vom frühen Hassen und Lieben (S. 121): Mutter—Sohn, Vater—Tochter (S. 129); — Multaretuli, Eine Kinderbeobachtung (S. 123); — Sachs H.. Eine Kinderszene (S. 124) - Härnik E., Anatole France über die Seele des Kindes (S. 126); — Reik Th., Eine Kindheitserinnerung von Alex. Dumas (S. 128); — J. V, Abraham K., Dreikäsehoch (S. 291); Reik Th., Infantile Wortbrücken (S. 295); — Ein durchsichtiges Kinderversprechen (S. 295); — Gegensinn der Kinderworte (S. 295). — 45. Dies.: Die Kriegsneurose des Kindes. Pester Lloyd. 15. März 1915. — 46. Dies.: Vom Wesen der Kinderseele. „Sexualprobleme". 1913. S. 433. — *47. Hylla E.: Die Psychoanalyse und ihre Anwendung bei Jugendlichen. Die Sonde. H. 6. 1914. — 48. Jung C. G.: Über Psychoanalyse beim Kinde. Congrés 1.intern. de Pédologie, Bruxelles, août 1911. Bruxelles 1912. — 49. Lazar E.: Die nosologische u. die kriminelle Bedeutung des Elternkonfliktes der Jugendlichen. Ztschr. f. Kinderheilk. XI. 5/6. 1914. — *50. Lindworsky H.: Die Psychoanalyse eine neue Erziehungsmethode? Stimmen der Zeit. 46. 1915. 2. Heft. — 51. Marcinowski J.: Ärztliche Erziehungskunst und Charakterbildung. München 1916. — 52. Ders.: Zum Kapitel Liebeswahl und Charakterbildung. J. V. S. 196. — *53. Mayer Heinr.: Kinderideale. Eine exper.-pädag. Studie z. Religions- und Moralpädagogik. Kempten 1914. — 54. Mensendieck O.: Zur Technik des Unterrichts und der Erziehung während der psychoanalytischen Behandlung. Jahrb. V. S. 455. — 55. v. Müller H.: Psychoanalyse und Pädagogik. Wissen und Bildung, Leipzig 1917; auch in Ztschr. f. pädag. Psychol. XVIII. 5/6. Mai, Juni 1917. — *56. Mönkemöller A.: Die Psychopathologie der Pubertätszeit. Beiträge z. Kinderforschung u. Heilerziehung. Langensalza. Heft 101. — 57. Niedermann Jul.: Der „männliche Protest" im Lichte von Kinderanalysen. Zbl. IV. S. 270. — 58. Peters: Über sexuelle Belehrung der Jugend. Z. f. Sex.-Wiss. I. 5. Aug. 1914. — 59. Pfeifer S.: Äußerungen infantil-erotischer Triebe im Spiele. J. V. S. 243. — 60. Pfister O.: Die psychoanalytische Methode. Berner Sem.-Blätter. VII. 12/13. Sept.-Okt. 1913. — 61. Ders.: Zur Ehrenrettung der Psychoanalyse. Ztschr. f. Jugendfürsorge u. Erziehung. IV. 11. 1914. S. 305. — 62. Ders.: Das Kinderspiel als Frühsymptom krankhafter Entwicklung, zugleich ein Beitrag zur Wissenschaftspsychologie. Schulreform, Jahrg. X. 1917.

— 63. Ders.: Psychoanalyse und Jugendforschung. Berner Seminarblätter, VIII.
1914. 11—13. — 64. Ders.: Was bietet die Psychoanalyse dem Erzieher? Leipzig-
Berlin 1917. — 65. Ders.: Gefährdete Kinder und ihre psychoanalytische Behandlung. „Jugendwohlfahrt", Beilage zur Schweizer Lehrerzeitung. 1918. II.
— 66. Putnam J. J.: Allgemeine Gesichtspunkte zur psychoanalyt. Bewegung.
Z. IV. S. 1. — 67. Sadger J.: Vom ungeliebten Kinde. Fortschritte der Medizin. 34. Jahrg. 1916/17. — 68. Ders.: Sexualität und Erotik im Kindesalter.
Mod. Medizin. VI/2. 3. — '69. Schauer R.: Die psychoanalytische Methode. Päd.
Ztg. Berlin, 9. April 1911. — 70. Schmidt Hugo: Gefühlsregungen eines Drei-
jährigen. Ztschr. f. Kinderforschung. 20. Jhrg. H. 5—6. Febr.-März 1915. —
71. Stern W.: Anwendung der Psychoanalyse auf Kindheit und Jugend. Ztschr.
f. angew. Psychol. VII. 1/2. Sept. 1913. — 72. Suderow L.: Psychoanalyse und
Erziehung. Berlin 1919. — ' * *: Tagebuch eines halbwüchsigen Mädchens.
Quellenschriften z. seelischen Entwicklung. I. 1919. — 74. Timerding H. E.:
Die Aufgaben der Sexualpädagogik. Leipzig und Berlin 1916. — 75. Verwahrung,
Eine. Z. II. S. 192. — 77. Weißfeld M.: Die Psychoanalyse und ihre Anwendung in der Pädagogik. Wiestnik Norzitenja. 1914. Heft 4. — 78. Materialien
über kindliche Keimformen sexueller Gefühle. Ztschr. f. angew. Psychologie.
15. Band. Heft 1 u. 2. Mai 1919. — *79. Zimmermann O.: Das Geschwisterproblem. Sexualreform. 1914. — 80. Kleinere Beiträge finden sich ferner in
den Mitteilungen Z. II: Blüher H.: Der sogenannte natürliche Beschäftigungstrieb (S. 29), Ferenczi S.: Zur Ontogenese des Geldinteresses (S. 507), Spielrein S.: Tiersymbolik und Phobie bei einem Knaben (S. 375); — III: Friedjung
J. K.: Typische Eifersucht auf jüngere Geschwister und Ähnliches (S. 151),
Weiß Ed.: Beobachtungen infantiler Sexualäußerungen (S. 106): — IV: Abraham K.: Einige Belege zur Gefühlseinstellung weiblicher Kinder gegenüber
den Eltern (S. 154), Ferenczi S.: Symmetr. Berührungszwang (S. 266), Reik Th.:
Aus dem Seelenleben eines zweijährigen Knaben (S. 329), Spielrein S.: Die
Äußerungen des Odipuskomplexes im Kindesalter. S. 44; — im Abschnitte
„Aus dem infantilen Seelenleben": Z. V.: von B....: Zur infantilen Sexualität
(S. 115), Ders.: Zur Idiosynkrasie gegen Speisen (S. 117), Deutsch H.: Der
erste Liebeskummer eines zweijährigen Knaben (S. 111), Frost: Aus dem Kinder-
leben (S. 109), Ferenczi S.: Ekel vor dem Frühstück (S. 115), Hitschmann E.:
Über einen sporad. Rückfall ins Bettnässen bei einem vierjährigen Kinde (S. 115),
v. Raalte Fr.: Äußerungen von Sexualität bei Kindern (S. 103); — im Abschnitt
„Beiträge zur Traumdeutung": Z. II: Spielrein S.: Zwei Mensesträume (S. 32).

Die mit * bezeichneten Arbeiten waren der Referentin nicht zugänglich.

———

Unbekümmert um die Entrüstungs- und Warnungsrufe, die
Psychoanalyse „entharmlose" und gefährde das Kind, welche die
Gegner der Freudschen Schule seit dem Erscheinen von Freuds
„Analyse der Phobie eines fünfjährigen Knaben"
und der Broschüre „Aus dem Seelenleben des Kindes"
(Hug-Hellmuth) unablässig ertönen lassen, hat die psycho-
analytische Forschung auf dem Gebiete der Kinderpsychologie
weiter gearbeitet und die hier gewonnenen Erkenntnisse für das
Erziehungswerk gewertet. Gerade auf diesem Arbeitsfelde der

Psychoanalyse tritt die enge Beziehung zwischen Theorie und Praxis hervor: In jeder der theoretischen Untersuchungen, die alle entweder auf der Beobachtung des Wirklichkeitslebens des Kindes oder der Erinnerung des Erwachsenen oder der Wertung dichterischer Werke aufgebaut sind, liegt ein Stück Erziehungsweisheit, ein Fingerzeig, wie die kindliche Seele die Eindrücke der Umwelt bewältigt oder an ihnen erkrankt und wie sie zu schützen, zu kräftigen ist im Kampfe, den die Kultur ihr auferlegt. Und darum läßt sich keine sehr scharfe Grenze ziehen zwischen den Arbeiten, die der „Kinderpsychologie" und die der Erziehungslehre im engeren Sinne angehören. Beide **handeln vom Kinde und sind für den Erwachsenen geschrieben** und deshalb trifft sie der Vorwurf W. Sterns (71), „sie verderben die Kinder", nicht. Sie schöpfen aus der Erfahrung und suchen und zeigen Wege auf, auf denen das Menschenkind in Vertrauen und Liebe seine Entfaltung erlebe, anstatt unberaten und verwirrt durch ungeahnte Sensationen in schweren seelischen Kämpfen zu erliegen. Nur mißverständliche Auffassung kann Autoren wie Brahn (12) und v. Müller (35) zu einer so schroff ablehnenden Haltung veranlassen.

In den Untersuchungen, die in erster Linie auf den Gewinn neuer psychologischer Erkenntnisse und der Vertiefung der früheren abzielen, für welche die erzieherischen Folgesätze im Hintergrund stehen, tritt die oben angedeutete Dreiteilung hinsichtlich der Materialquelle immer deutlicher zu Tage: Wir schöpfen aus den Analysen der erwachsenen Patienten wichtige Erkenntnisse über das seelische Geschehen in der Kindheit und seine Folgen für das spätere Leben; die unmittelbare Beobachtung der Kinder ermöglicht neben der Bestätigung jener erschlossenen Tatsachen den Einblick in den Mechanismus der seelischen Phänomene in den ersten Kinder- und den Jugendjahren, in die Vorbereitung und Entstehung der Neurosen im infantilen Alter, in die Charakterentwicklung in ihrer Abhängigkeit vom Erlebnis. Endlich bildet die psychoanalytische Wertung von Aufzeichnungen nicht psychoanalytischer Autoren, wie Jugenderinnerungen, Selbstbekenntnissen von Dichtern, Tagebüchern und Briefen Jugendlicher, Tagebüchern von Müttern über die seelische Entwicklung ihrer Kinder eine wertvolle Ergänzung zu den beiden genannten Forschungswegen.

In die erste Gruppe zählen zunächst die Arbeiten Freuds
(18, 19), in welchen vom neuen die Rolle der Sexualität des Kindes
betont und (18) die orale Phase als die früheste Entwicklungsstufe
der Libido aufgezeigt wird; ferner Abrahams preisgekrönte Untersuchung über die zwei prägenitalen Stufen der Libidoentwicklung
(1), wie sie sich der Erkenntnis aus den Analysen der Erwachsenen
erschlossen und durch die Beobachtung des Kindes bestätigten.
Abraham leitet daraus wichtige Folgerungen über den Ursprung
gewisser Neurosensymptome ab, so des nervösen Heißhungers, der
Verweigerung der Nahrungsaufnahme, speziell des Milchgenusses,
oder des krankhaften Verlangens nach bloß flüssiger Nahrung- nach
Süßigkeiten; die Beziehung Essen = Liebhaben führt Abraham
an der Analyse eines an Dementia praecox Erkrankten bis zu den
tiefsten Wurzeln der oralen oder kannibalischen Phase der kindlichen Libido.

Von der größten Tragweite für das Verständnis der Entstehung
der Perversionen, insbesondere des Masochismus, ist Freuds Untersuchung „Ein Kind wird geschlagen" (22). Er deckt in ihr drei Formen von Phantasien Neurotischer auf: die früheste, „der Vater
schlägt ein Kind", bezeichnet er als „nicht masochistisch", denn das
geschlagene Kind ist nicht das phantasierende, sondern ein diesem
verhaßtes; die zweite Phantasie, die im Gegensatz zur ersten und
zur dem Titel der Abhandlung entsprechenden dritten, nie erinnert
wird, also unbewußt bleibt und von der Analyse rekonstruiert wird,
ist ausgesprochen masochistisch, denn sie lautet: „Ich werde vom
Vater geschlagen"; die dritte hat die verallgemeinernde unbestimmte
Form: „Ein Kind wird geschlagen" — vom Vater oder von einem
Vaterersatz — und ist Trägerin einer stark sexuellen Erregung,
die auf dem Höhepunkt zu genitaler Onanie führt; sie ist scheinbar
sadistisch. Diesen Phantasien liegen die frühe inzestuöse Objektwahl,
deren Verdrängung und ein Schuldgefühl unbekannter Herkunft zu
Grunde. Die an sechs Fällen gemachten Beobachtungen verwertet
Freud zur Aufklärung über die Genese der Perversionen, speziell
des Masochismus, und zur Würdigung der Rolle, die der Geschlechts-
unterschied in der Dynamik der Neurosen spielt. Die Beziehung der
Perversionen zum Ödipuskomplex besteht nach Freud darin, daß
der Ödipuskomplex bei seinem Zusammenbruch die Perversion zum

alleinigen Erben seiner libidinösen Ladung und des ihm anhaftenden Schuldbewußtseins mache. Er spricht die Vermutung aus, „daß auch die sexuellen Abirrungen des kindlichen wie des reifen Alters von dem nämlichen Komplex abzweigen", der als Kernkomplex der Neurose anzusprechen ist.

Von ebenso grundlegender Bedeutung wie die besprochene Untersuchung ist die Abhandlung „Aus der Geschichte einer infantilen Neurose" (20). In dieser Arbeit hat sich F r e u d — um seine eigenen Worte zu gebrauchen — eine Aufgabe gestellt, „die noch niemals zuvor in Angriff genommen wurde, in die Beschreibung so frühe Phasen und so tiefe Schichten des Seelenlebens einzuführen". Die Ergebnisse, mit der F r e u d eigenen Bescheidenheit und Vorsicht formuliert, sind nicht nur für den Ausbau der Neurosenlehre, für die Sinnfälligkeit der Übereinstimmung der psychoanalytischen Forschung mit der biologischen, sondern auch für die Pädagogik von außerordentlichem Werte. An einem konkreten Falle wird die nachhaltige Wirkung der frühesten Kindheitseindrücke, der „Urszenen", mögen sie wirklich erlebt oder phantasiert sein, nachgewiesen und gezeigt, wie jede Neurose des Erwachsenen sich aufbaut auf einer infantilen; wie Eßstörungen des Kindes neben anderer Verursachung im Psychischen begründet sind, welche Bedeutung dem Umschlagen von „Schlimmheit" des Kindes in Angst zukommt, was hinter religiösen Grübeleien und Frömmigkeitszeremoniellen der Kinder zu suchen ist. Von der größten Wichtigkeit für die Ausübung der heilpädagogischen Psychoanalyse erscheint mir der Hinweis auf die Verschiedenheit von b e w u ß t und u n b e w u ß t beim Erwachsenen und beim Kinde; denn die Wahrnehmung dieser Verschiedenheit ist einer der Faktoren, welche beim Kinde eine zum Teil andere Technik der Analyse notwendig machen als beim reifen Menschen. In der Problemstellung, die den Schluß dieser klassischen Arbeit bildet, spricht F r e u d die Hypothesen aus von „den mitgebrachten Schemata" und einer „Art von schwer bestimmbarem Wissen, das etwas wie eine Vorbereitung zum Verständnis beim Kinde mitwirkt" und das dem „instruktiven Wissen der Tiere" vergleichbar ist. „Dieses Instinktive", das natürlich auch das Sexuelle beträfe, „wäre der Kern des Unbewußten, eine primitive Geistestätigkeit, die .... vielleicht bei allen die Kraft behält, höhere seelische Vorgänge zu sich herabzuziehen." Unter

dieser Annahme sieht Freud in der Verdrängung die Rückkehr zu
dieser instinktiven Stufe; „der Mensch würde so mit seiner Fähigkeit zur Neurose seine große Neuerwerbung bezahlen und durch die
Möglichkeit der Neurosen die Existenz der früheren instinktartigen
Vorstufe bezeugen". Den frühen Kindheitstraumen käme dann die
Bedeutung zu, „daß sie diesem Unbewußten einen Stoff zuführen,
der es gegen die Aufzehrung durch die nachfolgende Entwicklung
schützt".

Eine Arbeit, die eine gute Zusammenfassung und Übersicht der
auf dem Gebiete der psychoanalytischen Kinderforschung gewonnenen
Erkenntnisse gibt, rührt von unserem kürzlich verstorbenen Mit-
gliede Prof. Putnam (66) her. Zur Verbreitung der Ergebnisse
in nicht psychoanalytischen Zeitschriften tragen Friedjung (23
bis 28). Hug-Hellmuth (44, 45) und Sadger (67, 68) bei.
Friedjung, der kluge Mittler zwischen Psychoanalyse und der
Ärzte- und Laienwelt, die den Namen Freuds und seiner Schule
noch immer mit einer gewissen Scheu und Abwehr nennen hört, versteht es in seiner vorsichtigen Art trefflich, die für das körperliche
und seelische Wohl des Kindes so notwendigen Kenntnisse über die
kindliche Sexualität und deren Äußerungen, über das Verhältnis des
Kindes zu Eltern und Geschwistern (80) weiten Kreisen zu vermitteln. Mit pädagogischem Geschick klärt er die Eltern über ihre
erziehlichen Pflichten auf (23). Sadger bespricht in seinem Artikel
„Vom ungeliebten Kinde" (67) die Bedeutung des Mangels an Liebe
im frühen Alter für die spätere Entwicklung des Individuums und
kommt zu demselben Schlusse, wie ihn Referentin schon 1913 betonte, daß das ungeliebte Kind sich im reifen Alter am schwersten
zurechtfindet, eben weil es nie lieben gelehrt wurde.

Einen ausgezeichneten Beitrag zum Zusammenhang der infantilen
Sexualität und der Charakterentwicklung gibt v. Hattingberg
(38, 39). Er geht in diesen Untersuchungen der Beziehung zwischen
Analerotik und Eigensinn nach; der kindliche Eigensinn entspringt
nach seinen Beobachtungen der „Angstlust" und aus dieser kausalen
Verknüpfung zieht er beachtenswerte erziehliche Konsequenzen.

Auch Marcinowski (50, 52) und Blüher (11) weisen in ihren
Arbeiten auf die ungeheure Bedeutung der Erlebnisse und Gefühls-
einstellungen im frühkindlichen Alter hin, „die so machtvolle Ein-

drücke schaffen, daß sie für das ganze übrige Leben maßgebend werden und auch den gesamten Charakter des Menschen formen, einschließlich seines Geschlechtscharakters". In beider Untersuchungen wird nachdrücklichst der Einfluß der erotischen Gefühle des Kindes zu Vater und Mutter auf die spätere Liebes- und Gattenwahl betont, Erkenntnisse, die dem psychoanalytischen Laien nicht oft genug wiederholt werden können.

Von eigenartigem Interesse sind die Arbeiten Bernfelds (8, 9); sie zeigen in der Entwicklung des Autors die Macht der psychoanalytischen Erkenntnisse auf einen hochbegabten, um geistige Güter strebenden Menschen. Während er in seiner kleinen Abhandlung „Zur Psychologie des Unmusikalischen", in der er den scheinbaren Mangel musikalischer Begabung durch starke Gefühlsmotive erklärt, seine noch ambivalente Einstellung zur Psychoanalyse selbst durch die Stelle: „der Psychoanalytiker würde hier von Todeswünschen gegen die Schwester sprechen, wir wollen vorsichtiger sein", ehrlich zugibt, steht er in seiner Arbeit „Die Psychoanalyse in der Jugendbewegung" ganz eindeutig auf psychoanalytischem Boden. Inhaltlich sucht er in dieser Schrift die Bedenken der Pädagogen zu zerstreuen, daß die Geistigen und „Ethischen" unter der Jugend durch die Kenntnis der Psychoanalyse ungeistig und „unethisch" werden könnten, daß vielmehr ein Teil der Jugend die Psychoanalyse „aus einem instinktiven Selbstschutz gegen gefährliche Erkenntnisse" ablehne, für einen anderen die jetzt so häufige Form der „Vergeistigung" maßgebend sei, ein dritter, der Kreis um Blüher, seine Weltanschauung und Lebensführung auf das von der Psychoanalyse scharf determinierte Wesen der Homosexualität gründe und im „Kulturbund der Männer, das ist der mannmännlich gerichteten Jugend" sein erotisches Genügen finde, eine Richtung, für die die Psychoanalyse nicht verantwortlich ist.

Die beiden wichtigen Arbeiten Pfeifers (59) und Pfisters (62) wenden sich der Bedeutung des Kinderspieles für das reife Leben zu. Pfeifer unterzieht in seiner Abhandlung einzelne Fangspiele einer Analyse und sucht in ihnen die Rolle infantil-erotischer Triebe nachzuweisen: sadomasochistische Gelüste, analerotische Interessen, Mutterleibs- und Geburtsphantasien, der Wunsch nach Allmacht setzen sich im Spiele durch. Die Wiederholung der Spielperioden bei ge-

252 Dr. H. Hug-Hellmuth.

wissen Fang- und Versteckspielen faßt Pfeifer als Bild eines Ge-
nerationswechsels der Machtstellung des Vaters zum Kinde, gewissermaßen einer Verteilung des Inzests auf. Die Verdrängungsprodukte
der infantil-erotischen Teiltriebe und deren Objekte erscheinen ihm
für den Spielcharakter bestimmend. Entstehungsursache und Form
des Spieles liegt nach Pfeifer im Bestreben der unterdrückten
sexuellen Triebkomponente nach Betätigung und Lustgewinn. Endlich unternimmt er es, die Spieltheorien von Spencer-Schiller
und Groos vom psychoanalytischen Standpunkt zu erörtern.

Pfister zeigt an einer seelsorgerischen Analyse, wie die kindlichen Spielneigungen wertvolle Schlüsse auf die seelische Entwicklung gestatten, wie sie krankhafte Anlagen verraten und wie durch
ihre sorgfältige Beobachtung der Mensch vor manchem künftigen
Schaden der Seele bewahrt werden könnte; dazu sei aber notwendig,
daß man insbesondere auf die bedenklichen Züge des Kinderspieles
achten lerne. Der Ausblick, der sich Pfister aus den gewonnenen
Erkenntnissen für die Psychologie der Wissenschaften ergibt, wird
gewiß auch andore zum Beschreiten dieses neuen Weges anregen.

Im Anschlusse an diese beiden Arbeiten sei Blühers kleine
Aufzeichnung über den sogenannten natürlichen Beschäftigungstrieb (80) angefügt, wiewohl sie nicht aus Analysen-
material, sondern der unmittelbaren Kinderbeobachtung entstammt.
In ihr tritt uns die dem Analytiker wohlbekannte, vom Laien freilich
noch immer geleugnete Tatsache entgegen, daß dem Kinderspiele
sehr häufig grobsexuelle, insbesondere analerotische Interessn zu
Grunde liegen, denen das Kind in seiner Unbefangenheit ohne Scheu
Worte verleiht.

Lou Andreas-Salomé leuchtet mit dichterischer Kraft in die
dunklen Zusammenhänge zwischen kindlicher Sexualforschung, Analerotik und den darauf lastenden Verboten (4). Sie sucht, tief in die
Erinnerungen ihrer eigenen Kindertage tauchend (3), die Entwicklung der Weib-Typen aus der frühinfantilen erotischen Einstellung zum Vater, aus den unsterblichen ersten Kindheitseindrücken,
dem Ich-Kult des kleinen Menschenkindes zu erklären. Mit nicht ganz
so glücklicher Hand hat dieselbe Autorin die „Drei Briefe an einen
Knaben" (5) geschrieben. Am besten ist ihr das „Weihnachtsmärchen"
gelungen; natürlich, denn die Dichterin findet den kindhaften

262

Ton, aber im „Geleitwort" stellt die Denkerin doch zu hohe Anforderungen an den jugendlichen Geist. Es wird einem am Anfang oder höchstens in der Mitte der Pubertät stehenden Knaben gewiß nicht leicht sein, den oft dunklen philosophischen Erörterungen seiner mütterlichen Freundin zu folgen. Es scheint mir auch fraglich, ob sich die Briefform gerade besonders für die „sexuelle Aufklärung" eignet. Vielleicht aber gedachte Andreas-Salomé, mit dem Büchlein Eltern und Erziehern einen Wegweiser auf dem gefürchteten Gebiete zu geben. Doch auch da zweifle ich, ob sie das rechte Verständnis findet.

Andreas-Salomés Schriften (3—5) mit dem reichen Erinnerungsmaterial aus der Dichterin eigener und der Beobachtung fremder Kindheit bilden gewissermaßen ein Bindeglied zwischen den theoretischen Arbeiten der Autoren, die aus ihrer psychoanalytischen Praxis an Erwachsenen schöpfen, und den aus der unmittelbaren Beobachtung der kindlichen Seele rührenden.

Auf letzterem Gebiete liegt eine ziemliche Anzahl kleinerer Aufzeichnungen vor, die uns Belege über die Gefühlseinstellung des Kindes zu Vater und Mutter (Abraham [80], Deutsch [80], Hug-Hellmuth [44], Reik [44]), zu den Geschwistern (Friedjung [80]), über den kindlichen Gottesbegriff (Eitingon [44], Reik [44]), über infantile Sexualäußerungen (v. Raalte [44], Spielrein [80], Weiß [80], Frost [80], Blüher [80], Reik [80]), über Tiersymbolik und -phobien bei Kindern (Spielrein [80]), über Affektstörungen bei Kindern (Frank [17]) geben. Die psychoanalytische Interpretation einer Kindheitserinnerung Goethes durch Freud (21) wird durch einige Belege aus dem Kinderleben (Hug-Hellmuth [21]) bestätigt. Über die Entwicklung der Wortbedeutung beim Kinde berichtet Reik (44), über den Gefühlswert, der die Kinderworte formen hilft, Abraham (44). Hitschmann (80) und Ferenczi (80) liefern interessante Beiträge über kindliche Anal- und Urethralerotik, über die mehr oder minder schwere Einfügung des Kindes in die Kulturforderungen und gelegentliche Rückfälle in frühinfantile Phasen. Die Kinderbriefe, mitgeteilt von Hug-Hellmuth (44), gewähren uns einen tiefen Einblick in die dem Erwachsenen gut verborgenen Interessenkreise der heranwachsenden Jugend. Über das kindliche Traumleben berichtet bloß eine Mitteilung Spielreins (80). Wichtige Belege über die Rolle des Sadismus und Masochismus im Leben des Kindes und des Jugendlichen enthält die Studie Asnaourows (6); Furt-müller beleuchtet die Bedeutung des Problems des Geschlechts-unterschiedes für das Kind auf Grund einiger freier Schüler-aufsätze (27); das sexuelle Motiv bei den „Schülerselbstmorden" wird neuerlich von Eulenberg (16) untersucht.

Das wichtigste Dokument über die seelische Entwicklung des erst noch kindhaften und dann allmählich reifenden Mädchens ist das kürzlich erschienene „Tagebuch eines halbwüchsigen Mädchens" (74), das uns wie keines zuvor Freud und Leid, harmlose und mit Schuldgefühlen beladene Lust der halbflüggen Seele schauen läßt. Das von Liebe und Haß zugleich erfüllte Verhältnis zu den Ge-schwistern, die scheu libidinösen Gefühle zum Vater, das für die Vor-pubertät charakteristische Schwanken in der Objektwahl zwischen Gleich- und Andersgeschlechtlichen, die angst- und lustvollen Schauer beim ersten Zusammenstoß mit der grobsinnlichen Realität, die tiefe Wirkung von Krankheit und Tod der geliebten Mutter, Selbstvor-würfe, religiöse Zweifel, die der jungen Seele daraus erwachsen — diese Erlebnisse sind so greifbar und kindlich natürlich aufgezeich-net, daß das Tagebuch für Eltern und Erzieher, die sich ihrer großen Aufgabe bewußt sind, und für jeden Psychologen eine Quelle reichster Anregung zur Vertiefung in das Rätsel der werdenden Seele bildet. Dieses Tagebuch dürfte in keiner pädagogischen Bücherei fehlen.

Neben dieser vom Kinde selbst stammenden „praktischen Päda-gogik" haben in den letzten Jahren vornehmlich die Schweizer Ana-lytiker auf erziehlichem Gebiete treffliche Arbeiten geliefert. Ich nenne vor allem Pfisters „Gefährdete Kinder" (65) und „Was bietet die Psychoanalyse dem Erzieher?" (63, 64). Seine seelsorgerische Tätigkeit führt ihm ein außerordentlich reiches Material zu, dessen Meisterung ihn wohl berechtigt und verpflichtet, Lernbeflissenen Rat-schläge für die auf psychoanalytischer Grundlage aufgebaute Er-ziehung zu geben. Nur ein Bedenken, das ich a. a. O. ausgesprochen habe, kann ich auch hier nicht unterdrücken. Mag ihm seine „Vater"stellung als geistlicher Berater die psychoanalytische Ar-beit auch erleichtern, so tut er doch nicht gut, die Raschheit und Leichtigkeit, mit der ihm in so vielen Fällen schon Heilung der

Analysanden gelinge, so sehr hervorzuheben. Jeder praktische Analytiker weiß, wie unendlich mühsam und langwierig die ärztliche und die heilpädagogische Analyse ist. Ich meine, Pfister schädigt sich und die Methode durch die stete Betonung dieses so veränderlichen Faktors. Mensendieck gibt in seiner Abhandlung (54) sehr brauchbare Ratschläge, wie sich Unterricht und Erziehung während der psychoanalytischen Behandlung Jugendlicher zu gestalten und ihr anzupassen haben. Die „Wiedererziehung" des Zöglings zu Pflichterfüllung und Gehorsam und die „Selbstkenntnis" des Lehrers sind neben dem harmonischen Zusammenwirken vom analysierenden Arzt und erziehenden Lehrer die Hauptforderungen, von deren Erfüllung Mensendieck den Erfolg der Behandlung abhängig macht.

Häberlin (33—36), Pfister (63) und Diettrich (15) gebührt das Verdienst, die erzieherischen Bestrebungen der Freudschen Schule durch ihre pädagogischen Veröffentlichungen in nicht psychoanalytischen Zeitschriften weiteren Kreisen zum Verständnis zu bringen.

Die dritte Gruppe kinderpsychologischer Arbeiten befaßt sich mit der psychoanalytischen Wertung von Dichterwerken, und zwar Autobiographien, Selbstbekenntnissen, Novellen und Romanen, insoweit sie von der Entwicklung der jugendlichen Seele handeln. Wir erfahren, wie Autoren, deren Schaffen längst vergangenen Jahrzehnten, ja Jahrhunderten angehört, wie Dumas, W. Humboldt, mit intuitiver Gabe die Zusammenhänge seelischen Geschehens schauten, die der psychoanalytischen Forschung geläufig sind (Reik [44], Sachs [44]) und wir sind nicht überrascht, in den Werken zeitgenössischer Schriftsteller, z. B. Lou Andreas-Salomé, Meta Schoepp, Geijerstam, Anatole France, den bewußten oder unbewußten Einfluß psychoanalytischer Denkweise zu finden (Hug-Hellmuth [44], Hárnik [44]).

Natürlich ist die gewaltige Schöpfung Freuds, die Wurzel geschlagen hat auf allen Gebieten der Geisteswissenschaften, nicht ohne nachhaltigen Einfluß auf die offizielle Kinderpsychologie und Pädagogik geblieben. Mögen auch unbekehrbare Gegner, wie Stern, Müller, Brahn u. a., die freilich selbst der wackerste Streiter für die Psychoanalyse, Pfister (63), nicht von dem Irrtum ihrer Befürchtungen zu überzeugen vermag, nicht aufhören, vor der psycho-

analytischen Betrachtungsweise der kindlichen Seele zu warnen,
mögen andere in mehr oder weniger vorurteilsvoller Art die Anwendbarkeit der psychoanalytischen Methode auf die Erziehung in
Zweifel ziehen, so zeigen diese Arbeiten doch alle, daß sich der
moderne Kinderpsycholog mit den neuen Erkenntnissen beschäftigt.
Ein beredtes Zeugnis für diese Form der Wirksamkeit der Psychoanalyse legen schon die Titel einer ganzen Reihe von Artikeln ab.
Daß sich Forscher mit der Frage der Entstehung und Bedeutung der
kindlichen Angst (Czerny [14]), des Sexuallebens im Säuglingsalter (Galant [30]), der Bedeutung des Verlustes eines Elternteiles für das Kind (Bürkle [13]), des Geschwisterproblems (Zimmermann [79]) befassen, daß das Gefühlsleben des Kindes
(Schmidt [70], X [78], Mayer [53]) wissenschaftlich gewürdigt
wird, ist zum großen Teil auf die Anregung durch die ersten Veröffentlichungen Freuds und seiner Schüler auf diesem Gebiete
zurückzuführen. Ein wertvoller Beitrag über schwer erziehbare
Kinder rührt von Lazar (49). Diese Arbeit ist ein schöner Beweis
dafür, wie die Denkweise eines dem psychoanalytischen Kreise fern
stehenden Forschers, sofern er nur guten Willens ist, von der Psychoanalyse beeinflußt und befruchtet wird. Mag auch ein Rest von
Widerstand die volle Annahme der Freudschen Lehre noch hindern, so anerkennt Lazar doch ihre tiefe Bedeutung für die Behandlung des schwer erziehbaren Kindes, das unter dem Eltern-
konflikt leidet, durch übergroße Zärtlichkeit oder Rauheit, durch
schwere sexuelle Traumen seelisch krank, asozial, kriminell geworden ist.

Durch die auf den genannten drei Wegen betriebene Erforschung
der kindlichen Seele werden die Ergebnisse der unmittelbaren Beobachtung theoretisch verwertet, die Theorie wird immer von neuem
bestätigt durch die Wirklichkeit, und endlich hören wir gern den
Dichter, der dem realen Erlebnis, der theoretischen Erkenntnis die
poetische Verklärung zur Seite stellt. Immer mehr vertieft sich
uns die Erkenntnis, daß alles Erleben des Erwachsenen in dem des
Kindes wurzelt, daß es ein mehr oder minder getreues Abbild des
Denkens, Fühlens und Strebens der Kinder- und Jugendjahre ist.
Diese Erkenntnis drängt den Psychoanalytiker nicht bloß zu un-
ermüdlicher Beobachtung des Kindes, sondern auch zu ihrer Ver-

breitung unter die, in deren Hände Elternpflicht oder Beruf die Erziehung der Kinder legt. Und es wächst der Kreis einsichtiger Eltern, Lehrer und Erzieher von Jahr zu Jahr, die in ehrlichem Bemühen die große Lehre im Interesse der Werdenden verwerten wollen.

Literatur in englischer Sprache.

Referent: Stanford Read.

Literatur: 1. Ames T. H. (mit R. MacRobert): Psychogenic Con-
vulsions. Med. Record. Vol. LXXXVII. No. 22. May 29 th. 1915. — 2. Bahr M.,
Report of a case of hysteria: A psychoanalytical study. Denver Med. Times.
Vol. XXXIV. 1915. No. 12. — 3. Bayley H.: The lost language of symbolism.
Vols 2. Williams & Norgate, London. — 4. Bellamy R.: An act of everyday
life treated as a pretended dream and interpreted by psychoanalysis. J. of Abn.
Psych. Vol. X. No. 1. — 5. Benedict A. L.: The psychological effect of the
fairy story. New York Medical Journ. Vol. XCIX. No. 19. May 9 th. 1914. —
6. Ders.: Dreams. New York Medical Journal. April 4 th. 1919. — 7. Bird C.:
From Home to the Charge: A psychological study of the soldier. Amer. J. of
Psychol. Vol. XXVIII. No. 3. July 1917. P. 315. — 8. Blanchard P.: A psycho-
analytic study of Auguste Comte. Amer. J. of Psychol. Vol. XXIX. No. 2.
April 1918. — 9. Blanton S.: An unusual case of speech inhibition. J. of. Abn.
Psych. Vol. XI. No. 5. P. 325. — 10. Bradby M. K.: Psychoanalysis and its
place in life. Lond. Henry Frowde & Hodder & Stoughton. 1919. Illustrated.
Pp. XI and 266. — 11. Bravit: Prevalent theories in Hebrew literature on the
causation of dreams. Med. Review of Rev. 1914. No. 20. — 12. Brill A. A.:
Psychoanalysis from a day's work. J. of Abn. Psych. Vol. VIII. No. 5. P. 310.
— 13. Ders.: Artificial dreams and lying. J. of Abn. Psych. Vol. IX. No. 5.
P. 321. — 14. Ders.: Psychoanalysis. Its theories and practical application.
2nd Edition. W. B. Sanders & Co. Philad. & Lond. — 15. Ders.: Fairy tales
as a determinant of dreams and neurotic symptoms. New York Med. Journ.
March 21 st. 1914. — 16. Ders.: The Psychopathology of the new dances.
New York Med. Journ. April 25 th. 1914. — 17. Ders.: Psychoanalysis: its
scope and limitation. International Clinics. Vol. II. Series 23. — 18. Ders.:
Masturbation, its causes and sequelae. Woman's Med. Journ. May 1915. —
19. Ders.: Psychopathology of noise. New York Med. Journ. Vol. CIV. No. 24.
Dec. 9 th. 1916. — 20. Ders.: The adjustment of the Jew to the American
environment. Mental Hygiene. Vol. II. No. 2. Pp. 219—231. April 1918. —
21. Ders.: The psychopathology of selections of vocations; preliminary com-
munication. Med. Record. Feb. 23 rd. 1918. — 22. Ders.: Facts and fancies in
psychoanalytic treatment. Archives of Neurology and Psychiatry. Vol. II.
No. 2. P. 230. — 23. Brink L. A.: Frazer's Golden Bough. A critical Review
and comparison. Psychoanalytic Rev. Vol. III. No. 1. P. 43. — 24. Ders. (mit
S. E. Jelliffe): Compulsion and Freedom: the Phantasy of the Willow Tree.
Psychoanalytic Rev. Vol. V. No. 3. P. 255. — 25. Ders. (mit S. E. Jelliffe):
The rôle of animals in the unconscious. Psychoanalytic Rev. Vol. III. No. 1.

P. 43. — 26. Broom W.: What is psychoanalysis? Nature. 1913—1914. Vol. XCII.
P. 643. — 27. Brown W.: Freud's Theory of the Unconscious. Brit. Journ.
of Psych. Vol. VI. Parts 3 & 4. Feb. 1914. — 28. Ders.: The treatment of
cases of shock in an advanced neurological centre. Lancet. Aug. 17th. 1918.
— 29. Brown H. W.: A literary forerunner of Freud. Psychoanalytic. Rev.
Vol. IV. No. 1. P. 64. — 30. Brown S.: The sex worship and symbolism of
primitive races. J. of Abn. Psych. Vol. X. No. 5. P. 297 and No. 6. P. 418. —
31. Burr C. B.: Art in the insane. Amer. Journ. of Insanity. Vol. LXXIII.
No. 2. Oct. 1916. P. 165. Also Psychoanalyt. Rev. Vol. III. No, 4. — 32. Ders.:
Two very definite wish-fulfillment dreams. Psychoanalytic Rev. Vol. III. No. 3.
P. 292. — 33. Burrow T.: The meaning of psychoanalysis. J. of Abn. Psych.
Vol. XII. No. 1. P. 58. — 34. Ders.: Conscious and unconscious mentation from
the psychoanalytic view point. Psych. Bull. Vol. IX. 154—160. — 35. Ders.:
Conceptions and misconceptions in psychoanalysis. J. of the Amer. Med. Assoc.
Vol. LXVIII. Feb. 3rd. 1917. — 36. Ders.: The origin of Incest-Awe. Psycho-
analyt. Rev. Vol. V. No. 33. P. 243. — 37. Ders.: Notes with reference to
Freud, Jung and Adler. J. of Abn. Psych. Vol. XII. No. 3. P. 161. — 38. Ders.:
Character and the Neuroses. Psychoanalytic Rev. Vol. I. No. 2. Feb. 1914.
P. 121. — 39. Ders.: The genesis and meaning of homosexuality and its relation
to the problem of introverted mental states. Psychoanalytic Rev. Vol. IV.
No. 3. P. 272. — 40. Ders.: The psychanalyst and the community. J. of Amer.
Med. Assoc. 1914. Vol. LXII. P. 1876. — 41. Ders.: Philology of hysteria. The
neuroses in the light of Freudian psychology. J. of the Amer. Med. Assoc.
Mch. 1916. — 42. Campbell C. M.: A case of childhood conflicts with prominent
reference to the urinary system: with some general considerations on urinary
symptoms in the psychoneuroses and psychoses. Psychoanalyt. Rev. Vol. V.
No. 3. P. 269. — 43. Ders.: The form and content of the psychosis. The rôle
of psychoanalysis in psychiatry. Cornell Univ. Med. Bull. Studies from the
Dept. of Psychopathology. Vol. V. No. 1. July 1915. — 44. Ders.: The application
of psychoanalysis to insanity. Siehe oben. — 45. Campbell K. C.: A case
of hysterical amblyopia. Brit. Med. Journ. Sept. 18, 1915. — 46. Carr H. W.:
The philosophical aspects of Freud's theories of dream interpretation. Mind.
1917. No. 91. — 47. Carlisle C. L.: The translation of symptoms into their
mechanisms. Amer. J. of Insanity. Vol. LXII. 1914. P. 279. — 48. Chambers
W. D.: Mental wards with the British Expeditionary force: A Review of ten
months experience. J. of Ment. Sc. Vol. LXV. July 1919. — 49. Chapman R.:
The aetiology of anxious depressions. New York State Hosp. Bull. Vol. V. —
50. Clark L. P.: The newer work on homosexuality. New York State Hosp.
Bull. Nov. 1914. — 51. Ders.: Clinical studies in Epilepsy. Psychiatric. Bull.
Jan. 1916. April 1916. Jan. 1917. — 52. Ders.: A further study of mental content
in Epilepsy. Psychiatric Bull. Oct. 1917. — 53. Ders.: A personality study of the Epileptic Constitution. Amer. J. of Med. Sc. 1914. Vol. CXLVIII. P. 729. —
54. Ders.: The true Epileptic. New York Med. Journ. May 4th. 1918. P. 817.
— 55. Ders.: Study of certain aspects of Epilepsy compared with the emotional
life and impulsive movement of the infant. Interstate Med. Journ. Vol. XXII.
No. 10. Oct. 1915. — 56. Ders.: The psychological and therapeutic value of
studying mental content during and following Epileptic attacks. New York
Med. Journ. Vol. CVI. No. 15. Oct. 13. 1917. — 57. Ders.: A discussion of the
mechanism of mental torticollis. J. of Abn. Psych. Vol. XII. No. 4. P. 257.
— 58. Ders.: The psychologic treatment of retarded depressions. Amer. Journ.
of Insanity. Vol. LXXV. No. 3. P. 107. — 59. Ders.: The mechanisms of periodic
mental depressions as shown in two cases, and the therapeutic advantages of

17*

such studies. Rev. of Neur. and Psychiatry. Vol. XII. No. 10. Oct. 1911. —
60. Ders.: Some personal results in psychoanalysis and the future of psychotherapy. Boston Med. and Surg. Journ. Vol. CLXX. No. 24. June 11 th. 1914.
P. 903. — 61. Ders.: Some of the newer methods of treatment in nervous and
mental diseases. New York State Journ. of Med. June 1911. — 62. Ders.:
Some observations upon the aetiology of mental torticollis. Med. Record.
Feb. 7th. 1914. — 63. Ders.: A further study upon mental torticollis as a
psychoneurosis. Med. Record. Feb. 28th. 1914. — 64. Ders.: Remarks upon
mental infantilism. Med. Record. March. 28th. 1914. — 65. Ders.: The nature
and pathogenesis of epilepsy. New York Med. Journ. Feb. 27th. March 6th.
13th, 20th and 27th, 1915. — 66. Ders.: Some therapeutic suggestions derived
from the newer psychological studies upon the nature of essential Epilepsy.
Med. Record. Vol. LXXX. No. 10. March 4th. 1916. — 67. Ders.: A psychologic study of some alcoholics. Psychoanalyt. Rev. Vol. VI. No. 3. July 1919.
— 68. Ders.: Some practical remarks upon the use of modified psychoanalysis
in the treatment of Borderland Neuroses and Psychoses. Psychoanalyt. Rev.
Vol. VI. No. 3. July 1919. — 69. Collins J.: Astasia-Abasia. Med. Record.
Vol. LXXXVII. No. 17. April 24th. 1915. — 70. Constuet: The views of Plato
and Freud on the etiology and treatment of hysteria. Boston Med. and Surg.
Journ. 1914. P. 679. — 71. Coriat I. H.: What is psychoanalysis? Moffat,
Yard & Co. New York 1917. Pp. 127. — 72. Ders.: Some hysterical mechanisms
in children. J. of Abn. Psych. Vol. IX. Nos. 2 and 3. — 73. Ders.: Stammering
as a psychoneurosis. J. of Abn. Psych. Vol. IX. No. 6. — 74. Ders.: Psychoneuroses among primitive tribes. J. of Abn. Psych. Vol. X. No. 3. P. 201. —
75. Ders.: The meaning of dreams. Mind and Health series. Lond. Wm. Heinemann. Pp. 191. — 76. Ders.: The treatment of Dementia Praecox by psychoanalysis. J. of Abn. Psych. Vol. XII. No. 5. P. 326. — 77. Ders.: The sadism
in Oscar Wilde's Salome. Psychoanalyt. Rev. Vol. I. No. 3. P. 257. — 78. Ders.:
Some statistical results of the psychoanalytic treatment of the psychoneuroses.
Psychoanalyt. Rev. Vol. IV. No. 2. P. 209. — 79. Ders.: The future of psychoanalysis. Psychoanalyt. Rev. Vol. IV. No. 4. P. 382. — 80. Ders.: Hermaphroditic
dreams. Psychoanalyt. Rev. Vol. IV. No. 4. P. 368. — 81. Crenshaw H.: Re-
taliation dreams. Psychoanalyt. Rev. Vol. III. No. 4. P. 391. — 82. Ders.:
Dream Interpretation. New York Med. Journ. Vol. XCIX. April 11th. 1919. —
83. Culpin M.: Dreams and their value in treatment. The Practitioner. Vol. CII.
No. 3. March 1919. — 84. Dercum F. X.: Rest, suggestion, and other therapeutic
measures in nervous and mental disease. P. Blakiston Son & Co. Philad. P. 395.
— 85. Devine H.: The biological significance of delusions. J. of Ment. Sc.
Jan. 1916. — 86. Dillon F.: The analysis of a composite neurosis. Lancet.
Jan. 11th. 1919. P. 57. — 87. Dooley L.: A study in correlation of normal
complexes by means of the Association test. Amer. J. of Psych. Vol. XXVII.
No. 1, Jan. 1916. Pp. 119—151. — 88. Ders.: Analysis of a case of Manic-Depressive psychosis showing well-marked regressive stages. Psychoanalyt. Rev.
Vol. V. No. 1. — 89. Ders.: Psychoanalytic studies of genius. Amer. J. of Psych.
Vol. XXVII. No. 3. Pp. 363—416. July 1916. — 90. Dryfoos A. D.: The elements
of psychoanalysis. New York Med. J. Vol. CIII. No. 13. March 25th. 1916.
— 91. Dunlap K.: The pragmatic advantage of Freudo-Analysis. Psychoanalyt.
Rev. Vol. I. No. 2. P. 149. — 92. Eder M. D.: War Shock. The psychoneuroses
in war. Wm. Heinemann. London. 1917. Pp. 154. — 93. Ders. (mit Mrs. Eder):
The conflicts in the unconscious of the child. Child study. — 94. Ders.:
The psychoneuroses of the war. Lancet. Aug. 12th. 1916. — 95. Ders.: Psychological perspectives. The New Age. July 20th. 1916. — 96. Ders.: Borderland

Cases. Univ. Med. Record. Vol. V. No. 1. Jan. 1914. — 97. Ellis Havelock: Psychoanalysis in relation to sex. J. of Ment. Sc. Vol. LXIII. Oct. 1917. — 98. Ders.: The mechanism of sexual deviation. Psychoanalyt. Rev. Vol. VI. No. 3. July 1919. — 99. Emerson L. E.: The psychopathology of the family. J. of Abn. Psych. Vol. IX. No. 5. P. 333. — 100. Ders.: The psychoanalytic treatment of Hystero-Epilepsy. J. of Abn. Psych. Vol. X. No. 5. P. 315. — 101. Ders.: Some psychoanalytic studies of character. J. of Abn. Psych. Vol. XI. No. 40. P. 265. — 102. Ders.: Psychoanalysis and hospitals. Psychoanalyt. Rev. Vol. I. No. 3. P. 285. — 103. Ders.: A philosophy for psychoanalysts. Psycho-analyt. Rev. Vol. II. No. 4. P. 422. — 104. Ders.: The subconscious in its relation to the conscious, preconscious, and unconscious. Psychoanal. Rev. Vol. VI. No. 1. P. 59. — 105. Evans E. (mit S. E. Jelliffe): Psoriasis as an Hysterical conversion symbolization. New York Med. Journ. Vol. CIV. No. 23. Dec. 2nd. 1916. — 106. Evarts A. B.: The ontogenetic against the phylogenetic elements in the psychoses of the coloured races. Psychoanalyt. Rev. Vol. III. No. 3. P. 272. — 107. Ders.: Coloured symbolism. Psychoanalyt. Rev. Vol. VI. No. 2. P. 124. — 108. Ders.: A lace creation revealing an incest phantasy. Psycho-analyt. Rev. Vol. V. No. 4. P. 361. — 109. Ders.: Dementia Praecox in the coloured race. Psychoanalyt. Rev. Vol. I. No. 4. P. 388. — 110. Farnell F. J.: Psychanalysis. New York Med. Journ. Vol. CVIII. No. 24. Dec. 14th. 1918. — 111. Farrar C. B.: War and Neuroses. Amer. J. of Insanity. Vol. LXIII. No. 4. April 1917. Pp. 693—719. — 112. Federn P.: The principles of pain-pleasure and of reality. Psychoanalyt. Rev. Vol. II. No. 1. P. 1. — 113. Ders.: The infantile roots of masochism. New York Med. Journ. Vol. C. No. 8. Aug. 22nd. 1914. — 114. Flügel J. C.: Freudian mechanisms as factors in moral development. Brit. J. of Psych. Vol. VIII. Part. 4. June 1917. — 115. Forsyth D.: Functional nerve disease and the shock of battle. Lancet. Dec. 25th. 1915. — 116. Frink H. W.: Morbid fears and compulsions. Their psychology and psychoanalytic treatment. With an introduction · by J. J. Putnam. Moffat, Yard & Co. New York 1918. — 117. Ders.: Three examples of name forgetting. J. of Abn. Psych. Vol. VIII. No. 6. P. 385. — 118. Ders.: Some analyses in the psychopathology of everyday life. J. of Abn. Psych. Vol. XII. No. 1. P. 25. — 119. Ders.: A psychoanalytic study of a severe case of Compulsion Neurosis. Psychoanalyt. Rev. Vol. IV. Nos. 1, 2 and 3. — 120. Ders.: Dream and neurosis. Interstate Med. Journ. 1915. — 121. Ders.: What is a complex? J. of Amer. Med. Assoc. Vol. LXII. 1914. — 122. Fry F. R.: The anxiety neuroses. Med. Press and Circular. Dec. 26th. 1917. — 123. Glueck B.: The malingerer. Internat. Clinics. Vol. III. Series 25. 1915. — 124. Ders.: Studies in forensic psychiatry. Little, Brown & Co. Boston 1917. Pp. 269. — 125. Ders.: Adler's conception of the neurotic constitution. A critical Review. Psychoanalyt. Rev. Vol. IV. No. 2. P. 217. — 126. Ders.: The Godman or Jehovah complex. New York Med. Journ. Vol. CII. No. 10. Sept. 4th. 1915. — 127. Gordon A.: Obsessive hallucinations and psychoanalysis. J. of Abn. Psych. Vol. XII. No. 6. P. 423. — 128. Gosline H. I.: A further application of the psychanalytic method. J. of. Abn. Psych. Vol. XII. No. 5. P. 317. — 129. Greenacre P.: Content of the Schizophrenic characteristics occuring in affective disorders. Amer. J. of Insanity. Vol. LXXV. No. 2. Oct. 1918. — 130. Grimberg L.: Somnambulism. Psychoanalyt. Rev. Vol. III. No. 4. P. 386. — 131. Groves E. R.: Freud and Sociology. Psychoanalyt. Rev. Vol. III. No. 3. P. 241. — 132. Ders.: Freudian elements in the animism of the Niger Delta. Psychoanalyt. Rev. Vol IV. No. 3. P. 333. — 133. Ders.: Sociology and psychoanalytic psychology: an interpretation of the Freudian hypothesis. Amer. J. of Sociol. 1917. Vol. XXIII. Pp. 107—116.

— 131. Hall Stanley: Tne Freudian methods applied to anger. Amer. J. of
Psych. Vol. XXVI. No. 3. Pp. 438—443. July 1915. — 135. Hart B.: The psychology of rumour. Proc. Royal Soc. of Med. (Sect. of psychiatry) 1916. Vol. IX.
Pp. 1—23. — 136. Ders.: The psychology of Freud and his school. J. of Ment.
Sc. 1914. No. 234. — 137. Ders.: Psychotherapy. Proc. R. Soc. of Med. 1918.
— 138. Hassall J. C.: Rôle of sexual complex in dementia praecox. Psychoanalyt. Rev. Vol. II. No. 3. P. 260. — 139. Ders.: The serpent as a symbol.
Psychoanalyt. Rev. Vol. VI. No. 3. July 1919. — 140. Hay J. (Jnr): Mrs. Marden's
ordeal. Little, Brown & Co., Boston 1918. Pp. 307. (Ein Roman.) — 141. Healey W.:
The individual delinquent. W. Heinemann. 1915. London. P. 380. — 142. Ders.:
Mental conflicts and misconduct. Little, Brown & Co. 1917. Boston. P. 830.
— 143. Hill M. C. (mit C. S. Yoakum): Persistent complexes derived through
free association. J. of Abn. Psych. Vol. XI. No. 4. P. 215. — Ders. (mit
C. S. Yoakum): Genetic antecedents of free association materials. Miss Z's case.
J. of Abn. Psych. Vol. XI. No. 6. P. 396. — 145. Hill O. B.: Psychoanalysis.
Indian Med. Gazette. Calcutta 1911. Vol. XLIV. — 146. Hinkle B. M.: Jung's
libido theory and the Bergsonian philosophy. New York Med. Journ. Vol. XCIX.
No. 22. May 30th. 1919. — 147. Hoch A.: Precipitating causes in dementia
praecox. Amer. J. of Insanity. Vol. LXX. No. 3. — 148. Ders.: A study of the
benign. psychoses. John Hopkins Hosp. Bull. Vol. XXVI. No. 291. May 1915.
— 149. Holt E. B.: The Freudian wish and its place in Ethics. Holt. New York
1915. Pp. 212. — 150. Hull H. R.: The long handicap. Psychoanalyt. Rev.
Vol. IV. No. 4. P. 434. — 151. Hyslopp G. H.: Analysis and discussion of
225 personal dreams. Proc. of Amer. Soc. for Psych. Research. Vol. VIII.
Aug. 1914. — 152. Isham M. K.: Some implications of psychoanalysis. New
York Med. Journ. Vol. CII. No. 8. Aug. 21st. 1915. — 153. Jelliffe S. E.
(mit W. A. White): Diseases of the nervous system; A text book of Neurology
and Psychiatry. Lea & Ferbiger, Philad. 1915. Pp. 796. — 154. Ders.: Some
notes on transference. J. of Abn. Psych. Vol. VIII. No. 5. P. 302. — 155. Ders.:
The technique of psychoanalysis. Psychoanalyt. Rev. Vol. I. Nos. 1—4; Vol.
II. Nos. 1—4; Vol. III. Nos. 1—4; Vol. IV. Nos 1 and 2. — 156. Ders.:
Compulsion neurosis and primitive culture. Psychoanalyt. Rev. Vol. I. No. 4.
P. 361. — 157. Ders. (mit L. Brink): The rôle of animals in the unconscious.
Psychoanalyt. Rev. Vol. IV. No. 3. P. 253. — 158. Ders. (mit L. Brink): Com-
pulsion and Freedom: the phantasy of the Willow Tree. Psychoanalyt. Rev.
Vol. V. No. 3. P. 255. — 159. Ders.: Contributions to psychotherapeutic technic
through psychoanalysis. Psychoanalyt. Rev. Vol. VI. No. 1. P. 1. — 160. Ders.
(mit E. Evans): Psoriasis as an hysterical conversion symbolization. New
York Med. J. Vol. CIV. No. 23. Dec. 2nd. 1916. — 161. Ders.: Psychotherapy
and the drama. New York Med. J. Vol. CVI. No. 10. Sept. 8th. 1917. —
162. Ders.: The epileptic attack in dynamic psychology. New York Med. J.
Vol. CVIII. No. 4. July 27th. 1918. — 163. Ders.: Psychoanalysis. Ref. Hand.
Med. Sc. New York 1917. Vol. VII. P. 353. — 164. Jones Ernest: Papers on
Psycho-Analysis. Revised and enlarged edition. 1918. 715 pp. Baillière, Tindall &
Cox, London. (In diesem Buche enthaltene Aufsätze, die nach Januar 1914 ge-
schrieben und an anderer Stelle erschienen sind, werden im folgenden einzeln an-
geführt und mit * bezeichnet.) — 165. *Ders.: The repression theory in its relation
to memory. Brit. J. of Psych. Vol. VIII. Par. 1. Oct. 1915. Pp. 33—47. — 166. *Ders.:
The unconscious and its significance for psychopathology. Rev. of Neur. and
Psychiatry. Vol. XII. No. 11. 1914. — 167. *Ders.: The theory of symbolism.
Brit. J. of Psych. Vol. IX. Part 2. P. 181. — 168. *Ders.: Psychosexual im-
potence and anaesthesis. J. of Abn. Psych. Vol. XIII. — 169. *Ders.: War

shock and Freud's theory of the neuroses. Proc. Royal Soc. of Med. (Section of Psychiatry). Vol. XI. March 1918. — 170. *Ders.: The unconscious mental life of the child. Child Study. Vol. IX. — 171. *Ders.: Anal-erotic character traits. J. of Abn. Psych. Vol. XIII. No. 3. P. 261. — 172. Ders.: War and individual psychology. Sociolog. Rev. July 1915. — 173. Ders.: Why is the „Unconscious" unconscious? (Contribution to a symposium). Oct. 1918. Brit. J. of Psych. Vol. IX. Part 2. — 174. Ders.: The case of Louis Bonaparte, King of Holland. J. of Abn. Psych. Vol. VIII. No. 5. P. 289. — 175. Jung C. G.: The theory of psychoanalysis. New York. Nerv. and Ment. Dis. Publ. Co. Monograph 19. 1915. — 176. Ders.: On psychological understanding. J. of Abn. Psych. Vol. IX. No. 6. P. 385. — 177. Ders.: Psychoanalysis. Psychoanalyt. Rev. Vol. II. No. 3. P. 41. — 178. Ders.: The importance of the unconscious in psychopathology. Lancet 1914. Vol. II. Sep. 5th. 1914. — 179. Karpas M.: Socrates in the light of modern psychopathology. J. of Abn. Psych. Vol. X No. 3. P. 185. — 180. Ders.: Civilization and insanity. New York Med. J. Vol. CII. No. 12. Sep. 18th. 1914. — 181. Ders.: Dementia Praecox. New York Med. J. Vol. CIV. No. 1. July 1st. 1916. — 182. Ders.: The psychopathology of prostitution. New York Med. J. Vol. CVI. No. 3. July 21st. 1917. — 183. Kempf E.J.: Some studies in the psychopathology of acute dissociation of the personality. Psychoanalyt. Rev. Vol. II. No. 4. P. 361. — 184. Ders.: The social and sexual behaviour of infrahuman primates with some comparable facts in human behaviour. Psychoanalyt. Rev. Vol. IV. No. 2. P. 127. — 185. Ders.: The psychology of the Yellow Jacket. Psychoanalyt. Rev. Vol. IV. No. 4. P. 393. — 186. Ders.: Charles Darwin — The affective sources of his inspiration and anxiety neurosis. Psychoanalyt. Rev. Vol. V. No. 2. P. 151. — 187. Ders.: The psychoanalytic treatment of dementia praecox. Report of a case. Psychoanalyt. Rev. Vol. VI. No. 1. P. 15. — 188. Ders.: The Autonomic functions and the personality. Nerv. and Ment. Dis. Publ. Co. New York Monograph Series. No. 28. — 189. Kimmins C. W.: Childrens' dreams. The Times. Feb. 14th. 1919. — 190. Kirby G. H.: Dementia praecox deteriorations without Freud's mechanisms. New York State Hosp. Bull. Vol. V. 3. — 191. Knox H. A.: Psychological pitfalls. New York Med. J. Vol. XCIX. March 14th. 1914. — 192. Kohs S. C.: The association method in its relation to the complex and complex indicators. Amer. J. of Psych. Oct. 1914. — 193. Kuhlmann H. J. C.: The father complex. Amer. J. of Insanity. Vol. LXX. No. 4. — 194. Kuttner A. B.: Sons and lovers; a Freudian appreciation. Critical Review. Psychoanalyt. Rev. Vol. III. P. 295. — 195. Last F. W.: A psychological note on a photo-play. J. of Abn. Psych. Vol. XI. No. 5. P. 344. — 196. Lay W.: Man's unconscious conflict. Dodd, Mead & Co. New York 1917. Pp. 318. — 197. Ders.: The child's unconscious conflict. Dodd, Mead & Co. New York 1919. Pp. 329. — 198. Ders.: The relation of psychoanalysis to education. Dodd, Mead & Co. New York. — 199. Levin H. L.: Organic and psychogenic delirium. New York Med. J. Vol. XCIX. March 28th. 1914. — 200. Lillie W. I.: A mechanism producing hysterical abdominal distension. J. of Nerv. and Ment. Dis. Vol. XLVI. P. 35. — 201. Lind J. E.: The dream as a simple wish-fulfillment in the negro. Psychoanalyt. Rev. Vol. I. No. 3. P. 295. — 202. Ders.: The color complex in the negro. Psychoanalyt. Rev. Vol. I. No. 4. P. 404. — 203. Living C. G.: The theory of psychoanalysis. New York 1915. — 204. Long C.: Psychoanalysis. The Practitioner. Vol. XCIII. No. 1. July, 1914. — 205. Loveday T.: The Rôle of repression in forgetting. (A contribution to a symposium.) Brit. J. of Psych. Vol. VII. Part. 2. Sep. 1914. — 206. MacCurdy J. T.: The ethics of psychoanalysis. John Hopkins Med. Bull.

Vol. XXVI. No. 291. May 1915. — 207. Ders.: War Neuroses. Psychiatric Bull. July 1917. P. 243—354. — 208. Ders.: The production in a manic-like state illustrating Freudian mechanisms. J. of Abn. Psych. Vol. No. 6, P. 361. — 209. Ders.: A psychological feature of the precipitating causes in the psychoses and its relation to art. J. of Abn. Psych. Vol. IX. No. 5. P. 297. — 210. Ders. (mit W. L. Treadway): Constructive delusions. J. of Abn. Psych. Vol. X. No. 3. P. 153. — 211. Ders.: Concerning Hamlet and Orestes. J. of Abn. Psych. Vol. XIII. No. 5. P. 250. — 212. Ders.: A clinical study of epileptic deterioration. Cornell Univ. Med. Bull. Vol. VII. No. 4. April 1918. Also Psychiat. Bull. April 1916. — 213. Ders.: Epileptic dementia. Cornell Univ. Med. Bull. Vol. VII. No. 4. April 1918. — 214. Ders.: Ethical aspects of psychoanalysis. John Hopkins Hosp. Bull. Vol. XXVI. May 1915. — 215. MacRobert R.: (mit T. H. Ames). Psychogenic convulsions. Med. Record. Vol. LXXXVII. No. 22. March 29th. 1915. — 216. Ders.: The maternal instinct a factor in the prenatal development of the epileptic type of nervous constitution. Med. Record. Vol. LXXXVIII. No. 16. Oct. 1915. — 217. Menzies K.: Auto-erotic phenomena in adolescence (with a foreword by Ernest Jones), H. K. Lewis & Co. Lond. 1919. Pp. 94. — 218. Miller R. S.: Contributions to the psychopathology of everyday life, their relation to abnormal mental phenomena. Psychoanalyt. Rev. Vol. II. P. 121. — 219. Mitchell T. W.: The rôle of repression in forgetting (Contribution to a symposium). Brit. J. of Psych. Vol. VII. Part 2. Sep. 1914. — 220. Ders.: Psychology of the unconscious and psychoanalysis. Proc. of the Soc. for Psych. Research. Vol. XXX. Part LXXV. — 221. Moore T. V.: The Hound of Heaven. Psychoanalyt. Rev. Vol. V. No. 4. P. 345. — 222. Moyle H. B.: Pain as a reaction of defence. Psychoanalyt. Rev. Vol. IV. No. 2. P. 198. — 223. Mordell A.: The erotic motive in literature. Boni & Liveright. New York 1919. Pp. 250. — 224. Nicoll M.: Why is the „Unconscious" unconscious? (Contribution to a symposium.) Brit. J. of Psych. Vol. IX. Part. 2. Oct. 1918. — 225. Ders.: Dream psychology. Henry Frowde, Hodder & Stroughton. Oxford Univ. Press. 1917. Pp. 188. — 226. Ders.: The conception of regression in psychological medicine. Lancet. June 8th. 1918. — 227. Oberndorf C. P.: Simple tic mechanisms. J. of the Amer. Med. Assoc. Vol. LXVII. July 8th. 1916. — 228. Ders.: Analysis of a claustrophobia. Med. Record. Aug. 28th. 1915. — 229. Ders.: Slips of the tongue and pen. J. of Abn. Psych. Vol. VIII. No. 6. P. 378. — 230. Ders.: Reactions to personal names. Psychoanalyt. Rev. Vol. V. No. 1. P. 47. — 231. Ders.: An analysis of certain neurotic symptoms. New York Med. J. Vol. CIV. No. 4. July 1916. — 232. Ders.: Traumatic Hysteria. New York Med. J. Vol. CIV. No. 4. July 1916. — 232. Ders.: Traumatic Hysteria. New York Med. J. Vol. CVI. No. 19. Nov. 10th. 1917. — 233. Ders.: Substitution reactions. New York Med. J. 1914. Pp. 715—718. — 234. Ders.: Cases allied to manic-depressive insanity. New York State Hosp. Bull. Vol. V. 3. — 235. Odier C.: A case of hysterical contracture. Arch. of Psychiatry. May 1914. P. 158. — 236. Osnato M.: A critical review of the pathogenesis of dementia praecox, with a discussion of the relation of psychoanalytical principles. Amer. J. of Insanity. Vol. LXXV. No. 3. P. 411. — 237. Parker G. M.: Analytic view of the psychic factor in shock. New York Med. J. Vol. CVI. Nos. 1 and 2. July 1918. — 238. Payne C. R.: Some contributions of psychoanalysis to the problems of education. N. Y. State Hosp. Bull. Aug. 1914. — 239. Pear T. H.: The analysis of some personal dreams with reference to Freud's theory of dream interpretation. Brit. J. of Psych. Vol. VI. Parts 3 and 4. Feb. 1914. — 240. Ders.: The rôle of repression in forgetting (A contribution to a symposium). Brit. J. of Psych. Vol. VII. No. 2. Sept. 1914. — 241. Price G. E.: An unusual psychasthenic complex. J. of Nerv. and Ment. Dis. Vol. XLIII. No. 4. — 242. **Prideaux E.**: Stammering in the war psychoneuroses. Lancet. Vol. CXCVI. Feb. 8th. 1919. P. 217. — 243. **Prince Morton**: The psychology of the Kaiser. T. Fisher Unwin. London 1915. Pp. 75. — 244. **Ders.**: The unconscious. Macmillan. New York 1914. Pp. 549. — 245. **Ders.**: The subconscious settings of ideas in relation to the pathology of the psychoneuroses. J. of Abn. Psych. Vol. XI. No. 1. P. 1. — 246. **Putnam J. J.**: Human motives. Little, Brown & Co. New York. — 247. **Ders.**: Some of the broader issues of the psychoanalytic movement. Amer. J. Med. Sc. 1914. Vol. CXLVII. P. 389. — 248. **Ders.**: Dream interpretation and the theory of psychoanalysis. J. of Abn. Psych. Vol. IX. No. 1. P. 36. — 249. **Ders.**: On the utilization of psychoanalytic principles in the study of the neuroses. J. of. Abn. Psych. Vol. XI. No. 3. P. 172. — 250. **Ders.**: Sketch for a study of New England character. J. of Abn. Psych. Vol. XII. No. 2. P. 73. — 251. **Ders.**: The work of Sigmund Freud. J. of Abn. Psych. Vol. XII. No. 3. P. 145. — 252. **Ders.**: An interpretation of certain symbolisms. Psychoanalyt. Rev. Vol. V. No. 2. P. 121. — 253. **Ders.**: The work of Alfred Adler, considered with especial reference to that of Freud. Psychoanalyt. Rev. Vol. III. No. 2. 1916. — 254. **Ders.**: Psychoanalysis considered as a phase of education. J. of Nerv. and Ment. Dis. Oct. 1914. — 255. **Ders.**: Elements of strength and elements of weakness in psychoanalytic doctrines. Psychoanalyt. Rev. Vol. VI. No. 2. P. 117. — 256. **Ders.**: Services to be expected from the psychoanalytic movement in the prevention of insanity. J. of The Amer. Med. Assoc. Vol. LXIII. Nov. 28th. 1914. Pp. 1891—1897. — 257. **Ders.**: The present status of psychoanalysis. Boston Med. and Surg. J. 1914. Vol. CLXX. Pp. 897—903. — 258. **Ralunet H.**: The causation of dreams. Med. Record. Feb. 28th. 1914. — 259. **Read Carveth**: The unconscious. Brit. J. of Psych. Vol. IX. Parts 3 and 4. P. 281. — 260. **Read C. Stanford**: A survey of war neuro-psychiatry. Mental Hygiene. Vol. II. No. 3. July 1918. Pp. 357—387. — 261. **Ders.**: A study of two epileptoid cases in soldiers. J. of Abn. Psych. Vol. XIII. No. 1. P. 33. — 262. **Ders.**: War psychiatry. Proc. Royal Soc. of Med. Vol. XII. No. 8. P. 35. — 263. **Ders.**: A case of pseudologia phantastica. Rev. of Neur. and Psychiatry. Vol. XVI. Nos. 7 and 8. July-Aug. 1918. — 264. **Ders.**: Military psychiatry in peace and war. H. K. Lewis & Co. London 1919. — 265. **Reed R.**: A manic-depressive episode presenting a frank wish-realization construction. Psychoanalyt. Rev. Vol. II. No. 2. P. 111. — 266. **Ders.**: A manic-depressive attack presenting a reversion to infantilism. J. of Abn. Psych. Vol. XI. No. 6. P. 359. — 267. **Renterghem A. W. van**: Freud and his school. J. of Abn. Psych. Vol. IX. No. 6. P. 369 and Vol. X. No. 1. P. 46. — 268. **Reynolds C. E.**: Mental conflicts and their physical homologues. South Calif. Pract. 1915. Vol. XXX. Pp. 101—115. — 269. **Ring A. H.**: Psychoanalysis. Psychoanalyt. Rev. Vol. II. No. 4. P. 390. — 270. **Rivers W. H. R.**: The repression of war experience. Proc. Royal Soc. of Med. Vol. XI. 1918. Pp. 1—7. — 271. **Ders.**: Why is the „Unconscious" unconscious? (A contribution to a symposium.) Brit. J. of Psych. Vol. IX. Part 2. Oct. 1918. — 272. **Ders.**: Dreams and primitive culture. Proc. of The Brit. Psych. Soc. Also publ: Univ. Press, Manchester 1918. Pp. 28. Soc. Jan. 26th. 1918. — 273. **Ders.**: War neurosis and military training. Mental Hygiene. Vol. II. No. 4. Oct. 1918. — 274. **Ders.**: The Freudian Concept of the censor. Proc. of the Brit. Psych. Soc. Jan. 25th. 1919. — 275. **Ders.**: Freud's psychology of the unconscious. Lancet. June 16th. 1917. — 276. **Ders.**: A case of claustrophobia. Lancet. Aug. 18th. 1917. P. 237. — 277. **Robertson J. I.**: A study in self-revelation. Glasgow Med. J. Vol. XCI. New Series. No. IX. Feb. 1919. — 278. **Robie**

W. F.: Rational sex ethics. Rich. C. Badger. Boston 1916. Pp. 356. — 279. Ross T. A.: The prevention of relapse of hysterical symptoms. Lancet. 1918. Oct. 19th. P. 516. — 280. Schroeder T.: The Wildebuch Saint — A study in the erotogenesis of religion. Psychoanalyt. Rev. Vol. I. No. 2. P. 129. — 281. Ders.: The erotogenetic interpretation of Religion. Journ. of Relig. Psych. Jan. 1914. — 282. Ders.: Psychogenetics of androcratic evolution. Psychoanalyt. Rev. Vol. II. No. 3. P. 277. — 283. Ders.: The psychologic aspect of free-association. Amer. J. of Psych. Vol. XXX. No. 3. July 1919. — 284. Scripture E. W.: Psychoanalysis and correction of character. Med. Rec. LXXX. 859. — 285. Severn E.: The psychology of behavior. Dodd, Mead & Co., New York 1917. Pp. 349. — 286. Shockley F. M.: Clinical cases exhibiting unconscious defense mechanisms. Psychoanalyt. Rev. Vol. III. No. 2. P. 141. — 287. Ders.: Rôle of homosexuality in genesis of paranoid conditions. Psychoanalyt. Rev. Vol. I. No. 4. P. 431. — 288. Sinclair M.: Symbolism and sublimation. Med. Press and Circ. Aug. 9th. 1916, and Aug. 16th. 1916. — 289. Singer H. D.: Dynamic psychology and practice of medicine. The J. of Nerv. and Ment. Dis. Vol. XLV. 1917. Pp. 324–336. — 290. Solomon M.: A contribution to the analysis and interpretation of dreams based on the instinct of self-preservation Amer. J. of Insanity. July 1914. — 291. Ders.: A plea for a broader standpoint in psychoanalysis. Psychoanalyt. Rev. Vol. II. No. 1. Jan. 1915. — 292. Ders.: Some remarks on the meaning of dreams. Med. Record. Jan. 31st. 1914. — 293. Ders.: On the analysis and interpretation of dreams based on various motives and on the theory of psychoanalysis. J. of Abn. Psych. Vol. IX. Nos. 2–3. June—Sept. 1914. — 294. Ders.: A few dream analyses. J. of Abn. Psych. Vol. IX. No. 5. Dec. 1914. — 295. Somerville W. G.: The psychology of hysteria. Amer. J. of Insanity. Vol. LXXIII. No. 4. April 1917. P. 369. — 296. Stern A.: The unconscious. Med. Press and Circ. July 17th. 1918. — 297. Ders.: Compulsion neurosis. New York Med. J. Vol. C. No. 10. Sept. 5th. 1914. — 298. Ders.: Night terrors. New York Med. J. Vol. CI. No. 19. May 8th. 1915. — 299. Ders.: The indentities of peculiar traits and neuroses. New York Med. J. Vol. CII. No. 16. Oct. 16th. 1915. — 300. Ders.: The functional neuroses. New York Med. J. Vol. CVI. No. 6. Aug. 11th. 1917. — 301. Ders.: Day phantasies in a child. New York Med. J. Vol. CVIII. No. 15. Oct. 12. 1918. — 302. Ders.: Neurotic manifestations in children. Med. Record. Vol. LXXXIX. No. 9. Feb. 26. 1916. — 303. Stevens M.: Heredity and Self-conceit. Psychoanalyt. Rev. Vol. IV. No. 4. P. 424. — 304. Stoddart W. H. B.: The New psychiatry. Rev. of Neur. and Psychiatry. May, June and July 1915. — 305. Talmey B. S.: Psychology of the faddist. New York Med. J. Vol. CIV. No. 15. Oct. 7 th. 1916. — 306. Tannenbaum S. A.: Some current misconceptions of psychoanalysis. J. of Abn. Vol. XII. No. 6. P. 390. — 307. Ders.: „Your napkin is too little: let it alone" (A Freudian Commentary). Studies in Philology. Vol. XV. No. 2. Apr. 1918. — 308. Ders.: Pollutions. Amer. J. of Urology. March 1916. — 309. Ders.: Shakespeare and the new psychology. The Dial of New York. March 1916. — 310. Ders.: The art of dream interpretation. J. of Urology and Sexology. Jan. 1919. — 311. Ders.: Psychanalysis. A reply to some objections. New York Med. J. Feb. 7th. 1914. — 312. Ders.: Psychoanalysis de-sexualized. Amer. Medicine. New Series. Vol. X. No. 12. Dec. 1915. Pp. 910–913. — 313. Ders.: Logic and Anti-psychoanalysis. Amer. Medicine. New Series. Vol. IX. No. 6. June 1914. Pp. 412–415. — 314. Ders.: A consideration of objections to psychoanalysis. Med. Record. Feb. 21st. 1914. — 315. Taylor E. W.: Suggestions regarding a modified psychoanalysis. J. of Abn. Psych. Vol. XII. No. 6. P. 361. — 316. Treadway W. L.

(mit J. T. MacCurdy): Constructive delusions J. of Abn. Psych. Vol. X.
No. 3. P. 153. — 317. Troland L. T.: Freudian psychology and psychical
research. J. of Abn. Psych. Vol. VIII. No. 6. P. 429. — 318. Trotter W.:
Instincts of the herd in peace and war. T. Fisher Unwin. London 1916. —
319. Viereck G. S.: „Roosevelt" — A study in ambivalence. Jackson Press.
New York. Pp. 144. — 320. Watson J.: An analysis of some personal dreams.
Proc. Amer. Soc. for Psych. Research. Vol. VIII. 2nd. Aug. 1914. — 321.
Weinberg A. K.: The dream of Jean Christophe. J. of Abn. Psych. Vol. XIII.
No. 1. P. 12. — 322. Ders.: Nephew and maternal uncle: A motive of early
literature in the light of Freudian psychology. Psychoanalyt. Rev. Vol. V.
No. 4. P. 381. — 323. Wells F. L.: Mental adjustments. Appleton & Co.,
New York and Lond. 1917. Pp. 320. — 324. Ders.: Mental regression. Its con-
ception and types. Psych. Bull. Oct. 1916. Pp. 445—492. — 325. Ders.: Mental
adaptation. Mental Hygiene. Vol. I. No. 1. Pp. 60—68. — 326. Ders.: A summary
of material on the topical community of primitive and pathological symbols.
Psychoanalyt. Rev. Vol. IV. No. 1. P. 373. — 327. White W. A.: Mechanisms
of character formation. The Macmillan Co. New York 1916. Pp. 342. — 328.
Ders.: Principles of mental hygiene. (Introduction by S. E. Jelliffe.) The
Macmillan Co. New York 1916. Pp. 342. — 329. Ders.: Psychoanalytic ten-
dencies. Amer. J. of Insanity. Vol. LXXIII. No. 4. Pp. 583—595. April 1917.
— 330. Ders.: The Moon myth in medicine. Psychoanalyt. Rev. Vol. I. No. 3.
P. 421. — 331. Ders.: The unconscious. Psychoanalyt. Rev. Vol. II. No. 1.
P. 12. — 332. Ders.: Psychoanalytic parallels. Psychoanalyt. Rev. Vol. II. No. 2.
P. 1777. — 333. Ders.: Symbolism. Psychoanalyt. Rev. Vol. III. No. 1. P. 1.—
334. Ders.: Individuality and introversion. Psychoanalyt. Rev. Vol. IV. No. 1.
P. 1. — 335. Ders.: The mechanism of transference. Psychoanalyt. Rev. Vol. II.
No. 1. P. 1. — 336. Ders.: The autonomic functions and the personality.
A critical review. Psychoanalyt. Rev. Vol. VI. No. 1. P. 89. — 337. Ders.:
Psychoanalysis and the practice of medicine. J. of The Amer. Med. Assoc. 1914.
Vol. LXII. P. 1036. — 338. Ders.: The mental hygiene of childhood. Nerv.
and Ment. Dis. Publ. Co. 1919. — 339. Wholey O. C.: A psychosis presenting
schizophrenic and Freudian mechanisms with schematic clearness. Amer. J. of
Insanity. Vol. LXXIII. No. 4. Pp. 583—595. — 340. Ders.: Revelations of the
unconscious in a toxic (alcoholic) psychosis. Amer. J. of Insanity. Vol. LXXIV.
No. 3. Pp. 437—444. — 341. Ders.: Psychoanalysis. J. of Amer. Med. Assoc.
1914. Vol. LXII. P. 1036. — 342. Williams T. A.: A contrast in Psychoanalysis.
Three cases. New York Med. J. April 1914. — 343. Wolf A.: The rôle of repression in forgetting. (Contribution to a symposium.) Brit. J. of Psych.
Vol. VII. No. 2. Sept. 1914. — 344. Wright M.: The psychology of Freud
and its relation to the psychoneuroses. Med. Magaz. 1914. Vol. XXIII. Pp.
137—161. — 345. Yoakum C. S. (mit M. C. Hill): Persistent complexes derived
through free association. Miss Z's case. J. of Abn. Psych. Vol. XI. No. 4.
P. 215. — 346. Ders. (mit M. C. Hill): Genetic antecedents of free association
materials. Miss Z's case. J. of Abn. Psych. Vol. XI. No. 6. P. 396.

Übersetzungen.
    1. Adler A.: The neurotic constitution. Author. transl. by B. Glueck
and J. E. Lind. Moffat Yard & Co., New York 1917. P. 456. — 2. Bertschinger
H.: Processes in recovery in schizophrenia. Transl. by C. L. Allen. Psychoanalyt. Rev. Vol. III. No. 2. P. 176. — 3. Bjerre P.: The history and practice
of psychoanalysis. Author. transl. by E. N. Barrow. Richard C. Badger. Boston
1916. Pp. 294. — 4. Ferenczi S.: Contributions to psychoanalysis. Author.
transl. by Ernest Jones. Richard C. Badger. Boston 1916. Pp. 288. — 5.

Freud S.: On dreams. Transl. by M. D. Eder. Heinemann. London. Pp. 109.
— 6. **Ders.**: Delusion and dreams. (With an introduction by G. Stanley Hall.)
Transl. by H. M. Downey. Moffat, Yard & Co. 1917. Pp. 243. — 7. **Ders.**:
Totem and Taboo. Author. transl. by A. A. Brill. Moffat, Yard & Co. 1918.
Pp. 265. — 8. **Ders.**: Wit and its relation to the unconscious. Author. transl.
by A. A. Brill. Fisher Unwin, London 1916. Pp. 388. — 9. **Ders.**: Leonardo
da Vinci. A psychosexual study of an infantile reminiscence. Author. transl.
by A. A. Brill. Moffat, Yard & Co. New York, 1916. Pp. 130. — 10. **Ders.**:
Psychopathology of everyday life. Author. Transl. by A. A. Brill. 1914. Fisher
Unwin. London. Pp. 342. — 11. **Ders.**: Reflections on war and death. Author.
Transl. by A. A. Brill. Moffat, Yard & Co. New York. 1918. Pp. 72. — 12. Ders.:
The history of the psychoanalytic movement. Nerv. and Ment. Dis. Publ. Co.
New York. Monograph Series. No. 25. 1917. Pp. 57. Author. Transl. by A. A.
Brill. — 13. **Hug-Hellmuth H.** von: A study of the mental life of the child.
Transl. by J. J. Putnam and M. Stevens. Psychoanalyt. Rev. Vol. V. Nos. 1—4:
Vol. VI. No. 1. — 14. Jung C. G.: Studies in word association. Author.
Transl. by M. D. Eder. Heinemann. London 1918. Pp. 575. — 15. **Ders.**: Psycho-
logy of the unconscious. Author. Transl. by B. M. Hinkle. Moffat, Yard & Co.
New York. 1917. Pp. 449. — 16. Ders.: Collected papers on analytical psycho-
logy. Author. Transl. edited by C. E. Long. 1916. Baillière, Tindall & Cox.
Lond. Pp. 566. — 17. **Maeder A. E.**: The dream problem. Author. transl. by
F. M. Hallock and S. E. Jelliffe. Nerv. and Ment. Dis. Publ. Co. New York.
Monograph Series. No. 22. 1916. — 18. **Pfister O.**: Psychoanalysis and the study
of children and youth. Transl. by F. M. Smith. Amer. J. of Psych. Vol. XXVI.
No. 1. Jan. 1915. Pp. 130—141. — 19. Ders.: The psychoanalytic method.
Author. transl. by C. R. Payne, Moffat, Yard & Co. New York. 1917. Pp. 588.
— 20. **Rank O.** (mit H. Sachs): The significance of psychoanalysis for the
mental sciences. Author. Transl. by C. R. Payne. Psychoanalyt. Rev. Vol. II.
Nos. 3 and 4, Vol. III. Nos. 1, 2 and 3. — 21. Ders.: The myth of the birth
of the hero. Transl. by F. Robbins and S. E. Jelliffe. J. of Nerv. and Ment.
Dis. Publ. Co. New York. Monograph Series. No. 18. — 22. **Ricklin F.**: Wish-
fulfillment and symbolism in fairy tales. Author. Transl. by W. A. White,
The Nerv. and Ment. Dis. Publ. Co. New York 1915. Monograph Series No. 21.
— 23. **Sadger J.**: Sleep walking and moon walking. Transl. by L. Brink.
Psychoanalyt. Rev. Vol. VI. Nos: 2 and 3. (To be continued.) — 24. **Sil-
berer H.**: Problems of mysticism and its symbolism. Transl. by S. E. Jelliffe.
Moffat, Yard & Co. New York 1916. P. 449. — 25. **Stekel W.**: The technique
of dream interpretation. Transl. by J. E. Lind. Psychoanalyt. Rev. Vol. IV.
No. 1. P. 84. — 26. **Ders.**: Sleep, the will to sleep and insomnia. Transl. by
S. A. Tannenbaum. The Amer. J. of Urology and Sexology. Vol. XIV. No. 9.
Sept. 1918. — 27. **Ders.**: On suicide. Transl. by S. A. Tannenbaum. Amer. J.
of Urology and Sexology. August 1918. — 28. **Ders.**: The psychology of klepto-
mania. Transl. by S. A. Tannenbaum. Amer. J. of Urology. Feb. 1918. —
29. **Ders.**: Obsessions: their cause and treatment. Transl. by S. A. Tannenbaum. Amer. J. of Urology. April 1918. — 30. Some Freudian contributions
to the paranoia problem. (A translated digest of various articles from the pen
of foreign authors.) By C. R. Payne. Psychoanalytic. Rev. Vol. I. Nos: 1—4.
Vol. II. Nos: 1 and 2.

Den Anhängern der psychoanalytischen Lehre, die in Studium
und Anwendung der Psychoanalyse eine direkte und indirekte Mög-

lichkeit zur Erleichterung des menschlichen Lebens erblicken, müssen die großen Fortschritte, die England und Amerika während der letzten sechs Jahre auf diesem Gebiete der Psychologie gemacht haben, gerechte Befriedigung gewähren. Wahrscheinlich wegen seiner rascheren Aufnahmsfähigkeit für neue Ideen erscheint dieser Fortschritt in Amerika besonders auffallend. (Wie ein Blick auf die Bibliographie zeigt, wird die englische psychoanalytische Literatur von der amerikanischen weit an Umfang übertroffen.) In Großbritannien aber hat das Studium der neurotischen Kriegserkrankungen die Ärzte gezwungen, veraltete materialistische Ideen als unfruchtbar aufzugeben und psychologische Theorien zu einer rationelleren Erklärung ihrer Pathologie anzunehmen. Dieser Fortschritt in der Medizin hat die Psychologen zu einer kritischeren Betrachtung ihrer Grundannahmen veranlaßt und bringt sie langsam aber sicher zu der Einsicht, daß sie in ihren Lehren bisher das menschliche Element, das F r e u d so stark in den Vordergrund rückt, zu sehr vernachlässigt haben. Viele Neurologen, Psychiater und Psychologen beharren in ihrer ablehnenden Stellung gegen die Psychoanalyse. Es ist aber interessant zu bemerken, wie die gegnerische Literatur schon von psychoanalytischen Ausdrücken durchsetzt ist, deren Gebrauch die Autoren allerdings weitgehend rationalisieren würden. So ist der Begriff „Verdrängung" geläufig geworden und die Bedeutung des Traumlebens bei den Autoren, die sich mit den Angstneurosen des Krieges beschäftigt haben, ziemlich allgemein anerkannt. All das sind gute Vorzeichen für das weitere Durchdringen der Psychoanalyse, ebenso wie der Umstand, daß sich hervorragende Psychologen, wie Stanley H a l l und P u t n a m, zu den Anhängern ihrer Lehren zählen. In Amerika haben viele anerkannte Ärzte und Psychologen ihre Kräfte in den Dienst der Verbreitung der F r e u d schen Lehren gestellt. Die amerikanischen Zeitschriften enthalten eine große Zahl von psychoanalytischen Arbeiten. Die „Psychoanalytic Review", die ausschließlich solchen gewidmet ist, zählt Autoren von unbestrittenem wissenschaftlichen Ansehen zu ihren Mitarbeitern. Ihr Interesse für den Leser wird noch durch die Auszüge aus „Imago" und der „Internationalen Zeitschrift für Psychoanalyse" erhöht, die sie publiziert. Ebenso bietet das „Journal of Abnormal Psychology" den

englischen und amerikanischen Lesern Arbeiten aus der psychoanalytischen Theorie und Praxis; das von dem National Comittee
of Mental Hygiene herausgegebene „Journal of Mental Hygiene"
steht jetzt auf psychoanalytischem Boden und behandelt häufig
soziale Probleme vom Standpunkt der Psychoanalyse. In Amerika
sind zahlreiche Übersetzungen kontinentaler Arbeiten entstanden,
die von unschätzbarem Werte für die Verbreitung der Freudschen Theorien sind. Der hervorragendste Vertreter der Psychoanalyse in England ist Ernest Jones, der sich durch seinen Eifer
und sein gründliches Wissen große Verdienste um die Psychoanalyse
erworben hat. Spärlicher ist die psychoanalytische Literatur in den
englischen Zeitschriften vertreten, von denen nur das „British
Journal of Psychology" kürzlich eine interessante psychoanalytische
Arbeit brachte.

I. Reine Psychoanalyse.

Es sind hier verhältnismäßig wenig Bücher von amerikanischen
und englischen Autoren zu nennen; die hiehergehörige Literatur
findet sich hauptsächlich in den zahlreichen amerikanischen Zeitschriften. Die wichtigsten psychoanalytischen Erscheinungen in
England sind: „Papers on Psychoanalysis" von Ernest Jones (164),
„Psychoanalysis and its place in life" von Bradby (10), „Dream
Psychology" von Nicoll (225) und Trotters „Instincts of the
Herd in Peace and War" (318). Viele amerikanische Autoren beschäftigen sich, allerdings häufig nur indirekt, mit psychoanalytischen Grundsätzen.

Allgemeine Theorie.

Allgemeine psychoanalytische Grundsätze wer-
den außer in Übersetzungen auch in mehreren Originalarbeiten behandelt. Wir finden einfache Darlegungen des Themas bei Coriat
(71) und bei Lay (196), einem erfahrenen Mittelschullehrer, der
aus der Psychoanalyse Nutzen gezogen hat und ihre wichtigsten
Lehren auch anderen vermitteln will. Seine Arbeit bietet Anfängern
ein interessantes Lehrbuch. White aus Washington gibt in seiner
etwas populären Art eine gute Orientierung (327). Besonders glückt
ihm das Kapitel über den „Familienroman", das den Ödipus- und

den Elektrakomplex behandelt. An anderer Stelle „The principles of mental hygiene" (328) versucht er die Anwendung der psychoanalytischen Theorien auf Probleme des Schwachsinns, der Geisteskrankheiten und auf soziale Fragen. B r i l l publiziert eine zweite Auflage seines bekannten Buches „Psychanalysis" (14), das, obwohl zweifellos wertvoll, doch in seiner kondensierten Form den Bedürfnissen des Anfängers nicht genügend entgegenkommt. Selbstverständlich ist die Aufgabe, einem Lernenden die psychoanalytischen Grundbegriffe in gedrängter Kürze auseinanderzusetzen, keine leichte. Am besten hat sie, der Meinung des Referenten nach, F r i n k in seinen „Morbid fears and compulsions" (116) gelöst, einer klaren, nicht weitschweifigen Arbeit mit guten klinischen Darstellungen. Nur unterlaufen ihm einige arge Irrtümer bei seiner Auseinandersetzung der Bedeutung von „Sexualität" im F r e u d schen Sinne. Das kürzlich erschienene Werk von B r a d b y über Psychoanalyse (10) enthält Bezeichnungen und Ansichten, die dem wissenschaftlichen Ansehen seiner Verfasserin schaden müssen, wenn auch ihr Eifer und ihre Darstellungsweise viel dazu beitragen können, die Vorurteile gegen die Psychoanalyse in einem gewissen Leserkreis zu zerstreuen. Ethische und moralische Wertung hat nichts mit wissenschaftlicher Psychologie zu tun, so daß Wendungen wie die folgenden beklagenswert erscheinen: „ . . . Im Unbewußten sind geistige Werte . . ., jeder Mensch trägt Gott und Teufel in sich." Ihre Ansicht, daß jedem Menschen ein angeborener moralischer Impuls innewohnt, der unvollkommen entwickelt oder verdrängt werden kann und dessen Vorhandensein sie in ihren Traumanalysen bestätigt findet, braucht hier nicht weiter kommentiert zu werden. Trotzdem ist ihre Arbeit, die auch das Verhältnis der Psychoanalyse zur Kunst, Religion, Biographie und Individualpsychologie behandelt, anerkennenswert.

Eine Reihe von wertvollen Arbeiten, die bestimmte F r e u d sche Begriffe oder verschiedene Themen auf psychoanalytischer Basis behandeln, ist hier zu erwähnen. Zu den letzteren gehört vor allem ein Buch von H o l t „The Freudian wish and its place in ethics" (149). H o l t, der jeder Mystik fern steht, begeistert sich für die psychoanalytischen Lehren und meint, daß F r e u d als erster „einen Schlüssel zur Erschließung der psychologischen Pro-

272   Stanford Read.

bleme gefunden" und „die vollkommene Unfähigkeit wohlbestallter Professoren aufgezeigt hat". Für Holt ist ein Wunsch „jeder Antrieb zu einer bestimmten Handlung, gleichgültig, ob sie Vorsatz bleibt oder tatsächlich ausgeführt wird". Der Wunsch hängt von der physischen motorischen Einstellung ab, die bei seiner Ausführung zur Handlung wird. Die Freudsche Psychologie ist daher vor allem dynamisch. Der Wunsch wird also — wofür er viele Freudsche Deutungen als interessante Beispiele anführt -- „der Grundbegriff der Psychologie an Stelle des alten Grundbegriffes, den man gewöhnlich als Empfindung bezeichnete". Holt bedient sich aus irgendwelchen Gründen des Ausdruckes „suppression" (Unterdrückung) an Stelle von „repression" (Verdrängung); er nimmt die Probleme des menschlichen Seelenlebens in etwas oberflächlicher Weise in Angriff und unterschätzt die Bedeutung der emotionellen zu Gunsten der intellektuellen Faktoren, was nach dem Titel des Buches merkwürdig anmutet. Trotzdem sind seine Ausführungen anregend und seine ethischen Darstellungen von zweifellosem Wert.

Putnam behandelt in einer kleinen Arbeit „Human Motives" (246) die Motive des menschlichen Handelns, die die neueren psychoanalytischen Forschungen aufgedeckt haben. Er vermeidet es hier, die Freudschen Lehren mit philosophischen Begriffen zu vermengen und zeigt in den Grundzügen seiner Ausführungen einige Ähnlichkeit mit Holt. Der Konflikt unserer rationellen und emotionellen Impulse löst sich seiner Meinung nach in dem Zusammenwirken zweier Motive, des konstruktiven und adaptiven. Die Psychoanalyse zeigt das Vorhandensein unbewußter Tendenzen, die — bei unvollkommener Beherrschung und Kontrolle — hemmend auf die natürlichen Bestrebungen des Individuums einwirken und seine Entwicklungsmöglichkeiten einschränken können.

Es ist nicht zu leugnen, daß bei dem Studium der Verdrängung bisher die sozialen und biologischen Verdrängungsmächte noch nicht genügend in Betracht gezogen wurden. Trotter beschäftigt sich in seiner ausgezeichneten Arbeit „Instincts of the herd in peace and war" (318) ausschließlich mit diesen Faktoren und ihren Beziehungen zur Entstehung der seelischen Konflikte. Er meint, daß die Freudsche Schule die biologischen Reaktionen, wie sie aus

dem Verhalten der Tiere zu entnehmen sind, noch zu wenig in
ihren Beobachtungskreis gezogen hat. Er weist an Hand der durch
soziale Einflüsse zu stande gekommenen Verdrängungen nach, daß
die Macht dieser verdrängenden Kräfte sich auf die leichte Beeinflußbarkeit des Menschen durch die Suggestion der Herde stützt. So
entstehen Konflikte im allgemeinen zwischen egoistischen Impulsen
einerseits und den Wirkungen der Herdensuggestion anderseits. Die
Beeinflußbarkeit durch die Suggestion der Herde ist also die Vorbedingung für die Entstehung eines wirklichen Konflikts. Daraus
ergibt sich die Folgerung, daß das normale Seelenleben psychologisch
nicht gesund ist und daß die Verdrängungen, durch die sozialen
Hemmungen, die sie uns auferlegen, zu Zeiten wertvoll werden,
wenn sie auch gleichzeitig der Boden sind, aus dem unsere Ängste,
unsere Schwächen und unsere Unterordnung unter die Sitten der
Gesellschaft erwachsen. Trotter behandelt diese Probleme in einer
außerordentlich anregenden Weise, die für viele psychoanalytische
Prinzipien unseren Gesichtskreis erweitert.

Der Psychologe Lyman Wells beschäftigt sich in einem Buche
„Mental adjustments" (323) mit allgemeinen psychoanalytischen Begriffen und Mechanismen. Er zieht ein weites Gebiet in den Kreis
seiner Bearbeitung und zeigt in fesselnder Art manches Neue. Besonders wertvoll und für jeden Laien interessant ist das Kapitel über
„Gleichgewichtsfaktoren". Er meint „erstens, daß die Menschen
sich in dem Maße an das Leben anpassen, als sie Befriedigung
darin finden; zweitens, daß diese Befriedigung durch den richtig
bemessenen Energieaufwand zur Verwirklichung der Wunschregungen zu stande kommt; und drittens, daß das verborgene Motiv
jeder menschlichen Willenshandlung das Streben nach bewußter
Befriedigung ist. Die Psychoanalyse hat auf die große Bedeutung
der seelischen Regression für die Erklärung vieler Störungen des
Seelenlebens hingewiesen" (p. 226). Wells (324, 325), der auf dem
Boden der Psychoanalyse steht, liefert zu dieser Auffassung einen
interessanten Beitrag, der allerdings nicht viel Neues bringt. Er
betont hauptsächlich den Umstand, daß jede Regression die Verweigerung einer Kraftanstrengung und die Rückkehr zum Infantilismus, also zur Schutzbedürftigkeit und in eine Atmosphäre von
Sicherheit bedeutet. White prägt hiefür den Namen „Sicherheits-

motiv" (328). Damit steht dann die Introversion, bei der die Handlung in mehr oder weniger befriedigender Weise in das Reich des Gedanklichen verlegt wird. in innigem Zusammenhang. Auch W h i t e (334) beschäftigt sich mit diesem Thema. das für die Psychopathologie von immer größerer Bedeutung wird. Die Extroversion, ein viel weniger feststehender Begriff, scheint die allgemeinste menschliche Einstellung zu verkörpern. J u n g, der den Ausdruck geprägt hat, beschäftigt sich des längeren (Übers. 16) mit diesem Begriff; amerikanische und englische Autoren berühren dieses Thema kaum. J u n g gibt auch in englischer Sprache eine längere Abhandlung über die psychoanalytischen Theorien (175). Seine Abweichungen vom Standpunkte F r e u d s können hier als bekannt vorausgesetzt werden und bedürfen keiner Erläuterung.

Trotz eines gründlichen Studiums der psychoanalytischen Theorie bleibt ihre p r a k t i s c h e A n w e n d u n g noch immer sehr schwierig und es ist nur zu hoffen, daß J e l l i f f e s Arbeit über die Technik der Psychoanalyse (155) andere, bessere. nach sich ziehen wird. Die Übertragung ist ein so heikles Kapitel und das Verhalten ihr gegenüber bereitet Anfängern so große Schwierigkeiten, daß man die Spärlichkeit der darüber erschienenen Arbeiten bedauern muß (154). F r i n k (116) widmet ihr in seinem Buche einen Abschnitt, vor allem aber hat F e r e n c z i (Übers. 4) sich eingehend damit beschäftigt und den Terminus „Introjektion" für den dabei in Betracht kommenden psychischen Mechanismus geprägt.

Wie schon früher erwähnt, verdanken wir die meisten englischen Arbeiten von Bedeutung Ernest J o n e s, der in seinen in Buchform erschienenen Artikeln (164) fast alle Gebiete der Psychoanalyse behandelt, bei seinen Lesern aber schon gewisse Vorkenntnisse voraussetzt. Eine populäre Darstellung finden wir bei H a r t (136) und bei S o l o m o n, der in vielen Hinsichten von der F r e u d schen Auffassung abweicht und versucht, den Gesichtskreis der Psychoanalyse zu erweitern (231).

Neuere Untersuchungen haben den großen Einfluß der Analerotik als Reaktionsbildung oder in sublimierter Gestalt auf die Charakterentwicklung aufgedeckt. Zu diesem Thema liefert J o n e s wertvolle Beiträge (171). Ebenso haben die Psychologen seine Ansichten über den Einfluß der Verdrängungen auf das Gedächtnis mit großem Interesse aufgenommen. Jones versucht nachzuweisen, daß alle Gedächtnisstörungen mit fehlerhafter Reproduktion (165), die durch den Einfluß des Lust-Unlustprinzips bedingt ist, zusammenhängen (s. S. 104). Über dieses Thema fand auf dem British Psychological Congress eine interessante Diskussion statt, in deren Verlauf eine Anzahl von Psychologen (205, 219, 240, 343) ihre Ansichten darlegten. Auch hier sehen wir wieder, wie die psychoanalytischen Theorien langsam in die alte Fakultätspsychologie eindringen und sie modifizieren.

Die Erkenntnis befestigt sich immer mehr, daß der große Nutzen, den die Menschheit in der Zukunft aus der Psychoanalyse ziehen kann, vor allem in einer Behütung der frühen Kinderjahre vor schädlichen Einflüssen bestehen wird. Nach Freud wird der Charakter des Menschen in den ersten fünf Jahren der Kindheit in seinen Grundzügen bestimmt, so daß später auftretende Charakterzüge nur mehr als Verstärkungen oder Umwandlungen der dynamischen Kräfte dieser Periode erscheinen. Das unbewußte Seelenleben des Kindes mit den der Entwicklung entsprechenden Konflikten ist in den Mittelpunkt des Interesses gerückt worden; Jones (170), Eder (93), Lay (197) und Stern (301) haben Beiträge zu seiner Erforschung geliefert. Es ist nicht zu leugnen, daß bisher die Literatur über dieses Thema noch in keinem Verhältnis zu seiner Bedeutung gestanden hat, diesem Mangel ist aber in letzter Zeit durch zwei Neuerscheinungen von Lay (197) und von White „The mental hygiene of childhood" (338) abgeholfen worden. Lay ist für den Durchschnittsleser etwas zu weitschweifig und teilweise nur für den Fachmann bestimmt, aber White trifft den richtigen Ton und bleibt immer lesenswert.

In der Auffassung über den Begriff des „Unbewußten" bestehen noch immer große individuelle Verschiedenheiten, die in einer interessanten Diskussion über das Thema „Warum ist das ‚Unbewußte' unbewußt" erörtert wurden. Diese Diskussion, an der Jones (173), Rivers (271) und Nicoll (224) teilnahmen, wurde später veröffentlicht. Nicoll (224), der sich den Auffassungen Jungs zuneigt, betrachtet das „Unbewußte" als einen der Realität noch nicht vollkommen angepaßten Teil des Seelenlebens und meint, daß es „entstehende Gedanken enthält — Gedanken, die noch keine

18*

dem Bewußtsein entsprechende Form angenommen haben". Seine Auffassung ist teilweise teleologisch und er sieht darin „sowohl Kräfte des Fortschrittes als der Regression". Sie erinnert in etwas an Myers „subliminal consciousness". Nicoll interpretiert übrigens auch Freud häufig falsch.

Rivers, der in seiner Arbeit (271) mehr auf dem Utilitätsstandpunkt steht, vertritt die Ansicht, daß das Unbewußte zwar in einer früheren Periode der Realität angepaßt war, es aber nicht mehr ist. Er meint, daß eine Verdrängung stattgefunden hat, weil die Aktivität dieser Bewußtseinsvorgänge für den Organismus, der einer zugänglicheren Leitung bedurft hätte, von Nachteil war, und führt zur Unterstützung seiner Ansicht Dissoziationsprozesse bei niederen Tieren an, wie auch angeblich ähnliche Erscheinungen bei den sensorischen Reaktionen, über die Head und er Beobachtungen angestellt haben. Auch er betrachtet also das Problem vom Evolutionsstandpunkt aus. Ernest Jones möchte seine Auffassung als „hedonisch" bezeichnen und ist der Meinung, daß das Unbewußte der Realität manchmal besser und manchmal schlechter angepaßt ist als die bewußten Vorgänge. Er vertritt die Ansicht, daß das „Unbewußte" durch das Vorhandensein hemmender affektiver Faktoren, die man unter dem Begriff „Verdrängung" zusammenfaßt, unbewußt bleibt. Er schildert die Vorgänge folgendermaßen: Zuerst tritt das Utilitätsprinzip in den Vordergrund und beschränkt das primitivere hedonische Lust-Unlustprinzip immer mehr in seiner Wirksamkeit, um es schließlich ganz zu ersetzen. Dann geht eine affektive Umwertung vor sich, in deren Verlauf das ursprünglich Lustbetonte, das diese Eigenschaft für das Unbewußte beibehält, für das sich rascher entwickelnde Bewußtseinssystem, das in engerem Kontakt mit der Realität steht, „unlustbetont" und abstoßend wird; zu diesem Zeitpunkt setzt der hedonische und nicht utilitarische Mechanismus der Verdrängung ein, durch den das Unbewußte im eigentlichen Sinne zu stande kommt.

Der englische Psychologe Carveth Read (259) wurde durch die Psychoanalyse angeregt, sich mit dem Begriff des Unbewußten zu beschäftigen. Obwohl keineswegs ein Freudianer, hat er doch einige der Grundlehren in sich aufgenommen und erkannt, daß die alte Psychologie ihren Gesichtskreis erweitern und viele ihrer

Theorien nach den Ergebnissen der modernen Forschung umuodeln muß. White definiert in seinen interessanten und wertvollen Arbeiten zur Einführung der Psychoanalyse (327, 328) das Unbewußte in sehr allgemeiner Weise einfach als unsere historische Vergangenheit. Obwohl seine Definition keineswegs zureichend ist und scharf kritisiert werden kann, gelingt es ihm doch, für noch Uneingeweihte den richtigen Ton anzuschlagen. Er behauptet, daß das Unbewußte der Teil des Seelenlebens ist, der während der Entwicklung aufgebaut und organisiert wurde; die Realität wirkt mit neuen Situationen, auf die erst eine Reaktionsweise gefunden werden muß, auf ihn ein, und schlägt durch die Reibung an der Realität den Funken des Bewußtseins aus ihm. Die Auffassung von Morton Prince kann nach seinen im Journal of Abnormal Psychology erschienenen Arbeiten, die später zu seinem Buch über „Das Unbewußte" (224) zusammengefaßt wurden, als bekannt vorausgesetzt werden. Wenn seine Ansichten auch großem Widerspruch begegnet sind, so kann der Wert seines Buches, der hauptsächlich in dem Reichtum der durch ausgedehnte klinische Beobachtung gewonnenen Erfahrungen liegt, nicht angezweifelt werden. Er stützt sich auf die Annahme, daß das „Feld der Bewußtseinszustände" a) ein inneres Gebiet der Aufmerksamkeit enthält, umgeben von b) einem Randgebiet der Aufmerksamkeit, außerhalb dessen c) das Gebiet der mitbewußten Ideen liegt, die „nicht bewußt gegenwärtig" sind und hinter denen sich wieder d) die Region der unbewußten Vorgänge befindet, die 1. die ruhende Disposition des Nervensystems (die physiologische Basis des Gedächtnisses), und 2. aktive neurale (spinale) Vorgänge umfaßt. In c und d sieht er Abteilungen des Unterbewußten. Diese Auffassung hat, wie man sieht, wenig mit der Psychoanalyse gemeinsam, der sich Prince in anderen Arbeiten häufig genähert hat. Die letzte Neuerscheinung über Psychoanalyse, eine Arbeit von Bradby (10), stellt — nach Jung — fest, daß die Psychoanalytiker wichtige Faktoren im Unbewußten außer acht gelassen haben. Bradbys Einwürfe sind keineswegs neu und ihre unwissenschaftlichen Behauptungen beklagenswert, da sich philosophische und religiöse Elemente entschieden nicht in eine wissenschaftliche Auffassung des Unbewußten einschleichen dürften.

Die Symbolik spielt in der Psychoanalyse eine so große
Rolle, daß ihr volles Verständnis unumgänglich notwendig erscheint. White behandelt dieses Thema im allgemeinen in seinem
Buch über Charakterbildung (327). Er weist auf das Verhältnis
der Symbolik zum Unbewußten und zur Sexualität hin und bespricht ihre Deutung, ihren phylogenetischen Sinn und ihren
dynamischen Wert. Nach ihm besteht die besondere Bedeutung des
Symbols für den Verlauf der Entwicklung in seiner großen Ver-
wendbarkeit als Energieträger und Übertrager und als Mittel,
Energie von einer niedrigeren auf eine höhere Stufe überzuleiten
(327, p. 112, 333). Wells (323), der sich mit Symbolassoziation
befaßt, dringt nicht tiefer in das Thema ein. So ist als die einzig
bedeutungsvolle Arbeit über die Theorie der Symbolik ein Aufsatz
von Jones (167) zu nennen, in dem das Thema mit wissenschaftlicher Gründlichkeit erörtert wird. Er unterscheidet zwischen den
verschiedenen Bedeutungen, die das Wort „Symbol" haben kann, und
erläutert ihre gemeinsamen Merkmale. Aus dem Studium der Entstehung der Symbole schließt er, daß nach der psychoanalytischen
Symboltheorie ein Symbol nur Verdrängtes ersetzt; nur was verdrängt ist, muß symbolisch dargestellt werden. Seine Bemerkungen
über funktionelle Symbolik enthalten eine abweisende Kritik der
Theorien der von ihm post-psychoanalytisch genannten Schule:
Adler, Jung, Silberer, Maeder, Stekel mit ihren englischen Anhängern Eder und Nicoll. In seinen Schlußfolgerungen sagt er, daß „jede Symbolik eine relative Unfähigkeit zur
Aufnahme oder Darlegung, gewöhnlich aber ersteres bedeutet; der
Ursprung dieser Unfähigkeit kann affektiv oder intellektuell sein.
Von beiden Faktoren ist der affektive von weit größerer Bedeutung.
Infolge dieser relativen Unfähigkeit wird auf einen einfacheren
Typus von Seelentätigkeit zurückgegriffen, und zwar auf einen
um so primitiveren Typus, je größer die Unfähigkeit ist. Aus demselben Grunde ist die Symbolik immer konkret, da konkrete seelische Vorgänge die leichtesten und primitivsten sind. Man kann
daher die meisten Symbole als die automatische Einsetzung einer
konkreten Idee, gewöhnlich in Gestalt ihres sensorischen Bildes,
für eine andere auffassen, die schwerer zugänglich, versteckt oder

sogar ganz unbewußt ist und ein oder mehrere Merkmale mit dem Symbol gemeinsam hat".

Die Farben sind uns Symbole für fast jedes Gefühl oder Streben geworden. Evarts (107) liefert eine interessante Arbeit über dieses Thema mit einer vom psychoanalytischen Standpunkte sehr wertvollen Zusammenstellung der symbolischen Bedeutung der Farben in der Mythologie, Poesie, Kunst usw. bei verschiedenen Ländern und Völkern. Die Farbensymbolik hat so viele Wurzeln, daß es uns scheint, daß jede Farbe alles darstellen könnte; erst bei sorgfältigem Studium zeigen sich die sicheren Richtlinien dieser Symbolik. So ist -- kurz gesagt — Weiß die Farbe der Gottheit, Reinheit, Einigkeit und Unsterblichkeit; Schwarz die Farbe der Sünde; Rot die der Leidenschaft und der schöpferischen Kräfte; Blau die der Kälte, Passivität und Wahrheit; Grün die der Tätigkeit oder tätigen Nachahmung; Gelb des religiösen Strebens und der Wohltätigkeit; und Purpur die der bezähmten Leidenschaft. Eine Analyse von Farbensymbolik bei einem Patienten vervollständigt die Arbeit.

Das Schlangensymbol zeigt sich in Träumen und abnormen seelischen Symptomen so häufig, daß seine Wahl keine zufällige sein kann. Hassal widmet diesem wichtigen Symbol eine Monographie (139), in der er seine Rolle in den Religionen verfolgt, in denen der Schlange Weisheit und Beschützertum, Einfluß auf Vaterschaft und Seelenwanderung, auf Fruchtbarkeit und Feindschaft zugesprochen und sie wegen dieser Eigenschaften verehrt wurde. Er zeigt uns dieses Symbol in mythologischer und folkloristischer Beleuchtung und beweist seine sexuelle Bedeutung an Analysen neurotischer und psychotischer Patienten. Bei der Deutung von Träumen sind theriomorphische Symbole besonders häufig und bedeutungsvoll. Jung schlägt vor, sie als Ausdrucksform der verdrängten inzestuösen Libido durch Übertragung auf tierische Gestalten aufzufassen. Jelliffe und Brink (157) behandeln die Rolle solcher Symbole im primitiven Denken, in Träumen, neurotischen Erkrankungen usw. Sanger Brown berichtet über Symbolik und Sexualkult bei primitiven Völkern (30) und zieht Vergleiche zwischen der Entwicklung des Sexualkults in der Völkerpsyche und der Rolle der Sexualität im Leben des normalen Indi-

viduums. Über das Wesen der Symbolik selbst gibt uns die Arbeit
wenig Aufschlüsse.

Die Traumliteratur ist keineswegs umfangreich. Jones
(164), Frink (116) und Brill (14) behandeln in ihren Büchern
die Mechanismen der Traumarbeit und die Traumdeutung. Coriat
bringt in einem kleinen Band (75) über den Sinn der Träume
wenig Neues und Nicoll veröffentlicht eine kleine Arbeit, in der
er — nach der Jungschen Deutungstheorie — den Traum als
„konstruktives" und teleologisches Gebilde auffaßt. Eder verdanken wir eine Übersetzung von Freuds kleinem Buch „Über den
Traum" (Übers. 5). In Zeitschriften sind zahlreiche kleine Beiträge
— meist nach Freudscher Auffassung — erschienen. Obwohl
manche Autoren Einwendungen gegen Freudsche Deutungen erheben, ist keine ernst zu nehmende Widerlegung der psychoanalytischen Theorie formuliert worden (82, 83, 120, 239, 243, 310).
Solomon liefert einige Beiträge zur Traumliteratur, in denen er
sich aber gegen die Annahme sexueller Faktoren wendet und andere
Grundlagen zu finden bemüht ist (290, 291, 293, 294). Hyslopp
(151) und Watson (320) bringen Analysen eigener Träume und
Kimmins einige interessante Beobachtungen über Kinderträume
(189), die aber nur unsere schon bestehenden Anschauungen bestätigen.

Obwohl, wie schon früher erwähnt, die ärztlichen Erfahrungen
der Kriegszeit und vor allem die von den Ärzten beobachteten
Träume der Kriegsneurotiker viel zu einer Anerkennung
der psychischen Krankheitsverursachung beigetragen haben, existieren
nur wenig Arbeiten über die Rolle der Träume bei den Kriegsneurosen. Culpin berührt das Thema kurz (83), wie auch Mac
Curdy in seinen „War Neuroses" (207). Über die Traumdeutung bei primitiven Völkern ist — außer einem
interessanten Artikel von Lind (201) über den Traum als Wunscherfüllung bei den Negern — noch wenig geschrieben worden.
Coriat beschäftigt sich mit hermaphroditischen Träumen (80).
Die psychoanalytischen Forschungen haben in Träumen mit bewußt
oder unbewußt homosexuellem Inhalt den sichersten Beweis für
die Bisexualität des menschlichen Seelenlebens gefunden. Coriat
zitiert Träume, die ihrem ganzen Wesen nach bisexuell, eine Art

Traumkondensation in sublimierter oder auch ursprünglicher Gestalt darstellen. Dieser Traumtypus ist an das Vorhandensein unbewußter homosexueller Regungen, wie bei gewissen Wahnzuständen, bei Angst- oder Zwangsneurosen gebunden. Coriat meint, daß die Psychoanalyse im stande wäre, die unbewußte bisexuelle Tendenz eines Menschen abzuändern, so wie sie unsere primitiven unbewußten Triebe zur Sublimierung bringen kann. Er betrachtet Träume dieses Typus als ein Übergangsprodukt im Unbewußten von Homosexuellen, obwohl sie ja den Beweis für die Bisexualität des gesamten menschlichen Bewußtseins erbringen. Crenshaw hebt die „Vergeltungsträume" als eine eigene Gruppe hervor (81), die er — obwohl sie ihrer Funktion nach von Freud beschriebenen an die Seite zu stellen sind — als eine noch nicht genügend gewürdigte Abart betrachtet. Zur Unterstützung seiner Behauptungen führt er eine Reihe von Racheträumen an. Stern (298) beschäftigt sich als einziger eingehend mit dem Pavor nocturnus und weist nach, daß die übermäßige krankhafte Angst der Furcht vor dem Bewußtwerden verborgener, dem Ich entfremdeter Wünsche und Begierden entspringt.

Bei der Analyse von Patienten, die keine spontanen Träume bringen, hat sich nach einigen Autoren zur Aufdeckung verborgener Komplexe die Konstruktion künstlicher Träume bewährt. Brill (13) zeigt, daß dabei die Arbeit des Unbewußten der Traumarbeit gleicht, und zieht Parallelen mit dem Entstehungsmechanismus bei pathologischen Lügen. Eine ausgezeichnete Traumstudie von Rivers „Dreams and Primitive Culture" (272), die das Thema von einem weiteren Gesichtspunkte aus behandelt, darf hier nicht unerwähnt bleiben. Er will einen Vergleich ziehen zwischen „dem psychologischen Mechanismus der Traumarbeit und den psychologischen Charakteren des sozialen Verhaltens bei den unkultivierten Völkern, die für uns am deutlichsten die frühesten Entwicklungsstufen der Menschheit repräsentieren". Nachdem Rivers sich des längeren mit dem Mechanismus der Traumarbeit beschäftigt hat, geht er daran, das Vorhandensein der gleichen Prozesse in den religiösen, magischen und sozialen Gebräuchen, in der dramatischen und darstellenden Kunst und in der allgemeinen Kultur verschiedener primitiver Völker nachzuweisen. Die Arbeit ist durch die Parallelen zwischen der Psychologie des Traumes und des primitiven Menschen von höchstem Interesse.

Wie überall hat auch hier die Diskussion über die Stellung und Bedeutung der Sexualität in der Psychoanalyse nicht geschwiegen und die Gegner der Psychoanalyse haben sich die weit verbreitete Ansicht, daß dem Selbsterhaltungstrieb die ätiologische Bedeutung bei der Entstehung der Kriegsneurosen zufällt, zu nutze gemacht. Trotzdem hat die ernsthafte wissenschaftliche Forschung, besonders durch analytische Studien abnormer Seelenzustände, die Unanfechtbarkeit der Freudschen Sexualtheorie bestätigt. Havelock Ellis scheint, wie seine letzte Veröffentlichung (98) deutlich zeigt, sich dem Standpunkte Freuds (97) immer mehr zu nähern. Trotzdem wenden sich noch viele Autoren gegen den Gebrauch des Terminus „sexuell" (als Bezeichnung für die große Gruppe von Erscheinungen, die Freud darunter zusammenfaßt). Frink (116) schlägt statt dessen den Ausdruck „holophilie" von ὅλος (ganz) und φιλέω (Liebe) vor, der alle Arten von sexuellen oder Liebeserscheinungen umfassen, ein entsprechendes Synonym für „sexuell" im Freudschen Sinne bieten und Mißverständnissen vorbeugen würde. Referent kann darin keinen besonderen Vorteil erblicken.

Jones (164), Brill (14), Frink (116) und White (327) geben allgemeine Darstellungen der psychoanalytischen Sexualtheorie, während Robie, wie eine kleine Arbeit (278) zeigt, nur oberflächlich in sie eindringt. Jones (170), Lay (197), Eder (93) und White (338) beschäftigen sich eingehend mit den kindlichen Sexualkonflikten. Auch die ins Englische übersetzten Arbeiten von Hug-Hellmuth (Übers. 13) und Pfister (Übers. 18) sind in dieser Hinsicht beachtenswert. Besonders Pfisters Arbeit wird dadurch wertvoll, daß er sie von dem Standpunkte eines Pastors und Pädagogen aus unternimmt und seine Patienten Schulkinder und Jugendliche sind. Er zeigt das Hervorgehen der seelischen Störungen aus sexuellen Konflikten auf. Gegen die Freudschen Theorien über den Ödipus- und Elektrakomplex sind keine ernst zu nehmenden Einwendungen erhoben worden. Burrow versucht mittels einer keineswegs überzeugenden Beweisführung den Ursprung der Inzestfurcht (36) nachzuweisen. Er hofft, das Inzestproblem, das Frazer und andere Autoren als ein unzugängliches Geheimnis betrachtet haben, mit Hilfe der gewonnenen Erkenntnisse zu lösen. Er legt dar, daß es keinen Inzest gibt, daß nur unser Denken ihn dazu macht, und betrachtet die Inzestauflehnung als den Konflikt zwischen der Liebe als Vorwärtsstreben und Leben einerseits, und der Sexualität als Begierde und Egoismus anderseits. Nach seiner Auslegung ist die „Inzestfurcht" die subjektive Reaktion auf eine Verletzung des angeborenen psychisch biologischen Einheitsprinzips, die Auflehnung, die einem organischen Widerspruch entspringt. Diese Phrasen mit ihren wortreichen Beweisführungen haben nicht viel Überzeugendes an sich. Federn schreibt über die infantilen Wurzeln des Masochismus (113) und Ferenczi (Übers. 4) erweitert unsere Erkenntnisse über die hypnotische Suggestion, die er auf die masochistische Sexualkomponente zurückführt. Der Einfluß, den die frühen Fixierungen und die frühen Überbetonungen von Sexualkomponenten auf die Charakterbildung nehmen, ist eingehend behandelt worden und Jones (171) beschreibt die analerotischen Charakterzüge in einer höchst interessanten Arbeit. Er hat die Ansichten Freuds über dieses Thema vertieft und die deutlich erkennbare Trias von Eigenschaften -- Sparsamkeit, Eigensinn und Ordnungsliebe — noch schärfer herausgearbeitet.

Durch die aus Analysen gewonnenen Erkenntnisse der letzten Jahre ist man dazu gelangt, der Homosexualität eine unerwartet große Rolle im menschlichen Seelenleben zuzuschreiben. Ihr Einfluß auf die Gesellschaft im allgemeinen, auf die Armee, besonders in Kriegszeiten (172, 260, 262, 264) — ganz abgesehen von ihrer ätiologischen Rolle bei der Entstehung abnormer Seelenzustände -- haben ihr Studium zu einer unbedingten Notwendigkeit gemacht. Das Erscheinen von Burrows Monographie (39) über die Genesis und Bedeutung der Homosexualität ist daher zu begrüßen. Die Psychoanalyse erklärt die Entstehung der Homosexualität aus zwei Komponenten, dem Mutterkomplex und dem Narzißmus. Das Individuum gibt die Mutter als Objekt dadurch auf, daß es sich mit der Mutter identifiziert und ihre Person durch die eigene als Sexualobjekt ersetzt. Später dehnt sich die Objektwahl durch Assoziation nach der Ähnlichkeit auch auf andere gleichgeschlechtliche Personen aus. Man kann die Homosexualität

aber auch manchmal als Flucht zum gleichen Geschlecht nach Ablehnung des Gegengeschlechtes auffassen. Burrow verweilt mit
Nachdruck bei der Lehre von der ursprünglichen Einheit oder Identität des Sprößlings mit der Mutter und ihrer Bedeutung für die
Entstehung von homosexuellen Strebungen in der späteren seelischen
Entwicklung. Er meint, daß die Autoerotik der Muttererotik oder
ursprünglichen Identifizierung mit der Mutter an die Seite zu
stellen ist. Diese Autoerotik ist in ihrer Eigenschaft als Liebe
zum eigenen Körper und eigenen Geschlecht ausgesprochen homosexuell. Burrow wendet sich daher gegen die Ansichten Sadgers, der die Verdrängung der Liebe zur Mutter oder eine narzißtische Zwischenstufe als Vorbedingung ansieht, und leugnet auch,
daß der weiblichen Homosexualität eine Verdrängung des Vater-
ideals vorangehen muß. Er betrachtet diese Mechanismen als sekundäre Faktoren bei der Entstehung einer Neurose. Ferenczi
schließt sich in einem Artikel „Zur Nosologie der männlichen Homosexualität" (Homoerotik). (Übers. 4) Freud und Sadger an,
bringt aber gleichzeitig einiges Neue. Die Rolle der Homosexualität
in den Neurosen und Psychosen wird an anderer Stelle behandelt
werden.

Hier muß noch einer dankenswerten Arbeit von Menzies Erwähnung getan werden (217), die sich mit dem oft mißverstandenen
Problem der Onanie befaßt (der Autor betrachtet diesen Terminus
als kein vollgültiges Synonym für Masturbation). Er gibt in seinem
Buche „Auto-erotic phenomena in adolescence" eine kurze Einleitung
über Psychoanalyse und seine Ausführungen über die Psychologie
der Masturbation tragen viel zur Klärung dieses Themas bei. Die
Uninformiertheit über eine so lebenswichtige Frage, die leider auch
bei unseren Ärzten die Regel ist, ist beklagenswert, und ihr könnte
durch diese kleine, jedem zugängliche Arbeit, die wertvolle Aufklärungen vermittelt, abgeholfen werden. Menzies sagt in seiner
Einleitung, daß er sich zum Ziel setzt, „die von den Führern der
analytischen Schule gewonnenen und mitgeteilten Erkenntnisse zu
sammeln und darzustellen, mit spezieller Berücksichtigung dieses
für Jugendliche und ihre Erzieher und Führer wichtigen Themas".

II. Klinische Psychoanalyse.

A. Pathologie.

1. Allgemeine Theorie.

Wie schon früher erwähnt, haben die im Kriege gewonnenen Erfahrungen einen mächtigen Antrieb zum Studium der seelischen Störungen gegeben und der Annahme einer psychischen Verursachung allgemeine Anerkennung verschafft. Es ist ein bedeutungsvoller Beweis für diese Umwälzung, daß der Präsident der Neurologischen Sektion der Royal Society of Medicine in England, Aldren Turner, das Thema „The psychogenic factor in nervous disease" für seine Präsidentenrede gewählt hat. Während der letzten sechs Jahre hat sich keine der psychoanalytischen Grundlehren als unhaltbar erwiesen und das Forschungsgebiet sich auf das normale Seelenleben, die neurotischen und psychotischen Erkrankungen, auf die Biologie, Anthropologie und Mythologie ausgedehnt (15, 74, 85, 120, 156, 202). Der Wert von Frazers „Golden Bough" wird durch die Erkenntnisse der modernen Psychologie erst in das richtige Licht gerückt.

In den Arbeiten von Brill (14), Frink (116) und Jones (164) finden wir eingehende Darstellungen der Theorien über die allgemeine Pathologie. Die Erfahrung lehrt, daß die Grenzlinien zwischen den einzelnen Krankheitsformen — wie z. B. bei den biogenetischen Psychosen (164) — verschwimmen und wir uns keine scharf umrissenen klinischen Bilder erwarten dürfen. Es wurden neue Bestätigungen für die Lehren über die unbewußte Abwehr gefunden (286) und unsere schon bestehenden Ansichten über Regression (226, 324) und Introversion (334) geklärt. Die an Erwachsenen gewonnenen Erkenntnisse haben neues Licht auf die Konflikte des kindlichen Seelenlebens geworfen (170, 338) und zu einem besseren Verständnis seiner abnormen seelischen Manifestationen geführt (42, 72, 301). Die Beobachtungen Freuds über die frühen Beziehungen des Kindes zu seinen Eltern und zur Familie haben sich immer wieder bestätigt, so daß der „Familienroman" (327) aus verschiedenen Ursachen als Nährboden für später auftretende seelische Störungen erscheint (99, 193). Die Bedeutung des Großvaters (164, p. 652) und das Verhältnis des Neffen zum Onkel mütter-

licherseits (322) wurden in den Kreis der Forschung gezogen. Die
Psychoanalyse hat auch zu einer Vertiefung unseres Verständnisses
in der allgemeinen Psychiatrie geführt (43, 44, 164, 209, 304) und
Einblick in Sinn und Bedeutung der Wahnbildungen und anderer
Symptome gewährt (210, 316, 85). Homosexuelle Faktoren sind in
ihrer Bedeutung für die Psychopathologie erkannt worden, da seelische Konflikte aus dem starken Widerstand entstehen müssen,
den die Menschheit dem Bewußtwerden dieser Komplexe entgegen-
setzt. Man hat die Erfahrung gewonnen, daß die Homosexualität
keineswegs das einfache Problem ist, für das man sie früher hielt,
sondern in engem Zusammenhang mit anderen pathologischen Faktoren steht, wie z. B. Alkoholismus und Morphinismus, überbetonter
Narzißmus, Introversion und Regression (39, 50). Die Kriegsgesetz-
gebung hat zwar die Alkoholfrage als soziales Problem in den Vordergrund der Aufmerksamkeit gerückt, über ihre Psychologie ist
aber noch wenig gesagt worden. Die psychoanalytische Erforschung
des Alkoholismus läßt uns seine Bedeutung als psychische Abwehrmaßregel erkennen, zeigt uns die großen Kompensationen, die er
gewährt, wie er die Charakterentwicklung stört, seelischer Regression Vorschub leistet und die Sublimierung der Triebe verhindert. Obwohl sich in vielen klinischen Arbeiten Hinweise auf dieses
Thema finden, sei hier nur auf eine vom psychoanalytischen Standpunkt aus geschriebene Monographie von Clark (67) hingewiesen.
Er sagt sehr zutreffend: „Zu manchen Zeiten kann die Alkohol-
wirkung sich den verdrängenden sozialen Mächten hemmend entgegenstellen und eine sonst schwierige soziale Anpassung leicht und
natürlich gestalten, ein andermal einem Individuum, dem die Fähigkeit, sich Befriedigung zu verschaffen, fehlt, zu einem sonst
unerreichbaren Ziel helfen, während sie wieder zu anderen Zeiten
verborgenen, ungezügelten, unbewußten Motiven freie Bahn schafft."
Er ist mit Ferenczi (Übers. 4, p. 139) der Meinung, daß ein
Alkoholverbot nur die Flucht in andere nervöse Erkrankungen zur
Folge haben würde. Er weist nach, daß die bewußten, für die
Trunksucht angegebenen Gründe nur Rationalisierungen sind und
daß sie immer einer unbewußten Motivierung entspringt. Er beschäftigt sich schließlich noch mit den Beziehungen des Alkoholismus zu den psychologischen Mechanismen von Projektion, Homo-

sexualität, Angst und Selbstmord und berührt atavistische Tendenzen und mythologische Faktoren. Der Wert dieser Arbeit ist unbestreitbar.

Man kann dieses Thema nicht abschließen, ohne auf die Literatur über die Adlersche Theorie der Organminderwertigkeit mit ihren psychischen Kompensationen hinzuweisen. White (336) bemerkt, daß die Adlersche Theorie als erste den bisher unüberbrückbaren Gegensatz zwischen der funktionellen und organischen Auffassung in sich zum Ausgleich bringt. Eine Anzahl von kritischen Arbeiten beschäftigt sich mit der Adlerschen Theorie (37, 125). Auch Kempf unternimmt in seiner Arbeit „The autonomic functions and the personality" (188) einen Versuch, die Beziehung psychologischer Symptome zu bestimmten physiologischen und anatomischen Anzeichen aufzudecken, den White (336) kritisch beleuchtet. Kempf stellt die Behauptung auf, daß das autonome System die Organbedürfnisse des Organismus, die psychologisch als Affekte erscheinen, registriert.

Zur Psychopathologie des Alltagslebens sind in Bestätigung der Ansichten Freuds eine Reihe von Arbeiten erschienen (117, 118, 218, 229).

2. Spezielle Krankheitsformen.

Wir finden bei Brill (14), Frink (116) und Jones (164) ausführliche Studien über die Psychoneurosen. Für Neulinge, denen das Verständnis der psychoanalytischen Mechanismen und Theorien Schwierigkeiten bereitet, ist Frink besonders zu empfehlen, da auch seine ausführlichen kasuistischen Beispiele mit Analysen eine gute Einführung geben. Die in seinem Buche enthaltene psychoanalytische Studie eines schweren Falles von Zwangsneurose ist vorher in der „Psychoanalytic Revue" (119) erschienen.

Die in Jones' Buch enthaltenen klinischen Studien umfassen fast das ganze Forschungsgebiet. Die psychoanalytische Literatur der letzten sechs Jahre bringt uns keine umwälzenden Neuerungen; die Einsicht in die psychologischen Mechanismen der psychoneurotischen Erkrankungen hat sich aber im allgemeinen vertieft und geklärt. Jones' Artikel über krankhafte Angstzustände (164, p. 474) ist vom historischen wie auch vom pathologischen

Standpunkt aus wertvoll. Er ist der Ansicht, daß Angst nicht nur ein Ausdruck für unbefriedigte Sexualität ist, sondern faßt sie als Furcht vor Strebungen auf, die mit dem Ichideal unvereinbar sind; auf dieselbe Weise erklärt er den Pavor nocturnus (298) und die Alpträume. Reine Angstneurosen sind — der allgemeinen Meinung nach — nur sehr selten anzutreffen; gewöhnlich erscheint die Angst-neurose als ein Symptom der ihr übergeordneten Angsthysterie (164, p. 507). Die Psychogenese von Haß und Liebe — Affekte, die eine große Rolle bei der Entstehung der Zwangsneurose spielen — wurde beleuchtet, ebenso wie der bedeutsame Anteil der Analerotik an der Bildung dieser Krankheit (164, p. 450). Ein tieferer Ein-blick in seelische Erkrankungen des Kindes hat eine zweckmäßigere Behandlung mit sich gebracht (42, 298, 302). Für psychosexuelle Impotenz haben die modernen Erkenntnisse neue Heilungsmöglich-keiten eröffnet (168, Übers. 4, p. 9). Für Torticollis (57, 62, 63), für Sprechhemmungen und Stottern hat man psychische Grundlagen aufgefunden (9, 73). Coriat betrachtet — mit Stekel — das Stottern als eine der proteusartigen Formen von Angstneurose oder Angsthysterie und sieht in dem Bestreben, gewisse — meist sexu-elle — Gedankengänge oder Gefühle ins Unbewußte zu verdrängen, ihren wichtigsten Entstehungsmechanismus. Clark (57, 62, 63) behauptet, daß sich ihm seelisch bedingte Torticollis immer als eine Abwehrmaßregel erwiesen hat, als eine Abkehr von der für den Erwachsenen notwendigen Anpassung, die sich bei eingehender Analyse dynamisch wirksamer zeigte als die rein regressiven Mo-mente. Psychoanalytisch ausgedrückt, zeigten alle seine Fälle eine ausgeprägte Muskelautoerotik mit Regression zu einem Bewegungs-typus, der im infantilen Leben der am stärksten lustbetonte gewesen war. Clark weiß auch nicht zu sagen, warum dieser Typus von Patienten gerade zu einer Torticollis und nicht zu einem anderen infantilen Mechanismus regrediert.

Auch der Tic hat häufig eine psychoneurotische Grundlage; die Literatur über dieses Thema ist noch sehr spärlich, wie auch die Literatur über den als „Infantilismus" bezeichneten Zu-stand, der gewöhnlich hysterischen Charakter zeigt. Clark (64) beschäftigt sich in einem Artikel mit diesem Thema und Stanford Read erwähnt mehrere Fälle aus seiner Kriegspraxis (260). Die

.

übrigen Arbeiten über Psychoneurosen können hier nicht mehr Erwähnung finden mit Ausnahme einer Arbeit von E v a n s, der an einem Fall von Psoriasis den Mechanismus einer hysterischen Konversionssymbolisierung nachweist (105). Die weitere Erwähnung der Psychoneurosen folgt im Abschnitt über Kriegsneurosen.

Die Studien über die Pathogenese der E p i l e p s i e markieren einen besonderen Fortschritt im Stande der psychoanalytischen Forschung. Unter den zahlreichen psychopathologischen Beiträgen, wie z. B. von A m e s und M a c R o b e r t (1, 215), M a c C u r d y (212, 213), J e l l i f f e (162), J o n e s (164, p. 455) und S t a n f o r d R e a d (216, 264), sind besonders die Arbeiten von C l a r k (51, 52, 53, 54, 55, 56, 65, 66) hervorzuheben. Das Studium der Epilepsie war bisher fast ausschließlich auf den Anfall, der keineswegs der Hauptfaktor ist, beschränkt, während dem Seelenzustand der Patienten keinerlei Aufmerksamkeit zugewendet wurde. C l a r k erkennt als Resultat seiner Studien eine mehr oder weniger ausgesprochene konstitutionelle Veranlagung zur Epilepsie an, die sogenannte epileptische Prädisposition. Ihre Hauptdefekte sind Egozentrizität, Überempfindlichkeit, Gefühlsarmut und mangelnde Anpassungsfähigkeit an das normale Leben. Diese Veranlagung wird mit der fortschreitenden Krankheit deutlicher, wenn Anfälle auftreten, die aber mit dem seelischen Verfall des Epileptikers nichts zu tun haben. Der Epileptiker reagiert krankhaft auf Anstrengung und Unbehagen, die sein spontanes Interesse herabsetzen und eine auffällige Regression zu Tagträumen, Lethargien und Somnolenz zur Folge haben. Der Anfall, den die übergroße Spannung auslöst, ist psychologisch betrachtet eine Reaktion auf die unerträglich werdende Gereiztheit, eine Regression zu einem primitiven Seelenzustand, der dem infantilen oder embryonalen Leben entspricht. Die Behandlung sollte also auf den Ausgleich der Instinktdefekte durch früh einsetzende Erziehungseinflüsse gerichtet sein, den stark individualistischen Wünschen des Patienten einen spontanen Ausweg und ihm dadurch die Anpassungsmöglichkeit an eine gesunde Umgebung verschaffen. C l a r k zeigt, wie sich auf solche Weise der seelische und geistige Verfall aufhalten, eine große Besserung der Anfälle erzielen und in vielen Fällen das Fortschreiten der Krankheit überhaupt verhindern läßt. C l a r k s Beobachtungen über den seelischen Inhalt des Epileptikers im Dämmerzustand sind besonders wertvoll und seine Aufzeichnungen über den täglichen Seelenzustand des Patienten und seine epileptischen Reaktionen legen Zeugnis für die wissenschaftliche Gründlichkeit seiner beachtenswerten Untersuchungen ab.

M a c C u r d y bewegt sich in seiner klinischen Studie über den epileptischen Anfall (212) in ähnlicher Richtung. Für ihn ist der grand mal Anfall als plötzliche Erscheinung dasselbe wie die chronischen Verfallserscheinungen, und er weist die Auslegungen von C l a r k und F e r e n c z i zurück, die den Krampfanfall in Anlehnung an F r e u d als symbolischen Durchbruch unbewußter Wünsche ansehen. S t a n f o r d R e a d (261, 264) bringt einige Analysen epileptoider Fälle, in denen er den innigen Zusammenhang der Anfälle mit verdrängten Affekten nachweist. J o n e s (164, p. 455) liefert eine interessante Arbeit über die seelische Charakteristik der chronischen Epilepsie, in der er sich hauptsächlich mit der dabei auftretenden sexuellen Abnormität beschäftigt. Er behauptet, daß die sexuelle Betätigung chronischer Epileptiker oft stürmisch auftretend, pervers und stark infantil ist und daß die seelischen Züge verständlich werden, wenn man ihnen die verschiedenen sexuellen Vorgänge an die Seite stellt.

Es sind noch Beiträge zu zwei anderen Themen von psychoanalytischem Interesse zu erwähnen. So weist T a n n e n b a u m (308) in einer Studie über P o l l u t i o n e n einen verdrängten Sexualkomplex als ätiologischen Faktor nach. Auf das interessante Problem des S o m n a m b u l i s m u s hat nur die psychoanalytische Forschung einiges Licht .geworfen, nachdem man ihn bisher einfach als einen krankhaften Zustand während des Schlafes, hervorgerufen durch eine unbekannte abnorme Gehirntätigkeit erklären konnte. G r ü n b e r g (130) gibt einen kurzen Auszug aus der Krankengeschichte und Deutung eines von S a d g e r beschriebenen Falles, in dem die Psychoanalyse als unbewußte Triebkraft den Wunsch nach sexueller Befriedigung durch die Mutter aufdeckte. Mit unserer Einsicht in die Pathologie der M a s t u r b a t i o n war es bisher traurig bestellt. M e n z i e s beschäftigt sich mit diesem Thema (217) und verfolgt vom psychogenetischen Standpunkt aus die Quellen der masturbatorischen Impulse.

Obwohl die psychoanalytische Schule ihre Aufmerksamkeit
hauptsächlich den Problemen der Individualpsychologie zugewendet
hat, hat doch die Psychiatrie durch einige allgemeine nosologische Begriffe eine Bereicherung erfahren, wie aus Jones' Arbeit „The inter-relations of the biogenetic psychoses" (164, p. 466)
zu ersehen ist, die sich mit den Unterschieden und Ähnlichkeiten zwischen den einzelnen Psychosen und dem Verhältnis der
Psychosen zu den Neurosen im allgemeinen beschäftigt. Er bezieht sich auf die unbewußten psychogenetischen Mechanismen bei
der Dementia praecox und die Manifestationen, die eine Introversion
des Interesses im Zusammenhang mit einer Regression zu einem
infantilen Stadium darstellen — den „Autismus" von Bleuler.
Er zeigt den engen Zusammenhang zwischen der reinen Paranoia,
der Dementia paranoides und der Paraphrenie, von denen jede eine
wachsende Regression zu einem immer primitiveren Stadium der
ontogenetischen Entwicklung vorstellt. Den Hauptunterschied zwischen den Neurosen und Psychosen sieht er darin, daß die Introversion oder Abkehr von der Außenwelt, die der charakteristischste
Zug von beiden ist, bei den Psychosen einen solchen Grad erreicht
hat, daß das „Realitätsgefühl" ganz oder teilweise verloren geht.
Allerdings ist dieser Unterschied zwischen den beiden Gruppen weniger scharf als man denken sollte, und ein gründliches psychologisches Studium der Fälle zeigt, daß die Differenzierung oft sehr
schwer, ohne Analyse vielleicht ganz unmöglich wäre. Jones
weist außerdem auf das Auftreten psychogenetischer epileptiformer
Anfälle hin und auf die Tatsache, daß sich die Zwangsneurose oft
nur sehr schwer von paranoiden Zuständen unterscheiden lasse. Er
äußert Zweifel an dem Zustand des manisch-depressiven Irreseins
und bespricht die Ansichten verschiedener Psychiater über dieses
Thema. Brill (14) führt Fälle an, die sich klinisch nicht vom
manisch-depressiven Irresein unterscheiden, sich aber in der Analyse
als Angsthysterien erweisen. So lehrt uns also die moderne Erkenntnis durch die Psychoanalyse, daß wir es bei diesen verschiedenen Erkrankungen nur mit verschiedenen Reaktionsweisen auf
im Grunde verwandte Schwierigkeiten zu tun haben — nämlich
auf innerpsychische Konflikte biologischer Natur.

19*

Die Dementia praecox hat außer in den Büchern von
Jones (164) und Brill (14) verhältnismäßig wenig Behandlung
gefunden. Osnato (236), der die verschiedenen pathologischen
Theorien über diese Krankheit kritisch zusammenstellt, neigt der
psychoanalytischen Auffassung zu. Er weist die Ansichten Adlers
zurück und hält die therapeutische Erprobung der psychoanalytischen Theorie für das einzig richtige. Evarts beschäftigt sich
mit diesem Thema hauptsächlich in einem Artikel über die Psychosen bei den farbigen Rassen (106) und kommt zu dem Schluß,
daß die unbewußten Produktionen der farbigen Geisteskranken
nicht nur durch den Umstand bestimmt sind, daß nur wenige Generationen zwischen den Patienten und einer primitiven Welt liegen,
sondern daß sie auch den Ausdruck ihrer alltäglichen Sitten und
Gebräuche darstellen; daß sie also sowohl ontogenetisch wie phylogenetisch in ihrem Ursprung sind. Karpas widmet der Dementia
praecox einen Artikel (181) und Wholey schildert eine Psychose,
die schizophrene und Freudsche Mechanismen mit schematischer
Deutlichkeit aufweist (339). Greenacre gibt eine oberflächliche
Schilderung (129) der schizophrenen Charakteristika bei affektiven
Störungen. Hassal behandelt die seit langem erkannte pathologische Bedeutung des sexuellen Faktors für die Dementia praecox
in einer interessanten Arbeit. Nach einer kurzen psychoanalytischen
Abhandlung über das Problem der Sexualität bespricht er ihre
Beziehungen zu den bei Dementia praecox-Fällen beobachteten Erscheinungen und Symptomen, z. B. zur Sublimierung in religiöse
Gefühle und Symbole, zur Onanie, zum Schuldbewußtsein, zu ver-
zerrten inzestuösen Wahngebilden, Halluzinationen und Träumen,
zu Homosexualität, Identifizierung, symbolischen Handlungen usw.
Kempf schildert die Analyse eines Falles von Dementia praecox
(187) und bemerkt abschließend, daß jede funktionelle Psychose
oder Psychoneurose eine biologische Anpassungsunfähigkeit an den
verdrängenden Einfluß der nächsten Umgebung des Individuums
vorstellt, ein Einfluß, der gewöhnlich unwissentlich und unabsicht-
lich in der Verfolgung selbstsüchtiger Interessen ausgeübt wird.
Dem Referenten erscheint diese Behauptung als eine etwas kühne
Verallgemeinerung des einen vorgelegten Falles; es ist zum mindesten zweifelhaft, daß die nächste Umgebung des Patienten, wenn

ihr Einfluß auch nicht übersehen werden darf, fons et origo der Verdrängung darstellen soll. Der Hauptteil der Arbeit beschäftigt sich mit der Therapie und wird noch in dem entsprechenden Kapitel abgehandelt werden.

Die spärliche Literatur über das manisch-depressive Irresein bestätigt voll die psychoanalytischen Theorien. J o n e s (164) und B r i l l erwähnen das Thema, und bei anderen Autoren finden sich einige interessante Analysen solcher Fälle. R e e d (236) berichtet einen Fall, wo das manisch-depressive Irresein eine Flucht vor der Realität in den Infantilismus vorstellt. Er behauptet, daß seine Patientin nach der Genesung normaler gewesen sei als je vorher und schiebt diese Erscheinung auf den Umstand, daß ihre Psychose ihr Gelegenheit gab, die unbewußten oder verdrängten Wünsche und Impulse eines Lebensalters in Worten oder Handlungen abzureagieren. In einem anderen Falle (265) weist der gleiche Autor die Bildung von Wunscherfüllungsphantasien nach. Während der Phase von Depression kehrten die Gedanken der Patientin zu einer seit 20 Jahren halb oder ganz vergessenen Liebesphantasie zurück. Um den Kern dieser Erinnerung bildete sie nun eine systematische Wunscherfüllungsphantasie von Veränderung ihrer äußeren Erscheinung. Reichtum, Wiederbelebung ihrer Eltern, Heirat ihrer Schwester, Versorgung ihrer Neffen in angesehenen Stellungen, eigener Heirat mit dem Objekte ihrer ersten Liebe, Erlangung der Präsidentenwürde in den Vereinigten Staaten für den Geliebten, Reisen, hoher Stellung und Kindern.

M a c C u r d y weist Freudsche Mechanismen bei einem manieartigen Zustand nach (208) und D o o l e y zeigt in einer interessanten Analyse scharf ausgeprägte Regressionsstadien und zieht den Schluß, daß manisch-depressiven Fällen die gleichen Komplexe zu Grunde liegen können wie Dementia praecox- oder Hysteriefällen, nämlich Entwicklungshemmungen an verschiedenen Punkten der psychosexuellen Entwicklung. H o c h liefert in seiner Studie über die gutartigen Psychosen (148) einen Beitrag und C h a p m a n beschäftigt sich mit der Ätiologie der ängstlichen Depression (49).

Ein bedeutender Fortschritt, den wir F r e u d verdanken, ist unsere in den letzten Jahren immer wieder bestätigte und vertiefte Auffassung der P a r a n o i a und der paranoiden Zustände. Die besten Beiträge in englischer Sprache zu diesem Thema sind die von P a y n e übersetzten Arbeiten fremdsprachiger Autoren (Übers. 30); Hinweise darauf finden sich bei W h i t e und J e l l i f f e in ihrem Handbuch der Neurologie und Psychiatrie (153), wie auch in den Büchern von J o n e s (164) und B r i l l (14). Die von J o n e s übersetzten „Beiträge zur Psychoanalyse" von F e r e n c z i pflichten F r e u d s Ansicht vom homosexuellen Ursprung der Paranoia bei (Übers. 4). S h o c k l e y erörtert in einer historischen Übersicht über die Ausbreitung der Freudschen Theorien besonders die Projektionsmechanismen (287). Der Anteil der latenten Homosexualität an der Entstehung neurotischer und psychotischer Erkrankungen tritt immer mehr in den Vordergrund, wie auch R e a d in seinen noch später zu erwähnenden kriegspsychiatrischen Studien (260, 262, 264) beweist.

Die modernen Psychiater erkennen bei den Beziehungen zwischen A l k o h o l i s m u s, seelischen Erkrankungen und paranoiden Zuständen die psychische Verursachung an und stimmen in der Ansicht überein, daß der Alkohol nur ein beitragender Faktor ist und — außer in Fällen, bei denen das toxische Element nachweisbar ist — keineswegs der Verursacher der seelischen Abnormität. Eine psychologische Studie von C l a r k über einige Alkoholiker (67) wurde bereits in dem Abschnitt „Allgemeine Theorie" erwähnt. W h o l e y (340) führt die Analyse einer alkoholischen Psychose mit zu Grunde liegenden unbewußten Komplexen durch. Er sagt „Die Psychose stellt den Höhepunkt eines lebenslangen Konfliktes, in dem angeborene moralische oder ethische Kräfte um die Herrschaft gerungen haben, vor und der Alkoholismus des Patienten war vielleicht nur das geeignete Mittel zur Aufrechterhaltung seiner Verdrängungen." Er ist auch der Ansicht, daß der Patient nach Überwindung der Psychose auf eine gesündere und ausgeglichenere Aktivitätsbasis gelangen wird. Wir können also in diesem Falle den Alkohol nicht als zerstörendes Element auffassen. W h o l e y läßt in seinen Artikel eine Bemerkung über die Beziehung des Alkoholismus zum Selbstmord einfließen, bei deren Verständnis ihm der Referent nicht folgen kann. Er sagt nämlich: „Die Regelmäßigkeit, mit der wir bei Alkoholikern Selbstmordversuchen durch Halsabschneiden begegnen. bestätigt die Theorie, daß die Art des

Selbstmordes durch eine Geburtsphantasie determiniert wird. Dieser Beitrag zur Psychologie des Alkoholikers stimmt zur Auffassung seiner homosexuellen Fixierung." Da kein geringerer als White dieser kühnen Behauptung beipflichtet, ist es nur zu bedauern, daß nirgends eine Erklärung für sie zu finden ist. Weitere Hinweise auf die Beziehungen zwischen Alkoholismus und seelischen Erkrankungen finden sich in der Kriegsliteratur.

Levin widmet den sehr wenig behandelten psychogenen Delirien einen Artikel (199). Hiebei darf auch die wertvolle, noch an anderer Stelle zu würdigende Arbeit nicht vergessen werden, die Glueck im Sing Sing Prison in New York geleistet hat. In seinem Buche über Forensische Psychiatrie (124) behandelt er die Gefängnispsychosen und erklärt viele der in Gefängnissen auftretenden stuporösen Zustände als Abwehrreaktionen und psychische Negierungen der Situation und Umgebung. An anderer Stelle demonstriert er die Abwehrreaktionen des Simulanten (123).

B. Behandlung.

Eine eingehende Darstellung der psychoanalytischen Behandlungsmethode findet sich bei Jones (164) und Brill (14) und bei Frink (116), der ausführliche Krankengeschichten und Analysen einer Angsthysterie und einer Zwangsneurose als Beispiele bringt. Eine Artikelserie über „Die Technik der Psychoanalyse" von Jelliffe (155) ist leider inhaltlich vag und voll von Mißverständnissen. Jelliffe schreibt dem Geschlecht des Analytikers einen so großen Einfluß auf den Verlauf der Behandlung zu, daß er unter Umständen einen Wechsel während der Analyse für notwendig hält. So meint er, daß männliche Patienten wegen einer eventuellen homosexuellen Tendenz wenigstens anfangs lieber von einer Frau behandelt werden sollten; ebenso Zwangsneurotiker in gewissen Stadien wegen ihrer stark aggressiven Tendenzen. Auch bei leicht erregbaren Hysterikern und Manikern und in Fällen, wo Schüchternheit als bewußte Abwehrreaktion auftritt, ist ein Wechsel im Geschlecht des Analytikers vorzuziehen. Goslin schreibt (128) keineswegs überzeugend über eine spezielle Art der klinischen Verwendung der Analyse und Taylor und Clark über eine modifizierte psychoanalytische Behandlungsmethode. Taylor (315) meint, nach Beschreibung einiger Hysteriefälle, daß sich bei einer teilweisen Analyse die Technik so modifizieren ließe, daß wir „den Schlingen der Übertragung entgehen und die zeitraubende Assoziationsmethode vermeiden könnten". Diese Idee, die nichts weniger als ein volles Aufgeben der Analyse bedeutet, bezeichnet er als „in viel weiterem Maße anwendbar und frei von den meisten Gefahren der vollständigen Analyse". Auch alles Geheimnisvolle wird dabei, wie er sagt, beiseite gelassen. Uns scheint es viel gefährlicher, ein solches Spiel mit den Seelenkräften zu treiben und Verantwortlichkeiten wegen der sich ergebenden Schwierigkeiten abzulehnen. Ärzte, die so denken, sollten sich jedenfalls von der Psychoanalyse fern halten. Clark, der anderer Meinung ist als Taylor (68), sagt nach einer Besprechung seiner Erfahrungen mit der Methode: „Wer die Psychoanalyse bei der Behandlung von Grenzfällen zwischen Neurosen und Psychosen anwendet, muß dabei mit der größten Vorsicht vorgehen. Doch können die Ärzte sich ihrer im weitesten Maße bedienen, um sich über die Probleme, zu deren Lösung sie den Patienten verhelfen müssen, klar zu werden und sich dadurch über die Heilungsmöglichkeiten zu orientieren." An anderer Stelle veröffentlicht er einen Bericht über einige seiner Fälle (60). White gibt eine Übersicht über das allgemeine Verhältnis der Psychoanalyse zur praktischen Medizin (337).

An dieser Stelle kann noch die bei Ausbleiben von Träumen während der Behandlung von Brill eingeführte (13) Analyse künstlicher Träume Erwähnung finden.

Brill weist nach, daß zwischen dem wirklichen und dem künstlichen Traum fast gar keine Unterschiede bestehen, daß seine Traumanalysen immer auf die Komplexe des Patienten führten und die Behandlung ebenso wie wirkliche Traumanalysen förderten. Ähnliche Ansichten hat schon früher Stekel ausgesprochen.

Die Literatur über den psychischen Ursprung vieler sogenannter epileptischer Zustände hat schon an anderer Stelle ihre Besprechung gefunden. Emerson (100) publiziert einen Bericht über seine psychoanalytische Behandlung einiger von ihm als hystero-epileptisch bezeichneter Fälle. Er betrachtet den epileptiformen Anfall als eine Art Orgasmus, eine Ersatzbildung zur Lösung der sexuellen Spannung, eine Auffassung, die nach ihm der von

Stekel und Clark vertretenen nicht widerspricht, sondern sie ergänzt. Die therapeutische Wirkung der Analyse hängt nach ihm von der Sublimierungsfähigkeit ab. Coriat bietet uns in seiner Schrift über die psychoanalytische Behandlung der Psychoneurosen (78) eine der noch sehr seltenen statistischen Aufstellungen. Er entnimmt seine Ergebnisse einer Serie von 93 Fällen — darunter allerdings auch einige Psychosen — von verschiedener Schwere, die meistens schon auf andere Arten erfolglos behandelt worden waren. Von diesen 93 Patienten wurde bei 46 eine vollkommene Heilung, bei 27 eine große, bei 11 eine geringe und bei 9 gar keine Besserung erzielt. Im weiteren Verlaufe der Arbeit bespricht der Autor noch die Eignung der Fälle für die Psychoanalyse, die Dauer der Behandlung, die Vorausbestimmung über den Krankheitsverlauf und schließt mit einer Erörterung der statistischen Resultate.

Auf psychiatrischem Gebiete wurde die Psychoanalyse hauptsächlich bei manisch-depressivem Irresein während der normalen Periode, bei Paranoia und paranoiden Zuständen, bei Dementia praecox, bei Grenzfällen zwischen Neurosen und Psychosen und abnormen Zuständen angewendet. Clark stellt in seiner Arbeit über die psychologische Behandlung von „retarded depressions" (58, 59) günstige Prognosen und meint, „daß jeder derartige geeignete Fall einer eingehenden Analyse unterzogen werden sollte, um eine gründliche Heilung und die Vermeidung von Rückfällen zu ermöglichen". Er erwähnt auch, daß er bei jedem seiner Fälle die in Hochs „Study of the benign Psychoses" (148) aufgestellten Grundlehren über die Mechanismen der „retarded depressions" bestätigt fand. Coriat publiziert einen vorläufigen Bericht über die psychoanalytische Behandlung der Dementia praecox (76), in dem er sich dafür ausspricht, daß wenigstens alle leichten Fälle oder die Patienten in Anfangsstadien einer psychoanalytischen Behandlung zugeführt werden sollten. Er zitiert die drei Typen spontaner Heilung von Bertschinger, nämlich Korrektur der Wahnbildungen, Resymbolisierung und Vermeidung der Komplexberührung, fügt ihnen aber als wichtigste vierte die durch die Psychoanalyse zu stande kommende Rückkehr zur Realität hinzu. Anschließend berichtet er über eine Reihe von Fällen. Coriat sieht während der psychoanalytischen Behandlung der Dementia

praecox das erste Zeichen von Besserung in einer Veränderung der
Träume, die langsam ihren primitiven und infantilen Charakter
verlieren. Darauf folgt dann eine Abschwächung der autistischen
und negativistischen Tendenzen des Patienten und damit eine Veränderung seines sozialen Verhaltens. Bei K e m p f (187) finden wir
einen ausführlichen Bericht über die psychoanalytische Behandlung
eines Falles von Dementia praecox mit einigen zutreffenden Bemerkungen über das Übertragungsproblem. J e l l i f f e (159) bemerkt, daß sich bei der Dementia praecox die Libido in einer
Phantasiewelt verfängt und dort durch die in der ursprünglichen
Komplexsituation angehäufte Aktivität gebunden bleibt, so daß
eine gewöhnliche Übertragung nur selten zu stande kommen kann.
Er schlägt daher eine neue Zugangsmöglichkeit vor, die sich schon
teilweise bewährt haben soll, und zwar die Herstellung einer trian-
gulären Übertragungssituation. Da sich e i n e r Person gegenüber die
Affektivität zu leicht defensiv einstellt, könnte es gelingen, bei
Ausnützung des psychischen Prinzips der dreifachen Familienbezie-
hung (vgl. die Trinität in den Religionen) die Übertragung nicht
auf eine, sondern auf zwei Personen zu stande zu bringen. H a r t
beschäftigt sich in einem psychotherapeutischen Artikel mit den
Beziehungen zwischen Suggestion, Überredung und psychoanalytischer
Behandlung (137).

III. Kriegsliteratur.

Trotzdem die Anerkennung des psychogenen Faktors bei den
Kriegsneurosen neue Antriebe zum Studium der psychoanalytischen
Theorien geschaffen hat, ist in England und Amerika verhältnismäßig
wenig über dieses Thema publiziert worden. B i r d (7), R e a d (264)
und R i v e r s (273) beschäftigen sich von modernen Gesichtspunkten
aus mit der Psychologie des Soldaten und den psychischen Wirkungen, die Einrückung, Ausbildung und aktiver Dienst auf ihn
ausüben. R e a d bringt die freiwillige Einrückung mit eventueller
latenter Homosexualität in Zusammenhang, ebenso wie viele der
häufigen Angstzustände mit einer Verdrängung solcher Neigungen.
R i v e r s ist für eine Modifizierung der militärischen Ausbildung,
die die Suggestibilität des Soldaten seiner Meinung nach zu sehr
verstärkt, und will dadurch die Grundlagen für neurotische Stö-

rungen verringern. Er zieht die Bezeichnung „Suggestionsneurose" der „Konversionshysterie" vor, ebenso wie „Verdrängungsneurose" der „Angsthysterie". Er versucht auf solche Weise, von der Freudschen Terminologie loszukommen (273).

Jones behandelt mit gewohnter Gründlichkeit die Frage, ob den Kriegsneurosen Freudsche Mechanismen zu Grunde liegen (164, p. 564). Er gesteht zu, daß man noch nicht genügend darüber weiß, um dogmatische Behauptungen aufzustellen, daß man aber allen Grund hat, dieselben psychologischen Mechanismen wie bei den Zivilneurosen zu vermuten. Er sucht in dem narzißtischen, an das Ich gebundenen Anteil der Libido den Schlüssel zu den Angstzuständen, denen wir bei den Kriegsneurosen so häufig begegnet sind. Er bezweifelt, daß der Grund in der Todesfurcht, wörtlich genommen, oder in einem Todeswunsch gelegen ist, da die Vorstellung von dem eigenen Tode für das Bewußtsein wie auch für das Unbewußte überhaupt unfaßbar ist. In seiner Schrift „Zeitgemäße Gedanken über Krieg und Tod" (Übers. 2), in der Freud sich mit diesem Thema beschäftigt, erklärt er die Entstehung der Todesfurcht aus einem unbewußten Schuldgefühl. Als erster publizierte Eder (92, 94) eine Schrift über die Kriegsneurosen, in der er den Terminus „war shock" an Stelle der abgebrauchten Phrase „shell shock" einführte. Obwohl Eder ausschließlich hypnotisch behandelte, verschafft er sich auf psychoanalytischem Wege einen oberflächlichen Einblick in den Fall und die bei seinem Zustandekommen beteiligten psychologischen Mechanismen. Forsyth (115) und Farrar (111) beschäftigen sich mit den Kriegsneurosen, letzterer in einer sehr beachtenswerten Arbeit, in der er die Rolle des psychogenen Faktors behandelt und nachweist, daß der Erschöpfung an sich keine ätiologische Bedeutung zukommt. Der gleichen Ansicht ist auch Stanford Read (260), dem auf dem Gebiete der psychischen Kriegserkrankungen reiche Erfahrungen zu Gebote stehen. Read wendet sich in seiner Übersicht über die Neuropsychiatrie des Krieges gegen den alles umfassenden, nosologischen Terminus „Neurasthenie", bespricht kurz die verschiedenen neurotischen Störungen und bringt schließlich zwei Fälle von Infantilismus, durch einen Kriegschock hervorgerufen, ein klinisches Bild, das wir sonst nirgends in der englischen oder amerikanischen

Kriegsliteratur beschrieben finden. Brown (28) beschäftigt sich oberflächlich mit der Rolle der Verdrängung bei den Neurosen, Prideaux (212) mit der psychischen Verursachung des Stotterns und Dillon (86) bringt die Analyse einer zusammengesetzten Neurose.

Von allen Lehren der Psychoanalyse hat der Verdrängungsmechanismus infolge der klinischen Erfahrungen im Kriege die weiteste Anerkennung gefunden. Die Bezeichnung wird heute von vielen gebraucht, die keine rechte wissenschaftliche Vorstellung von dem Inhalt dieses Begriffes haben. Interessant ist die Arbeit von Rivers über die „Verdrängung von Kriegserfahrungen" (270), und ebenso seine etwas oberflächliche Analyse der psychischen Verursachung eines Falles von Klaustrophobie (276). MacCurdy liefert die bei weitem beste deskriptive Arbeit über die Kriegsneurosen (207), in der er die stufenweise Entwicklung des individuellen seelischen Konflikts des Soldaten verfolgt, den dann ein zufälliges Trauma, wie die Explosion einer Granate, plötzlich als voll entwikkelten Angstzustand enthüllt. Der Referent bezweifelt zwar die Richtigkeit von MacCurdys Auffassung der Neurosen als mißglückte Sublimierung, hat seine Kritik dieser Ansicht aber schon an anderer Stelle ausgesprochen (260, 264). Es wird uns aus verschiedenen Gründen verständlich, daß Offiziere meist mit einer Angsthysterie, gemeine Soldaten dagegen mit einer Konversionshysterie reagieren. Bemerkenswert sind noch die von Mac Curdy angeführten Fälle, wie seine Ausführungen über Herzkrankheiten und sein Vergleich zwischen der Wirkung einer Gehirnerschütterung und äußerlich ähnlichen, aber rein psychisch bedingten Fällen. Diese in weiten Kreisen gelesene Monographie hat viel dazu beigetragen, auch der materialistischen Schule der Neurologie die Freudsche Psychopathologie näher zu bringen.

Über die Kriegspsychosen sind, besonders in englischer Sprache, sehr wenig Arbeiten erschienen. Stanford Read spricht in seiner Übersicht über die Neuropsychiatrie des Krieges (260) seine Ansichten über das Thema aus und kritisiert verschiedene Beiträge. An anderer Stelle (261) publiziert er zwei epileptoide Fälle mit einer oberflächlichen psychologischen Analyse der wirksamen psychischen Faktoren und bestätigt dadurch die Auffassun-

gen von Jung, Clark und Stekel. Ein interessanter Fall von
Pseudologia phantastica bei einem Soldaten zeigt, wie weit ein
pathologischer Lügner zur Verherrlichung seines Ichs zu gehen
im stande ist. In einer Arbeit „Military psychiatry in peace
and war" (264) legt Read besonderen Nachdruck auf die psychische Verursachung der sogenannten funktionellen Psychosen.
Er wendet sich gegen die Annahme einer reinen Erschöpfungs-
psychose, ein von den ärztlichen Autoritäten in der Armee ge-
prägter Ausdruck. Am interessantesten ist das Kapitel über die
von ihm häufig behandelten epileptoiden Zustände und seine Auffassung ihrer Pathologie. Der Alkoholismus, den er nur als bei-
tragenden Faktor auffaßt und seine Beziehungen zu psychotischen
Erkrankungen werden des längeren erörtert. Das Buch gewinnt noch
an Interesse durch die Aufzeichnungen und Analysen von über
3000 Fällen von seelischen Erkrankungen, die nach und nach unter
seiner Beobachtung standen. Chambers (48), der anscheinend die
Rolle des psychischen Faktors voll anerkennt, berichtet in einem
kurzen Artikel über die Erfahrungen und Ansichten eines Psychiaters in Frankreich.

IV. Angewandte Psychoanalyse.

Die Fülle von Aufklärungen, die die psychoanalytischen Theorien
über ihnen anfänglich fern liegende Wissensgebiete gegeben haben,
ist der beste Beweis für die Richtigkeit ihrer Grundlagen. Der
Fortschritt der Zivilisation, die Religion, Philosophie und Ethik,
die Schöpfungen der Literatur und Kunst, die Bedeutung der Märchen, Sagen und der Folklore: sie alle sind in ein neues und besseres
Licht gerückt worden. Im folgenden soll ein kurzes Referat über
die reichhaltige Literatur, die diese Gebiete betrifft, erstattet werden.

Wir verweisen hier vor allem auf die den deutschen Lesern
bekannte ausgezeichnete Arbeit von Rank und Sachs — von
Payne ins Englische übertragen (Übers. 20).

Der Fortschritt in der Erziehung wird in der Zukunft
zweifellos durch die Kenntnis der Psychoanalyse große Förderung
erfahren. Jones (164) behandelt dieses Thema in einigen interessanten Aufsätzen. Er lehrt uns, das Seelenleben dynamisch als einen
Strom von Wünschen, die nach Befriedigung streben, aufzufassen,

und zwar so. daß die älteren die neu auftauchenden Wünsche und
Interessen in ihrer Intensität und Existenz bestimmen. Da die Richtung der kindlichen Wunschregungen für die ganze Zukunft des Individuums maßgebend ist, kann eine befriedigende Seelentätigkeit
nur durch die Harmonie zwischen den Triebkräften des kindlichen
Seelenlebens erreicht werden. So wird die Erziehung in der Zukunft
nicht mehr rein intellektuell, sondern allgemein menschlich gerichtet
sein müssen. Die Ergebnisse, die dadurch erreichbar sind, können
wir an den psychoanalytischen Erfolgen P f i s t e r s (Übers. 18, 19)
als Pastor und Lehrer messen. Auch P a y n e (238) bemüht sich,
uns auf den richtigen Weg zu weisen. Am deutlichsten wird uns
die moderne pädagogische Tendenz, die Individualität zu erkennen
und auszubilden, vielleicht in L a y s Arbeit über das unbewußte
Seelenleben des Kindes (197, 198) vor Augen geführt. Er wendet
in ziemlich populärer Weise psychoanalytische Begriffe auf das
Leben des Kindes in Schule und Haus an. Dasselbe tut W h i t e
(338) in einem kürzlich erschienenen Buch. P u t n a m (246) bemerkt, daß zwar unmöglich alle Eltern und Lehrer Psychoanalytiker
werden, daß sie aber Mittel und Wege finden können, um die wichtigsten Lehren der Psychoanalyse für die Haus- und Schulerziehung
der Kinder zu verwerten. Eine gedankenreiche Arbeit von F l ü g e l
(114) verfolgt die moralische Entwicklung mit Hilfe Freudscher Mechanismen. F l ü g e l sieht in der Sublimierung den mächtigsten Ent-
wicklungsmechanismus für das Individuum wie für die Rasse und
stellt sie hoch über die Verdrängung, da bei ihr die Energie frei
wird, die die letztere nutzlos bindet. Die Entwicklung scheint sich
von der primitiveren Verdrängung, durch die der Fortschritt in
früheren Stadien bedingt wird, zu einer bewußteren Kontrolle der
Gedanken und Handlungen zu bewegen. Daher können wir an der
bewußten Kontrolle, der ein Glauben oder eine Institution unterliegt,
ihren kulturellen Stand messen, was uns, wie der Autor meint, einen
unschätzbaren Maßstab zum Studium moralischer und sozialer Erscheinungen an die Hand gibt. Auch P u t n a m beschäftigt sich
kurz mit dem Verhältnis der Psychoanalyse zur Erziehung (254).

Hier findet sich eine Überleitung zu den Versuchen, Gesichtspunkte und Ergebnisse der Psychoanalyse auf ungeklärte Probleme
der V ö l k e r p s y c h o l o g i e anzuwenden. Wir verdanken B r i l l

eine Übersetzung von Freuds „Totem und Tabu" (Übers. 7), einem grundlegenden Beitrag zur Entwicklungspsychologie der Masse. Rivers psychologische Erörterung der Sitten, Kunst und Magie bei verschiedenen primitiven Völkern mit ihren Beziehungen zur Traumpsychologie ist schon an anderer Stelle gewürdigt worden (272). Jelliffe publiziert eine interessante Autobiographie eines Zwangsneurotikers (156), dessen infantile Phantasien nach der Analyse und der Lektüre von zwei Arbeiten Frazers den animistischen Gedankengängen primitiver Völker an die Seite gestellt werden.

Frazers „Golden Bough" ist eine Fundgrube für die Literatur auf mythologischem Gebiete. Brink liefert eine vergleichende kritische Übersicht über dieses Werk und eine Studie über die menschliche Entwicklung mit besonderer Beziehung auf die Erfassung des Realitätsprinzips und die daraus resultierende Entstehung einer unbewußten Rassenerbschaft (23). Der gleiche Autor, gemeinsam mit Jelliffe, gibt auch eine psychoanalytische Interpretation des mythologisch so reichhaltigen „Willow Tree — A Fantasy of old Japan" (25, 158). Diese „Zwang und Freiheit" betitelte Analyse gewährt uns Einblick in den Zwang, dem jedes Seelenleben zum Nachteil seiner vollen Kräfteentfaltung mehr oder weniger unterworfen ist. In einem Aufsatz über vergleichende Mythologie und die Geschichte der Medizin, von psychoanalytischen Gesichtspunkten aus betrachtet, beschäftigt sich White (330) mit dem Mond als „Libidosymbol" und verfolgt seine Bedeutung im Denken aller Völker in prähistorischen Zeiten. Diese Untersuchung scheint geeignet, ein neues Licht auf die in Deutschland grassierende „Mondmythologie" zu werfen. Weitere mythologische Beiträge finden sich nur in Übersetzungen (Übers. 21, 22, 24).

Religionspsychologische Studien von analytischen Gesichtspunkten aus finden wir bei ein oder zwei Autoren. Schroeder (280) analysiert in einer Studie über die erotischen Grundlagen der Religion die Märtyrerin von Wildebuch, eine historische Schweizer Gestalt. Er erklärt in diesem Falle die als „übernatürliche" Kräfte zu Tage tretende Religiosität als einen Ausfluß überstark betonter Sexualität und vergeistigter, transzendentalisierter und vergöttlichter Psychoerotik und meint, daß auch in zahlreichen anderen Fällen von religiösem Fanatismus und Enthusiasmus die genauere Forschung

zu derselben erotogenetischen Deutung führen würde. Schroeder
sieht in jeder Religiosität, überall und zu allen Zeiten nur eine
sexuelle Ekstase, die selten als solche erkannt und daher leicht
und häufig als mysteriös und transzendental mißdeutet wird. Derselbe Autor behandelt das Thema noch in einer anderen Arbeit
(281). Groves in seinen „Freudian elements in the animism of
the Niger Delta" (132) analysiert die Geschichte der westafrika-
nischen Stämme am unteren Niger und versucht, Einblick in den
Sinn ihrer primitiven Philosophie und Religion zu gewähren. Er
zeigt den subjektiven Ursprung des animistischen Systems dieser
Völker, ihre Wunschmotive, ihre Unterwerfung unter das Lust-
Unlust-Prinzip und die große Bedeutung ihres Traumlebens. Auch in
Freuds „Totem und Tabu" (Übers. 7) erfahren wir natürlich viel
über primitive religiöse Gebräuche und werden gelehrt, die Zwangsneurose als eine Karikatur der Religion anzusehen. Putnam bespricht
in einem kleinen Beitrag zur Sozial- und Religionspsychologie die
Motive des menschlichen Handelns, die er in jahrelanger Beobachtung
und in seinen neueren psychoanalytischen Forschungen erkannt hat.
Er findet, daß der Konflikt zwischen unseren rationellen und emotionellen Impulsen das Zusammenspiel zweier Motive, des konstruktiven und adaptiven ergibt, deren historische Entwicklung man
beim Individuum wie bei der Rasse verfolgen kann. Während der
religiöse Glaube das Streben des Menschen nach Idealen auf ein
göttliches Geheiß hin zeigt, verrät die Psychoanalyse das Vorhandensein unbewußter Tendenzen, die bei ungenügender Kontrolle
diesen natürlichen Strebungen entgegenarbeiten. Holt (149) ist bemüht, die Beziehungen der Freudschen Lehren zu Problemen der
Ethik und Sittenkunde aufzuzeigen. Er bietet, wenn auch in enger
Begrenzung, manche interessante Gedankengänge.

    Unser Verständnis aktueller seelischer Probleme wird ebenso
wie durch das Studium primitiver Völker auch durch die For-
schungsergebnisse an niedrigeren Tieren gefördert. Auf diesem Gebiete der vergleichenden Psychologie tritt Kempf mit
einer Arbeit über das soziale und sexuelle Verhalten der Affen,
das er mit dem menschlichen Verhalten vergleicht, hervor (184).
Sechs Makasusaffen, die durch acht Monate hindurch beobachtet
wurden, geben dem Autor interessante Aufschlüsse über die phylo-

genetische Entwicklung des Menschen. Er vergleicht die Homosexualität bei diesen Affen mit der der Menschen und zeigt, daß die Unterwerfung als homosexuelles Objekt mit biologischer Inferiorität bei den Primaten verbunden ist und wie bei den Menschen zur Erlangung von Schutz und Nahrung geübt wird (109). Von besonderem Interesse ist es zu bemerken, wie von diesen Affen in gleicher Weise wie von den menschlichen Primaten katatonische Einstellungen automatisch zur Verteidigung ausgelöst werden.

Die Anwendung der Psychoanalyse auf die L i t e r a t u r hat uns die geheimnisvollen Wege des Unbewußten besonders klar gezeigt. C o r i a t (77) verfolgt die sadistischen Züge in der Salome von Oskar W i l d e und macht uns darauf aufmerksam, daß W i l d e, der als selbst Leidender vollen Einblick in sexuelle Perversionen und die polymorphe Natur des menschlichen Sexualtriebes besaß, als erster diese Legende als sadistische Episode dramatisiert. Andeutungen des gleichen Impulses findet C o r i a t in W i l d e s „Picture of Dorian Grey" und in der „Ballad of Reading goal". W h i t e berichtet über das stetige Vordringen psychoanalytischer Ideen durch alle Schichten des sozialen Lebens, ihre Erwähnung auf der Bühne, in Novellen und Unterhaltungsschriften. Eine lesenswerte Geschichte von H a y „Mrs. Marden's ordeal" (140) bedient sich mit dichterischer Freiheit psychoanalytischer Prinzipien. Die Psychologie eines chinesischen, für die Bühne dramatisierten Gedichtes „The Yellow Jacket" (185) eröffnet eine Reihe anregender Gedankengänge. Das Gedicht ist mit seiner Fülle von Symbolen das Produkt der ungeheuren vieltausendjährigen Bevölkerung Ostasiens, daher in seinem synthetischen Aufbau der sprechendste Ausdruck ihrer Gefühle. K e m p f s interessante Analyse und Deutung (185) weist dem Psychoanalytiker neue Wege zur Behandlung männlicher Psychopathen. W e i n b e r g (321) hat in älteren philologischen Archiven Material entdeckt, das ihm -- von Freudschen Gesichtspunkten aus -- das Verhältnis des Neffen zum Onkel mütterlicherseits zu verherrlichen scheint und versucht in einer kurzen Monographie (322) Aufschluß über die Grundlagen dieser Erscheinung zu geben. Er zeigt an Beispielen die überstarke Betonung der Bindung des Neffen an den Onkel, verbunden mit einer Lockerung des Verhältnisses zum Vater, beschäftigt sich mit

dem Vaterkomplex und deutet den Heroismus zum Teil als Auflehnung gegen die Herrschaft des Vaters. Viele seiner Bemerkungen
vertiefen unser Verständnis für neurotische Probleme. Die Analyse
einer moderneren Literaturerscheinung finden wir in der psychoanalytischen Betrachtung von Francis Thompsons Gedicht
„The Hound of Heaven". das Moore als eine Autobiographie des
Autors auffaßt (221). Es werden darin die Strebungen der Libido,
zuerst ungezügelt; unkompensiert und unsublimiert dargestellt, die
dann später durch die Bemühungen des Ichs auf den einen und
anderen Weg gelenkt werden, bis schließlich das Ich durch
religiöse Sublimierung über die Libido triumphiert. In ähnlicher
Weise analysiert Kuttner die Novelle „Sons and Lovers" von
D. H. Lawrence mit hochinteressanten psychologischen Schlußfolgerungen (194). Wie Tannenbaum (307, 309) ausführt, findet
sich bei Shakespeare reichliche Gelegenheit zu einer Analyse
verschiedener Charaktere. MacCurdy zieht psychiatrische Parallelen zur Hamlet- und Orestesgestalt (211). Die Dichter haben
häufig genug beim Konstruieren der Träume ihrer Romangestalten
in Bestätigung der Freudschen Theorie eine unbewußte Kenntnis
vom Sinn der Träume verraten. Ein schönes Beispiel dafür gibt
uns Freud selbst in seinem Buch „Der Wahn und die Träume
in Jensens Gradiva" (Übers. 7). Diese Analyse enthält Bemerkungen
von unschätzbarem Wert über Träume, Wahnbildungen und ihre
Heilung. Weinberg (321) bringt in einem Beitrag die Analyse des
Traumes aus „Jean Christophe". Eine besonders willkommene Arbeit
ist die letzte hieher gehörige Neuerscheinung „The erotic motive
in literature" von Mordell (223), der psychoanalytische Erkenntnisse auf die Literatur anwendet, mit seltener psychologischer
Schärfe in verborgenen Sinn eindringt und eine Fülle von Aufklärungen gibt. Ein Auszug aus dieser Arbeit ist wegen ihrer
Reichhaltigkeit hier unmöglich.

Obwohl vieles über die Beziehungen des Unbewußten zur
Kunst zu sagen wäre, ist in den letzten Jahren nur wenig Literatur
zu diesem Thema erschienen. MacCurdy, der mit Hoch über
die Psychologie der gutartigen Psychosen gearbeitet hat, bespricht in einem Artikel über ihre beschleunigenden Ursachen ihre
Beziehungen zur Kunst (209). Ein Studium dieser Faktoren lehrt

uns die schwer zu e r f a s s e n d e Quelle unserer Gefühle kennen, zeigt, daß die Kunst mit dem Fortschritt der Rasse vom Barbarismus zur Zivilisation zur Verfeinerung gelangt ist und daß die Inspirationsquelle jedes Künstlers, gleichgültig, welches sein Ausdrucksmedium ist, im Unbewußten liegt. Nach M a c C u r d y haben die an Kranken gemachten Erfahrungen auch eines der Rätsel der Kunst gelöst. Jedes Kunstwerk übt eine bewußte Wirkung auf uns aus. birgt aber unter seiner Oberfläche, die nur ein Symbol ist, einen geheimen Sinn, der zu unserem Unbewußten spricht. L a s t illustriert diese Theorie in der psychologischen Besprechung eines Kinostücks (195) und B u r r analysiert die bildlichen Komplexdarstellungen von Geisteskranken (31). Besonders interessant ist in dieser Beziehung noch ein Artikel von E v a r t s (108), der an einer von einer psychotischen Patientin entworfenen Spitze ihre Inzestphantasie nachweist. Er analysiert die verschiedenen Figuren dieser seltsamen Spitzenschöpfung (von der eine ausgezeichnete Photographie beigefügt ist) Stück für Stück und verfolgt ihre symbolische Bedeutung für die Lebensgeschichte der Patientin.

Eine ausgezeichnete und anregende Lektüre bieten uns die psychoanalytischen C h a r a k t e r s t u d i e n über historische Persönlichkeiten, in denen ihre Lebensarbeit und hervorstechende Charakterzüge auf Erfahrungen des kindlichen Lebens zurückgeführt und als Reaktionsbildungen oder Sublimierungen infantiler Neigungen erklärt werden, so daß wir vieles als sinnvoll und bedingt erkennen, was wir sonst als Ergebnis eines Zufalles betrachtet hätten. D o o l e y publiziert „Psycho-analytic studies of genius" (89), gesammelte Auszüge aus Essays über die Psychologie großer Männer, die in dem letzten Jahrzehnt, größtenteils in den deutschen psychoanalytischen Zeitschriften erschienen sind; darunter befindet sich ein Auszug aus F r e u d s Studie über „Leonardo da Vinci" (Übers. 9), in der viele Züge aus dem Leben dieses großen Künstlers auf eine kindliche Geierphantasie zurückgeführt und hochinteressante Schlußfolgerungen entwickelt werden. In ähnlicher Weise wird die Lebensgeschichte folgender Personen behandelt: Giovanni Segantini, Andrea del Sarto, Hamlet, Dante, Nikolaus Lenau, Heinrich v. Kleist, Gogol, Wagner, Napoleon I., Louis Bonaparte, König von Holland (174), Amenhotep IV. von Ägypten, Graf Ludwig von Zinzendorf,

20*

Margarete Ebner, Ignatius Loyola und Schopenhauer. Vierock publiziert eine sehr subjektiv aufgefaßte Monographie über Roosevelt, die er eine Studie über Ambivalenz betitelt (319), Karpas eine Arbeit über Sokrates im Lichte der modernen Psychopathologie (179) und Blanchard eine psychoanalytische Studie über Auguste Comte (8). Kempf gibt in seiner immer anregenden Art Aufschlüsse über Charles Darwin, seine Persönlichkeit, die affektiven Quellen seiner Inspiration und seine Angstneurose (186). Darwins Interesse für die Ausdrucksmöglichkeiten der Gefühle und seine frühe Erforschung des Pflanzenlebens waren durch den Einfluß des Vaters bedingt, der auch in der Bestimmung seiner Charakterentwicklung und Laufbahn eine große Rolle spielt. Die affektiven Folgeerscheinungen seiner Angstneurose, die Kempf auf die vollkommene Unterwerfung unter den Vater zurückführt, ließen sich durch geschickt ausgesuchte Konversionen unterdrücken, so daß Darwin nur unter Ernährungsstörungen, lästigen Herz- und Gefäßreaktionen, Schwindel, Zittern und Schlaflosigkeit zu leiden hatte. Putnam analysiert die Lebensgeschichte einer Patientin und beleuchtet die oft beobachteten nachteiligen Folgen einer „altmodischen" streng religiösen Erziehung (250). Prince veröffentlicht eine etwas oberflächliche Studie in Buchform über Kaiser Wilhelm (243), bespricht sein „Gottesgnadentum", sein Selbstgefühl und seine Stellung zur Demokratie, die er als unbewußte Phobie, als Furcht vor der Demokratie wegen der ihm und seinem Haus drohenden Gefahr, auffaßt. In diesem Sinne betrachtet er die Antipathie des Kaisers als eine stark gefühlsbetonte Abwehrreaktion. Die psychologische Analyse geht nicht sehr tief.

Wir kommen nun zu der Literatur, die die Anwendung der Psychoanalyse auf soziologische Probleme behandelt. White gibt in seinem Buch „The principles of mental hygiene" (328) eine kurze, aber gedankenreiche und sehr lesenswerte Besprechung der Psychologie der Geisteskranken, Neurotiker, Schwachsinnigen und verschiedener sozialer Probleme. Groves (131, 133) behandelt die soziologische Bedeutung der Freudschen Lehre für die Deutung menschlicher Motive und Handlungen, und Burrow die Stellung des Psychoanalytikers in der Gemeinschaft (40). Ein interessantes Essay von Jones „War and individual psychology" (172) zeigt uns eines der schwierigsten sozialen Probleme in psychoanalytischer Beleuchtung. Er spricht über den Einfluß gefühlsmäßiger Faktoren auf Entschluß und Urteil und fragt sich, ob nicht in den Menschen eine starke Tendenz für den Krieg als Lösung sozialpolitischer Probleme besteht. Bei der immer bestehenden Neigung, zu primitiven Manifestationen verdrängter Impulse zu regredieren, scheint es nicht unmöglich, daß ein innerer Zusammenhang zwischen den furchtbaren, im Kriege verübten Grausamkeiten usw. und den verborgenen Ursachen des Krieges selbst besteht. Er stellt die interessante Frage, ob wir nicht vielleicht schon in unseren Sublimierungsleistungen an der Grenze des Möglichen angelangt sind. Bei zu weit getriebener Verdrängung muß es zu einem gewaltsamen Ausbruch der zu ihren unbewußten Quellen zurückgestauten Energien kommen, während bei unvollkommenerer Verdrängung die Sublimierung besser gelingt. Der Krieg löst überhaupt stärker als alles andere die guten und bösen Kräfte des Menschen aus. Brill beleuchtet in seiner Studie über die Anpassungsfähigkeit der Juden an amerikanische Verhältnisse (20) eine andere Seite der psychoanalytischen Soziologie. Karpas schreibt über Zivilisation und Geisteskrankheit (180) und behandelt die Prostitution (182) vom Standpunkte des Psychopathologen aus. Putnam spricht die Hoffnung aus, daß eine Umwandlung der Erziehung auf psychoanalytischer Grundlage eine Verringerung der Zahl der Geisteskranken mit sich bringen werde (256). Die Anwendung der modernen psychopathologischen Erkenntnisse auf die Rechtspflege wurde in Amerika besonders durch das National Committee for Mental Hygiene gefördert. Eine allerdings nicht rein psychoanalytische Arbeit von Healey muß hier Erwähnung finden. Er findet, in voller Übereinstimmung mit der Freudschen Lehre, daß sich die Mehrzahl der von Jugendlichen begangenen Verbrechen aller Art auf die Wirksamkeit sexueller Konflikte zurückführen läßt (141, 142). Glueck hat mit seinen Verbrecherstudien im Sing Sing Prison ausgezeichnete Arbeit geleistet. Er sieht in den sogenannten „Gefängnispsychosen" Abwehrreaktionen und zeigt, wie groß der Prozentsatz der seelisch Abnormen unter den Insassen seines Gefängnisses ist. Sein Buch über „Forensische Psychiatrie"

(124) enthält die Analyse eines Falles von Kleptomanie, den er auf einen sexuellen Konflikt zurückführt.

Eine neue anregende Gedankenreihe eröffnet uns Hull in ihrem Artikel „The long Handicap" (150), der unser Interesse auf die historische Entwicklung der Frauen und die moderne Entwicklung des weiblichen Individuums lenkt. Sie sieht im weiblichen Leben stärkere Nötigungen zur Verdrängung als im männlichen und bezieht sich dabei auf die Menge von Konventionen, Tabus usw., die sich der freien Entwicklung der Frau hemmend entgegenstellen. Sie steht in ihren Ausführungen auf dem Boden der psychoanalytischen Lehre und der Adlerschen Kompensationstheorie. In seiner Besprechung der psychischen Ursachen der androkratischen Entwicklung (282), die er auf die Unterschiede der Sexualmechanismen zurückführt, beschäftigt sich Schroeder mit ähnlichen Themen. Er sieht in der Androkratie die natürliche Folge der auf Unwissenheit beruhenden Mystik, auf die auch der Phalluskult zurückzuführen ist, und entwickelt seine Theorien über dieses Thema.

Brill beschäftigt sich in einem kleinen Beitrag zur Psychopathologie der modernen Tänze (16) mit den Beziehungen der rhythmischen Bewegung zur Sexualität.

Eine spezielle Anwendung der Psychoanalyse auf sozialem Gebiete wird in Zukunft die Erforschung der Berufseignung des Einzelnen bilden, ein Unternehmen, dessen wohltätige Folgen für die soziale Gemeinschaft auf der Hand liegen. Brill veröffentlicht eine vorläufige Mitteilung zur Psychopathologie der Berufswahl (21), der hoffentlich noch ähnliche Publikationen anderer Autoren folgen werden.

Französische Literatur.

Referent: Dr. Raymond de Saussure (Genf.[1])

Literatur: 1. **Amouroux**: Etats Incompatibles avec la Psa. Rev. de
Psychothérapie. 1915. T. XXIX. p. 55. — 2. **Baroni Victor**: Les Etudes Modernes
sur le Mysticisme. 55 p. Genève Imprimerie des Accacias. 1919. — 3. **Baudoin**:
Symbolisme de quelques rêves survenus pendant la Tbc. Pulm. Arch. de Psychol.
1916. T. XVI. p. 133—142. — 4. **Ders.**: Psa. de quelques troubles nerveux.
Ibidem. p. 143—151. — 5. **Ders.**: La Psa. Freudienne. L'Ecole de Zurioh.
La Feuille 26 oct. et 9 nov. 1919. — **Ders.**: Suggestion et Autosuggestion.
Delachaux et Nestlé. 1919. Neuchâtel et Paris. — 7. **Berguer Georges**: Revue
et Bibliogr. Générales de Psychol. Religieuse. Arch. de Psychol. 1914. T. XIV.
p. 1 —91. — 8. **Ders.**: Notes sur le Langage du Rêve. Ibidem. p. 213—215.
— 9. **Ders.**: La Vie de Jésus. 1 vol. Genève. Atar. 1919. — 10. **Berillon**: Le
Psa. avec ou sans Hypnose et ses règles chez l'Enfant. Gazette Médicale de
Paris. 1916. p. 72. — 11. **Bovet Pierre**: L'Instinct Combatif. 1. vol. Delachaux et Nestlé. 1917. Neuchâtel. — 12. **Ders.**: Le Sentiment Religieux. Rev.
de Théol. et de Phil. 1919. Laus. p. 157—175. — 13. **Claparède Edouard, Prof.**:
De la Représentation des Personnes Inconnues et des Lapsus linguae. Arch.
de Psychol. 1914. T. XIV. p. 301—304. — 14. **Ders.**: Psychol. de l'Enfant et
Pédagogie Expérimentale. 1. vol. Genève. Kundig 1915. — 15. **Ders.**: Sur
la Fonction du Rêve. Rev. Philos. 1916. p. 298. — 16. **Ders.**: Rêve Satis-
faisant un Désir. Arch. de Psychol. 1917. T. XVI. p. 300—302. — 17. **Courbon
Paul**: La Convoitise Incestueuse dans la Doctrine de Freud. Encéphale, Avril
1914. — 18. **Delage Yves, Prof.**: Une Psychose Nouvelle: La Psa. Mercure
de France. 1916. p. 1. — 19. **Ders.**: La Psa. Bull. Inst. Gén. Psychol. 1916.
T. XVI. p. 73—99. — 20. **Ders.**: Théorie du Rêve de Freud. Ibidem. 1915.
T. XV. p. 117—135. — 21. **Ders.**: Constitution des Idées et Base physique des
Processus psychiques. Rev. Philos. 1915. T. LXXX. p. 289—313. — 22. **Ders.**:
Portée Philosophique et Valeur Utilitaire du Rêve. Ibidem. Paris 1916. p. 1—23.
— 23. **Ders.**: Quelques Points de la Psychol. du Rêveur. Bull. Inst. Psych. 1919.
T. XIX. p. 75—85. — 24. **Ders.**: La Conscience Psychique et le Rêve. Ibidem.
p. 163—187. — 25. **Demôle Victor, Dr.**: Analyse Psychiâtrique des Confessions
de Rousseau. Arch. Suisse de Neurol. et de Psychiâtrie. T. 2. p. 272—307. —
26. **Devaux et Logre. Drs.**: Les Anxieux. 1. vol. 300 p. Paris. Masson 1917.
— 27. **Dwelshauvers Georges, Prof.**: L'Inconscient. 1. vol. Paris. Flammarion. 1916. — 28. **Farez**: La Psa. Française. Rev. de Psychothérapie. Paris.
T. XXIX. p. 22. — 29. **Flournoy Théodore, Prof.**: Une Mystique Moderne.
(Documents pour la Psychol. Relig.) Arch. de Psychol. 1915. T. XV. p. 1—224.
— 30. **Flournoy Henri, Dr.**: Notes sur Quatre Cas d'Obsessions et Impulsions

---

[1]) Übersetzung von Dr. Th. Reik (Wien).

312   Dr. Raymond de Saussure.

à début instantané. Genève. Kundig. 1917. 24 p. — 31. Ders.: Symbolisme en Psychopathologie. Arch. de Psychol. 1919. T. XVII. p. 187—207. — 32. Ders.: Quelques Remarques sur le Symbolisme dans l'Hystérie. Ibidem. p. 206—233. — 33. Geley Gustave, Dr.: De l'Inconscient au Conscient. 1. vol. Paris. Alcan. 1919. — 34. Heckel, Dr.: La Névrose d'Angoisse. 1. vol. 535 p. Paris. Masson. 1917. — 35. Hesnard A., Dr.: Les Théories Psychol. et Métapsychiâtriques de la Dém. Préc. Journ. de Psychol. normale et Pathol. Paris 1914. — 36. Jung C. G., Dr.: La Structure de l'Inconscient. Arch. de Psychol. 1916. T. XVI. p. 152—179. — 37. Kollarits, Prof.: Observations de Psychol. Quotidienne. Ibidem. 1911. T. XIV. p. 225—247. — 38. Ders.: Contributions à l'Etude des Rêves. Ibidem. p. 248—276. — 39. Kostileff: Le Mécanisme Cérébral de la Pensée. 1. vol. Paris. Alcan. 1914. — 40. Ders.: Contribution à l'Etude du Sentiment Amoureux. Rev. Philosoph. Mai 1914. — 41. Ders.: Sur la Formation du Complexe Erotique dans le Sentiment Amoureux. Ibidem. T. LXXIX. 1915. p. 159. — 42. Ladame Charles, Dr.: Homosexualité Héréditaire et Homos. Acquise. Arch. d'Anthrop. Crim. et de Méd. Lég. Avril 1914. — 43. Ladame Ch.: Guy de Maupassant. 1 brochure. 17 p. Edit. de la Rev. Romande. Lausanne 1919. — 44. Lalande, Prof.: La Psychologie: Ses Divers Objets et ses Méthodes. Rev. Philos. T. LXXXVII. 1919. p. 177—221. — 45. Larguier des Bancels, Prof.: Sur les Origines de la Notion d'Ame; à propos d'une Interdiction de Pythagore. Arch. de Psychol. 1918. T. XVII. p. 55—66. — 46. Laumonier J., Dr.: Le Pansexualisme de Freud. Gazette des Hôpitaux de Paris. 1914. — 47. Ders.: A propos de la Psa. Rev. de Psychothér. 1914. P. 229. — 48. Maeder Alphonse, Dr.: Essai sur Hodler. 1 vol. Rascher. Zurich 1917. — 49. Ders.: Guérison et évolution dans la vie de l'âme. 1 vol. Ibidem. 1918. 69 p. — 50. Menzerath Paul: Psychopath. de la vie journalière. Bull. de la Soc. d'Anthrop. de Bruxelles. Mars 1914. — 51. Morel Ferdinand. Dr. Phil.: Essay sur l'Introversion Mystique. 1 vol. 338 p. Genève. Kündig. 1918. — 52. Mourgue et Colin, Drs.: Les Enseignements Méthodologiques et la Signification de la Psa. Annales Médico-psychol. 1918. P. 79—90. — 53. Naville François, Dr.: Hystérie ou Pithiatisme? Rev. Méd. de la Suisse Romande. 1919. T. XXXIX. p. 13—44. — 54. Odier Charles, Dr.: A propos d'un cas de Contracture Hy. Arch. de Psych. 1914. T. XIV. p. 158—201. — 55. Ders.: Etude de Psychol. de Guerre, à propos de la Camptocormie. Korresp.-Blatt f. Schweizer Ärzte. 1919. Nr. 23. — 56. Pachantoni, Dr.: Science Galante. Roman. 154 p. Lausanne. Spes. 1919. — 57. Perès: Pensée Symbolique du point de vue de l'introspection. Rev. Philos. 1916. T. LXXXI. p. 159. — 58. Piaget Jean: La Psa. et la Pédagogie. Bull. de la soc. Alfred Binet. Nos. 131 et 133. Paris, Alcan. — 59. Régis, Dr. Prof.: Précis de Psychiâtrie. 1 vol. 1230 p. Collection Testut. Paris. 5e éd. 1914. — 60. Régis et Hesnard: La Psa. des Névroses et des Psychoses. 1 vol. 384 p. Paris. Alcan. 1914. — 61. Ribot Théodule, Prof.: Le Problème de la Pensée sans Image et sans Mot. Rev. Philos. T. XXXVIII. No. 8. — 62. Ders.: La Logique Affective et la Psa. Ibidem. T. II. de 1914. p. 144—161. — 63. Ders.: La Pensée Symbolique. Ibidem. 1915. T. LXXIX. p. 385. — 64. Salmon: Psa. et Psychothérap. Rev. de Psychothérap. 1914. p. 243—268. — 65. Saussure Raymond de: A propos d'un Disciple d'Unternährer. Arch. de Psychol. 1919. T. XVII. p. 297—308. — 66. Secretan André: Le Problème du Salut dans la Bhagavadgita. 1 vol. 113 p. Wyss et Duchêne. Genève 1919. — 67. Voivenel: Une Cristallopathie, à propos des prétentions pédagogiques de la Psa. Arch. Méd. Belges. 1918. p. 18—31. — 68. Janet Pierre, Prof.: Les Médications psychologiques. 3. vol. 1919. Paris. Alcan. — 69. Lombard, Prof.: Freud, la Psychanalyse et la

Théorie Psychogénétique du Névroses. Rev. de Théol. et de Philos. Lausanne
1914. p. 14—47.

Die Psychoanalyse ist in Frankreich auf eine Opposition ge-
stoßen, die nur teilweise verständlich ist. Man hat ihr zum Vor-
wurf gemacht, sie verallgemeinere ihre Theorien zu leicht, und die
Ansicht von Delage faßt demgemäß die Meinungen einer großen
Zahl von französischen Psychologen zusammen (Nr. 20, p. 134):
"Freud hätte", sagt er über die "Traumdeutung", "mit seinen sehr tiefen
Kenntnissen, seinem Fleiß, seinen reichen Belegen und seinem eindringenden
Verstand ein ausgezeichnetes Buch geschrieben, wenn er sich nicht durch den
verhängnisvollen Geist des Systems hätte dazu verführen lassen, seiner Kon-
zeption, die nur einzelnen Fällen gegenüber angemessen ist, einen allgemeinen
Charakter zuzuschreiben, was ihn auch dazu verleitet hat, die Tatsachen und
Deutungen zu vergewaltigen, um mehr aus ihnen zu machen als billig ist."

Die französischen Autoren haben namentlich gegen die Rolle,
die Freud der Sexualität zuschreibt, Einwände erhoben. Sie haben
ihm vorgeworfen, er habe den Sinn des Wortes "sexuell" so sehr
ausgedehnt, daß es, statt einen völlig präzisen und für die Wissenschaft nützlichen Sinn darzustellen, zu einer allgemeinen Bezeichnung werde, die nur zur Verwirrung führe.

Von den englischen Autoren sind zwar die nämlichen Einwände
gemacht worden, aber diese haben, statt einiger Punkte wegen,
die sie nicht unterschreiben konnten, alle Anschauungen Freuds
zurückzuweisen, vielmehr eine große Anzahl seiner Entdeckungen
benützt. Die Franzosen haben nicht denselben praktischen Sinn
gezeigt und nur wenige haben es versucht, die Traumanalyse und
die Assoziationsmethode anzuwenden. Man darf sich also nicht ver-
wundern, daß so viele ihrer Kritiken einen so theoretischen Charakter haben.

Es ist eine bezeichnende Tatsache, daß es in der gesamten französischen Literatur nur eine oder zwei Arbeiten gibt, welche die
Analyse anzuwenden versuchen, während alle übrigen nur Kritiken
der Meinungen Freuds sind.

Ganz anders war die Haltung der welschen Schweiz, wo es
zahlreiche Arbeiten gibt, welche die Methoden und die Begriffe
der Psychoanalyse anzuwenden versuchen. Während in Frankreich
noch immer Lehrbücher der Psychiatrie oder der allgemeinen Psychologie erscheinen, welche die Theorien Freuds nicht kennen oder
mindestens so tun, ist die Psychoanalyse in der Welsch-Schweiz

314   Dr. Raymond de Saussure.

nicht nur in das Gebiet der Medizin und Psychologie eingedrungen,
sondern sie strebt auch darnach, in der Pädagogik, der Seelsorge,
in der Kunst und in der Literatur Anwendung zu finden.

I. Psychiatrie.

Frankreich besitzt kein Lehrbuch der Psychiatrie analog dem,
das Stoddard in London herausgegeben hat, worin die Psychiatrie
ausschließlich vom Standpunkt der Psychoanalyse betrachtet wird.
Weit entfernt davon, gab es zwischen 1914 und 1919 in Frankreich
keine einzige Arbeit, welche die Grundgedanken der Psychoanalyse
auf die Medizin anzuwenden versuchte. Ich kann hier auch nur über
einige zusammenfassende Kritiken berichten, welche sich auf die
Arbeiten Freuds beziehen, aber nicht über einen Originalbeitrag,
der die Ideen des Wiener Psychiaters darzustellen versucht. Der
Krieg scheint der Wissenschaft, die uns beschäftigt — wenigstens
in Frankreich[1]) — nicht förderlich gewesen zu sein. Weder Babinski in seinem Buche „L'Hysterie et le Pythiatisme" (Masson,
Paris 1917) noch Leri in seinen „Commotions et Emotions de
Guerre" (ebendort 1918) noch Lépine in seinen „Troubles mentaux
de Guerre" (ebenda 1917) noch Roussy und Lhermite in ihren
„Psychonevroses de Guerre" (ebenda 1917) sprechen von der Psychoanalyse. Gerade als der Krieg ausbrach, begann die Psychoanalyse,
dank den Arbeiten von Régis und Hésnard, in Frankreich erst
bekannt zu werden.

Sollier widmet in der zweiten Auflage seines Werkes „L'Hysterie et son Traitement" (Alcan, Paris 1914) einige Seiten der
Erklärung dieser Methode. Régis liefert in der fünften Auflage
seines „Précis de Psychiâtrie" eine kurze Kritik der Anschauungen
Freuds. Wie die Mehrzahl der französischen Ärzte sieht er nur
den Pansexualismus und erklärt kurzweg diese Theorie als
übertrieben. Dennoch erkennt er ihr einige Verdienste zu: „So wie
sie jetzt ist", sagt er, „und welches auch ihr zukünftiges Geschick
sein mag, sie schien uns durch ihre Originalität, ihren Umfang,
sogar durch ihre Aktualität den kurzen Bericht zu verdienen, den
wir erstattet haben." In der letzten Auflage seines „Manuel de

---

[1]) Gerade umgekehrt liegen die Verhältnisse bekanntlich in England (siehe
diesen Bericht).

Psychiâtrie" (Alcan, Paris 1916) äußert Rogues de Fursac dieselben Bedenken. Alle diese Autoren kennen unglücklicherweise die Psychoanalyse nur aus zweiter Hand, sie urteilen darüber, ohne sie je praktisch ausgeübt zu haben. Viele französische Psychiater finden, daß sie nicht einmal würdig sei, erwähnt zu werden, so gehen Laignel-Lavastine, Barbé und Delmas in ihrer „Pratique psychiâtrique" (Baillère, Paris 1919) stillschweigend über sie hinweg.

Auch wenn wir von den großen Lehrbüchern absehen, finden wir, daß die Meinung der Psychiater dieselbe bleibt.

Logre und Devaux studieren in ihrem Buche „Les Anxieux" (Masson, Paris 1914) eingehender die Angstneurose Freuds. „Sie seien überrascht", sagen sie, „von dem Gegensatz, der zwischen der Behauptung der diffusen, chronischen Angst, welche von dem Autor mit so großem Scharfblick beobachtet wurde, und der Hypothese einer gelegentlichen speziellen Ätiologie, die sich auf die Ausübung der Sexualfunktion beziehe, bestehe." Ferner:

„Die Freudsche Erklärung führt also in Wirklichkeit dazu, die pathogene Bedeutung der konstitutionellen Angst zu verkennen. Die Angst bedeutet hier nicht mehr als eine sekundäre Wirkung der Störung des psychosexuellen Lebens. Die klinische Beobachtung scheint im Gegenteil zu zeigen, daß die Angstdisposition öfter primitiv ist; die emotionale Konstitution, mehr oder minder durch aktuelle Anlässe empfänglich gemacht, ist der wesentliche pathogene Faktor der Angstpsychoneurose .... Der psychische Erethismus stellt bei diesen Personen die hauptsächlichste Störung dar; er geht der sexuellen Erregung voraus; er ist davon unabhängig, wenn nicht in seiner Existenz, so doch wenigstens in seinen Variationen."

Devaux und Logre erkennen dennoch an, „daß die Modifikationen der sexuellen Spannung eine größere Wichtigkeit für die Auslösung des emotionellen Ausbruches besitzen".

Devaux und Logre unterziehen auch die psychoanalytische Methode einer Kritik, aber ihre Bemerkungen scheinen nicht auf Erfahrung gestützt zu sein; ich würde eher vermuten, daß es sich nur um theoretische Erwägungen handelt.

„Sich auf die Erzählung von Träumen zu beziehen," sagen sie, „deren Erinnerung und Deutung so delikat, so ungewiß und so trügerisch sind, endlich die Zustände unbewußten Automatismus und der Zerstreutheit deuten, heißt das nicht alle Ursachen der Unzuverlässigkeit des Zeugnisses nach Herzenslust häufen und die gewöhnlichen Fehlerquellen der wissenschaftlichen Untersuchung geradezu in Hilfsmittel der Forschung verwandeln?"

.

Nachdem unsere Autoren den Pansexualismus Freuds kritisiert haben, fügen sie hinzu: •

> „Es bleibt nichtsdestoweniger richtig, daß die Anomalien des sexuellen
> Lebens sehr häufig und — wenn auch nicht in ausschließlicher, doch in vorherr-
> schender Art — gelegentlich in der Determinierung der Zwangsidee eine Rolle
> spielen.... Es kommt auch manchmal ein Zwang vor, der scheinbar der Se-
> xualität fremd, doch der irgendwie entstellte Ausdruck sexueller Perversionen
> von anderswo her ist, die mehr oder weniger latent sind. Wir haben Gelegenheit
> gehabt, zu beobachten, daß z. B. bei einigen Personen der Zwangsimpuls zum
> Mord als ein larvierter Ausdruck des Sadismus erscheint, ebenso wie die Klepto-
> manie in bestimmten Fällen eine besondere Art des Fetischismus oder Sado-
> Fetischismus ausmachen kann."

Dr. F. Heckel hat dem Studium der Angstneurose ebenfalls
ein Buch gewidmet (Masson, Paris 1917). Obwohl er zahlreiche An-
leihen bei der Psychoanalyse macht, behandelt er die Anschauungen
Freuds verächtlich. Nachdem er zu zeigen versucht hatte, daß die
Psychoanalyse uns nichts Neues gebracht habe, erklärt er, daß sie
eine Wissenschaft ohne Fundament sei. Wenn er konsequent ist,
verneint er durch diese Schlußfolgerung die ganze überkommene
Psychiatrie, auf die er sich gerade stützt. In verschiedenen Artikeln
über den Traum urteilt Yves Delage, der berühmte Zoologe, in
völlig analoger Weise. Man ist wahrhaft erstaunt darüber, daß
französische Autoren so wenig Bedacht auf die Logik nehmen. Dide
widmet in seinem Werke „Les Emotions et la Guerre" (Alcan,
Paris 1918) der Psychoanalyse nur eine halbe Seite. Er sagt: „Ich
werde mich nicht damit aufhalten, die Sophismen Freuds, der
im Traume die verkleidete Erfüllung eines unterdrückten Wunsches
sieht, zu diskutieren." Das hindert ihn freilich nicht daran, zehn
Zeilen später (p. 78) zu erklären, daß „das Gewebe des Traumes
hauptsächlich aus Wünschen und Befürchtungen, die erfüllt oder
verdrängt sind, geschaffen ist".

Colin und Mourgue (52) sind ebenfalls zwei Autoren, welche
Freud nur aus zweiter Hand kennen. Sie sprechen dem Wiener
Psychiater das große Verdienst zu, daß er besonderes Gewicht auf
das affektive Leben, auf die Symbolik und auf das Studium der
Träume gelegt habe und zwischen den Vorstellungen der Primitiven
und den Symptomen vieler Nervösen interessante Vergleiche gezogen
habe; aber sie wenden seine Deutungsmethode, die sie als durchaus subjektiv und einseitig ansehen, nicht an. Was die Libido an-

•

langt, scheint diese ihnen als ein mehr philosophischer denn wissenschaftlicher Begriff.

Ich vermeide es, bei Besprechung dieser Autoren die in so vielen anderen Werken enthaltenen Kritiken zu wiederholen und vernachlässige aus demselben Grunde die anderen Artikel französischer Autoren.

In der Welsch-Schweiz haben einige Ärzte die Psychoanalyse anzuwenden und die Theorien Freuds zu entwickeln versucht. Dr. Naville hat über einen interessanten Fall berichtet, dessen Wiedergabe ich für zweckmäßig halte (53):

Dr. N. stellt den Fall einer jungen Hysterika von 15 Jahren dar, die seit einigen Jahren unter langdauernden und häufigen Schlafzuständen, großen Krampfanfällen, rythmischen, intermittierenden Bewegungen, kurzen Anfällen von Stummheit, funktioneller Lähmung und einer Menge von Störungen geringerer Bedeutung leidet. N. schreibt über diesen Fall: „Die Ursache dieses Zustandes war unbekannt und die Symptome wichen nicht unter der Wirkung der Suggestion. Einzig eine sorgsame psychische Analyse mit wirksamer Unterstützung der Kenntnis der Träume der Kranken gestattete es, die Traumen wiederzufinden, die, sieben Jahre zurückliegend, die Ursache aller dieser Symptome waren. Sobald diese völlig vergessenen Traumen wieder ins Bewußtsein der Kranken gelangt waren, verschwanden die Bewußtseinslosigkeiten, die Kontrakturen, die Anfälle, die Lähmungen spontan und sofort ohne irgend eine direkte Suggestion und die anderen funktionellen Symptome besserten sich fortschreitend. Diese Beobachtung ist also ein fast experimenteller Beweis des therapeutischen Wertes der Methode psychischer Analyse, die insbesondere von Breuer und Freud ausgearbeitet wurde."

Bei dieser Gelegenheit erörtert Dr. N. die „hystero-pithiatique"-Theorie Babinskis. Er wirft ihm hauptsächlich vor, er betrachte die Mechanismen der Suggestion als die einzigen Ursachen der Hysterie und trage so wesentlichen Faktoren wie den unterhalb der Suggestionen liegenden affektiven Störungen keine Rechnung. Er wirft ihm weiter vor, daß er die Gefühlsvorgänge in der Psychogenese der Hysterie nicht berücksichtige.

Die Analyse hat ergeben, daß die Kranke im Alter von beiläufig acht Jahren eine heftige Aufregung durchgemacht hatte, weil ihr kleiner, damals zweijähriger Bruder in der Nacht verschwunden war. Ein dahinrasendes Automobil passierte die Straße und das Mädchen hatte den Gedanken, daß dieser Wagen ihren Bruder überfahren haben mußte. Sie glaubte Blut an den Rädern kleben zu sehen und wurde von einem nervösen Anfall mit Ohnmachtserscheinungen heimgesucht. Zwei Tage später kam ein Dienstmädchen und sagte ihr, daß ihr Bruder sehr krank sei (es handelte sich in Wirklichkeit um einen verdorbenen Magen). Sofort drängte sich ihr die Gewißheit, daß er überfahren worden war, und die Vision des blutbefleckten Automobils auf und löste einen neuen Anfall aus. So oft diese Gefühle wieder im Bewußtsein der Kranken erschienen, wich die Lähmung, die seit vier Wochen dauerte, allmählich in

drei Tagen wie eine Spiralfeder, die sich langsam entspannt. Als das junge
Mädchen geheilt war, erzählte sie ihre sehr interessanten Eindrücke. Es schien
ihr, sagte sie, als müsse sie eine beständige Anstrengung machen, um eine
schreckliche Empfindung, die sie zu überfallen suchte, und deren Ursache und
Inhalt sie nicht wußte, von sich fernzuhalten. Wenn man sie plötzlich ansprach
und sie so rauh aus ihrer Halbträumerei scheuchte, hatte sie eine instinktive
Angst, daß man sie ihrer Zerstreutheit und ihrer Gedanken wegen verhöre, und
sie verspürte dann einen Druck in der Kehle, der sie für einen Augenblick
hinderte, sich frei auszudrücken. Auf Seite 35 dieses Artikels findet man noch
interessante Geständnisse über dieses Gefühl, nicht aufmerken zu können, aus
Angst, in sich unangenehme Empfindungen zu entdecken.

Dr. N. macht darauf aufmerksam, daß dieses infantile Trauma
nichts Sexuelles enthielt, was durch die Umstände und eine sorgfältige Befragung mit Sicherheit festgestellt werden konnte. Wir
wollen hier unser Bedauern darüber ausdrücken, daß Dr. N. die
Psychoanalyse nicht nach der klassischen Methode Freuds angewendet hat. Angesichts des instinktiven Sträubens, das die Kranken
zeigen, wenn sie unangenehme Erinnerungen in sich wachrufen
sollen, ist man nicht völlig davon überzeugt, daß es in Wahrheit
kein sexuelles Trauma gab, weil Fragen kein solches zum Vorschein
brachten. Dr. N. bemerkt nun tatsächlich, daß der Bruder, der
oft in den Träumen erscheint, nicht derselbe Bruder ist wie der
in dem Automobilunfall. Er sagt geradezu, daß es eine Verschiebung gegeben habe, aber er versucht es nicht, uns die Gründe dieser
Verschiebung zu erklären. Er sagt uns auch nichts über das Alter
des Bruders, der in den Träumen erscheint, das gewiß interessant
gewesen wäre. N. unterrichtet uns nicht einmal darüber, in welchem Alter bei seiner Kranken die Menstruation eintrat, in welchem
Ausmaße sie über die sexuellen Fragen orientiert war usw. Wenn
wir diese Einwände gegen Dr. N. machen, geschieht es nicht, weil
wir um jeden Preis eine sexuelle Ätiologie bei seiner Kranken
finden wollten, sondern wir glauben, daß er uns über alle diese
Fragen hätte aufklären müssen, um mit Sicherheit den sexuellen
Faktor ausschließen zu können. Übrigens gibt N. selbst zu, daß
sein Fall an der Grenze der traumatischen Neurose und der Hysterie
stehe. Wir legen Wert darauf, noch einmal daran zu erinnern, daß
Freud der traumatischen Neurose keinen sexuellen Ursprung zuschreibt.

In seinen Artikeln zeigt uns Dr. H. Flournoy eine Reihe
von Symptomen und Zwangserscheinungen, deren symbolische Be-

deutung er mit Hilfe der Psychoanalyse gefunden hat. Er versucht, den Begriff des Symbols in der Literatur und in der Psychologie zu unterscheiden. Er zeigt, daß in der letzteren die Symbolisierung nicht bewußt ist, daß vielmehr das Symbol oft nur eine abstrakte Idee und kein Wahrnehmungsobjekt ist. F. bemerkt auch, daß man bei der Erforschung der Ätiologie eines Symptoms nicht notwendigerweise eine sexuelle Komponente findet. Die Gesetzmäßigkeit der Symbolisierung, die von Freud so deutlich dargestellt wurde, hat oft Gegner gefunden. F. tritt für sie ein, indem er zeigt, daß die unbewußte Arbeit, die in der Verwandlung eines Gedanken in ein hysterisches Symbol, das ihn symbolisiert, besteht, ein relativ primitiver seelischer Vorgang ist. Wir haben durch Zeugnisse mehrerer Gelehrten erfahren, daß die unbewußte Arbeit fähig war, Probleme zu lösen, die auf andere Art unlösbar waren.

Ein hübscher Fall von Symbolisierung wird uns von Dr. Odier in der nachstehend besprochenen Arbeit berichtet (54):

Es handelt sich um den Fall eines jungen Mädchens, das sich im Jahre 1907 im Alter von 18 Jahren mit einem jungen Offizier, dem Freunde ihres Bruders, verlobte. Sie war die Tochter eines französischen Generals, der im Alter von 60 Jahren an einem Herzleiden starb. Ihre Mutter, die noch lebt, ist gichtig. In ihrem Vorleben war nichts Besonderes zu verzeichnen, außer einem Typhusfieber im Alter von fünf Jahren. Infolge verschiedener Ereignisse, insbesondere wegen eines Verführungsversuches, löste sie 1909 ihre Verlobung auf. Seither sah sie ihren Ex-Bräutigam nicht wieder. Während eines Aufenthaltes bei ihrem Bruder 1911 brach dieser ein Bein. Sie blieb bei ihm, um ihn zu pflegen. Eines Tages, als sie unvermutet in das Zimmer ihres Bruders trat, traf sie bei ihm einen Besucher an, in dem sie ihren früheren Verlobten wiedererkannte. Dessen unerwartete Anwesenheit bestürzte sie tief, sie stammelte einige Worte und entfloh fassungslos. Bis zur Genesung ihres Bruders befand sie sich wohl. Dann verfiel sie in eine Depression, die sich allmählich bis zum 14. September verschlimmerte, an welchem Tage ihr Vater durch Herzschlag starb. Von diesem Augenblick an war sie in einem Zustand völliger Erschöpfung, bis zum 23. Jänner 1913, wo sich bei ihr ein Mutismus einstellte, der neun Monate dauerte, und der einer hysterischen Kontraktur des linken Beines Platz machte. Der Mutismus erklärt sich als ein Wunsch, aus der ihr peinlich gewordenen Wirklichkeit zu flüchten. Er gestattete ihr auch, sich in ihren Träumereien zu isolieren. Wir können ihn als die Erfüllung eines unbewußten Wunsches ansehen. Es ist auch interessant, zu bemerken, daß er die Dauer einer Schwangerschaft hatte, die so häufig in den hysterischen Erscheinungen ist. Die Kontraktur selbst erklärt sich gut aus dem unbewußten Gedanken, den die Analyse aufgedeckt hat: „Mein früherer Bräutigam kam zu meinem Bruder, als dieser sich das Bein gebrochen hatte. Dieses Bein, das linke, ist in Gips, demzufolge steif und unfähig, sich zu bewegen. Wenn ich nun mein linkes Bein steif und unbeweglich mache, wird mein Verlobter zurückkehren."

Gelegentlich dieses Falles erörtert O. die verschiedenen Theorien der Hysterie. Er weist darauf hin, daß die Theorien von Janet, Déjerine und Babinski mit ihrer rein statischen Auffassung weniger geeignet sind, die hysterischen Phänomene zu erklären, als die psychodynamischen Theorien von Binet, Claparède und insbesondere von Freud. Ich kann in die Details dieser sehr klugen Kritik nicht eingehen, es muß mir genügen, auszusprechen, daß diese Seiten zu den besten gehören, die im Französischen über die Psychoanalyse geschrieben wurden. Es ist interessant, diesen Fall mit dem einer Neuralgie am rechten Arme zu vergleichen, den Baudouin (4) berichtet.

Diese Neuralgie hatte sich bei einer sehr nervösen Person gezeigt, die hohen kulturellen Ehrgeiz hegte, aber durch alle Arten häuslicher Arbeit an ihr Heim gefesselt war. Eine ihrer Freundinnen, die infolge eines Sturzes eine organische Gliederlähmung hatte, mußte das Bett hüten, und benützte dies, um viel zu lesen. Man sieht, durch welche unbewußte Motivierung diese Neuralgie hergestellt wurde. Die Patientin dachte: „Wenn auch ich den Arm krank habe, könnte ich lesen." In derselben Arbeit analysiert B. andere Symptome dieser Patientin mit viel Scharfsinn.

Zum Abschluß dieser Übersicht über die psychiatrischen Arbeiten gebe ich noch eine Arbeit Dr. Odiers wieder (55).

Dr. Souques hat unter dem Namen der „Camptocormie" eine Psychoneurose beschrieben, die in einer konstant fehlerhaften Haltung des Rumpfes besteht und hauptsächlich bei verschütteten Soldaten vorkommt. Der Rumpf ist nach vorne gebogen und kann weder durch willkürliche Bewegungen des Patienten noch durch passive Bewegungen gerade gerichtet werden. Der Rumpf kann nur wieder in seine natürliche Lage kommen, wenn der Soldat sich in Rückenlage befindet. Odier hat es sich angelegen sein lassen, die Psychogenese dieser Affektion zu untersuchen. Er wirft die Frage auf, warum sich diese Krankheit nur bei militärischen Unfällen und niemals bei Unfällen im zivilen Leben vorfindet, und zieht zwei Erwägungen in Betracht: 1. Warum hält sich der Patient gekrümmt? 2. Warum richtet sich der Kranke nicht auf? Auf die erste Frage gibt O. mehrere Antworten. Man muß zuerst darauf hinweisen, daß es in der Feuerlinie eine instinktive Haltung ist, sich nach vorne zu neigen, um den Geschoßen die kleinste Fläche zu bieten. Der Kampf gewöhnt den Soldaten daran, sich zu bücken. Er neigt sich nach vorne, um das Bajonett aufzu-

nehmen, er schießt oft kniend, er bewegt sich kriechend usw.
Neben diesen Motiven findet O. andere Gründe seelischer Art, um
die Haltung dieser Soldaten zu erklären. Jeder weiß, welche Rolle
die Disziplin in einer Armee spielt. Hat nicht bei allen Völkern
die Sitte bewirkt, daß eine seelische Haltung durch eine entsprechende körperliche Haltung bezeichnet wird, die eine gleichsam
natürliche Antwort auf einen solchen besonderen Bewußtseinszustand
ist? Auf dem Gebiete der Disziplin sprechen wir davon, sich vor
dem Vorgesetzten „zu beugen", vor seinen Befehlen das „Haupt zu
neigen" oder das „Rückgrat zu beugen", sich den Anordnungen zu
fügen: „unter dem Befehle stehen", „unter dem Stiefel", „unter der
Zuchtrute" usw. Schließlich sagen wir auch „subaltern sein" oder
„unterworfen sein . . ." Auch ist es interessant festzuhalten, daß
die Kamptokormie während dieses Krieges niemals bei höheren Offi-
zieren vorgekommen ist. Es bleibt nur zu erklären, warum nach
überstandener Gefahr die fehlerhafte Haltung bestehen bleibt. Der
Schmerz, der im ersten Augenblick des Unfalles empfunden wird,
ist von zu kurzer Dauer, um die Verlängerung dieses Phänomens
zu erklären. Der Kranke besteht tatsächlich nicht auf seinem
Willen, aber er unterliegt ihm einfach. Er steht beständig unter
der Herrschaft einer fiktiven Gefahr, die für ihn eine wirkliche
und gegenwärtige Gefahr bedeutet. Selbst später verfolgt den Patienten die Idee der Disziplin und er denkt folgendermaßen: „Die
Disziplin, die man mir auferlegt, ist peinlich, ich verlange nur,
mich ihr zu entziehen. Ihr Ziel ist, mich entzwei zu biegen; folglich
richte ich mich nicht auf." Diese fiktive und unangemessene Auffassung vollzieht sich bei Hysterikern zu Gunsten von Gemütsbewegungen; diese letzteren sind anstößig und dadurch der Verdrängung unterworfen, indem sie das Subjekt in einen dissoziierten
Zustand bringen. Man kann den Kamptokormiker als einen Halb-
verrückten ohne Wahnvorstellungen betrachten, der sich damit begnügt, eine tolle unbewußte Anschauung in einer Geste festzuhalten.
Es ist dies eine Erscheinung des Selbstschutzes. Man begreift so,
daß der Kranke, statt sich über diese abnormale Haltung aufzu-
regen, ihr im Gegenteil ein großes Interesse widmet; ein Interesse,
das sich im Mangel jeder aktiven Bemühung zur Wiederaufrichtung
und im Widerstand gegen jeden passiven Versuch der Korrektur

322   Dr. Raymond de Saussure.

äußert. O. beendigt seine klinische Beschreibung mit folgenden
Zeilen (p. 23):

„Ein letztes Wort drängt sich uns auf, da es sich um die Psychoanalyse
einer Neurose handelt. Man wird vielleicht erstaunt sein, daß ich in ihrer Erforschung nichts Sexuelles noch ein erotisches Symbol entdecken konnte. Ein
fanatischer Freudianer wird nicht ermangeln, mir zu sagen: ‚Weil Sie nicht
verstanden haben, es zu finden.‘ Aber ich meine, es sei im Gegenteil gerade
das, was die seltene Originalität der Camptocormie ausmacht. Die zivile Hysterie hat uns bisher nicht an so viel Diskretion gewöhnt. Es ist fast schmerzlich,
zu konstatieren, daß es eine Weltkatastrophe geben mußte, um zu zeigen, daß
der Pansexualismus nicht immer herrscht.“

Wir wollen hier Odier darauf hinweisen, daß Freud die
Kamptokormie sicherlich in die traumatischen Neurosen und nicht
in die Hysterie einreihen würde. Für den Wiener Psychiater ist
die traumatische Neurose keineswegs notwendigerweise sexuell. Vom
therapeutischen Standpunkt preist O. das System der Faradisation,
wie es Vincent verwendet (,,système de torpillage"). Diejenigen,
die weitere Aufklärungen und bibliographische Auskünfte über die
Kamptokormie finden wollen, seien auf die Arbeit von Frau Ro-
sanoff-Saloff ,,Camptocormie" (Vigot, Paris 1917) verwiesen.

II. Psychologie.

Es scheint, daß die französischen Psychologen gegenüber der
Psychoanalyse mehr Intelligenz gezeigt haben als die Mediziner.
Dieses Verständnis ist sicherlich dem Einfluße Th. Ribots zu
verdanken. Es kann freilich nicht behauptet werden, daß die Anschauungen Freuds ganz allgemein bei allen französischen Psychologen Eingang gefunden haben. So bezieht sich Dugas in seinem
Buche ,,La Mémoire et l'oubli" (Flammarion, Paris 1917) nicht
auf die Psychoanalyse. Wir nennen dieses Werk an Stelle vieler
anderer.

Allgemeine Psychologie.

Was Ribot hauptsächlich an der Psychoanalyse angezogen
hat, ist die Rolle, die Freud dem Gefühl zuschreibt, und andernteils die Wichtigkeit, die er der Symbolik beilegt. In seinem Artikel über die Logik der Gefühle studiert er nacheinander und mit
viel Verständnis die Verschiebung, Übertragung, Verdichtung und
die Affektumkehrung. Er erkennt den Beitrag, den die Psychoanalyse für das Verständnis der Logik des Gefühls erbracht hat, an.

„Was vorteilhaft ist," sagt er in seinem Artikel über das symbolische
Denken, „ist die Bemühung Freuds, eine bestimmte Logik im Hintergrunde

332

der extravagantesten Träume und Wahnvorstellungen entdeckt zu haben. Der schwache Punkt ist seine Deutungsmethode, die alles zuläßt und ins Abenteuerliche segelt.... Der Beitrag Freuds und seiner Schüler zum Symbolstudium ist groß; auf die Gefahr hin, in das entgegengesetzte Extrem zu verfallen, haben sie ein Gebiet erweitert, das man gewöhnlich allzu nebensächlich behandelt hat. Statt sich wie Ferrero auf die einfache Gedankenassoziation zu beschränken, haben sie die schöpferische Tätigkeit, welche die Quelle des Symbols ist, hervorgehoben. Sie haben klar eine Logik aufgezeigt, deren Mechanismus nicht der der vernünftigen Logik ist."

Ribot weist jene zurück, welche die Symbolanschauung als einer untergeordneten Aktivität angehörend, einer Regression entstammend, ansehen. Sie ist seiner Meinung nach ein fortwirkender und notwendiger Prozeß.

„In der Entwicklung des menschlichen Geistes", sagt er, „ist das Aufblühen der schöpferischen Phantasie ein Stadium, das als untergeordnetes dem der intellektuellen Organisation vorangeht, aber im physiologischen Leben sind die Reflexhandlungen und die Instinkte als erste Äußerungen der Nerventätigkeit, in der Folgezeit der Gehirnentwicklung, nicht verschwunden."

Dwelshauvers, ein Schüler Ribots und später Professor in Paris, Brüssel und Barcelona, zollt den Entdeckungen Freuds, die sich auf die Psychopathologie des Alltagslebens beziehen, seine Anerkennung (27). Es ist auch bezeichnend, daß Bergson in seinem Werke über „L'energie spirituelle" (Alcan, Paris 1919), worin er einen Vortrag über den Traum aus dem Jahre 1901 wieder veröffentlicht, es für notwendig erachtet hat, folgende Note anzufügen:

„Man müßte hier über die verdrängten Tendenzen sprechen, denen die Schule Freuds eine so große Zahl von Arbeiten gewidmet hat. Zur Zeit, als der vorliegende Vortrag gehalten wurde, war das Werk Freuds über die Träume erschienen, aber die Psychoanalyse war sehr weit von ihrem gegenwärtigen Entwicklungsstadium entfernt."

Ein interessanter Beitrag zum Studium der Psychoanalyse wurde von Kostyleff in seinen zahlreichen Arbeiten geliefert. Bekanntlich sucht dieser Autor das ganze psychische Leben des Individuums aus einer Reihe von Reflexen zu erklären. Von diesem Gesichtspunkte ausgehend, wurde er durch die Anschauungen Freuds, der die verborgenen Erinnerungen nicht nur durch Wort-, sondern auch durch affektive Reflexe wiederzufinden sucht, angezogen. Er hat sich darum bemüht, die Psychologie Freuds, die er eine subjektive nennt, auf eine sogenannte „objektive" Psychologie zu übertragen. Aber er bekennt selbst, die Gefühle seien so zusammengesetzt, daß es oft schwierig wäre, dieses Ziel ganz zu erreichen.

21*

K. legt auch Gewicht auf die Unterscheidung, die Freud zwischen Erotik und Sexualität macht.

„Das erlaubt uns, die Liebe vom Sexualtrieb deutlich zu unterscheiden, indem wir sie als Ausfluß des erotischen Impulses, der natürlich mit dem Sexualtrieb assoziiert ist, aber trotzdem eine eigene und von diesem unabhängige Existenz hat, ansehen."

Aus diesen wenigen Zitaten darf man nun nicht schließen, daß alle Psychologen der Psychoanalyse sympathisch gegenüber stünden. Lalande z. B. drückt sich (44) folgendermaßen aus:

„Bei der merkwürdigen Deutungsfreiheit und psychologischen Exegese, welche sich die Psychoanalytiker erlauben, kann alles alles bedeuten; die Assoziationskette kann sich immer etwas ausdenken. Zweifellos ist es wahr, daß die sogenannten sexuellen Tendenzen und die Gefühlsströmungen, die sich mit ihnen verbinden, oft unbefriedigt und durch den Zustand unserer Zivilisation und durch unsere Sitten gehemmt, einen großen Raum in den geheimen Sorgen oder in den Beschwerden vieler Personen einnehmen. Aber von hier bis zu ihrer Allgegenwart ist ein Abstand, den die Analyse allzu leicht vernachlässigt."

Kinderpsychologie.

Prof. Ed. Claparède in Genf studiert in seinem schönen Buch über die Psychologie des Kindes die Bedeutung der ersten Erinnerungen und huldigt bei dieser Gelegenheit der Psychoanalyse mit folgenden Worten:

„Unter dem Namen der Pädanalyse auf das Studium des Kindes angewandt, hat diese Methode wegen ihrer Hinweise auf das Gebiet der Sexualität heftige Proteste erregt, die ich für ungerechtfertigt halte. Ohne Zweifel muß man hier mehr als je mit Takt vorgehen, aber die Methode hat sich als hinreichend fruchtbar erwiesen, als daß sie wegen dieses einen Grundes, daß sie in delikater Art zu handhaben ist und weil der oder jener Arzt einen Fehler machen konnte, verdammt werden sollte."

In seinem Buche gibt Claparède zahlreiche Hinweise auf die Werke Freuds. Er betont besonders die Verantwortlichkeit der Eltern im Gebiete der väterlichen Autorität oder der mütterlichen Liebe. Er zeigt auch, welchen Gewinn man aus der Sublimierung bestimmter Tendenzen für die Kindererziehung ziehen kann. Mit Freud betrachtet er bestimmte seelische Krankheiten als Schutzreaktionen.

„Das große Verdienst des Wiener Psychiaters und seiner Schule", sagt er, „besteht darin, die Symptome der Geisteskrankheiten als Phänomene aufgefaßt zu haben, die einen Sinn besitzen und denen eine positive Rolle im Seelenleben der Kranken zukommt. Der Zweck der seelischen Abweichungen oder wenigstens ihrer Äußerungen wäre für den von ihnen Betroffenen das, der Realität zu entfliehen, wenn diese ihm zu peinlich ist."

Claparède stimmt jedoch den Theorien Freuds über die Sexualität der ersten Kindheit nicht zu. Er sagt darüber (p. 547):

„Ohne hier in die Debatte einzugehen, bemerken wir, daß nichts dazu berechtigt, Vorgänge, die in keiner Weise an der Sexualfunktion teilhaben, als sexuelle zu betrachten. Zu behaupten, daß das Saugen ein sexueller Genuß ist, ist meiner Meinung nach sinnlos, abgesehen davon, daß diese Hypothese im Widerspruch mit der Phylogenese steht. (Der Sexualtrieb ist viel später erschienen als der Nahrungstrieb.) Es ist wahrscheinlicher, daß das Kind, gerade weil es noch keine sexuellen Tendenzen besitzt, die ganze Inbrunst, deren es fähig ist, auf seinen Nahrungstrieb konzentriert.... Hat sich übrigens die wirkliche Anschauung Freuds nicht durch seine Sprache verraten? Er gibt meistens dem Worte Libido eine so große Ausdehnung, daß er daraus genau ein Äquivalent dessen, was ich Interesse nenne, macht: ein Instinkt oder ein Bedürfnis, das Befriedigung anstrebt. Die Entwicklung der Libido führt so zur Entwicklung des Interesses, dessen Gegenstand je nach Maßgabe des Augenblicks und der Bedürfnisse des Organismus wechselt."

Man findet eine analoge. Kritik der kindlichen Sexualität in dem Artikel Dr. Oourbons (17):

„Allen Nahrungsvorgängen eine erotische Bedeutung zu geben, heißt nicht nur die Existenz des Sexualinstinktes von Geburt an anzuerkennen, sondern auch aus diesem Trieb den Quell des Genusses machen. Und wenn die Psychoanalyse mehr oder minder suggestibler Neuropathen diese Behauptung zuläßt, so scheint die unvoreingenommene Beobachtung der Normalen sie nicht zu bestätigen.... Ist die autoerotische Bisexualität, die Freud den Kindern zuschreibt, nicht im Grunde nur sexuelle Neutralität? Diese sexuelle Anästhesie scheint ganz natürlich bei einem Wesen, das die Merkmale der Sexualität nur bis zu einem ganz geringen Grad besitzt."

In einem interessanten Buche behandelt Prof. Bovet (11) den Kampfinstinkt. Er hat diesen Instinkt in den Streitigkeiten und Spielen der Kinder mit viel Scharfblick beobachtet. Er ist dabei zu dem Schlusse gekommen, daß der Kampfinstinkt im selben Ausmaße wie der Selbsterhaltungstrieb, der Nahrungs- und der Sexualtrieb einer der fundamentalen Triebe ist. Ebenso wie Freud gezeigt hat, daß es eine Objektivation, Ableitung oder Sublimierung im Sexualtrieb geben kann, ebenso will Bovet nachweisen, daß dieselben Vorgänge sich auf dem Gebiete des Kampftriebes finden. Er sieht namentlich in der Organisation der Heilsarmee oder in der kampflustigen Sprache gewisser religiöser Gesänge eine verfehlte Sublimation.

Traumpsychologie.

Ich werde mich nicht dabei aufhalten, hier die zahlreichen Artikel von Yves Delage über den Traum zu besprechen. Dieser

Autor, der eine ganze Reihe von Ansichten Freuds entlehnt, beschimpft die Psychoanalyse in offenbar schlechter Absicht.

Boudouin (3) analysiert acht Träume, die sich auf seinen Wunsch, von einer Lungentuberkulose zu genesen, beziehen. Er weist darauf hin, daß diese Träume in ihm nicht durch einen physiologischen, sondern durch einen psychischen Einfluß wachgerufen wurden. Als Beweis führt er an, daß er vom Tage an, da die bakteriologische Analyse gezeigt hatte, daß es keine Kochschen Bazillen mehr in seinem Auswurf gebe, keine Träume dieser Art mehr hatte. Während die Heilung seiner Tuberkulose eine langsam fortschreitende war, verschwanden die Träume plötzlich. B. macht noch einige interessante Bemerkungen über die Selbstanalyse.

„Von vornherein könnte man die Wirksamkeit dieser Untersuchung des eigenen Ich durch sich selbst mit Rücksicht auf unsere eigene Zensur verneinen. Wenn aber die Zensur andererseits oft von sozialer Art ist, scheint es, daß sie mit mehr Autorität auftreten muß, wenn sich die Person in Gegenwart eines Arztes oder Psychologen befindet, als wenn sie sich nur sich selbst gegenübersteht. Übrigens kann nur die Erfahrung auf diesen Gegenstand ein Licht werfen, und kein a priori-Argument ist gegen die Selbstanalyse gültig, die mir persönlich auf verschiedenen Gebieten genaue und befriedigende Resultate geliefert hat."

Claparède berichtet einen Bequemlichkeitstraum, den er auf einer Reise in Frankreich in einem Waggon hatte, der überfüllt war und in dem es an Luft mangelte. Er träumt, er befinde sich in der Eisenbahn, den Ellbogen auf die offene Tür gestützt und frische, reine Luft einschlürfend. Dieser Traum veranlaßt ihn zu einigen theoretischen Bemerkungen. Vor allem betont er die Notwendigkeit des ökonomischen Prinzips, das darin besteht, unter mehreren Hypothesen die einfachste zu wählen. Um seinen Traum zu erklären, sieht er also keine Notwendigkeit, entferntere Ursachen zu suchen als die des Wunsches, den er verspürte, frische Luft zu atmen. Er bemerkt noch, daß dieser Traum die Meinung Freuds, der Traum sei der Hüter des Schlafes, bestätige.

„Nichts", sagt er, „konnte mich mehr bewegen, im Schlaf zu bleiben, als ein Traum, der mir genau das bot, was die Realität mir versagte: ein offenes Fenster und reine Luft."

Berguer (8) liefert einen interessanten Beitrag zum Studium der Sprache im Traume. Eines Morgens, als er sich in einer Art von Dämmerzustand befand, halbwach, suchte er den Gedanken, daß etwas außerordentlich Zartes sich unmittelbar verflüchtige, in Verse zu bringen. Folgendes Bild bot sich ihm an: ein ganz kleiner Tropfen Wasser, der in der Berührung einer sehr heißen Fläche verdunstet ist. Zu gleicher Zeit kamen ihm die Worte zu Bewußtsein: „Ein Feuer-Dach von geringer Helligkeit", was er in seinem halbwachen Zustand für einen guten Vers hielt. Beim Erwachen bemerkte er, daß das unzusammenhängende Worte seien, daß aber jedes von ihnen einen Gedanken der Vision ausdrückt, die er vorher gehabt hatte; nur wären diese Worte ohne irgend einen vorgefaßten Sinn aneinandergereiht. B. fragt sich, ob wir es nicht in vielen Fällen von Glossolalie mit einem analogen Vorgang zu tun haben. Er schließt, daß oft die Verkleidung des traumbewirkenden Gedankens nicht einer Kinderlist des Unbewußten, wie Freud will, zuzuschreiben ist, sondern einem mehr verbalen als schöpferischen Vorgang.

Kollarits (38) verteidigt die Anschauung, daß unsere Träume nicht nur Wünsche, sondern auch Befürchtungen ausdrücken. Er findet die Unterscheidung, die Freud zwischen Angst und Furcht gemacht hat, zu subtil. Für ihn sind Wünsche, Angst- und Furchterscheinungen allgemein so eng verbunden, daß er nicht begreift, wie die Traumtätigkeit sie unterscheiden könnte. K. unterzieht auch die sexuelle Deutung der Träume einer Kritik. Er leugnet nicht, daß viele Assoziationen den sexuellen Wünschen entstammen, aber, sagt er, von hier aus

„jeden Gang, jede Flur, Schachtel, jeden Kasten usw. in einem genitalen Sinn zu nehmen, ist ein Schritt, den ich nicht mitmachen kann. Ich öffne und ich schließe tatsächlich an zwanzigmal im Tag meinen Schreibtisch und fast ebenso oft meine Kästen. Ärzte, Advokaten, Männer und Frauen der Gesellschaft, die Besuche machen, gehen durch zahlreiche Gänge, steigen, weiß Gott wieviel Stiegen täglich. Es wäre sehr befremdend, daß eine Sache, die man so oft wiederholt, in den Traum nur mit Hilfe genitaler Assoziationen Eingang finden sollte. Die Schule Freuds hat sich hier einer exzessiven Verallgemeinerung schuldig gemacht."

K. gibt noch einige interessante Beispiele von Träumen, die in ihm durch die Lektüre des Vortages erregt wurden.

Psychopathologie des Alltagslebens.

Kollarits (37) behandelt die Vorstellung, die wir uns in der Phantasie von unbekannten Personen machen. Wenn wir die Werke eines Autors, den wir nie gesehen haben, lesen, helfen uns sein Stil, seine Meinungen, seine Nation, die Analogie seines Namens mit dem von bekannten Personen, die Züge seines Gesichtes zu bestimmen. Claparède (13) zeigt, daß diese Vorstellung noch durch unser Farbenhören bestimmt ist. Die Romanschriftsteller wissen, daß gewisse Namen wie onomatopoetisch wirken. So wird man sich nicht dieselbe Physiognomie noch denselben Charakter unter den Namen Patouflard oder Flick vorstellen.

Religionspsychologie.

Die günstige Aufnahme, welche die Psychoanalyse in der welschen Schweiz gefunden hat, ist zum großen Teil Prof. Th. Flournoy zu verdanken. Besonders in seinen Vorlesungen hat er die Anschauungen Freuds bekannt gemacht. Trotzdem er gewisse Einschränkungen machte, hat er die neue Wiener Psychologie immer mit viel Sympathie dargestellt. Abgesehen von einigen Referaten über bestimmte Werke ist „La mystique moderne" die einzige Schrift, in der er seine Anschauungen über Freud, Jung, Silberer und Adler niederlegte. Er hat sich immer zu einem starken Eklektizismus bekannt, indem er das Gute von jeder Schule nahm.

„La mystique moderne" (19) ist die religiöse Biographie von Fräulein Vé.

Wir fassen sie kurz zusammen: In ihrer Jugend wurde sie das Opfer eines sexuellen Attentats, das in der Folge bei ihr eine unbewußte erotische Persönlichkeit entwickeln mußte. Frl. Vé hat sich niemals verheiratet, aber sie hatte dennoch sehr lebhafte Gefühle für Y., der verheiratet war. Ihre moralische Persönlichkeit verbot ihr, sich diesen Gefühlen hinzugeben, auch entschloß sie sich, Professor Flournoy zu konsultieren, um ihn zu bitten, ihr zu helfen, endgültig mit Y. zu brechen. Dieser Bruch konnte dank einigen hypnotischen Sitzungen durchgeführt werden, aber er fand nicht ohne eine affektive Übertragung auf Flournoy statt. (Erster Akt der Sublimierung.) Cécile legt sich selbst über diese Übertragung Rechnung und befreite sich rasch davon. Aber einige Zeit später hatte sie manchmal das Gefühl einer geheimnisvollen Gegenwart jemandes, den sie ihren geistigen Freund nannte. Dieser Freund erinnerte sie hauptsächlich an ihren Vater, aber er hatte auch bestimmte Züge Flournoys und anderer Philosophen, die ihr lieb waren. (Ihr Vater war selbst Philosoph.) Diese Gegenwart, die bei ihr zu einer bestimmten Euphorie führte, verschwand vollständig in den Zeiten, wo Cécile unter der Herrschaft ihrer erotischen Persönlichkeit stand. Das war die zweite Phase der Sublimierung; sie dauerte beiläufig ein Jahr. Plötzlich wurde der geistige Freund ersetzt durch eine viel tiefergehende Gegenwart in den Augen Céciles, die göttliche Gegenwart. Sie beschreibt diese Erfahrung so: „Einerseits hatte ich das Gefühl, nicht mehr zu sein, anderseits ergriff ich das Unsichtbare, die essentielle

Wirklichkeit' der Gegenwart, ich möchte sagen, des Lebens Gottes. Ich bin ganz sicher, nichts gesehen, nichts gefühlt, nichts gehört zu haben; dennoch war jemand um mich und in mir; in dem Sinne, daß ich seine Wirklichkeit wie eine eher innere als äußere Realität fühlte. Es war zu gleicher Zeit eine unermeßliche Ferne und nächste Innigkeit."

Wie man sieht, handelt es sich hier nicht mehr um eine Verdoppelung, sondern wohl um eine Störung des Bewußtseins. Cécile hatte 31 Extasen dieser Art. Sie beschrieb sie mit viel Scharfblick und Flournoy hat diese Selbstbeobachtung wiedergegeben. Es ist interessant, auf einige Charaktere dieses Mystizismus hinzuweisen: zuerst auf den Mangel an pathologischen Prozessen, dann auf die Abwesenheit übernatürlicher Offenbarungen und endlich auf die Abwesenheit asketischen Verhaltens. Das sexuelle Trauma ihrer Kindheit und der Ödipuskomplex sind sicher die beiden entscheidendsten Faktoren des Mystizismus von Frl. Vé.

In diesem Artikel erklärt Flournoy den französischen Lesern die Ausdrücke Libido, Komplexe, Verdrängung, Sublimierung, Introversion, Extraversion usw., und es ist wichtig, zu bemerken, daß dies die einzige französische Schrift ist, in der diese Begriffe mit Objektivität erläutert sind.

In seiner kurzen Broschüre erörtert Pfarrer Baroni (2) die modernen Theorien über den Mystizismus und bespricht bei dieser Gelegenheit die Anschauungen Freuds, Jungs, Morels, Pfisters und Flournoys.

Morel (51) studiert mit Genauigkeit die Psychologie des Pseudodionys des Areopagiten und bestimmt dabei einen neuen Typus von Mystizismus, den er freie Introversion nennt. Dann zeigt er, wie sich diese freie Introversion zuerst im Orient, dann bei den spekulativen Mystikern entfaltet hat. Er findet noch Spuren davon bei den sogenannten orthodoxen Mystikern, wie Bernhard von Clairvaux, Heinrich Suso und Franz von Sales. Morel definiert diese freie Introversion folgendermaßen (p. 318—319):

„Es ist die Introversion um der Introversion willen, befreit und entledigt jeder sekundären Voreingenommenheit, ebenso religiös wie moralisch: befreit von den traditionellen Symbolen und Vorstellungen auf der einen Seite, von Sorge um die moralische Tragweite der Introversion auf der anderen Seite.... Die Tendenz ist offen zentripetal, das heißt, daß das Interesse sich plötzlich von jeder wahrnehmbaren Beziehung mit der Außenwelt zurückzieht, von der für Augenblicke kein Bild, weder ein visuelles noch ein auditives, noch irgend eines von anderer Natur fortbesteht. Im selben Augenblick verschwand unter dem symbolischen Ausdruck alles, was der materiellen Kategorie angehört."

Diese Tendenz zur freien Introversion findet sich bei den
mystischen Männern, während bei den Frauen der Mystizismus mehr
einheitlich von Sexualität gefärbt sei. Die Klassifikationen, die
man allgemein bei den Mystikern macht, sind willkürlich. Das Geschlecht scheint das Element, das die größte Rolle in der Mannigfaltigkeit der Mystizismen spielt.

„Das autoerotische Wesen der Frau", schreibt Morel, „unterscheidet sich
von dem des Mannes durch ihre Sexualität und ihre wechselseitigen sexuellen
Gewohnheiten. Man wird zum Beispiel später sehen, daß der autoerotische
Pol des Mannes relativ passiv ist, während das Subjekt selbst aktiv ist. Bei
den Frauen ist diese Beziehung umgekehrt. Der autoerotische Pol besitzt im
allgemeinen die Initiative von Handlungen."

Der Autoerotismus scheint auf ziemlich direkte Art den Mystizismus zu erzeugen. In seinen Schlußfolgerungen entwickelt Morel
noch interessante Betrachtungen über die Differenz zwischen den
Tendenzen der Introversion und Extraversion.

Secrétan behandelt in seinem Werke (66) die Frage der
Rettung, vor allem vom theologischen Standpunkt, aber er studiert
sie auch vom Gesichtspunkte der Charakterunterscheidung. Er fordert bei dieser Gelegenheit, daß man statt der Ausdrücke Intro-
vertierte und Extravertierte die Ausdrücke: Affektive und Reflek-
tive wählt. Dann fügt er, wie Hoeffding, einen Mitteltyp ein.
Um alle Verwirrungen, welche durch das Wort Libido (Jung) herbeigeführt werden, zu vermeiden, schlägt er vor, es gegen das Wort
Psychoenergie, das den Vorteil besitzt, der Sexualität keine phylogenetische Priorität einzuräumen, auszutauschen.

Angewandte Psychoanalyse.

Frankreich hat in der Person des Romanschriftstellers Paul
Bourget einen Bewunderer der Psychoanalyse gefunden. Dieser
bediente sich für den Aufbau seiner letzten Romane, ganz besonders
von „Nemesis", der Freudschen Psychologie.

Dr. Demole (25) untersucht das Pathologische an Jean
Jacques Rousseau, den er als Schizophrenen betrachtet. Ohne
in die Diskussion seiner Diagnose einzutreten, wollen wir nur
darauf hinweisen, daß D. bei dieser Gelegenheit eine vertiefte Studie
der sexuellen Perversionen des Autors der „Confessions" liefert.

Dr. Ch. Ladame (43) glaubt, man habe zu Unrecht Guy de
Maupassant angeklagt, seine letzten Werke unter der Herr-

schaft einer Gehirnlues geschrieben zu haben. Seine Werke erklären
sich nach L a d a m e aus seinem Charakter. M a u p a s s a n t hatte
immer ein Minderwertigkeitsgefühl, gegen das er sich sträubte. Der
Spott, die Verzerrung, seine Fabeln sind ebensosehr Sicherungs-
reaktionen gegen seinen psychischen Mangel. Um die Psychologie
M a u p a s s a n t s zu studieren, hat L. auch die Psychoanalyse herangezogen.

„Die psychoanalytische Methode kann mehr oder besser als jede andere
mit ihren einfachen und natürlichen Formen mit vollem Rechte dieses Ziel zu
erreichen beanspruchen. Diese Methode ist in irgend einer Art eine Geheimschrift.
Es genügt noch nicht sie zu besitzen, man muß sie auch anzuwenden wissen."

Aber wir zweifeln, daß Dr. L. sie anzuwenden verstanden hat.

Von der Studie Lucy D o o l e y s über das Genie ausgehend,
sucht P é r é z (57) einen Vergleich zwischen den Anschauungen des
evolutionistischen Soziologen W i n i a r s k i und den Meinungen der
Pathologen durchzuführen. Die Psychoanalyse kann seiner Meinung
nach als Bindeglied zwischen diesen beiden Auffassungen des künstlerischen Genies dienen. Man weiß nun wirklich, daß für W. die
Kunst und die Dichtung nur ein Produkt sind, das sich aus den
Kunstgriffen der Verführung, die einen Teil der männlichen Rolle
bei der geschlechtlichen Zuchtwahl ausmachen, differenziert hat.
P é r é z schließt seinen Artikel:

„Die Rolle der Komplextheorie als Arbeitshypothese ist keineswegs zu vernachlässigen und leitet eine neue Art der künstlerischen Kritik ein."

Wir weisen noch auf den Roman von Dr. P a c h a n t o n i (56)
hin, der in geistreicher Art zeigt, zu welchen Übertreibungen die
Psychoanalyse führen kann.

IV. Übersetzungen.

Bis Ende 1919 ist keine Übersetzung der Werke F r e u d s erschienen. Im bibliographischen Index dieses Artikels sind die beiden
Übersetzungen der Broschüre von M a e d e r und der französische
Artikel, in dem J u n g sein Buch über die Struktur des Unbewußten
zusammengefaßt hat, angeführt.

Holländische Literatur. [1]

Referent: A. Stärcke (Den Dolder).

Literatur: 1. Prof. T. J. de Boer: Psychoanalyse I en II. „De Beweging", Mai en October 1914. — 1a. Jul. de Boer: Bijdrage tot de Psychologie en Psychopathologie van het Onbewuste. Psychiatr. en Neurolog. Bladen. 1918. — 1b. Bouman L.: De psychoanalyse van Freud. Psychiatr. en Neurol. Bladen 1912. No. 3 u. No. 5/6. — 1c. Breukink: Sitzber. Psychiatr. en Neurol. Bladen 1912. 5/6. — 2. A. van der Chys: Inleiding tot de grondbegrippen en techniek der psychoanalyse. Uit zenuw — en zieleleven. Hollandia-Drukkery. Baarn, 1914. — 3. Ders.: Iets over hallucinaties en psycho-analyse. N. Ver. psa. Sitzber. N. T. v. Geneesk 1919. I. 23. — 3a. J. E. G. van Emden: N. Ver. v. psa. Sitzber. N. Tyds. v. Geneesk. 1918. II. 36. — 3b. Ders.: Sitzber. Psychiatr. en Neurol. Bladen 1912. 5/6. — 3c. van Erp Taalman Kip: Sitzber. Psychiatr. en Neurol. Bladen 1912. 5/6. — 4. B. J. de Haan: Teruggrypende verdringing van bewustzyns-inhouden. Doktordiss. Groningen. H. N. Werkman. 1918. (Zurückgreifende Verdrängung von Bewußtseinsinhalten.) — 5. Prof. G. J. Heering: Om de menschelyke ziel. De psychoanalyse en het geestesleven. Onze Eeuw. 15. Jhrg., 1 dl, 1917, p. 42—77 u. 249—284. — 5a. Heilbronner: Sitzber. Psychiatr. en Neur. Bladen 1912. 5/6. — 5b. van der Hoeven H.: De invloed der affectieve meerwaarde van voorstellingen in het woordreaktie-experiment. Dr. Diss. Leiden 1908. (Der Einfluß der affektiven Überwertigkeit von Vorstellungen im Wortreaktionsexperimente.) — 6. J. H. van der Hoop: De psycho-analytische Methode. Ned Tydschr. v. Geneeskunde. 1917, II, No. 6. Diskussion zu diesem Vortrag in 1918, II, No. 2, 6. — 7. Ders.: De Beteekenis van „den Golem". De Nieuwe Gids, Juli 1918. — 8. Prof. G. Jelgersma: Ongeweten geestesleven. Leiden. V. Doesburgh, 1914. (Deutsch übersetzt als I. Beiheft der Int. Z. f. ärztl. Psa.) — 9. Ders.: Een geval van hysterie psycho-analytisch behandeld. Leiden. Van Doesburgh, 1915. — 10. Ders.: Psychoanalyse. Vortrag im Utrechter Ärzteverein. Dez. 1916. Sitzungsbericht. — 11. Ders.: Psychoanalytische bydrage tot de theorie over het gevoelsleven. (Psa. Beitrag zur Theorie des Gefühlslebens.) Psychiatr. en Neurol. Bladen 1916, No. 5 u. 6. S. 453—466. — 11a. Keuchenius: Sitzber. Psychiatr. en Neurol. Bladen 1912. 5/6. — 12. A. J. Kiewiet de Jonge: Naar aanleiding van Freud's droomverklaring. Doktordiss. Groningen. M. de Waal, 1918. (Im Anschluß an Freuds Traumdeutung.) — 13. W. B. Kristensen: „Diepte-psychologie?" De Gids. 1918, No. 6. — 14. Ad. F. Meyer: De behandeling van zenuwzieken door psychoanalyse. Een overzicht van Freuds Theorie en Therapie voor artsen en studenten.

---

[1] In diese Rubrik wurden auf Veranlassung der Redaktion auch ältere Arbeiten (aus den Jahren 1908—1913) aufgenommen, mit Rücksicht darauf, daß die holländische Literatur zum erstenmal zusammenfassend referiert erscheint. (S. a. Int. Z. f. ä. Psa. II. 181.)

Amsterdam. Scheltema en Holkema, 1915. — 15. Ders.: De droom. Holl. Drukkery Baarn, 1916. — 16. Ders.: Over homosexualiteit. (Über Homosexualität.) 4. Nov. 1917. Nederl. Ver. voor psa. Sitzungsbericht. Ned. Tydschr. voor Geneesk. 1918, II, No. 26. — 17. Ders.: Jung's laatste boek: „Die Psychologie der unbewußten Prozesse." Vortrag Nederl. Ver. v. psa. 16. Dec. 1917. Sitzungsbericht Nederl. Tydschr. voor Geneesk. 1919, I, No. 10. (Deutsch in Intern. Z. f. ä. Psa.) — 17a. Ders.: Winkler contra Freud. Medisch. Weekbl. XXII. No. 17. — 18. Lod. van Mierop: Boekbespreking. Levenskracht. 8. Jahrg., No. 5, 1914. — 19. J. H. W. van Ophuijsen: Casuistische bydrage tot de kennis van het mannelykheids-complex by de vrouw. Nederl. ver. v. psa. Sitzungsbericht 23. Juni 1917. Ned. Tydschr. v. Geneesk. 1918, I, No. 20. (Deutsch in Int. Z. f. ä. Psa.) — 20. Ders.: Over wenschvervulling. Vortrag 4. Nov. 1917. Sitzungsbericht. N. T. v. G. 1918, II, No. 26. — 21. Ders.: Casuistische mededeeling. Vortrag. Nederl. V. v. psa. 17. Febr. 1918. Sitzungsbericht. Nederl. Tydschr. v. Geneesk. 1919, I, No. 23. — 21a. Ders.: Prof. Winkler en de Psychoanalyse. Nederlandsch Tydschrift voor Geneeskunde, 1918, Heft 6. — 21b. van Renterghem: Freud en zijn school. Baarn 1913. — 21c. van Raalte F.: Uit de duistere diepten van de ziel. (Aus den finsteren Tiefen der Seele.) N. Rott. ct. 1911. — 21d. Ders.: Kinderdroomen. (Kinderträume.) Het Kind. 1912. Jan. — 21e. Ders.: Nagelbyten. (Nägelkauen.) Het Kind. 1912. Dec. — 21f. Ders.: Teekeningen van Kinderen in verband met psycho-pathologie. (Kinderzeichnungen in ihren Beziehungen zur Psychopathologie.) Psychiatr. en Neurol. Bladen 1912. 5/6. — 22. W. H. R. Rivers (London): Psychiatrie en Neurologie. Psychiatr. en Neurol. Bladen 1918. No. 6. — 23. F. Roels: De psycho-analytische Methode. „De Beiaard", Jan. en Febr. 1918. — 24. Ders.: Algemeen overzicht, der psychoanalyse in Nederland. 1918. — 24a. Schnitzler: Sitzber. Psychiatr. en Neurol. Bladen 1912. 5/6. — 25. J. A. Schroeder: Het sprookje van Amor en Psyche in het licht der psycho-analyse. Baarn. Hollandia-Drukkery, 1917. — 26. A. Stärcke: Inleiding by de vertaling v. S. Freud. De sexueele beschavings-moraal als oorzaak der moderne zenuwzwakte. 1914. — 26a. Ders.: Psycho-Analyse van theoretisch Standpunt. Psychiatr. en Neurol. Bladen 1912, No. 9. — 26b. Ders.: Psychoanalyse. Ned. Ver. Psychiatr. u. Neur. Sitzbericht Psychiatr. en Neurol. Bladen 1912. 5/6. — 27. J. Stärcke: Psychanalyse. „De Beweging", 1911. — 27a. Ders.: Nieuwe droom-experimenten in verband met andere en nieuwere Droom-theoriën. (Deutsch im Jahrb. f. Psa.) Psychiatr. en Neurol. Bl. 1912. 2. — 28. Ders.: Bewußte und unbewußte sexuelle Symbolik in der Bildkunst. Projektionsvortrag im Amsterdamer Arzteverein, 26. Sept. 1916. Sitzungsber. — 29. Ders.: De invloed van ons onbewuste in ons dagelyksch leven. (Übersetzung von Freuds Psychopathologie des Alltagslebens mit Einleitung und mit eigenen Beispielen erweitert.) Maatschappy voor goede en goedkoope lectuur. Amsterdam 1916. (Die eigenen Beispiele erschienen großenteils deutsch übersetzt in der Int. Z. f. ärztl. Psa.) — 30. A. Stärcke, van der Hoop, van Emden, van Renterghem, van Ophuijsen: Diskussion zu obigem Vortrag (16) (1918). — 31. N. van Suchtelen: Uit de diepten der ziel. Samenspraken over droom en geweten. (Aus den Tiefen der Seele. Dialoge über Traum und Gewissen.) Amsterdam, M. voor Goede en Goedkoope lectuur. 1917. — 32. C. T. van Valkenburg: Freudisme voor iedereen. De Gids, 1918, No. 6. — 32a. Ders.: Sitzber. Psychiatr. en Neurol. Bladen 1912. 5/6. — 32b. Wertheim Salomonson: Sitzber. Psychiatr. en Neurol. Bladen 1912. 5/6. — 33. Prof. C. Winkler: Het stelsel van Prof. Sigmund Freud. Haarlem. Erven Bohn, 1917. (Geneesk. Bladen. 19. Reihe, No. 8.)

334   A. Stärcke.

Die Arbeiten von van Renterghem (21b, 1913), van der
Chys (2), Ad. F. Meyer (15), van der Hoop (6) sind mehr
oder weniger populär gehaltene Zusammenfassungen der psychoanalytischen Grundbegriffe; sie stehen Jung nicht abweisend
gegenüber.

Die Feuilletons van Raaltes (21c, 21e, 1911) nenne ich besonders, weil sie die ersten Arbeiten in holländischer Sprache waren,
in welchen eigene Beispiele aus dem Alltagsleben mit oberflächlicher
Analyse zu Propagandazwecken vom Autor (Volksschullehrer, später
Dr. Jur. und Journalist) mitgeteilt wurden. (S. Int. Zeitschr. für
ärztl. Psychoanalyse II, 181.)

Kritiken, und zwar ohne neue Argumente, wurden von
L. v. Mierop (18, 1914), Prof. der Philosophie de Boer (1, 1914),
Prof. psych. Winkler (33, 1917), Prof. theol. Heering (5, 1917),
Doz. Roels (23, 1918; 24, 1918), van Valkenburg (32, 1918),
Prof. Kristensen (13, 1918), Kiewiet de Jonge (12, 1918),
van der Hoeven (5b, 1908), Prof. L. Bouman (1b, 1912), Kou-
chenius (11a, 1912), Heilbroner (5a, 1912), van Erp Taal-
man Kip (3c, 1912), van Valkenburg (32a, 1912), Wertheim
Salomonson (32b, 1912), Schnitzler (24a, 1912) geliefert.

Vermittelnd äußert sich in einer längeren Kritik Professor
der Psychiatrie L. Bouman (1b, 1912).

Eine Verteidigung gegenüber der de Boerschen Kritik
wurde von J. Stärcke geliefert (27, 1914), weitere Verteidigungen
von A. Stärcke (26a, 1912), A. F. Meyer (17a, 1918), van
Ophuijsen (21a, 1918), van Emden (3b, 1912).

Ad. F. Meyer (14, 1915) schrieb ein holländisches Lehrbuch der
Psychoanalyse für Ärzte und Studenten. Referent kennt keinen
zweiten Autor, dem es gelungen wäre, auf 168 Druckseiten eine so
klare, und auch beim Publikum so gut einschlagende Darstellung
des Stoffes zu geben. Einen Teil seines zweiten Kapitels widmet er
den Meinungsdifferenzen zwischen Freud und Jung und stellt
sich in dieser Arbeit noch auf den Standpunkt, daß keine prinzipiellen Verschiedenheiten vorhanden seien. Der einzige Punkt, wo
dies wirklich der Fall wäre, ist nach Verfasser die Frage, ob beim
Ausbrechen der manifesten Neurose die Libido schon größtenteils
an den unbewußten Vorstellungen fixiert ist oder erst in diesem

Augenblicke dorthin regrediert. Über diese Frage, weil von nur theoretischem Interesse, zieht er es vor, sich nicht weiter zu äußern. (Später [17, 1917] hat sich der Autor der Freudschen Auffassung angeschlossen.)

Der psychologische Begriff der Freudschen Libido ist nach Verfasser ein Korrelat des materiellen Begriffes „chemische Wirkung der interstitiellen Drüsen". Anschaulich schildert er auch die therapeutische Wirkung der Psychoanalyse und die Rolle der Übertragung dabei. Man kann die Wirkung der Analyse vergleichen mit jener einer Zerlegung in Faktoren, woran jeder sich noch aus den Schuljahren erinnert. Die ursprüngliche Form macht einen fremden und komplizierten, praktisch unbrauchbaren Eindruck. Nach Zerlegung werden die Faktoren anders gruppiert, und so kommt man schließlich zu einer Form, die einfacher aussieht und auch praktisch brauchbar ist.

A. Stärcke (26a, 1912) vertritt den Standpunkt, daß die klinischen Verschiedenheiten der psychotischen und neurotischen Krankheitstypen auf die verschiedenen Quantitäten der regredierenden Libido und auf die verschiedene Regressionstiefe zurückzuführen seien. Die Psychoneurosen seien die leichteren Fälle derselben Krankheit, welche in ihren schweren Formen die Zustandsbilder der Paranoia und der Schizophrenie schafft.

Es wird ein Versuch gemacht, die Freudschen Lehren in ein geschlossenes Ganzes hineinzusystematisieren, im Anschluß an die Semonsche Mnemelehre, die psychologischen Betrachtungen Lipps' und Kronfelds Formulierungen. Der Affekt z. B. sei eine Form psychischer Energie (nach Lipps ist psychische Energie ≃ die in den psychischen Prozessen selbst liegende Möglichkeit, die psychische Kraft in sich zu aktualisieren und sie sich in Konkurrenz mit den übrigen psychischen Prozessen anzueignen). Damit ist zugleich ausgedrückt, daß, wenn an diese psychische Energie eine physische Energie gebunden ist, die Quantität dieser physischen Energie nicht konstant ist, sondern von Dauer und Intensität des Affektes, vielleicht noch von anderen Faktoren, abhängt. Zugleich ergibt sich daraus die Möglichkeit, daß von einem affektgeladenen Komplex ein Energiestrom ausgehe, ohne daß der Affekt sich dadurch zu verringern braucht. Auch kann ein Affekt, der einen

Teil seiner Quantität verschoben hat, sich selbst anfüllen: ein affekt-geladener Komplex, der nicht in der Lage ist, physische Energie abgeben zu können, kann dieselbe in sich anhäufen. Daß das Ubw nur durch einen Wunsch in Bewegung zu versetzen ist, daß es bestrebt ist, sich reizfrei zu halten und dazu Wünsche zu bilden, dabei sekundär diesen Wunsch als erfüllt darzustellen, folgt schon aus der Theorie.

Die experimentellen Prüfungen der Komplexforschung findet Verf. wertlos, weil sie vier Hauptfehler zeigen: 1. Das Arbeiten mit von vornherein gewählten Zielworten; die darauf erfolgten Reak-tionen werden als Komplexreaktionen gesondert: indessen ist diese Sonderung nicht gestattet, man kann niemals von vornherein wissen, welches Reizwort einen bestimmten Komplex treffen wird. 2. Sie verwerten zu wenig „Komplexzeichen". 3. Die postkritischen Reak-tionen werden in der Statistik nicht berücksichtigt. 4. Es wird nicht berücksichtigt, daß neben dem gesuchten oder experimentell gege-benen noch viele andere Komplexe aktiv sein können.

Der kritische Teil enthält auch eine Erweiterung der Kron-feldschen kritischen Prüfung der Freudschen Lehre. Durch diese Erweiterung wird das Ergebnis in dem Sinne modifiziert, daß die prinzipiellen, formal-logischen und erkenntnis-theoretischen Be-schwerden fortfallen.

In einem weiteren Abschnitt befürwortet Verf. das Zusammen-gehen und die gegenseitige Beeinflussung der Psychoanalyse mit der Hirnphysiologie und der Biopsychiatrie. Edingers Palaeence-phalon sei funktionell ziemlich identisch mit Freuds primärem psychischen Apparat, an welchem noch das Vbw fehlt. In den spä-teren Bildungen werden wir vor allem Beziehungen zum Vbw zu suchen haben. Die Hirnrinde sei in erster Linie ein Realitätsorgan. Darin seien die Projektionsfelder von anderen Systemen geschieden, die zu den untrennbar miteinander verbundenen Funktionen der Über-tragung und der Verdrängung Beziehungen haben. Die Anwendung von Freuds Lehre auf die Tierpsychologie zeige direkt, daß die Übertragungsfähigkeit mit der Entwicklung der Hirnrinde zunehme.

Aus der Anwendung der Freudschen Lehren auf die Bio-psychiatrie soll sich für uns eine Warnung ergeben, nicht zuviel auf Rechnung der Heredität zu setzen.

Die psychische Gynandromorphie des Neurotikers, welche von
Freud aufgedeckt wurde, erinnert an den „Kampf der Gene". So
gut wie der Hybrid zwischen Arier und Alpine ein Desequilibrierter
wird, wenn arische Habgier in ihm mit den hausbackenen Charaktereigenschaften des Brachykephalen streiten, so gut können männliche
und weibliche Eigenschaften, wenn sie zu gleicher Zeit in demselben Individuum manifest werden, ihm Schwierigkeiten schaffen.

Dagegen besteht zwischen der biologischen „Rezessivität" von
Eigenschaften und der psychoanalytischen „Verdrängung" nicht die
geringste Beziehung, obwohl sie beide von Semon auf nur alter-
nativ ekphorierbare Engrammdichotomie gegründet werden. Dabei
übersieht Semon, daß die Frage, welche Ekphorie zum Bw zuge-
lassen wird, unabhängig ist von der Frage, welche Engrammkomplexe
ekphoriert werden.

In einem letzten Abschnitt findet Verf. die Entstehungsbedin-
gungen der Freudschen Lehre im Reaktionsbedürfnis gegen allzu
weit getriebene kulturelle Hemmungen, durch das Fiasko der physiologischen Psychologie und durch Reaktion gegen die fatalistischen
Hereditätslehren unterstützt. Sie ist der, wie in der Antike und
in der Renaissance, auch jetzt (1912) sich erhebenden Universal-
bewegung der Romantik anzureihen.

A. Stärcke (26, 1914) sucht den Freudschen Libidobegriff
mit dem theoretisch zu supponierenden biologischen Begriffe eines
Antriebes zum Tode zu identifizieren. Dem gegenüber stehe
der Ich-Trieb als das das individuelle Leben erstrebende Prinzip. Der
Ich-Trieb wäre als mit dem Keime gegeben, im Leben sich verbrau-
chend, die Libido dagegen als von mnemischen Reizwirkungen ge-
füttert, vielleicht daraus ganz aufgebaut, zu denken. Der Ich-Trieb
sucht die Energie aus dem Kosmos in das Individuum anzuhäufen,
strebt zur Zentralisierung, zur Vergrößerung des Individuums, zur
Verlängerung des individuellen Lebens. Die Libido strebt darnach,
Energie abzugeben, die Individualität aufzuheben. Der anfänglich
übermächtige Ich-Trieb wäre der theoretische Ausdruck für die Beobachtung der anfänglich sehr großen Wachstumsschnelligkeit, welche
dann durch die zunehmende Libido stets mehr gemäßigt wird. Endlich kommt es zu einem relativen Gleichgewichtszustand; im Lebensalter der Pubertät hört das Wachstum auf, und fängt zugleich die

Funktion der Begattung an, welche biologisch wie psychologisch mit dem Sterben eine gewisse Verwandtschaft zeigt. Liebe ist Todesbereitschaft.

Obwohl bei späteren Tierformen Paarung und Tod geschieden sind, ist mit jeder Paarung eine Regression des gesamten psychischen Lebens verbunden, welche das Individuum für kurze Zeit in das primitive Lustleben zurückführt. Je tiefer diese Regression, desto mehr gleicht sie dem Sterben. Jede Regression vermindert die Anstrengung, die Psyche auf ihrer Höhe zu erhalten; dadurch sind die mit der Paarung verbundenen psychischen Prozesse für die Entwicklung und bleibenden Gesundheit der Seele von einem Werte, dessen Umfang wir noch nicht kennen, der aber ohne Zweifel sehr groß ist. Die Kultur strebt darnach, nicht die Zahl der erlaubten Regressionen, wohl aber ihre Tiefe zu beschränken, und wirkt dadurch gesundheitsschädlich.

A. Stärcke (30, 1917) schreibt die Richtung der psychischen Sexualität verschiedenen Faktoren zu. 1. Dem organischen Faktor der Pubertätsdrüse. Man muß den natürlichen Tod — den Tod des Soma — vom sexuellen Tode — dem Tode des Keimplasma — unterscheiden. Die Pubertät sei der erste Teil des sexuellen Todes, nämlich der Tod des heterosexuellen Teiles. Übrig bleibt das sexuell differenzierte Tier. 2. Dem von Federn in den Vordergrund gerückten Faktor der äußeren Gestalt, welcher zu den Stereotropismen gehört. 3. Den späteren mnemischen Verknüpfungen. Er frägt, ob nicht neben den neurotischen Fällen von Homosexualität andere stehen, wo sie ein einfacher Infantilismus genannt werden muß.

Prof. Jelgersma bringt (9, 1915, 147 und X Seiten) eine ausführliche Krankengeschichte einer hysterischen Asynergie des rechten Armes mit abnormen Sensationen in der linken Körperhälfte, früher auch mit Krämpfen im linken Arm und Frösteln im Körper, gemütlicher Depression. Bei der psychoanalytischen Behandlung stellte sich heraus, daß die psychischen Symptome vorangegangen und die körperlichen Erscheinungen nach mehreren Anlässen darauf gefolgt waren. An der ausführlichen Analyse von sieben Traumstücken wird der Gang der Behandlung, die zu völliger Heilung führte, bloßgelegt. Die Analyse betraf hauptsächlich die Symbolik der Objektwahl, des Sadomasochismus und der genitalen Sexualität. Die Sphäre der weiteren Autoerotik wurde nicht gründlich erforscht, weil die Genesung auch ohne diese erfolgte. Verfasser kommt zu folgender Auffassung des Falles: Die Patientin ist, obwohl nicht hochgradig, zu Nervenleiden disponiert (ein Fall von Psychose in der Familie; Alkoholismus beim Vater). In der Jugend machte sie einige Perioden psychischer Depression durch. Bis ·in früher Jugend läßt sich ein sadomasochistischer Zug unterscheiden, welcher an sich nicht krankhaft ist, aber eventuell bei äußeren Anlässen zur Krankheitsbasis werden kann. Während ihrer Verlobung wurde ihr bewußt, daß sie eine starke Sexualität besitze, und nach Abbruch jener setzte sie ihre frustran-sexuelle Erregung in ihren Phantasien fort und bildete auch noch neue dazu. Bei diesen Phantasien, welche nur Vorstellungen über Küsse und Berührungen zum Inhalt hatten, waren stets Wollustgefühle da. Unter diesen Umständen (Abbruch der Verlobung, starke Sexualgefühle) manifestierte sich eine krankhafte Wirkung ihrer von früher Jugend an bestehenden sadomasochistischen Eigenschaften, und zwar in einer Selbstbestrafung des schuldigen Körperteiles. Es war, was der Verfasser einen Kurzschluß nennt. Der zu bestrafende Teil ist gegeben, die Art der Strafe noch nicht. Diese entnimmt sie der Krankheit ihres Vaters, welche sie auch als eine Art Strafe betrachtete. Er starb an Apoplexie, wie sie meinte nicht ohne Zusammenhang mit seinem früheren Alkoholismus. Darum bekam sie eine Asynergie des Armes, von der sie fortwährend fürchtete, daß sie in wirkliche Lähmung übergehen würde. Ein Liebesverhältnis mit einem verheirateten Manne, das darauf folgte, verursachte starke Zunahme der Selbstvorwürfe; sie bestrafte sich dann weiter mit linksseitiger Hemiplegie, wie sie ihr Vater auch gehabt. Zum Schlusse kam noch eine nervöse Sehstörung dazu, weil ihre Augen von ihrem Verhältnis als verführerisch gerühmt worden waren. Verfasser führt aus, daß Selbstvorwürfe vornehmlich dann pathogen wirken können, wenn sie Neigungen gelten, deren Quellen dem Bewußtsein unbekannt sind. Aus der Unlust des Selbstvorwurfes ergibt sich von selbst eine ethische Hemmung der Taten, auf welche der Selbstvorwurf folgte. Das ist aber nicht gültig für Missetaten, welche aus unbewußten Motiven gespeist werden.

Verfasser beschreibt seine Technik wie folgt: Die Patientin erzählt einen Traum. Verfasser spricht darüber mit ihr, und gibt ihr

22*

einige auffällige Punkte an, worüber sie nachdenken solle. Das
nächstfolgende Mal kommt die Patientin mit einer Explikation, die
Verfasser beurteilte und worüber er Bemerkungen machte; jedesmal
hatte er sie auf Punkte aufmerksam zu machen, die sie übersehen
hatte, und mußte ihren Gedanken die Richtung geben. Allmählich
wurde die Deutung vollständiger und schließlich beauftragte er sie,
alles im Zusammenhang aufzuschreiben.

Wie seine Technik, so ist auch die psychoanalytische Theorie
des Verfassers noch nicht zu den späteren Entwicklungsstadien der
Psychoanalyse vorgeschritten. Es wird das wohl keinen verwun-
dern, der vom Verfasser erfährt, wie dieser erst in seinem 48. Jahre
anfing, sich mit dem Studium der Psychoanalyse zu beschäftigen,
und dabei als Universitätsprofessor nicht nur den Widerständen der
Umgebung zu trotzen hatte, sondern auch eigene bisherige Auffassungen als Hirnanatom und Kliniker beiseite schieben mußte. Die
Überwindung dieses professionellen Narzißmus ist Verfasser bis auf
Reste in rühmlichster Weise gelungen. Verfasser betont noch, daß
er von den Erklärungen Freuds in einigen Hinsichten abweiche.
Freud meine, daß der Affekt aus den zahllosen täglichen kleinen
Ereignissen dasjenige auswählt, was assoziative Gemeinschaft mit
dem affektiven unbewußten Inhalt hat, und daß dieses als Traum-
anlaß zum Vorschein kommt; Verfasser meint, es sende umgekehrt
das kleine Ereignis assoziative Verbindungen aus zu den leicht an-
sprechbaren affektbetonten tieferen Prozessen.

Im Oktober und im Dezember 1916 hat Jelgersma (10, 1916;
11, 1916) im Niederländischen Verein für Psychiatrie und Neurologie
und im Utrechter Ärzteverein zwei Vorträge gehalten, die deutlich
seinen Fortschritt seit dem vorhergegangenen Jahre zeigen. In beiden Vorträgen werden Beispiele von sexueller Symbolik bei Neurotikern ziemlich ausführlich dargestellt und dabei die extragenitale
Sexualität nicht vergessen. Eine Musiklehrerin hatte ängstliche und
bebende Zuckungen um den Mund beim Danksagen nach öffentlichem
Spiele. Sie litt unerträgliche Ängste bei diesen Gelegenheiten, daß
jene Gefühle wieder auftreten würden. Nach der Lektüre eines Buches über die Geheimnisse der Heirat waren sie entstanden. Sie hatte
von Schamlippen und Flimmerhaaren gelesen: die eigenen Lippen
wurden zu Schamlippen und die Flimmerhaare zu den gefürchteten

Zuckungen. Schon in der Jugend aber hatte ihr häßlicher großer Mund die Bedeutung eines Sexualsymbols für sie gewonnen; mit Angst hatte sie oft im Spiegel darnach geschaut. In einem „Katzentraum" sah sie im Munde der Katze einen Schwanz, der zum Phallus wurde.

Eine andere junge Frau war nach dem Abbruch einer Verlobung nervös geworden. Bei der analytischen Erforschung kam aber außerdem heraus, daß eine Tante früher das Kind zu sich ins Bett genommen und mit ihrem Beine zwischen den ihrigen masturbiert hatte. Eine männliche Einstellung der Kleinen resultierte. Als dann später eine Freundin mit einem Beine in einem Gipsverbande herumging, erweckte dieses steife Bein allerlei Gefühle bei der späteren Patientin, bis sie die Gangart genau imitierte. Dazu kam dann auch ein manifestes homosexuelles Gefühl; auch in den hysterischen Krampfanfällen agierte sie einen Jungen. (Der Verfasser berichtet auch einen Zahnextraktionstraum von sich selbst, den er auf seinen Kastrationskomplex zurückführt.)

In dem Oktobervortrag benutzt der Verfasser die Deutung einiger Fälle von Angst und Zwang, um seine vorangestellte These zu erläutern. Nach Verfasser wird jeder Reiz bei genügender Verstärkung unangenehm, zumal wenn er inadäquat wird. So wird ein elektrischer Strom schon bei geringerer Reizstärke schädlich auf das Auge wirken wie ein starker Lichtreiz. So ist es auch mit den Geistesprozessen. Die normale sexuelle Funktion wird auch bei Wiederholung nicht leicht Angst geben, weil der Reiz adäquat ist. Die sexuelle Phantasie dagegen ist inadäquat und gibt leicht Angst. Daraus erklärt Verfasser z. B. die Angst bei einem obsedierenden Gedanken (so sah der Kranke Jesus sein Bedürfnis verrichten). Es wird aber auch detailliert mitgeteilt, daß er eine starke Urethral- und Analerotik besaß und als Kind in ein Christusbild körperlich verliebt war.

Das melancholische Gefühl entsteht nach Verfasser aus einer Summation von angenehmen Reizen, zumal wenn diese inadäquat waren. Der neurotische Zwang ist auch an sich unangenehm; sein Anfang ist aber immer angenehm, und nach der Erfahrung des Verfassers angenehm in infantil-sexuellem Sinne.

Van Ophuijsen (21, 1918) teilt drei Analysenfragmente mit, welche den Einfluß des sekundären Krankheitsgewinnes und den des

„sekundären Genesungsgewinnes" auf den Verlauf der Krankheit anschaulich machen.

Van der Chys (3, 1918) teilt einiges aus der Analyse eines Kranken mit Halluzinationen mit, der von der „Society for Psychical Research" ernst genommen worden war, und u. a. sich rühmte, Simultanhalluzinationen bei sich selbst und seiner Mutter auslösen zu können[1]). Die halluzinierten Stimmen schalten ihn, warfen ihm vor, daß er als „dritter Wilhelm" den Krieg verursacht habe; eine „satanische Persönlichkeit" sagt ihm auch: „ich werde dein Hinteres aussaugen" mit scharfem s. Gleichzeitig mit der Halluzination bekommt er bisweilen eine Erektion, wie um zu zeigen, um was es sich handelt. Eine Vision — horizontales Kreuz, oben lichtgraue Scheibe mit zwei schwarzen Augen und ein Dreieck als Nase; das Kreuz von einer riesigen Hand festgehalten, darunter ein großer Erdball, wobei eine feine Stimme ein englisches Gedicht über Alpha und Omega sagte — erwies sich als Verdichtung vieler Größenideen, Bestrafungsgedanken, Inzestgedanken. Das ganze, speziell die Simultanhalluzinationen mit der Mutter, mit welcher der Kranke übrigens zusammenwohnt, ist auch die Verbildlichung der geistigen Einheit zwischen ihm und ihr, und steht als Ersatz für die verbotene Handlung. Bewußt verboten ist ihm seine Liebe zu einer verheirateten Frau, welcher er nicht nachgibt; dahinter stecken seine inzestuösen und perversen Neigungen. Nach einer ziemlich kurzen Behandlung nach Freud durch van der Chys bekam der kranke Narzißist Krankheitseinsicht und die Halluzinationen sowie die Schlaflosigkeit schwanden.

In den Kunstwerken der „expressionistischen" Schule, wovon einzelne reproduziert werden, sieht Verfasser auch mit der beschriebenen Vision analoge Darstellungen. In der Selbstbeschreibung des Malers van Kuyk spricht dieser auch von Halluzinationen, welche ihm von einer anderen Welt berichten, wo Wesen mit übermenschlicher Seelenkraft auf ihn einwirken und seine Seeleninhalte zum Bewußtsein drängen. Diese Darstellungen sind Kryptogramme, welche leicht als Abbildungen von funktionierenden Genitalien zu entlarven sind. — Verfasser bespricht schließlich noch die Notwen-

---

[1]) Die Arbeit ist auch deutsch erschienen in Z. V, S. 274.

digkeit, bei der allgemein herrschenden Regressionstendenz die Grenze
der Norm nach unten zu verschieben.

Van Raalte (21 f. 1912) findet in den spontanen Kinderzeichnungen oft Wunscherfüllungen einfachster Natur dargestellt.
Von einzelnen Kindern wurden stereotype Gegenstände abgebildet;
auch das war begreiflich determiniert.

Ad. F. Meyer (16, 1917) behandelt die Homosexualität und ihr
reziprokes Verhältnis zur Zwangsneurose und meint, die Homosexualität sei meistens eine nach dem Muster der Zwangsneurose
entstandene, durch perverse Einstellung zum anderen Geschlecht motivierte Flucht zum eigenen Geschlecht. In jeder Zwangsneurose findet
man übrigens homosexuelle Wünsche in Verbindung mit den verschiedensten Partialtrieben.

Van Emden (3a, 1917) weist darauf hin, daß auch Heterosexualität als Zwangserscheinung vorkommen kann, z. B. beim Don-
Juan-Typus.

Van Ophuijsen (20, 1917) kommt zum Schlusse, daß in jedem
Traum dreierlei Arten von Wunscherfüllung vorkommen: 1. eine
rein phantastische Wunscherfüllung, nicht notwendig von infantilem
Charakter; 2. eine Wunscherfüllung infantil-sexueller Art, an ein
Erlebnis, welches die Wunscherfüllung symbolisch darstellt, geknüpft;
3. die Wunscherfüllung, wie sie im psychoneurotischen Symptom
nahezu direkt sich äußert, und welche den autoerotischen Trieben
entstammt.

Die Doktordissertation Kiewiet de Jonge's (12, 1918), 210
Seiten stark, setzt an Stelle von Freuds Theorie des Traumes eine
eigene, welche vom niedrigen Bewußtseinsgrade während des Schlafes
ausgeht. Für die Wissenschaft hat sie keinen Wert.

Die Doktordissertation von de Haan (4, 1918) ist ein experi-
mentell-psychologischer Beitrag zur Lehre der retrograden Amnesie,
im Anschluß an die Arbeit Wiersmas (in Zeitschr. f. d. ges. Neur.
u. Ps., Band XXII, 1914). Nach Wiersma muß die Nachwirkung
schwacher Reize verdrängt werden, wenn sie gleichzeitig mit einem
starken Reiz in unserem Zentralbewußtsein anwesend ist. Weil nun
die Reproduktion rezenter Wahrnehmungen nur durch diese direkte
Nachwirkung im Zentralbewußtsein stattfindet, wird nach der Verdrängung dieser Nachwirkung eine Reproduktion der Wahrnehmung

unmöglich. Bei etwas älteren Wahrnehmungen, deren Nachwirkungskraft schon geringer ist, wird durch einen stärkeren Reiz nur ein
Teil mehr verdrängt. Da diese Wahrnehmungen doch wieder erinnert
werden können, müssen die nicht mehr verdrängbaren Teile der Nachwirkung sich sonst irgendwo befinden, und zwar im peripheren Bewußtsein.

Es haben sich also Nachwirkungen in andere Lokalitäten des Bewußtseins verschieben können. Ebenso werden die Nachwirkungen
der Amnesie erzeugenden Ereignisse verdrängt, können sich daher
nicht mit anderen Inhalten assoziieren. Der Reproduktion der rezenten Ereignisse, obwohl stärker als die früheren in unserem
Zentralbewußtsein nachwirkend, muß durch die Verdrängung jener
Nachwirkungen auch geschadet werden.

Es wurde experimentiert: 1. mit Reproduktion zweiziffriger
Zahlen und dem vernichtenden Einfluß nachfolgender Arbeit auf
die Reproduktion; 2. Wiedererkennen zweiziffriger Zahlen und der
vernichtende Einfluß nachfolgender Arbeit; 3. Vernichtung schwacher
Gefühlsempfindungen durch nachfolgende stärkere (elektrische und
Berührungsreize); 4. Einprägung von Farben, Figuren und Kombinationen beider, mit Vernichtung derselben durch nachfolgende
Wahrnehmung von Skioptikonbildern.

Es wurde gefunden, daß sowohl der Reproduktion als auch der
Rekognition von Eindrücken durch sofort nachfolgende Geistesarbeit
geschadet wird, und zwar um so mehr geschadet, je mehr Demenz
vorhanden war. Bei sehr rezenten Eindrücken sind die Nachwirkungen im Bewußtsein die einzigen Überreste. Wird die Nachwirkung
vernichtet, z. B. durch stark erregende Ereignisse, dann wird der
Eindruck für immer vernichtet. Ältere Wahrnehmungen werden dagegen durch ihre Assoziationen, welche sie inzwischen gebildet haben,
davor bewahrt. (Kritik lasse ich an dieser Stelle fort.)

Rivera (London) (22, 1918) berichtet vom wissenschaftlichen
Umschwung in England auf dem Gebiete der Psychoneurosen. Die
Kriegserfahrung habe die Bedeutung der nicht bewußten Empfindung, der Verdrängung, kurz von Freuds Lehre, vielen Psychologen deutlich gemacht. Die am meisten lohnende Behandlung der
Kriegsneurosen sei eine Art geistiger Analyse, welche einer oberflächlichen Freudschen Psychoanalyse gleicht.

Angewandte Psychoanalyse.

Van Suchtelen (31, 1917) bringt in seinem Buche, das von allen Darstellungen der Freudschen Lehre in Holland wohl die am meisten gelesene bildet, leider auf dem Boden der Jungschen Gefälligkeitsneuerungen steht, 15 Dialoge zwischen zwei Narzißisten, wovon einer als Deuter, der andere als Träumer auftritt. Viele davon stellen sehr respektable Deutungen dar. (Nach der Erfahrung des Verfassers bedeute Gold nicht nur Kot, sondern auch Weib oder Weiblichkeit. Dafür weist er auf die Kaufheirat; beide sind ein Inbegriff des Besitzes.)

An dieses Buch knüpfen van Valkenburg (32, 1918) und Prof. Kristensen (13, 1918) Kritiken; die zweite enthält mehrere Bemerkungen des in der Mythologie bewährten Verfassers. Er warnt vor den billigen Lösungen, welche die Tiefenpsychologie für verwickelte Probleme angibt. Diese Lehnstuhlphilosophen fassen nicht, daß eine fremde Kultur oder eine fremde Religion als selbständiger Wert aufgefaßt werden soll, und keine verkrüppelte Ausgabe unseres eigenen geistigen Besitzes darstellt. So mit den kosmogonischen Mythen. Nach einer nicht unbekannten Mythe hat Gott den Menschen aus Staub des Erdbodens gebildet und in seine Nasenlöcher Lebensatem geblasen, dann nahm er eine Rippe aus dem Menschen und bildete daraus ein Weib. Bossieren, nicht zeugen, kommt oft als Schöpfungsmethode vor. Nach dem ägyptischen Mythus hat Chnum als Töpfer die Welt auf seiner Scheibe geformt. Selbst wo vom kosmischen Ei die Rede ist, kann die Bossierung dieses Eies durch den Schöpfer-Gott die erste Schöpfungstat sein; die Welt ist auch dann nicht im Hühnerhof entstanden. (Wir können Prof. Kristensen für seinen Beitrag zum exkrementellen Schöpfungsmythus nur dankbar sein.) Andere kosmogonische Mythen erzählen von der schöpferischen Kraft des göttlichen Wortes. (Der Schöpfer-Gott Ptah, erste ägyptische Dynastie.) Von diesem Mythus, von der magischen Kraft des Wortes, solle man nach Prof. Kristensen nicht eine sexuelle Urbedeutung feststellen wollen, wie es van Suchtelen tut. („Das Feuer ist das Leben, wie es aus der Urlibido, dem sexuellen Schöpfungsdrange entspringt. Aber das Feuer ist auch die Sprache.") Nach van Suchtelen sei die crux ansata eine Zusammenstellung des

346 A. Stärcke.

männlichen und des weiblichen Symbols, oder des dreifachen Mann-
gottes mit dem einfachen Weibgott. Auch Pater J a b l o n s k i, ge-
storben 1757, sah ein phallisches Symbol darin. Nach Prof. K r i-
s t e n s e n bedeutet es den magischen Knoten, und hat sekundär die
Bedeutung von „Leben" bekommen, weil das Leben als magische Kraft
aufgefaßt wurde, eine Energie, die durch bestimmte magische Handlungen unterhalten und verstärkt werden konnte; andere Knoten, bekannte Hieroglyphen, bedeuteten diese Handlungen. Auch das T-
Kreuz sei nicht, wie v a n S u c h t e l e n angibt, das dreifache männliche Organ, der starke, lebenspendende ägyptische Gott, wie er da-
steht, aufrecht, die Flügel ausgebreitet, befruchtungsbereit, wie auf
den alten Tempelmalereien. Nach Prof. K r i s t e n s e n komme eine
derartige Vorstellung auf den Tempelmalereien überhaupt nicht vor.
Auch die babylonischen Lebensbäume hätten mit der Phallussymbolik
nichts zu schaffen. Dagegen könne jeder Religionshistoriker Tatsachen beibringen zur Bedeutung der Sexualität in der Religion. So
z. B. der Schöpfungsmythus von Tum, dessen brutale sexuelle Bedeutung an Deutlichkeit nichts zu wünschen übrig läßt; so die Mythen
von Eros und Kama. Weiter die ithyphallischen Bilder des Min,
welche schon im prähistorischen Zeitalter die Auferstehung des kosmischen Lebens symbolisieren, und die ithyphallischen Osirisbilder,
mit der menschlichen Auferstehung aus dem Tode verbunden. Er
könne mitteilen, daß die Babylonier in ihrem Kudurrus das Weltall
in Phallusform dargestellt, und daß die Ägypter in einem frühen
Zeitalter ihrer Geschichte die „Seele" von Re und von Osiris mit
dem Namen „Phallus" benannt haben.

Nach Prof. K r i s t e n s e n ist jetzt das sexuelle Motiv in der
Mythologie widerstandslos zur Anerkennung gekommen, aber eben
darum könne die überwiegende Bedeutung dieses Motivs verneint
werden.

J. S t ä r c k e (28, 1916) hat ein großes Material von bewußter
und unbewußter Symbolik aus Bildkunst und Plastik zusammenge-
bracht und führt aus, daß auch die scheinbar irrelevanten Verzie-
rungsmotive oft ihre Abstammung aus symbolisch bedeutungsvolleren
verraten. Auch mit den religiösen symbolischen Vorstellungen ist
das der Fall. Der tiefe Eindruck, den wir von dergleichen symbolischen Vorstellungen empfangen können, ist wahrscheinlich größten-

teils darauf zurückzuführen, daß unser Unbewußtes die verborgene sexuelle Bedeutung des Symbols versteht.

Schroeder (25, 1917) analysierte Apuleius' Erzählung von Amor und Psyche. Zu derselben Gruppe gehören das Grimmsche Märchen Nr. 88 (Das springende singende Löweneckerchen), Le Loup blanc, von E. Cosquin, in Contes populaires de la Lorraine mitgeteilt, und ein Märchen, 1840 zu Benares von einer indischen Wäscherin erzählt. Die Auslieferung an eine Schlange, die ein Prinz ist, und nur bei Nacht seine Geliebte besucht, das Geheimnis des Namens, das Verschwinden und Suchen, die freiwillige Dienstbarkeit bei der Schwiegermutter, die Hilfe von Tieren bei der Ausführung der auferlegten Arbeit, all diese Motive kommen bei den Parallelmärchen auch vor. Beim Amor- und Psychetypus ist das Motiv der Auslieferung einer Magd an ein Ungeheuer mit dem Motiv des Verschwindens verbunden. Im Grimmschen Märchen und in den Sagen von Andromeda und Hesione kommt nur das erstere zur Geltung, in den Lorinnen- oder Martenmärchen (Melusine, Lohengrin) nur das zweite. Die Auslieferung einer Magd an ein Ungeheuer bedeute ihre Bekanntschaft mit dem männlichen Sexualorgan; sobald sie den Gegenstand ihrer früheren Furcht lieben lernt, ist das Tier in einen schönen Jüngling verwandelt. Für das Motiv des Verschwindens will Verfasser mit Laistner den Einfluß des Traumes gelten lassen; es sei der übernatürliche Gatte ein Symbol des (erotischen) Traumes; daher komme er nur des Nachts.

Van der Hoop (7, 1918) schreibt über Meyrinks „Der Golem", und findet darin die Entwicklung der sinnlichen zur geistigen Liebe symbolisch dargestellt. In noch tieferer Bedeutung sieht er dieses Liebesverlangen in Verbindung mit dem Suchen nach dem Ewigen in uns, nach der eigenen Seele. „Das Unwesentliche der Hillel, der unnahbar hohen, ist unseren Idealen eigen, und kann nur durch Negation eines großen Teiles unserer Seele erstrebt werden, der doch in der Tiefe bestehen bleibt, eben weil er sich nicht äußern kann." „Pernath leidet an der Angst vor seinem Unbewußten und vor der Liebe, d. i. dem Verlangen nach Vereinigung mit seiner eigenen Seele." (Vgl. auch van der Chys, 3.)

Italienische Literatur.

Referent: Dr. Edoardo Weiß (Trieste).

Literatur: 1. Dott. M. Levi Bianchini (Privatdozent). Psicoanalisi ed Isterismo[1]). (Il Manicomio, archivio di psichiatria e scienze affini. — Organo del Manicomio Interprovinciale V. E. II. Diretto dal prof. Domenico Ventra. 1913, N. 1.) — 2. E. Lugaro (Prof. der Psychiatrie in Turin), La psichiatria tedesca nella storia e attualita. — Studio critico. — VI. I Secessionisti. (Rivista di Patologia nervosa e mentale, diretta da E. Tanzi [Firenze]. — Fasc. 2. 1917.) — 3. G. Modena: La psicoanalisi in Neuropatologia e in Psichiatria (Quaderni di Psichiatria, Rivista mensile teorica e pratica sotto la direzione del Prof. Enrico Morselli. Vol. II. 1915.)

In der Arbeit von Bianchini (1) wird der Psychoanalyse ein wissenschaftlicher Wert, wenn auch mit Vorbehalt, zuerkannt: „Auch ohne systematisch als spezifisches Forschungsmittel von psychopathischen und psychoneurotischen Erscheinungen annehmbar zu sein, gewinnt sie (die Psychoanalyse) einen entscheidenden Wert, wenn sie dazu bestimmt wird, eine generische und allgemeine Richtlinie für analytische Forschungen sowohl über das normale, als auch über das kranke Bewußtsein anzugeben." Autor findet Worte der Anerkennung für die psychoanalytische Forschung.

In der geschichtlichen Darstellung der Psychoanalyse hält sich der Verfasser lange bei der ursprünglichen Auffassung des Hysteriemechanismus auf, wie sie von Breuer und Freud im Jahre 1895 veröffentlicht wurde. Auch die weitere Ausgestaltung der psychoanalytischen Methode, das Verlassen der Hypnose, wird dargestellt, doch ist die heutige psychoanalytische Technik nicht ausführlich genug wiedergegeben. Man vermißt die Wiedergabe der psychoanalytischen Auffassung des Mechanismus und der Entstehungs-

---

[1]) Aus dem Werke Dr. Levi Bianchinis: „L'Isterismo delle antiche alle moderne dottrine." Fratelli Drucher editori, Padova 1913, 1 vol. in 8.

bedingungen der Neurosen. Unbewußt (incosciente) und unterbewußt (subcosciente), welch letzteres die Psychoanalyse gar nicht kennt, werden für denselben Begriff alternierend gebraucht.

Daß Autor noch nicht auf der Höhe der modernen Auffassung steht (die Arbeit ist 1913 geschrieben), geht aus dem kritischen Teil hervor. „Aber", meint der Verfasser, „auch wenn man die Hypothese der infantilen Sexualität annimmt, welche erst gegen das zehnte Lebensjahr wahren Wert zu gewinnen beginnt, bleibt doch die unumgängliche Notwendigkeit wenig gerechtfertigt, daß der sexuelle Mechanismus und seine Konflikte allein und direkt die Hysterie erzeugen." Bekanntlich behauptet Freud bloß, daß in jedem Falle von Hysterie, der bisher zur psychoanalytischen Untersuchung kam, ein solcher Mechanismus aufgedeckt worden ist. Levi Bianchini hat aber — aus seiner Arbeit geht dies deutlich hervor — noch keine psychoanalytische Untersuchung vornehmen können. Er wirft Freud Ausschließlichkeit und Vernachläßigung des neuropathisch-konstitutionellen, erblich-degenerativen Elementes vor.

Es sei nur noch erwähnt, daß der Verfasser als durch die Sexualtheorie vollkommen unerklärbar die Tatsache hinstellt, daß die Hysterie auch bei Individuen, „die nicht nur vollkommen normal, sondern geradezu frigid sind", bei anderen, die vollkommen sexuell befriedigt sind, bei Prostituierten und alten Leuten vorkommt; Autor meint, bei allen diesen Leuten könnten und dürften logischerweise keine Sexualkonflikte bestehen.

Am Schlusse möchte Autor trotz „so gerechtfertigter" Einwände doch den hohen Wert der Psychoanalyse anerkennen. Seither hat Prof. Bianchini Gelegenheit genommen, auch seine Kenntnis der psychoanalytischen Lehren zu vertiefen und wir anerkennen dankbar seine Verdienste um die Verbreitung psychoanalytischer Kenntnisse in Italien. (Vgl. die am Schlusse des Referates angeführten Übersetzungen.)

Der sechste einer Reihe während des Weltkrieges in national-polemischer Absicht veröffentlichten Aufsätze von Lugaro (2) befaßt sich hauptsächlich mit der Psychoanalyse. Zu den „Secessionisti" gehört in erster Linie S. Freud. Der über 20 Seiten lange Abschnitt „S. Freud e la psicoanalisi" enthält eine durch und durch abweisende, in spöttisch-überlegenem Stile verfaßte Kritik der psychoanalytischen

350	Dr. Edoardo Weiß.

Schule. Zu den gewöhnlichen feindlichen Tendenzen gegen diese Forschungsrichtung gesellt sich diesmal, wie erwähnt — Autor be- trachtet die Psychoanalyse als „germanisches" Produkt — noch eine national-polemische. Wegen dieser Färbung müßte wohl L u g a r o s Kritik auch für Gegner der Psychoanalyse an Wert verlieren.

Der Abschnitt soll eine kritische Wiedergabe der psychoana- lytischen Theorien sein. Autor macht sich dabei nicht nur vieler Ungenauigkeiten schuldig, sondern läßt auch als psychoanalytische Anschauungen solche gelten, zu welchen sich diese Richtung gar nicht bekennt und welche in manchen Fällen von ihr geradezu ab- gelehnt werden. Solche naive Darstellungen über F r e u d s Schule eignen sich natürlich — weil sie den Theorien der Psychoanalyse gar nicht entsprechen — ganz vorzüglich für L u g a r o s polemische Absichten. Der Verfasser weiß aber seine Tendenz mit ziemlicher Fertigkeit zu vertreten, er zitiert auch einige Stellen in deutscher Sprache, so daß er bei den Laien leicht den Eindruck erwecken könnte, es seien ihm die psychoanalytischen Theorien und die psychoanalytische Behandlungsweise ganz geläufig.

Autor läßt schon beim Erwähnen der C h a r c o t schen post- hypnotischen Suggestionen seine Auffassung (übrigens der psycho- analytischen nicht fernstehenden) über jene psychischen Erscheinun- gen erkennen, die in der Psychoanalyse als unbewußt gelten: Es seien, vom Komplexe der Personalität dissoziierte Ideen, die nicht hervorgerufen werden können und deswegen in bezug auf die Per- sonalität „unbewußt" sind. L u g a r o sagt aber auch in seinem Aufsatz: Durch das Erkennen von dissoziierten „Komplexen" bei Neuropathen hätte die psychoanalytische Schule der Wissenschaft nichts Neues gebracht, sie verwechsle nur die Wirkungen mit den Ursachen. Auch F r e u d s Deutungen der Fehlleistungen werden erwähnt. „Aber", meint Autor, „alle diese Analysen, auch wenn sie glücklich sind, tragen durch nichts bei, den pathogenen und medizinischen Wert der F r e u d schen Lehren nachzuweisen. Im Grunde zeigen sie nichts Neues. Man weiß, daß auch beim Nor- malen sich Umrisse von Erscheinungen psychischer Dissoziation zeigen. Man weiß, daß der Charakter und die Personalität der Normalen aus einem Gewebe von Trieben (tendenze) resultieren, welche zum Teil der Erwerb der Erfahrung sind und, da sie nicht fortwährend tätig sind — eben deswegen sind sie Triebe —, kann man sie sich, wenn es beliebt, als im ‚Unbewußten‘ verborgen vorstellen.“ Diese Erscheinungen von der psychischen Dissoziation, die Freud von der Charcotschen Analyse der Hysterie und der Hypnose gelernt habe, seien verborgene Symptome der Krankheit, die auf einem Verdrängungsmechanismus beruhe, und nicht die Krankheitsursachen.

Lugaro läßt die Psychoanalytiker für die Hysterie, die Zwangsneurose, die Dementia praecox, die Paranoia und das manisch-depressive Irresein, einen gemeinsamen genetischen Mechanismus annehmen, so daß „die nosographischen Unterschiede jeden Sinn verlieren“. Von der Erscheinung der Fixierung und der Regression ist im ganzen Aufsatze nicht die Rede. Autor weiß nicht, daß diese von ihm aufgezählten Affektionen, eben wegen ihrer von der Psychoanalyse erkannten verschiedenen Dispositionen und Mechanismen, von dieser als mehr oder weniger in manchen Fällen als gar nicht — therapeutisch beeinflußbar angesehen werden. Lugaro scheut sich trotzdem nicht, im ironischen Tone von der „Auswahl der Kranken“ von Seite der Psychoanalytiker, von ihren „Ausreden“ und „Ausflüchten“ zu sprechen, daß sie, beispielsweise, in der Praxis der Dementia praecox aus dem Wege gehen, weil sie sich für ihre Kur nicht eigne.

Der komplizierte Vorgang der Verdrängung wird kurzweg als ein Willensakt wiedergegeben: „espulsione volontaria e forzata dalla coscienza . . .“ Autor deutet später an, daß er die Zensur mit dem bewußten Willen identifiziere. Diese Darstellung der Verdrängung ist selbstverständlich wie geschaffen für seine Polemik. „Die tägliche psychologische Beobachtung“, erklärt Autor, „zeigt uns dagegen, daß der Einfluß des Willens beim Verjagen von unangenehmen Erinnerungen und Gedanken sehr beschränkt ist. Und er ist um so beschränkter, je mehr diese Erinnerungen und Gedanken — um es mit Freud zu sagen — mit einer starken affektiven (unangenehmen) Ladung besetzt sind . . .“

Was die Sexualität anbelangt, läßt er die Psychoanalyse annehmen, daß jede Empfindung sexuellen Wert habe, jeder Wunsch Lüsternheit (libidine, welches Wort nicht identisch mit dem lat. libido ist) sei, jede Handlung nach einer sexuellen Entspannung ziele, jede persönliche Zuneigung Liebe sei, jeder Affektkontrast Eifersucht, jeder unschuldige Zeitvertreib eine „unbewußte" sexuelle Perversion. Das ist L u g a r o s Wiedergabe des Begriffes libido. Er gibt jedoch zu, daß von allen Einfällen von F r e u d und seinen Anhängern, der vom „pansessualismo" sich am wenigsten von der Wahrheit entferne. Es sei eine Tatsache, daß akzessorische Elemente der psychischen Sexualität in der Lebensperiode vor der Pubertät sich noch vor den eigentlichen physiologischen entwickeln; und daß diese noch ziellosen Sexualelemente, in unpassender und heftiger Weise gereizt, zu dauernden sexuellen Verirrungen Anlaß geben können. L u g a r o will aber F r e u d jede Priorität abstreiten, unbekümmert, ob sie von ihm beansprucht wird oder nicht. „Wenn dies", so fährt er fort, „der richtigste Teil von F r e u d s Theorien ist, so ist er auch der am wenigsten originelle . . ." Jedem, der die eigenen Erinnerungen aus der Kindheit verwerten kann, seien die bloßen Ansätze von Sexualität, die sich vor der Pubertät dem Bewußtsein zeigen, wohlbekannt. In jeder Autobiographie fänden sie Erwähnung und schon vor F r e u d hätten B i n e t, G a r n i e r, F é r é u. a. die Bedeutung der vorzeitigen und zufälligen Reize für die Entstehung der Sexualperversionen anerkannt. Weiters gibt L u g a r o zum Teil F r e u d Recht, daß die Sexualgedanken im psychischen Leben eines jeden eine große Rolle spielen — es hätte ja niemand deren Wichtigkeit in Abrede gestellt —, nimmt aber entschieden gegen die angeblich psychoanalytische Anschauung Stellung, daß das Sexualleben notwendigerweise die Quelle eines jeden psychischen Leidens sei.

Der Ton, in welchem der Aufsatz verfaßt ist, könnte wohl am besten mit der Wiedergabe von L u g a r o s Vergleich der Psychoanalyse mit einer Kirche illustriert werden: Die Priester wären die Ärzte, die Gläubigen die Kranken; die Psychoanalyse hätte ihre Dogmen, ihre Riten und ihre Schismen. Um die Wohltaten zu verspüren, müsse man den Glauben haben. Die unbewußte und perverse Sexualität vor der Pubertät sei die Schuld, eigentlich die Erbsünde. F r e u d sei endlich der authentische Messias, aber zu seinem Glücke bleibe ihm das Martyrium erspart.

M o d e n a (3) handelt in sehr gedrängter Form von der Psychoanalyse und mahnt zu großer Vorsicht in der Beurteilung der theoretischen Behauptungen Freuds und seiner Schüler, bei gleichzeitigem Anerkennen der Genialität des Wiener Psychologen und der Originalität einiger seiner kühnen Anschauungen, welche auch außerhalb der Psychopathologie auf die Gebiete der Ethik, Kunst und Soziologie Anwendung finden. Er konstatiert die Neigung dieser Lehre, sich auszubreiten; sie vereinige in einer oft vereinfachten Synthese Ansichten, die vielleicht ganz anders beurteilt werden sollten; sie präsentiere sich dem Laien und Dilettanten in harmonischer und leicht verständlicher Weise, da sie anscheinend den mannigfaltigsten und schwersten Fragen der Psychopathologie genüge. Autor bezeichnet die Grundlage der Psychoanalyse als rein hypothetisch und nicht experimentell nachgewiesen; diese wäre den gewohnten wissenschaftlichen Beweismitteln nicht zugänglich. Er findet Kraepelins Ausdruck „Metapsychiatrie" für die Anwendung der Psychoanalyse in der Psychiatrie als sehr glücklich gewählt.

Seit sechs Jahren verfolge er mit Interesse die psychoanalytische Bewegung, angeregt durch Ernest Jones. Seit drei Jahren versuche er in manchen Fällen die psychoanalytische Methode anzuwenden, indem er sich an die Ratschläge und Hinweise der Autoren halte, und sei zur Überzeugung gekommen, daß einige Aufstellungen von Freud ganz zutreffend sind: Die Methode könne consecutiv Mittel bieten, um bessere Einsicht in die Psyche des Kranken zu bekommen; viele Elemente, welche vielleicht bisher vernachlässigt wurden, sind für das Studium der Psychopathologie zu Ehren gekommen, wie beispielsweise die Macht der Sexualität, der Wert der Träume usw. Doch diese psychopathologischen und pathogenetischen Daten, wiewohl genial und wegen ihrer Einfachheit anziehend, brächten nicht die Lösung des Problems über den Ursprung der Psychoneurosen, sondern sie verschieben bloß den Kern der Frage.

Therapeutisch beobachtete Autor während der psychoanalytischen Behandlung Perioden der Besserung, Remissionen von akuten Symptomen und manchmal löste das Hinweisen auf die traumatische Begebenheit oder deren Erinnerung beim Patienten ein Gefühl der Erleichterung aus. Autor spricht sich das Recht ab, zu entscheiden, ob diese Besserungen dem Freudschen psychothera-

peutischen Mechanismus oder nicht eher der allgemeinen psychotherapeutischen Einwirkung zu verdanken seien. Worin er sich
aber diese „allgemeinen psychotherapeutischen Einwirkungen" vorstelle, wird nicht erwähnt.

Die psychoanalytische Lehre gründe sich hauptsächlich auf
zwei Prinzipien: auf ein psychologisches, das man Psychodynamis-
mus nennen dürfte, und auf ein pathogenetisches, das B l e u l e r
„Pansexualismus" nennt.

In der Psychoanalyse stelle man sich die psychische Tätigkeit
als ein System von antagonistischen Elementarkräften vor, welche
sich in fortwährender Entwicklung befänden. Der Begriff des Unbewußten (und zwar der von L i p p s) bilde den Kern dieses Psycho-
dynamismus. Die schlechte Verteilung der affektiven Elemente bilde
die Grundlage der Neurosen. Diese schlechte Verteilung rühre von
einer Verdrängung oder Verschiebung des affektiven Moments her,
und zwar infolge von moralischen, erzieherischen und kulturellen
Einflüssen. Diese Diversionen der Affektivität kämen meist bei
leicht erregbaren Individuen vor, mit Vorliebe bei Kindern, und
deshalb spreche F r e u d s Schule den affektiven Erinnerungen der
Kindheit eine besondere Bedeutung zu.

Der Begriff der Sexualität sei von den Psychoanalytikern stark
ausgedehnt worden und es werde ihm ein ganz neuer Sinn gegeben.

Autor unterscheidet das System Ubw. vom System Vbw.; dies
letztere wäre eine Grenzzone zwischen Bw. und Ubw. und um-
fasse alle Erscheinungen des Traumes, der Zerstreuung, der Ein-
gebung, welche die Vorboten, die Reflexe der inneren psychischen
Wirklichkeit waren.

Die Reihe dieser psychischen Elemente des Unbewußten werde
durch einen spontanen inneren kritischen Vorgang entstellt, einige
Glieder herausgelesen, außerdem existiere noch die Zensur, ein durch
die Erziehung und den Einfluß des sozialen Lebens erworbener
Vorgang.

Mit großer Skepsis erwähnt Autor den von der Psychoanalyse
aufgedeckten Zusammenhang zwischen Psychoneurose und „Sexual"-
perversion. Mehr Anerkennung findet bei ihm das Studium der
sexuellen Entwicklung von der infantilen Autoerotik bis zur sexu-

ellen Reife des Erwachsenen und die psychoanalytische Auffassung der Sexualperversionen.

Auch die Aktualneurosen finden Erwähnung und Autor bekennt, daß die Angstneurosen in Italien wenig gewürdigt worden sind und doch mehr Beachtung verdienten. Er selbst konnte sich oft von der sexuellen Ätiologie vieler Angstanfälle überzeugen und konstatierte ihr Verschwinden nach Aufheben der frustranen sexuellen Erregung. Aber auch hier hütet sich Autor vor einer Verallgemeinerung dieser Ätiologie der Angstanfälle.

Eine kurze Erwähnung findet die Schweizer Schule und ihre Anwendung der Psychoanalyse auf die Psychosen.

Übersetzungen.

S. **Freud**, Sulla psicoanalisi. — Cinque conferenze tenute nel settembre 1909 alla „Clark-University di Worcester Mass". Traduzione italiana (sulla seconda edizione tedesca 1912) di M. Levi Bianchini, (Biblioteca psichiatrica internazionale, n. 1. Nocera superiore 1915.)

S. **Freud**: Il sogno, prima traduzione italiana sulla seconda edizione tedesca del 1911 del prof. M. Levi Bianchini (Biblioteca psichiatrica internazionale, diretta da M. Levi Bianchini), 1919.

23*

Russische Literatur.

Referent: Dr. S. Spielrein (Genf).

Literatur: 1. **Assatiani M. M.**: Der Begriff der „bedingten Reflexe" in seiner Anwendung auf die Symptome der Psychoneurosen. Psychotherapia. IV/1. 1913. — 2. **Assatiani M.**: Der psychische Mechanismus in Symptomen bei einem Falle von hysterischem Irresein. Psychotherapia 1912. Nr. 3. — **Benni K.**: Die Methoden der Psychoanalyse. Obozr. psychiat. neurol. (Petersburg) XVI. — 4. **Bieloborodow L. J.**: Psychoanalyse eines Hysteriefalles. Psychotherapia. III. 1912. 2 u. 6. — 5. **Bierstein J.**: Zur Psychologie der Neurose. Psychotherapia 1913. Nr. 5. — 6. Ders.: Zur Psychologie des Rauchens. Ebda. Nr. 6. — 7. **Drosnes I. M.**: Die biopsychologische Grundlage der Wahnideen von Geisteskranken. Therapeut. Rundschau (russ.). Odessa 1914. Nr. 4. — 8. Ders.: Über Onanie. Petersburg. 6. J. — 9. **Felzmann O. B.**: Zur Frage des Selbstmordes. Psychotherapia 1910. Nr. 6. — 10. **Golouscheff S.**: Zur Kasuistik der Psychoanalyse. Psychotherapia 1913. Nr. 5. — 11. Internationaler Kongreß für Irrenfürsorge in Rußland. Ref. Münchener med. Wochenschrift 1914. Nr. 14. — 12. **Joffe A. A.**: Zur Frage des „Unbewußten" im Leben des Individuums. Psychotherapia 1913. Nr. 4. — 13. **Kannabich J. W.**: Evolution der psychotherapeutischen Auffassungen im XIX. Jahrhundert. Psychotherapia 1910. Nr. 1. — 14. **Lichnitzky**: Vom heutigen Stand der Psychotherapie in Amerika. Psychotherapia 1913. Nr. 1. — 15. **Orschansky J. G.**: Die künstlerische Produktion und die psychologische Analyse. Wiestnik Wospitania. Nr. 5. — 16. **Ossipow N.**: Über die Psychoanalyse. Psychotherapia. 1910. Nr. 1. — 17. Ders.: Idealistische Stimmung und die Psychotherapie. Ebda. Nr. 6. — 18. Ders.: Gedanken und Zweifel anläßlich eines Falles von degenerativer Psychopathie. Ebda. 1912. Nr. 6. — 19. Ders.: „Aufzeichnungen eines Geisteskranken." Unvollendetes Werk von L. N. Tolstoi. (Zur Frage der Angstemotion.) Psychotherapia 1913. Nr. 3. — 19a. Ders.: Psychotherapie in Romanen von Leo Tolstoi. Psychotherapia, 1919. — 19b. Ders.: Über „Parsexualismus" Freuds. Journal Korsakoffs für Neur. u. Psa. 1912. — 19c. Ders.: Die kranke Seele. Rede, gehalten in der öffentlichen jährlichen Sitzung der Universitätsgesellschaft für Neur. und Psa. in Moskau, 27. Oktober 1913. Journ. Korsakoffs für Neur. und Psa. 1913. 5—6. — 20. Dr. **Tatjana Rosenthal**: Über Dostojewski. (1. Teil.) — 21. **Sachartschenko**: Zur Symptomatologie des Alkoholismus. Woprossy Psychiatrii i Neurologii 1911. Nr. 5. — 22. **Salkind A. B.**: Zur Frage der Faktoren, des Wesens und der Psychotherapie der Neurosen. Psychotherapia 1913. Nr. 1. — 23. Ders.: Zur Frage nach dem Wesen der Psychoneurosen. Psychotherapia 1913. Nr. 3 u. 4. — 24. **Schreider J. N.**: Psychotherapeutische Beobachtungen. Psychotherapia. 1912.

6. — 25. **Tutyschkin P.**: Die Psychoanalyse als Methode der psychologischen Diagnostik und Psychotherapie. Revue f. Psych. u. Neurol. (russ.). 17. 173. 1912. — 26. **Wyrubow N.**: Zur Frage nach der Genese und Behandlung der Angstneurose mit der kombinierten hypnotisch-analytischen Methode. Psychother. 1910. 1. — 27. **Ders.**: Zur Psychopathologie des Alltagslebens. (Psychoanalyse aus dem kürzlich stattgefundenen Kampfe um Abgeordnetenplätze.) Ebda 1913. 7.

Übersetzungen Freudscher Werke:

1. Drei Abhandlungen zur Sexualtheorie. (1. Aufl.) Übersetzt unter Redaktion von Ossipow. 1909. Zweite Aufl. 1911. — 2. Zur Psychopathologie des Alltagslebens. (Neue Auflage.) Übersetzt von Medem. Moskau 1910. — 3. Über Psychoanalyse. Fünf Vorlesungen, gehalten an der Clark-University. (Psychotherapeutische Bibliothek Nr. 1.) Übersetzt von Ossipow. Moskau 1911. Zweite Auflage 1912. Dritte Auflage 1913. — 4. Der Wahn und die Träume in W. Jensens „Gradiva". Odessa 1912. — 5. Eine Kindheitserinnerung des Leonardo da Vinci. Moskau 1912. — 6. Formulierungen über die zwei Prinzipien des psychischen Geschehens. Psychotherapia 1912. Nr. 3. — 7. Die Traumdeutung. Moskau 1913. — 8. Die Handhabung der Traumdeutung in der Psychoanalyse. Psychotherapia 1913. Nr. 2. — 9. Ärztliche Ratschläge bei der psychoanalytischen Behandlung. Psychotherapia 1913. Nr. 5. — 10. Über neurotische Erkrankungstypen. Ebenda. — 11. Einige Bemerkungen über den Begriff des Unbewußten in der Psychoanalyse. Ebenda. — 12. Phobie eines vierjährigen Knaben. Übersetzt von O. B. Felzmann. Psychotherapeut. Bibliothek Nr. 9. Moskau 1912. — 13. Über den Traum. Petersburg 1909.

Es mögen mir russische Kollegen nicht übel nehmen, wenn dieser Bericht über russische Literatur recht unvollständig ausfällt. Die Kriegsverhältnisse und deren Folgen brachten es mit sich, daß wir hier von Rußland jahrelang gänzlich abgeschlossen sind.

Es stehen mir nur eine Anzahl Nummern (aus den Jahren 1909—1914) der Moskauer Zeitschrift „Psychotherapia" zur Verfügung[1]), in der eine Reihe psychoanalytischer Arbeiten erschienen sind. Diese Zeitschrift wurde im Jahre 1909 gegründet und wird von Dr. N. Wyrubow redigiert.

Schon die Namen der Mitarbeiter zeigen, daß die Zeitschrift, jedenfalls bis zum Jahre 1913, Psychoanalytiker der verschiedensten Richtungen vereinigte. Auch sind hier verschiedene Nationalitäten vertreten, und zwar unter den Ausländern die Wiener, unter den Russen Moskauer (M. Assatiani, A. Bernstein, J. W. Kannabich, N. E. Ossipow, O. B. Felzmann) und dann Odessiten (J. A. Bierstein[2]), W. Lichnitzky). In Moskau scheint die Psychoanalyse am tiefsten Boden gefaßt zu haben. Als ich

---

[1]) Nachträglich sind mir noch einige kleine Werke verschiedener Autoren zugegangen, die dann hier zum Teil noch berücksichtigt werden konnten.

[2]) Biersteins Arbeiten sind vom Standpunkt Alfr. Adlers geschrieben.

im Winter 1911/1912 in Rostow am Don einen Vortrag über Psycho-
analyse hielt, machte man mich ebenfalls auf die psychoanalytische
Bewegung in Moskau aufmerksam, deren Hauptvertreter Ossipow,
Felzmann und Wyrubow sein sollten.

Ossipow, erster Assistent der Moskauer psychiatrischen Klinik,
erweist sich in den mir zugänglich gewesenen Arbeiten (16—19)
als treuer Anhänger Freudscher Ansichten, die er mutig gegen
Angriffe verteidigt; er bringt auch interessante Belege aus seiner
ärztlichen Praxis. Von infantiler Sexualität wird nichts erwähnt;
es mag wohl daran liegen, daß Ossipow, wie so viele Praktiker,
keine Möglichkeit hat, reine Psychoanalyse zu treiben und kombinierte Behandlungssysteme anwenden muß.

In Nr. 19 weist Ossipow darauf hin, daß Tolstoi im erwähnten Werke seinen eigenen Geisteszustand schildert. Weiter folgt die
Analyse der Aufzeichnungen nach Freudschen Prinzipien. Verf.
zeigt, wie fein die Entwicklung die pathologischen Angstsymptome
der Kranken beobachtet und den psychiatrischen resp. psychoanalytischen Erfahrungen entsprechend dargestellt sind. Es handle sich
um eine Angsthysterie. Im theoretischen Teile bekämpft Ossipow
die Ansichten von Dubois und Oppenheim, die einander, auf
Grund der Janetschen Theorie der Gefühle, angreifen. Auch
Ossipow findet die Janetsche Theorie nicht ausreichend; mit
Stumpf, Lossky und anderen hebt er hervor, daß die beglei-
tenden Körperempfindungen nicht das Wesentliche einer Angstemotion ausmachen, daß wir begleitende Organempfindungen, welche
sonst zum Angstzustande gehörten, eventuell (Beispiel) ohne Angst-
bildung beobachten können. Daraus zieht Ossipow den Schluß,
daß wir einen pathologischen Angstzustand psychotherapeutisch beeinflussen können, und zwar mittels Psychoanalyse. Sollten wir als
Grundlage einer „Angstemotion" organische Empfindungen annehmen
— dann wäre die Angstentwicklung bei der Störung der sexuellen
Emotion begreiflich. Ossipow hat keinen Fall von Angstneurose
ohne Störungen auf dem Gebiete des sexuellen Lebens gesehen.

Ich habe mich, um dem Verf. nicht Unrecht zu tun, genau
an seine Terminologie gehalten, mit welcher wir, bei all der Würdigung seiner praktischen und theoretischen Erläuterungen, nicht
immer einig sind.

Auch Wyrubow (26, 27) leistet uns gute Dienste, wenngleich auch er kein reiner Psychoanalytiker ist. Seine kleine Analyse der Druckfehler zur Zeit des Kampfes der verschiedenen politischen Parteien ist sehr schön.

J. W. Kannabich (13) erwähnt das immer wachsende Interesse für die Psychoanalyse.

O. B. Felzman (9) hebt die hohe Wichtigkeit der psychoanalytischen Erfahrungen für das Begreifen und die Vermeidung von Selbstmordtendenzen hervor. Er will sich zwar nicht als vollständiger Anhänger Freuds bekennen, führt aber einige selbst beobachtete Fälle mit Suicidversuchen an, wobei er in sämtlichen Fällen eine sexuelle Ätiologie findet.

M. M. Assatiani (2) beschreibt einen durch Psychoanalyse behandelten Hysteriefall mit Dämmerzuständen.

L. J. Bieloborodow (4) handelt von einem durch Psychoanalyse geheilten Fall. Leider besitze ich bloß den Schluß der interessanten Analyse.

A. B. Salkind (22) wirft die Frage auf, ob es angeborene Psychoneurosen gibt und ob es eine spezifische Konstitution gibt, die zur Erkrankung an einer bestimmten Form der Psychoneurose prädisponiert. Er glaubt, daß wir keine Disposition zu einer bestimmten Psychoneurose feststellen können, dabei aber die allgemeine angeborene psychoneurotische Grundlage, welche als Disposition wirkt, annehmen müssen. Mit Unrecht kritisiert er die Freudianer, die angeblich jede Art organischer Disposition leugnen. Nach dieser Kritik würdigt er doch viele von „individualpsychologischen" Entwicklungsgesetzen, die von den Freudianern gefunden wurden. Verf. anerkennt, daß die Neurose auf einem Konflikt beruht, leugnet aber, daß dieser Konflikt stets sexueller Natur sein müsse. Eine seiner eigenartigen Auffassungen verdient erwähnt zu werden: „Ich glaube sogar," meint er, „daß in letzter Zeit die Zahl der Neurosen mit sexuellen Ursachen gestiegen sein könnte, schon aus dem Grunde, weil die Freudsche Schule ihre ganze Aufmerksamkeit auf dieses Gebiet richtet; dadurch steigert sie die Rolle der Sexualität in den Augen der unwissenden Gesellschaft, das heißt steigert die pathogene Bedeutung der Sexualität." Der Schluß des Aufsatzes fehlt, ich glaube aber nicht, daß die Arbeit für uns Analytiker ein spezielles

Interesse bietet, weil Verfasser, wie die meisten Unkundigen, keine eigentliche Polemik bringt, sondern a priori diskutiert.

S a l k i n d s Ansichten (23) lassen sich in folgenden Sätzen resumieren: „Die Neurose entsteht auf Kosten der überflüssigen, noch nicht verbrauchten Affektivität, bei einer noch unreifen Psyche, die sich noch nicht anpassen konnte."

„Die Neurose ist eine unharmonische, unplanmäßige, uurationelle Sublimation der Affektivität, das Resultat unstabiler, unvollständiger, unreifer Einstellung von vitalen Komplexeu im Individuum." S a l k i n d scheint diesem Beitrage nach der J u n g schen Richtung anzugehören. Er unterscheidet auch zwei psychologische Typen, einen analytischen und einen synthetischen, einen deduktiv und einen induktiv denkenden, welch letzterer nicht intuitiv, sondern langsam ein ganzes System logischer Konstruktionen bildet. Der erstere ergibt in pathologischen Fällen einen hysterischen, der zweite den psychoanalytischen Zustand. Weder F r e u d noch J u n g werden erwähnt.

J. N. S c h r e i d e r (24) untersucht drei psychotherapeutische Methoden, Hypnose, Psychoanalyse und rationelle Psychotherapie (nach D u b o i s) in ihrer Anwendung in verschiedenen Krankheitsfällen. Er empfiehlt Hypnose dort, wo man den Entwicklungsgang der Erkrankung ohne Psychoanalyse klar sehen kann, das heißt wo man nichts „Verdrängtes" findet, ferner bei unintelligenten Kranken, und endlich in Fällen, wo der schwere Krankheitszustand einen raschen Eingriff notwendig macht. Bei der Hysterie wird stets Psychoanalyse empfohlen; hier findet Verfasser alle möglichen Erkrankungsursachen — sieht aber im Sexualtrauma den Haupterkrankungsgrund. Verfasser glaubt zwar nicht an eine vollständige Heilung durch Psychoanalyse, weil man es bei Neurotikern mit einer prädisponierenden pathologischen Konstitution zu tun hat, empfiehlt aber trotzdem die Psychoanalyse als ein viel wirksames Mittel im Vergleiche mit der Hypnose. In einigen Fällen wird kombinierte Methode von Psychoanalyse und Hypnose empfohlen. Die rationelle Psychotherapie wird als eine sich an die Kritik des Kranken wendende Methode der Hypnose und Psychoanalyse gegenübergestellt, welch letztere beide Methoden die Kritik beseitigen sollen!

Die rationelle Psychotherapie soll bei Psychasthenie angewandt werden, namentlich bei psychasthenischen Zuständen älterer Individuen, die sich für Psychoanalyse wenig eignen.

J o f f e bespricht (12) einen Fall von Homosexualität bei einem Feldscherer, der beständig, um die Umgebung für sich zu gewinnen, mit Suicid drohte. Als man ihm schließlich nicht mehr Glauben schenkte, führte er seine Drohung tatsächlich aus; es machte den Eindruck, als habe er sich aus Eitelkeit, um nicht verspottet zu werden, zu dem Entschlusse bewegen lassen. J o f f e führt die Homosexualität dieses Mannes auf seine kindlichen Beziehungen zum Vater zurück, wobei sich der Knabe stets mit der Mutter identifizierte. Das Weitere ist aber nicht verständlich: „er liebte die Mutter und ,haßte· den Vater, er dachte beständig, die Mutter wisse alles, mache alles besser als der Vater, sei bedeutender als der Vater. Da er nun ,die Rolle seiner Mutter spielt', so weiß er alles, macht alles besser als die andern" usw. „Der Vater war ein Despot"; „die Mutter war stets durch ihn beleidigt." So erkläre sich die Empfindlichkeit gegen Beleidigungen beim Sohne. Der Haß kann als Reaktion gegen die homosexuelle Fixierung an den Vater aufgefaßt werden, von welcher J o f f e spricht. Auffällig ist, daß sich J o f f e auf J u n g und T e l l e r, nicht aber auf F r e u d bezieht, während er doch den Fall nach F r e u d analysiert.

G o l o u s c h e f f behandelt (10) einen interessanten Fall von Abscheu bei einem verheirateten Mann gegen das weibliche Genitale, der den normalen Koitus jahrelang unmöglich machte. Verfasser entdeckte in der Hypnose ein infantiles Trauma: Der Knabe sei im Alter von sechs Jahren von schamlosen Waschfrauen überfallen, die seinen Penis betrachteten und ihm ihre Geschlechtsorgane zeigten (? Ref.); er weinte und wurde von der Kinderfrau weggeführt. Die weiteren Einfälle erhielt Verfasser ohne Hypnose. Als Patient neun Jahre alt war, sah er und sein Freund das Geschlechtsorgan bei einem kleinen Mädchen, während sie ihr Kleidchen hob. Dieses Organ kam ihm auch diesmal abscheulich vor, er verspürte den Drang, dieses ekelhafte Organ zu quälen; die Regung wurde auf das ganze Weib übertragen, so daß die Kinder das Mädchen mit gehobenem Kleidchen barfuß auf kleinen verstreuten Nägeln laufen ließen. Nach dieser kleinen Analyse wendete G o l o u s c h e f f

folgende Methode an: Er suchte in der Hypnose die Vorstellungen
vom weiblichen Genitale von der Vorstellung der Organe bei den
Waschfrauen bei seinem Kranken zu trennen. Als. dies erreicht
war, suggerierte er dem Kranken, das weibliche Organ sei etwas
Anziehendes und der Koitus sehr angenehm. In zwei Wochen war
der Kranke so weit hergestellt, daß er seine Frau auf normale
Art koitieren wollte — die Frau weigerte sich aber. Daraufhin
versuchte er es mit einer anderen Frau. wo es ihm auch gelang.
Seither ist er geheilt.

Zwei Broschüren von Dr. L. M. Drosnes (Odessa) sind in
klarer Sprache geschrieben und sehr empfehlenswert. Verfasser zeigt
(7), daß weder die neuen Stoffwechseltheorien noch die beschreibend-
klinische Psychiatrie das Wesen und die Entstehungsursachen des
psychischen Inhaltes einer Geisteskrankheit erklären können. Weshalb erkranken nicht alle Syphilitiker an progressiver Paralyse,
sondern bloß 4·7%; das vermag uns die materialistisch-monistische
Anschauung nicht zu erklären. Auch die Theorie der Heredität
erweist sich als unzugänglich, denn erstens läßt sich die erbliche
Belastung beim besten Willen nicht in allen Fällen nachweisen,
und zweitens haben wir recht viele erblich belastete Individuen.
die trotzdem an keiner Psychose erkranken. So kommt Verfasser
auf die ungeheure Bedeutung der Erziehung und der frühinfantilen
Erlebnisse, der sexuellen Erlebnisse im Sinne Freuds, zu sprechen,
obgleich der Begriff „homosexuelle Abhängigkeit" bei Verf. nicht
ganz klar ist und irreführend wirken könnte, kompensieren die
schönen Beispiele aus der psychoanalytischen Praxis den Fehler
zur Genüge.

Das zweite Werkchen (8) ist eine populäre, leicht faßliche
Darstellung Freudscher Ansichten über das Wesen der Onanie.
Verfasser betont speziell den großen Schaden, welcher aus über-
triebener Angst und Selbstvorwürfen wegen Onanie entstehen kann,
welche regelrecht von 95% der normalen Menschen eine Zeitlang
ausgeübt wird.

Außer Originalarbeiten russischer Autoren bringt die Zeitschrift „Psychotherapia" Arbeiten von ausländischen Autoren in
russischer Übersetzung, darunter auch Arbeiten von Freud (siehe
Nr. 6 und 11 der Übersetzungsliteratur). Ferner werden Arbeiten

aus der Internationalen Zeitschrift für Psychoanalyse referiert, auch sonstige psychoanalytische Literatur und Kongreßberichte.

Unter den in der Psychotherapie referierten Werken russischer Forscher interessiert uns vielleicht das von Dr. med. Netkatscheff: „Symptome und Psychotherapie des Stotterns." Neue psychologische Behandlungsmethode, 1913, VI und 126 Seiten. (Ref. Wyrubow.) Vortragender faßt das Stottern als eine Psychoneurose auf, die er auf Grund der Methoden von Dubois, Freud, Dijerine und anderer sowie mit Hypnose behandelt.

Ferner: „Die Arbeiten der psychiatrischen Klinik der kaiserlichen Moskauer Universität", red. von Prof. Th. E. Rybakow, Nr. 1, 1913, 384 Seiten. (Ref. Wyrubow.)

Der erste Band enthält Arbeiten von Th. E. Rybakow: „Der Einfluß von Geschlecht und Alter auf psychische Erkrankungen." „Der Einfluß von wissenschaftlichen Richtungen in der Psychiatrie auf die Diagnostik von Geisteskrankheiten." Dr. J. Ermakoff: „Hysterische Epilepsie, Pathologie der Atmungsemotivität." Die Beiträge von E. P. Petrow, Tarassiewitsch, M. P. Kutanin, Dr. J. Asbükin erregen wohl mehr allgemein psychiatrisches Interesse. Unter den Referaten sei das der „Schizophrenie" von Bleuler hervorzuheben. (60 Seiten; Ref. Kutanin.)

V. internationaler Kongreß für Irrenfürsorge in Rußland, Moskau. 8. bis 13. Jänner 1914 (26. bis 29. Dezember 1913) (referiert von Dr. J. D. Matzkiewitsch und Dr. A. J. Prussienko in der Monatsschrift „Woprossy Psychiatrii i Neorologii" [„Die Fragen der Psychiatrie und Neurologie"], redigiert von M. J. Lachtin).

Dr. Marie und N. N. Bajenoff sprechen über Dementia praecox und Degeneration. Sie erwähnen verschiedene Ansichten über die Dementia praecox und kritisieren sowohl den Begriff „Degeneration" der französischen Schule, die übertriebene ätiologische Bedeutung, welche der Vererbung zugeschrieben wird, als auch die differenzielle Diagnostik Kräpelins, die sich auf klinische und pathologisch-anatomische Symptome stützt. Bloß die Berücksichtigung aller Symptome erlaube die richtige Diagnosestellung.

In der Diskussion tritt Rosenbach (Petersburg) gegen Magnan auf. Weigandt (Hamburg) meint, es sei sogar bei somatischen Erkrankungen schwer, auf Grund von physischen Symptomen die Diagnostik zu stellen, und erst recht wäre dies riskiert in der Psychiatrie. Wir seien noch nicht so weit, um aus physischen Degenerationszeichen die Form der Psychose zu diagnostizieren.

S. Orschansky: „Sekundäre psychische Degeneration als Symptom einiger chronischer Psychosen."

P. P. Tutyschkin: „Juristische Verantwortung von Geisteskranken."

Hess: „Erhöhung der Volljährigkeitsgrenze für Psychopathen." Bei Psychopathen mit moralischen Defekten sollte die Zeit der Aufsicht und Erziehung verlängert, die Erziehung eine psychiatrisch-pädagogische sein.

Karpow: „Über die Zeichnungen von Geisteskranken." 1. Die Zeichnungen von normalen Menschen werden nach Symmetriegesetzen gemacht, das heißt, wenn ein Teil der Zeichnung vom Muster abweicht, werden in anderen Teilen gleiche Abweichungen gemacht. 2. Unter den Zeichnungen von Geisteskranken nach vorgelegtem Muster finden wir solche, die von Zeichnungen Gesunder wenig abweichen. 3. In Zeichnungen von Geisteskranken sieht man bisweilen Krankheitssymptome, die anderen Untersuchungsmethoden entgehen könnten. 4. Bei gemeinsamer Zeichenarbeit mit dem Arzte wird die Beziehung zwischen Arzt und Patient inniger, es wächst das Vertrauen in den Arzt.

G. Rossolimo: „Vereinfachte Untersuchungsmethode von Intelligenzdefekten."

S. Rabinowitsch: „Die Resultate der Kinderuntersuchung nach der Methode von Rossolimo."

Weitere Vorträge (referiert nach dem Bericht in der Münch. Mediz. Wochenschrift, Jahrg. 1914, Nr. 14).

Bajenoff: Ausgehend von der Theorie des Genius als einer hypertypischen Form des menschlichen Geistes unter gewissen pathologischen Symptomen, sowie von der anderen, daß das künstlerische Schaffen dem Einfluß des Unterbewußtseins auf das Bewußtsein unterliege, besprach Bajenoff zunächst Goethe (Zyklothymie), darauf Rousseau, dann den zyklothymen Gogol, die depressiven Zustände bei Schiller, J. St. Mill, Newton usw. Dostojewsky sei ein Epileptiker, Maupassant habe an Kopfschmerzen und Arterismus gelitten. Vortragender wehrt sich gegen den Vorwurf, als suchten die Ärzte durch derartige Studien große Männer böswillig zu verkleinern.

Frau Dr. Strasser-Eppelbaum (Zürich) sprach über autistisches Denken bei Dementia praecox. Um die Schizophrenie zu verstehen, dürfe man nicht die Untersuchung durch Zergliederung vereinfachen, sondern müsse das zu Erfassende in seinen Zusammenhängen mit seiner Entwicklung verfolgen und genetisch zu verstehen suchen. Zum Verständnis müsse man sich in eine besondere Art des Denkens intuitiv hineinfühlen. Die Dementia praecox sei psychologisch das Resultat der vollen ausgiebigen Reaktion eines Menschen auf das ganze Weltempfinden, das noch zu keiner Harmonie der beiden Weltkomponenten geführt habe, sondern zu einem Abschluß von der Außenwelt, einer Rückkehr zum eigenen Ich und einer Abwendung vom Realen.

Literatur in spanischer Sprache.

Referent: Dr. K. Abraham.

Die ersten psychoanalytischen Veröffentlichungen in spanischer Sprache sind uns aus Südamerika zugekommen. Unsere Wissenschaft hat in den letzten Jahren ihren Einzug in die psychiatrische Universitätsklinik in Lima gehalten. Die dort seit 1918 erscheinende „Revista de Psiquiatria" bringt in jeder Nummer orientierende Aufsätze über psychoanalytische Fragen. Verfasser der meisten Artikel ist Dr. Honorio F. D e l g a d o; sie zeigen, daß dieser Autor sich mit großer Gründlichkeit und feinem Verständnis in die gesamte Materie, einschließlich die außermedizinischen Anwendungen der Psychoanalyse, eingearbeitet hat.

Bisher liegen folgende Arbeiten vor:

1. Delgado H. F.: La nueva faz de la psicologia normal y clinica. (Das neue Angesicht der normalen und klinischen Psychologie.) Revista de Psiquiatria 1918.

Nach einem Überblick über die Hauptrichtungen der neueren Psychologie wendet der Verfasser sich ausführlich der Psychoanalyse zu und hebt ihre Eigentümlichkeiten und ihre Leistungen hervor.

2. Delgado H. F.: El psicoanalisis en sus aplicationes extrapsiquiatricas, ibid. 1918.

Verfasser gibt eine eingehende Darstellung der Libidotheorie, der Traumdeutung, sowie aller wichtigen psychoanalytischen Schriften nichtmedizinischen Inhalts, die in unserer periodischen Literatur und in den „Schriften zur angewandten Seelenkunde" erschienen sind. Besonders zu erwähnen ist die Wärme seines Eintretens für die F r e u d schen Lehren und die übersichtliche Anordnung des vielseitigen Materials. Bemerkenswert ist auch die Geschicklichkeit, mit welcher D e l g a d o die psychoanalytische Terminologie in seine Muttersprache übertragen hat.

3. **Delgado H. F.:** La psiquiatria psicologica, ibid. 1918.

Bespricht die Anwendung der Psychoanalyse in der Psychiatrie. Unter anderem wird die Lehre von der Übertragung erörtert.

4. **Delgado H. F.:** La rehabilitación de la interpretación de los suenos. (Die Rehabilitation der Traumdeutung.) Rev. de Criminologia, Psiquiatria y Medicina Legal 1918. (Lag nicht zum Referat vor.)

5. **Delgado H. F.:** El Psicoanalisis. Lima 1919.

Delgado gibt in dieser Schrift, die in Buchform erschienen ist, einen vortrefflichen Überblick über die psychoanalytische Trieblehre und die sich auf ihr aufbauende Theorie der Neurosen und Geisteskrankheiten.

6. **Delgado H. F.:** La psicologia de la locura. „El Siglo médico". Madrid 1919.

Delgado veröffentlicht in der spanischen Zeitschrift „El siglo médico" („Das medizinische Jahrhundert") einen ausgezeichneten Aufsatz über die Psychologie der Geistesstörungen. Er übt scharfe Kritik an der bisherigen, anatomisch orientierten Forschungsmethode, spricht sich mit großer Entschiedenheit für die psychologische Richtung in der Psychiatrie aus und hebt mit großer Präzision die Leistungen der Psychoanalyse heraus. Diese Schrift läßt in besonderem Maße das feine psychologische Verständnis des Autors, seine psychiatrische Erfahrung und seine umfassende Literaturkenntnis in die Erscheinung treten.

7. **A. Z.:** Tratamiento psicoanalítico de un caso de neurosis compulsiva. Rev. de Psiquiatria 1918.

Berichtet über die erfolgreiche Behandlung einer Zwangsneurose durch Psychoanalyse und stellt Wesen und Leistungen der analytischen Therapie den anderen Methoden gegenüber.

Ungarische psychoanalytische Literatur.

Referent: Dr. Géza Szilágyi.

Literatur: 1. Anonym: Besprechung der Arbeit von Weiß R.: Vom Reim und Refrain. (I., Dezember 1913.) Huszadik század Juli—September 1914. — 2. Apáthy Stephan: Eröffnungsvortrag anläßlich der Konstituierung der eugenischen Sektion der Ungar. Soziologischen Gesellschaft in Budapest (21. Jänner 1914). — 3. Csáth Géza (Dr. Josef Brenner): A tudományos megismerés utja. Kopernikus—Darwin—Freud. (Der Weg der wissenschaftlichen Erkenntnis.) Szabadgondolat Juni 1914. — 4. Décsi Imre: A nagyságos asszony idegei. (Die Nerven der gnädigen Frau.) Budapest 1914. — 5. Ders.: Ember, miért vagy ideges? (Mensch, warum bist du nervös?) Budapest 1917. — 6. Ders.: Freud. Világ 17. Mai 1914. — 7. Dukes Géza: Kriminológia és pszichoanalizis. Jogtudományi közlöny Nr. 4. 1920. — 8. Felszeghy Béla: Totem és Tabu nyomok a jogban. Huszadik század Jan.-Febr. 1919. — 9. Ders.: A pánik. A Pánkomplexum pszichoanalizise. (Die Panik. Die Psychoanalyse des Pan-Komplexes.) Huszadik század Mai 1919. — 10. Ferenczi Sándor: Lélekelemzés. Értekezések a pszichoanalizis köréből. (Seelenanalyse. Abhandlungen aus dem Kreise der Psychoanalyse.) 2. Aufl. Budapest 1914, 3. Aufl. 1918. — 11. Ders.: Lelki problemák a pszichoanalizis megvilágitásában. (Seelische Probleme im Lichte der Psychoanalyse.) 2. Aufl., Budapest 1918. — 12. Ders.: Ideges tünetek keletkezése és eltünése és egyéb értekezések a pszichoanalizis köréből. (Entstehung und Verschwinden nervöser Symptome und andere Abhandlungen aus dem Gebiete der Psychoanalyse.) Budapest 1914, 2. Aufl. 1919 (auf dem Umschlag 1920). — 13. Ders.: A pszichoanalizis haladása. Értekezések. (Der Fortschritt der Psychoanalyse. Abhandlungen.) Budapest 1919 (auf dem Umschlag 1920). — 14. Ders.: A hisztéria és a pathoneurozisok. Pszichoanalitikai értekezések. (Die Hysterie und die Pathoneurosen. Psychoanalytische Abhandlungen.) Budapest 1919 (auf dem Umschlag 1920). — 15. Ders.: A veszedelmek jégkorszaka. (Die Eiszeit der Gefahren.) Nyugat Aug.-Sept. 1915. — 16. Ders.: A mechanika lelki fejlődéstörténete. Kritikai megjegyzések Mach egy tanulmányához. (Die Psychogenese der Mechanik. Kritische Bemerkungen zu einer Studie Machs.) Nyugat II. Halbjahr 1918. — 17. Ders.: A mese lélektanáról. (Von der Psychologie des Märchens.) Nyugat II. Halbjahr 1918. — 18. Ders.: Pszichoanalizis és kriminologia. (Psychoanalyse und Kriminologie.) Uj forradalom. Nr. 1. 1919. — 19. Freud Sigm.: Pszichoanalizis. Öt előadás. Forditotta dr. Ferenczi Sándor. (Psychoanalyse. Fünf Vorträge. Übersetzt von Dr. S. Ferenczi.) 2. Aufl. Budapest 1915. 3. Aufl. 1919. — 20. Ders.: Az álomról. A 2. kiadás után forditotta dr. Ferenczi S. (Vom Traum. Nach der 2. Aufl. übersetzt von Dr. S. Ferenczi.) Budapest 1915, 2. Aufl. 1919. — 21. Ders.: Három értekezés a sexualitás elméletéről. A 3. bővitelt kiadás után forditotta és előszóval ellátta dr. Ferenczi Sándor. (Drei Abhandlungen zur Sexualtheorie. Nach der 3. erweiterten Auflage übersetzt und mit einem Vorwort versehen von Dr. S. Ferenczi.) Budapest 1915, 2. Aufl. 1919. — 22. Ders.: Totem és Tabu. Forditotta dr. Pártos Zoltán. A forditást revideálta dr. Ferenczi Sándor. (Totem und Tabu. Übersetzt von Dr. Z. Pártos. Die Übersetzung revidierte Dr. S. Ferenczi.) Budapest 1918. — 23. Ders.: Kell-e az egyetemen a psichoanalizist tanitani. (Zur Frage des Unterrichts der Psychoanalyse an der Universität. .Gyógyászat (Heilkunde), Jg. 1919. Nr. 13. — 24. Ders.: A pszichoanalizis egy problemájáról. Nyugat I, Halbjahr 1917. — 25. Hollós István: Pszichoanalitikai problemák: Dr. Ferenczi Sándor, Ideges tünetek letkezése és egyéb értekezések a pszichoanalizis köréből. Lélekelemzés, értekezések a pszichoanalizis köréből. (Psychoanalytische Probleme. Besprechung der im Titel erwähnten Werke Ferenczis, Huszadik század April 1914. — 26. Ders.: Ferenczi Sándor könyvei: Lélekelemzés. Ideges tünetek keletkezése és egyéb értekezések. (Die Bücher S. Ferenczis. Besprechung der im Titel genannten Werke.) Nyugat I, Halbjahr 1914. — 27. Ders.: Egy versmondó betegről. (Von einem Verse sagenden Kranken.) Nyugat I. Halbjahr 1914. — 28. K.(inszki) I.(mre): Besprechung von Emil Lucskas „Grenzen der Seele". Huszadik század Dezember 1918. — 29. Kinszki Imre: A hatalom szociológiájáról és etikájáról. Alfred Vierkandt: Machtverhältnisse und Machtmoral. (Von der Soziologie und Ethik der Macht. Besprechung des obgenannten Werkes Alfred Vierkandts.) Huszadik század März 1919. — 30. Kolnai Aurél: Aktivitás és passzivitás a kulturfejlödésben. (Aktivität und Passivität in der Kulturentwicklung.) Huszadik század Dezember 1918. — 31. K.(olnai) A.(urél): Pacifista nevelés. Wilhelm Börner, Erziehung zur Frieden-gesinnung. (Pazifistische Erziehung. Besprechung des obgenannten Werkes Wilhelm Börners.) Huszadik század Dezember 1918. — 32. Kolnai Aurél: Az állandó és változékony álláspont lélektanához. (Zur Psychologie des ständigen und veränderlichen Standpunktes.) Huszadik század April 1919. — 33. L. J.: A nemi problemához. Szász Zoltán. A szerelem. (Zum Geschlechtsproblem. Besprechung des obgenannten Werkes von Z. Szász.) Huszadik század März 1914. — 34. Lechner Károly: A freudizmusról. (Vom Freudismus.) Magyar paedagogia Nr. 8, 1914. — 35. Lesznai Anna: Babonás észrevételek a mese és a tragédia lélektanához. (Abergläubische Bemerkungen zur Psychologie des Märchens und der Tragödie.) Nyugat II. Halbjahr 1918. — 36. Picker Károly: Megjegyzések a lelki epidémia lényegéről. (Bemerkungen zum Wesen der seelischen Epidemie.) Huszadik század März 1915. — 37. Róheim Géza: Az élet fonala. (Der Faden des Lebens.) Ethnographia 1917. — 38. Ders.: A kazár nagyfejedelem és a Turulmonda. (Der kasarische Großfürst und die Turulsage.) Ebenda, 1917. — 39. Ders.: A kazár és a magyar nagyfejedelem. (Der kasarische und der ungarische Großfürst.) Ebenda, 1918. — 40. Ders.: Psychoanalysis és ethnologia. I. Az ambivalentia és a megforditás törvenye. II. A symbolumok tartalma és a libido fejlödése. (Psychoanalyse und Ethnologie. I. Die Ambivalenz und das Gesetz der Umkehrung. II. Der Inhalt der Symbole und die Entwicklungsgeschichte der Libido.) Ebenda, 1918. — 41. Sisa Miklós: A freudizmus. (Der Freudismus.) Alföld. Kecskemét, Jahrgang 1914. — 42. Ders.: A háború és a psziohosexualitás. (Der Krieg und die Psychosexualität.) Nyugat II. Halbjahr 1915. — 43. Ders.: A háború és a halál lélektanához: Zeitgemäßes über Krieg und Tod, von Sigm. Freud. (Zur Psychologie des Krieges und des Todes. Besprechung der im Titel genannten Arbeit von Freud.) Huszadik század März 1916. — 44. Ders.: A tömeg lelke. Freudista kisérlet. (Die Seele der Menge. Ein freudistischer Versuch.) Nyugat II. Halbjahr 1916. — 45. Szász Zoltán: Freudizmus a szin-

podon. (Freudismus auf der Bühne.) Szinházi élet 25, November 1919. —
46. **Szilágyi Géza**: Freud és Apáthy. (Freud und Apáthy.) Zwei Artikel. Az
Ujság März 1914. — 47. **Varjas Sándor**: Totem és Tabu. (Totem und Tabu.)
Huszadik század Mai 1911. — 48. **Ders.**: Totem és Tabu. (Totem und Tabu.)
Darwin 1. Mai 1914. — 49. **Ders.**: Az ideges jellemről. („Über den nervösen
Charakter." Von Alfred Adler.) Huszadik század Jänner 1914. — 50. **Ders.**:
Wandlungen des Freudismus. Zwei Vorträge in der freien Schule der sozial-
wissenschaftlichen Gesellschaft zu Budapest, März-April 1914. — 51. **Ders.**:
Besprechung von **A. J.** Storfer, Marias jungfräuliche Mutterschaft. Huszadik
század Juni 1914. — 52. **Ders.**: A háború a pszichoanalizis szempontjából.
(Der Krieg aus dem Gesichtspunkte der Psychoanalyse.) Huszadik század Juni
1915. — 53. **Ders.**: A háborús szenvedélyek növekedése és fogyása I. II. (Das
Anschwellen und Abflauen der kriegerischen Leidenschaften.) Huszadik század
Sept. 1916 und Okt.-Nov. 1916.

<hr/>

I.

Die ungarische psychoanalytische Literatur erfuhr im Zeitraum
1914—1919 ihre größte Bereicherung durch die Übersetzung Freudscher Werke, sowie durch Sammelausgaben der vorher vereinzelt
erschienenen Abhandlungen Ferenczis. Von Freuds bis zum
Jahre 1914 noch nicht ins Ungarische übertragenen Schriften wurden übersetzt: Über den Traum, 2. Aufl., Bergmann, Wiesbaden (20);
Drei Abhandlungen zur Sexualtheorie, 3. Aufl., Deuticke, Wien (21);
Totem und Tabu, 1. Aufl., Heller, Wien 1913 (22). Alle drei Übersetzungen — die beiden ersten mustergültigen besorgte Ferenczi,
die an dritter Stelle erwähnte, hie und da etwas schwerfällige
Pártos — wurden von Ferenczi mit als Vorwort dienenden Ein-
leitungen versehen, in denen hauptsächlich für den in der psychoanalytischen Literatur noch nicht bewanderten Laien die Bedeutung
der übersetzten Werke gewürdigt und ihnen die gebührende Stelle
im Lebenswerke Freuds zugewiesen wird. Im Vorwort zur Übersetzung von „Über den Traum" hebt der Übersetzer hervor, daß
hier der recht seltene Fall vorliege, daß ein Gelehrter selbst, und
zwar in musterhafter Weise, die Ergebnisse seiner Forschungen po-
pularisiert. Das Vorwort zur Übersetzung der „Drei Abhandlungen"
legt dar, daß dieses klassische Werk den Analytiker Freud zum
erstenmal als Synthetiker zeigte. Der Autor des Vorwortes charakterisiert die sozusagen revolutionäre Wichtigkeit, die Freuds Arbeit aus wissenschaftsgeschichtlichem Gesichtspunkte zukommt:
Freud machte nämlich als erster den gewaltigen und zum größten

Teile schon als gelungen zu betrachtenden Versuch, sich der Lösung eines biologischen Problems, der Frage der Sexualität, mit Hilfe einer rein psychologischen Methode, mit der Methode der „subjektiven Seelenlehre" zu nähern. In der Einleitung, die das Vorwort zur Übersetzung vom „Totem und Tabu" bildet, gibt Ferenczi einen Überblick über die reichen Ergebnisse, die die Anwendung der Psychoanalyse auf die Geisteswissenschaften zu Tage förderte. „Totem und Tabu" ist der erste glückliche und beispielgebende Versuch, die individual-psychologische Methode der Psychoanalyse auf die Völkerpsychologie anzuwenden, womit die bisher eher bloß Fakten und Daten sammelnde Ethnologie zum tieferen Verständnis der noch immer zum größten Teile unverständlichen völkerpsychologischen Erscheinungen gelangen wird.

Das in Ungarn immer kräftiger erstarkende Interesse für die Psychoanalyse wird auch dadurch dokumentiert, daß die erwähnten Übersetzungen seit ihrem ersten Erscheinen schon Neuauflagen erlebten, sowie auch die erste Übertragung der von Freud in Amerika gehaltenen fünf Vorlesungen „Über Psychoanalyse" es in fünf Jahren zu drei Auflagen brachte (19). Hier sei noch erwähnt, daß „Die Traumdeutung" in der vorzüglichen Übersetzung Hollós' im Manuskript bereits druckfertig vorliegt. Es dürfte nicht ohne Interesse sein, daß die „Eine Schwierigkeit der Psychoanalyse" betitelte Abhandlung Freuds (Imago V, 1917; dann Sammlung kleiner Schriften zur Neurosenlehre, vierte Folge) zuerst in ungarischer Sprache abgedruckt wurde (24). In einem bisher nur im Ungarischen erschienenen Aufsatz (23) beleuchtet Freud die Frage, ob die Psychoanalyse an der Universität zu unterrichten ist, von seiten des Analytikers und der Universität. Der Analytiker braucht die Universität eigentlich nicht; ihm genügt die Unterweisung erfahrener Kollegen und das Studium der Literatur, besonders aber die eigene Erfahrung. Die Universitäten haben die psychologische Vorbereitung der zukünftigen Ärzte arg vernachlässigt: dem ist es zuzuschreiben, daß in dieser Hinsicht Kurpfuscher und Heilkünstler den Ärzten den Rang ablaufen. Die experimentelle Psychologie, die an manchen Hochschulen gelehrt wird, erwies sich als praktisch unbrauchbar und konnte sich im Lehrplan nicht behaupten. Ein psychoanalytisches Kolleg würde den praktischen Bedürfnissen der

24*

Ärzte genügen. Es müßte den Mediziner 1. in die Arten der
ärztlich-psychologischen und psychotherapeutischen Methoden einführen. 2. ihm die theoretischen Grundlagen und die Geschichte
der Psychoanalyse erklären, 3. ihn zum Studium der Psychiatrie
vorbereiten. Der psychoanalytische Unterricht müßte in zwei Kursen
stattfinden: als Elementarkurs für alle Mediziner und als spezieller
Vortragszyklus für angehende Psychiater. Der allgemeine Kurs
müßte, mit Rücksicht auf die Anwendbarkeit der Psychoanalyse
auf die Geisteswissenschaften, nicht nur Medizinern, sondern den
Hörern aller Fakultäten zugänglich gemacht werden. Die Universität kann durch die Aufnahme der Psychoanalyse unter die Lehr-
gegenstände nur gewinnen. Der Unterricht könnte selbstverständlich nur in Form dogmatisch-kritischer Vorträge stattfinden; für
Experimente und Demonstrationen bleibt wenig Raum übrig. Für
den Lehrer der Psychoanalyse genügt für die Zwecke wissenschaftlicher Forschungen ein Ambulatorium für „Nervenkranke".

Von den nicht zahlreichen Besprechungen Freudscher Werke
verdient das Referat Varjas' (47) hervorgehoben zu werden. Varjas betont, daß die bahnbrechende Hypothese Freuds bezüglich
Totem und Tabu von den übrigen Hypothesen darin abweicht, daß
sie zwar keine Vergangenheit, aber eine Zukunft habe.

Neben den Übersetzungen von Freuds Werken sind in erster
Reihe die Sammlungen von Ferenczis Schriften zu nennen. Was
Freud sagt (Zur Geschichte der psychoanalytischen Bewegung),
müssen wir vollinhaltlich unterschreiben: „Ungarn hat der Psychoanalyse nur einen Mitarbeiter geschenkt, S. Ferenczi, aber einen
solchen, der wohl einen Verein aufwiegt." Von Ferenczis älteren, vor 1914 erschienenen Werken haben zwei schon Neuauflagen
erlebt (10, 11). Außerdem hat er drei neue, überaus reichhaltige und
wertvolle Bände herausgegeben, die aus seinen zum allergrößten Teil
zuerst in der Internationalen Zeitschrift und in Imago veröffentlichten, in der psychoanalytischen Literatur mit Recht einen Ehren-
platz einnehmenden Originalarbeiten und Mitteilungen zusammengestellt sind (12, 13, 14) und von denen der jüngste Band gleichzeitig
in deutscher Sprache erschien (Hysterie und Pathoneurosen, Wien
1919). Der Inhalt dieser Werke wird anderen Ortes referiert.

Von den Besprechungen, die F e r e n c z i s Werke erfuhren, verdienen besondere Erwähnung die Arbeiten H o l l ó s' (25, 26), die, für ein psychoanalytisch nicht geschultes Publikum bestimmt, weit über den Rahmen einer referierenden Buchbesprechung hinausgehend, eine kurzgefaßte, überaus prägnante, mustergültig lichtvolle Würdigung der theoretischen und praktischen Bedeutung der Psychoanalyse bieten. H o l l ó s entwirft gleichzeitig ein lehrreiches Bild jener affektuösen Widerstände, die nicht nur in Laien-, sondern auch in Gelehrtenkreisen die vorurteilslose Aufnahme und Anerkennung der psychoanalytischen Lehren so sehr erschweren.

Eine etwas sprunghafte, rhapsodische Zusammenfassung der Ergebnisse der Psychoanalyse versuchte M. S i s a in einer kleinen Arbeit (41), die eigentlich der begeisterte Aufschrei eines Schwärmers ist. Die Perspektiven des Freudismus sind nach S i s a : Neues Strafrecht, neue Erziehung, neue Moral, freie Seele, mehr soziale Menschen, ihre Energien ökonomischer gebrauchende Menschen, harmonische Menschen! Rhapsodisch mutet auch der Artikel C s á t h s (3) an, der übrigens das Lebenswerk F r e u d s sehr richtig als Meilenzeiger der modernen Naturwissenschaft wertet. „F r e u d s Entdeckung ist von klassischer Wichtigkeit für die gesamte Wissenschaft und für das ganze menschliche Denken." Der Autor weist darauf hin, daß der Anerkennung der psychoanalytischen Erkenntnisse nicht so sehr objektive Gegenargumente, als vielmehr allerlei subjektive Widerstände sexueller, intellektueller, materieller Art im Wege stehen.

Einen Überblick über den Stand und die Resultate der Psychoanalyse bemühte sich der Psychiater K. L e c h n e r, Professor an der Kolozsvárer (Klausenburger), gegenwärtig (1920) in Budapest Gastrecht genießenden, Universität zu geben, in den drei Vorträgen, die er in der ärztlichen Sektion des Siebenbürgischen Museumvereines hielt und deren ausführlicher Auszug im Druck vorliegt (34). L e c h n e r s Arbeit zeigt eine gewisse Kenntnis der psychoanalytischen Literatur bis zum Jahre 1914, die aber nicht in die Tiefe dringt und zu keinem rechten Verständnis gelangt. Seine Reproduktion der F r e u d schen Theorie verrät zahlreiche Mißverständnisse, die er mit anderen nicht psychoanalytischen Forschern teilt. Seine Argumente gegen die Psychoanalyse schöpft er nicht aus Eigenem, sondern er entnimmt sie meistens den bekannten Streitschriften Kronfelds, Isserlins, Münsterbergs, Janets usw. Was die Therapie betrifft, spricht Lechner fortwährend von der „kathartischen Methode", der „kathartischen Psychoanalyse", der „Methode des Abreagierens", was bekanntlich ein längst überholter Standpunkt der psychoanalytischen Therapie ist. Er betont, daß es ihm im Verlaufe der durch ihn bewerkstelligten Psychoanalysen (?) niemals gelang, bei den Kranken sexuelle Motive aufzudecken. Trotz alldem bemüht sich Lechner in seiner Weise objektiv zu sein und der Psychoanalyse auch Verdienste zuzubilligen. Dieselben bestünden darin, daß die Psychoanalyse das Interesse der Wissenschaft wieder auf subjektive seelische Erscheinungen lenkte und damit die Nervenärzte gezwungen habe, sich mit der Seele des Kranken zu beschäftigen, die unbewußten psychischen Tatsachen zur Anerkennung gelangen ließ, die Aufmerksamkeit auf die Bedeutung der sexuellen Faktoren richtete, die neue psychoanalytische Methode erfand und damit die Psychotherapie zum Ausharren aneiferte. Demgegenüber wären die durch den Freudismus verursachten angeblichen Schäden: Die Aufstellung falscher Theoreme, durch die die ärztliche Forschung in falsche Bahnen gedrängt wird, die Überschätzung der sexuellen Faktoren und dadurch das Verbreiten der seelischen Infektion, des unmoralischen Panerotismus, die Vorschubleistung der durch Laien, insbesondere durch Lehrer an Kindern ausgeübten Psychoanalyse, die Vernachlässigung der objektiven Therapie zu Gunsten der übertriebenen subjektiven Therapie, endlich die Verletzung der ärztlichen Ethik durch den Mißbrauch des Vertrauens der Kranken (?) und die deutelnde Wahrsagerei (?).

Wie aus dieser Aufzählung der „Schäden" des Freudismus zu ersehen ist, spukt in Lechner ein von allerlei unwissenschaftlichen Vorurteilen befangener Moralist, der auch seinen engeren Kollegen, den auch außer Ungarn bekannten Zoologen und Histologen, Professor Stephan v. Apáthy einen überaus heftigen Angriff gegen Freud, den „Vertreter eines semitischen Panerotismus" führen ließ (2). Diese mit einer mala fides gepaarte Unorientiertheit in der psychoanalytischen Theorie und Praxis beweisenden Angriffe auf ihre wissenschaftsfremden Motive zurückzuführen und deren Grundlosigkeit nachzuweisen bezweckten Géza Szilágyis zwei scharf-

polemische Artikel (46), die von Seite A p á t h y s bezeichnenderweise
ohne Erwiderung blieben.

Bloß für Laien bestimmt, wie auch die früher erschienenen, von
Psychoanalyse angeflogenen nervenhygienischen und nervenpädago-
gischen Plaudereien (4) desselben Autors, ist ein populärer, in belle-
tristischem Tone gehaltener Grundriß von I. D é c s i (5). Was der
Autor von S t e k e l sagt, kann mit Fug und Recht auf seine eigenen
Arbeiten angewendet werden: „Ein wenig feuilletonistisch, bis zur
Schlauheit scharfsinnig, manchmal klug, manchmal peinlich oberflächlich, meistens gute Beobachtungen anführend." D é c s i spottet
manchmal über die „strenge" F r e u d sche Schule, der er zu Gunsten
der J u n g schen mit einer gewissen Voreingenommenheit gegenübersteht, und über die „orthodoxe psychoanalytische Presse". Doch ist
er sich der revolutionären Bedeutung der neuen Lehre vollkommen
bewußt und hegt für F r e u d, dem er auch anderen Ortes einen begeistert huldigenden Artikel widmet (6), eine uneingeschränkte Hoch-
achtung. Dem Fachmann bietet er nichts Neues, doch seinen Haupt-
zweck erreicht er jedenfalls: im Laien ein lebhaftes Interesse für
F r e u d s Lehren und intensive Lust zur Vertiefung in die psychoanalytische Literatur zu erwecken.

Von den Abtrünnigen der F r e u d schen Schule fand Alfred
A d l e r in V a r j a s einen Referenten, der das Hauptwerk A d l e r s
„Über den nervösen Charakter" einer Besprechung unterzog (49).
Er kommt zu dem Schlusse, daß A d l e r s Theorie oft überraschend
und zutreffend sei, doch einer gewissen Einseitigkeit nicht entbehre.
Im Gegensatz zu A d l e r betont der Referent, daß die meisten jener
Krankheiten, die A d l e r bloß als tendenziöse Symbole bezeichnet, im
Widerspruch zu A d l e r s Lehre im Sinne F r e u d s auf sexuelle Ur-
sachen zurückzuführen sind. Er meint jedoch, ohne seine irrtümliche
Behauptung mit Beweisen zu belegen, daß A d l e r der erste war, der
die großen sozialen Phänomene des Befehlens und Gehorchens zu
erklären wußte. In zwei späteren Vorträgen (50) war V a r j a s bemüht, zwischen F r e u d und A d l e r einen Kompromiß zu stande zu
bringen, was ihm natürlich nicht gelingen konnte.

II.

In die weiten Gebiete der Anwendung der Psychoanalyse auf die Geisteswissenschaften gehören mehrere Arbeiten.

a) Psychologie. Aurél Kolnai bespricht in einer Studie (32), die das Produkt eines psychoanalytisch geschulten Kopfes ist, die psychologischen Gegensätze des starren Verharrens und der haltlosen Unstätigkeit, schließlich die Kompromißbildung beider: die organische Entwicklung.

K.(inszki) I.(mre) weist in einer Besprechung von Emil Luckas' psychologischem Essay „Grenzen der Seele" darauf hin (28), daß, falls wir in das blutleere psychologische Schema des Autors den Gegensatz zwischen Bewußt und Unbewußt mit seinem durch die Psychoanalyse konstatierten typischen Inhalt substituieren, wir zu viel wertvolleren Resultaten gelangen.

b) Massenpsychologie. K. Picker ist bemüht, den Kern der sogenannten seelischen Epidemien aufzudecken (36). Er führt den größten Teil der seelischen Epidemien auf Massensuggestion zurück. In Verbindung damit berührt er zwar in einigen Sätzen die Freudsche Verdrängungstheorie, doch steht er ansonsten nicht auf psychoanalytischer Grundlage, sondern betrachtet die Frage vom rein soziologischem Standpunkte.

M. Sisa trachtet im Rahmen eines „freudistischen Versuches" die Seele der Menge zu ergründen (44). Er erhärtet die These, daß die Massenseele der infantilen Seele gleich sei, und daß inmitten einer gegebenen Menge derjenige zum Massensuggestor wird, der zuerst die Zensur der Kultur von sich abschüttelt. Die Ergebnisse seiner mit zahlreichen Beispielen illustrierten Studie lassen sich im folgenden zusammenfassen: Die Massenseele kennt nur „momentane" Gefühle, Dankbarkeit statt Liebe, Rache an Stelle des Hasses. Die Menge kennt nur primitive Gefühle. In ästhetischen und ethischen Gefühlen steckt eine so hochgradige Sublimierung, der die Menge unfähig ist. Die Massengefühle sind ambivalent, was die Veränderlichkeit der Massenstimmung nach sich zieht. Die Kleinheit der Gefühlsskala wird durch die Intensität der Gefühle kompensiert. Die Menge ist leidenschaftlich und exaltiert, wie das Kind. Die Individuen unterscheiden sich durch die Mannigfaltigkeit ihrer Zensur. In der Menge dagegen verkörpert sich eine Kollektivseele, die zensurlose Seele, deshalb ist sie infantil. Die Kollektivseele entsteht deshalb, weil es eine angenehme Wunscherfüllung bedeutet, infantile Seele, das heißt frei, schrankenlos, zensurlos zu sein. Der Mensch wagt sich als Massenseele zu fühlen, wenn ihn solch ein Reiz trifft, der in ihm das Bewußtsein erweckt, daß er vor der organisierten Gesellschaft keine Angst zu haben braucht. Der Autor weist auf zwei derartige Fälle hin: Im ersten fühlt sich die Menge als Gesellschaft (z. B. das Theaterpublikum), im zweiten Falle dünkt sie sich stärker als die organisierte Gesellschaft (z. B. als revolutionäre Masse).

Einem wichtigen, in den Bereich der Massenpsychologie fallenden Phänomen, der Panik, spürt Béla v. Felszeghy nach (9). Sein in ungarischer Sprache erschienener diesbezügliche Artikel, der die unbewußte Ursachenreihe der Panikspannungen enthüllen will, enthält bloß einen kurzen Auszug und die Schlußfolgerungen aus der in deutscher Sprache später erschienenen ausführlichen Studie: Panik und Pankomplex (Imago, Heft 1, 1920). In dem ungarischen Fragment wird auf Grund der Analyse des Pan-Mythos dargelegt, daß unsere erste Panik, unsere erste katastrophale Erschütterung: das Kataklisma der Geburt ist. Dieses unser erstes seelisch-körperliche Zurückschrecken vor der Realität vibriert im Innern aller späteren Panikreflexe noch weiter. Die aktuelle Zugehörigkeit zu einer Masse aber, das Eingeklemmtsein in einer Masse begründet im Wege der Geburtsphantasie die allgemeine Paniknötigung. Der Autor führt aus, daß es sich bei der Panik um zwei Regressionen handelt, beziehungsweise um eine Grundregression, die von einem Ast her phylogenetische, von einem anderen her ontogenetische Bedeutung hat und für das Individuum in die bewußte Geburtsphantasie zusammengefaßt ist. „Alle Panik ist Libido oder: Seinshunger in Geburtsphantasien verdichtet." Die Aufgabestellung der Panikvorbeugung ist derzeit illusorisch. Diese Explosionsbereitschaft ist ein Zugehör des Lebens, weil sie eine Äußerung der Ichtriebe und ihre Äußerung gleichzeitig auch Libidobefriedigung ist. Zum Schlusse wirft Felszeghy die Möglichkeit der Annahme eines einzigen Pankomplexes auf, eines einzigen, in dem „Alles" enthalten ist: der Elternkomplex, der Ödipuskomplex, der Kastrationskomplex. Die Vorteile der Annahme dieses Urkomplexes würden nach Felszeghy die folgenden sein: 1. Der Pankomplex fällt mit dem kosmischen Un-

378 Dr. Géza Szilágyi.

bewußten zusammen und ist im Wege des bei jedem Individuum wechselnden Bewußtseins eigentlich der gemeinsame Nenner aller bewußten Zähler. Er ist also geeignet, die Zusammenfassung des Kosmischen in das Einzelwesen diesem, dem Ich, zu versinnlichen. 2. Diese Annahme würde ferner vielleicht technische und zugleich methodische Erleichterung für die Psychologie bedeuten, besonders für die Psychoanalyse, die im Pankomplex alle Komplexe zusammenfassen könnte.

c) Religionspsychologie. S. Varjas kritisiert in einer kurzen Besprechung das bekannte Werk A. J. Storfers: Marias jungfräuliche Mutterschaft (51). Das Werk ist interessant, doch entbehrt es nach Ansicht Varjas' jedweder Analyse, da der Autor sich damit begnügt, die Ausdrücke der Bibel einfach ohne Beweismaterial in die Sprache der Psychoanalyse zu übersetzen.

d) Soziologie. A. Kolnai beleuchtet in einer soziologischpolitischen Studie die Aktivität und Passivität in der Kulturentwicklung (29). Der Autor berücksichtigt in ausgiebiger Weise die Psychoanalyse, besonders die Freudsche Trieblehre und die Ergebnisse von Freuds „Totem und Tabu".

In den Kreis der Soziologie gehört ein Referat über Vierkandts „Machtverhältnis und Machtmoral" aus der Feder J. Kinszkis (29), der es rügt, daß der Verfasser anläßlich der Erklärung des alten Idealismus die Resultate der Psychoanalyse in falscher Weise anwendet.

e) Rechtswissenschaft. Mit dem wichtigen Zusammenhang zwischen Kriminologie und Psychoanalyse befaßt sich Ferenczi in einer einschlägigen Arbeit (18), die später auch im Sammelbande „A pszichoanalizis haladása" erschien. Er weist auf die Notwendigkeit hin, eine psychoanalytische Kriminologie zu begründen, da die bisherige Kriminologie von den seelischen Motiven des Verbrechens gerade die mächtigsten, die Strebungen des unbewußten Seelenlebens ganz außer acht ließ. Diese stärksten Motive aufzudecken, wäre die Aufgabe der Kriminalpsychoanalyse, deren Material durch eine systematische Psychoanalyse der in den Strafanstalten befindlichen Verbrecher zu Tage gefördert werden könnte. Die Kriminalpsychologie würde zur Vorbeugung der Verbrechen beitragen und die für die Gesellschaft überaus wichtige Nacherziehung der Verbrecher ermöglichen.

An die Studie F e r e n c z i s knüpft D u k e s (7) an, der die Berufskriminalisten aneifert, den fruchtbaren Anregungen F e r e n c z i s Folge zu leisten und auf Grund der psychoanalytischen Erkenntnisse eine umstürzende Revision der Kriminologie vorzunehmen.

Die Spuren von Totem und Tabu im Recht verfolgt F e l s z e g h y in einer Abhandlung (8). Er führt an, daß die Anwendung der Psychoanalyse auch bei der Durchforschung der einzelnen Thesen, Gebräuche, Riten und Institutionen des Rechtes sehr ersprießlich ist. Anknüpfend an F r e u d s klassisches Werk über „Totem und Tabu", weist er nach, daß auch in einigen Institutionen, Gebräuchen und Verboten des heutigen entwickelten Rechtslebens totemistische, beziehungsweise auf Tabu hinweisende Spuren zu entdecken sind. Er erhärtet diese Auffassung mit modernen Beispielen des Fürstentabus (gesteigerter strafrechtlicher Schutz des Fürsten und seiner Familie), der Zeremonie der Königskrönung, der Immunität von Mitgliedern der Gesetzgebung, der Privilegien des Adels usw.

f) V ö l k e r k u n d e. Mit besonderer Anerkennung sind die aufschlußreichen und sozusagen bahnbrechenden Werke G. R ó h e i m s (37, 38, 39, 40) zu verzeichnen, über die an anderer Stelle (in dem Abschnitt über Ethnologie) referiert wird.

g) M y t h o l o g i e, M ä r c h e n f o r s c h u n g. In der Zeitschrift „Nyugat", deren Herausgeber H. I g n o t u s immer ein tiefgehendes Verständnis und ein tatkräftiges Interesse für die Psychoanalyse bekundete, focht F e r e n c z i eine Polemik mit der Schriftstellerin Anna L e s z n a i aus, die in einer Arbeit über die Psychologie des Märchens und der Tragödie (34) unter anderem behauptete, daß ein Teil der Freudisten mit einer gewaltsamen Simplifizierung die sexuelle Wunscherfüllung zum Sinne jedes Märchens stemple. Die Verfasserin, die die Sexualität bloß symbolisch wertet, möchte an Stelle der „unbegrenzten geschlechtlichen Wunscherfüllung der Freudisten" die Erfüllung der Sehnsucht nach Unbeschränktheit als Kern des Märchens setzen. F e r e n c z i (17) reflektiert auf diese Behauptung und weist nach, daß das seelische Geschehen nicht durch die Freudisten der Sexualität gleichgestellt wurde, sondern daß dieser Irrtum Schuld der Schismatiker der J u n g schen Gruppe sei. F r e u d betonte immer die gleichrangige Bedeutung der sexuellen und der Ichtriebe in der Seele. Und Ferenczi selbst war es, der in seiner wichtigen Abhandlung über die Entwicklung des Wirklichkeitssinnes nachgewiesen hat, daß das Märchen eine Rückkehr zum unbeschränkt-allmächtigen Zustand des Ichs bedeute, ohne daß er dabei die richtunggebende Wirkung der geschlechtlichen Ziele auf das Märchen bestreiten wollte. Die Psychoanalyse wies schon vor langem darauf hin, daß die Ichtriebe unter den Märchenmotiven eine hervorragende Rolle spielen. Doch während gemäß Freud das Vorbild jeder egoistischen Bestrebung in der Vergangenheit, im glücklichen Kindes- und Säuglingsalter, ja sogar in der vollständigen Ruhe des intrauterinären Zustandes zu finden ist, scheint Lesznai, wie lange vor ihr schon Silberer, einen höher- und vorwärtsstrebenden „anagogischen" Trieb anzunehmen, der im Märchen auf primitiver Weise noch nicht reife Einsichten verkörpert. Nicht die Psychoanalyse, sondern Lesznai simplifiziert, da sie die libidinösen Triebe ohne zureichenden Grund zu bloßen Abarten der Ichtriebe reduziert, indem sie gleich Adler und Jung behauptet, daß die Sexualität nur eine symbolische Bedeutung hätte.

h) Sexuologie. Als charakteristisch muß registriert werden, daß ein Kritiker der vornehmsten soziologischen Rundschau, Huszadik Század (33), an dem „A szerelem" (Die Liebe) betitelten Werke von Zoltán Szász hauptsächlich das auszusetzen hat, daß der Autor die Resultate der Freudschen Schule nicht genügend berücksichtigte.

i) Philosophie. Eine bemerkenswerte Abhandlung Ferenczis, die E. Machs „Kultur und Mechanik" betiteltes Werk vom psychoanalytischen Standpunkt bespricht (deutsch unter dem Titel „Zur Psychogenese der Mechanik", Imago, H. 5—6, 1919) erschien zuerst in ungarischer Sprache (16) und wurde später in den Sammelband „A pszichoanalizis haladása" aufgenommen. Darüber wird an anderer Stelle referiert.

j) Ästhetik, Kunst, Literatur. Stephan Hollós hebt in einer seiner an Perspektiven reichen Besprechungen von Ferenczis Werken (26), die in der belletristischen Zeitschrift „Nyugat" erschien, die Bedeutung hervor, die der psychoanalytischen Erforschung der Probleme des künstlerischen Schaffens zukomme. „Die

Psychoanalyse ergründet die hinter jedem Kunstwerk verborgene dritte Dimension, die bis zum infantilen Alter zurückreichenden Determinanten der Dichterseele, die in dem Konflikt zwischen Sexualität und Gesellschaftsordnung sich entwickelnde seelische Konstellation." Die Wahrheit und praktische Bedeutung der Psychoanalyse versteht am unmittelbarsten der Dichter und Künstler, in dessen Werken der Analytiker die frappantesten Beweise für seine wissenschaftlichen Thesen erhält. Unsere Einsicht in die Psychologie des dichterischen Schaffens förderte Hollós auch durch die Veröffentlichung psychoanalytisch tiefschürfend kommentierter Verse eines durch ihn behandelten Geisteskranken (26). Die Verse wurden während der Behandlung produziert. Wie Hollós ausführt, gelangt im Dichter und Künstler das Unbewußte ohne größere Schwierigkeiten zur Oberfläche, da die Zensur, die zwischen der bewußten und unbewußten Seelenwelt steht, bei ihm aus irgend einer Ursache locker und unbestimmt ist. Deshalb kann der Dichter das zum Ausdruck bringen, wozu ein anderer, in dem gleichfalls das Unbewußte wirkt, nicht fähig ist. Was den Kranken Hollós' zu den instinktiv hervorbrechenden rhythmischen Zeilen, zum Deklamieren von manchmal sozusagen wunderbar gefärbten, urkräftigen Phrasen befähigte, zum Schaffen einer eigentümlichen, ganz individuellen Sprache drängte, war die durch die Geisteskrankheit ermöglichte freie Manifestation des Unbewußten. Von dort tauchten längst gehörte und im Dunkeln lebende Worte auf, die aber jetzt durch eine seltsame Logik aneinandergereiht wurden. Daß das Unbewußte jetzt vor ihm offen steht, ist gerade eine Folge seines unglücklichen Schicksals. Der eine poetische Ader besitzende Kranke, dem aber die dichterischen Ausdrucksmittel fehlten, wird zum Dichter, freilich nach seiner eigenen Art, nachdem sein Unbewußtes durch eine Eruption erschlossen wurde.

Einen bloß referierenden Auszug der „Reim und Refrain" behandelnden Arbeit von K. Weiß (im Imago erschienen) lieferte ein Anonymus (1).

Die Aufführung des holländischen (?) Lustspieles „Femina" (im Ungarischen unter dem Titel: „Amikor az asszony ideges", „Wenn das Weib nervös ist"), dessen sanft persiflierter Held ein psychoanalytischer Nervenarzt ist, bot Z. Szász, einem der bekanntesten

und populärsten Schriftsteller und Essaysisten, Anlaß zu einer Betrachtung über den Freudismus und seinen Einfluß auf die Belletristik (45). Er nennt den Freudismus, diese „wundersame neue Lehre
und Methode der Psychologie und Psychotherapie" eine der am meisten
charakteristischen, überraschendsten und die größte Tragweite be-
sitzenden Erscheinungen der letzten zwanzig Jahre. Der Autor pro-
testiert dagegen, daß man den Freudismus, wie es hierzulande noch
jetzt nicht nur in Laienkreisen, sondern auch seitens sogenannter
medizinischer Autoritäten geschieht, als wissenschaftlich verkleidete
Pornographie und Quacksalberei verleumdet. Er meint, daß dem dramatischen Schriftsteller, überhaupt dem modernen Schriftsteller der
Freudismus mit seinen außerordentlich lehrreichen Aufklärungen
reiche Inspiration geben und wertvolle Stoffe liefern könne.

Hier wäre es am Platze zu konstatieren, daß die jung-ungarische
Belletristik und literarische Kritik von Freudschen Ideen stark
beeinflußt ist und sich viele Errungenschaften der Psychoanalyse
zu eigen gemacht hat. Z. B. in den lyrischen Gedichten Dezsö
Kosztolányis (A szegény kisgyermek panaszai: Die Klagen des
armen kleinen Kindes), in manchen Erzählungen und Satiren Friedrich
Karinthys, in Novellen Alexander Bródys, des unlängst auf
tragische Weise aus dem Leben geschiedenen Géza Csáths, D. Kosztolányis, Géza Szilágyis, in Romanen Michael Babits' (A
gólyakalifa: Der Storchkalif), Milan Füsts (A nevetök: Die Lä-
chenden), in vielen kritischen Studien und Artikeln Hugo Ignotus'
finden sich unverkennbare Anzeichen einer an Freuds Lehren
orientierten tieferen Seelenkenntnis. In einzelnen erzählenden Werken
Ludwig Birós (A Molitorház: Das Haus Molitor), Endre Nagys,
Géza Barcsay-Fehérs, sind sogar psychoanalytische Ärzte die
Helden, doch agieren sie, was übrigens nicht ihre, sondern der Verfasser Schuld ist, in einer für den Kenner der psychoanalytischen
Technik keineswegs kunstgerechten, manchmal sogar höchst grotesken
Weise. Zwei Romane: Paul Forrós Egy diákkor története (Die
Geschichte einer Studentenzeit) und Imre Veérs Imago, a kétnemü
ember (Imago, der bisexuelle Mensch) wurden ausgesprochen als
psychoanalytische Romane angekündigt, was aber bloß geschäftlichen
Zwecken diente und nicht die geringste Berechtigung hatte.

Die ungarische, speziell die Budapester Tagespresse stellt sich gegenüber der Psychoanalyse auf den Standpunkt des wohlwollenden Interesses, einige Ausnahmen nicht gerechnet. Dieses Interesse dokumentierte sich unter anderem auch anläßlich des im September 1918 in Budapest stattgefundenen internationalen psychoanalytischen Kongresses, den mehrere Blätter freundlich begrüßten und dessen Sitzungsberichte bereitwilligst veröffentlicht wurden.

III.

Die Psychoanalyse hat (cum grano salis) auch eine Kriegsliteratur aufzuweisen. Einige Beiträge hiezu erschienen in ungarischer Sprache. Sándor Varjas, teilweise auf Freudschen Erkenntnissen, teilweise auf Adlerschen Irrtümern fußend, sucht in einer Widersprüche nicht vermeidenden Abhandlung (32) die Grundursache des Krieges in dem Willen zur Macht, der, wie er meint, stärker ist als der Wille zum Leben. Die Handlungen der Masse, die sich auch im Kriege manifestieren, wären, über das rationelle Ziel weit hinüberschießend, „überkompensierte und arrangierte Gegenakte reflexionsloser und universeller Unsicherheits-, Schwäche- und Minderwertigkeitsgefühle".

Dieser Auffassung gegenüber betont M. Sisa (41), der auch ein ausführliches Referat (42) über Freuds unvergeßlichen Essay „Zeitgemäßes über Krieg oder Tod" lieferte, daß nicht der Wille zur Macht, sondern die Sexualität stärker sei als der Wille zum Leben. Seiner etwas skizzenhaft hingeworfenen, aber interessanten Ansicht nach ist die Normalpsyche der Menschen und Völker des 20. Jahrhunderts paranoid gefärbt, und die letzte Ursache des Weltkrieges wäre im Grunde nichts anderes, als „eine Explosion der als Reaktion auf den homosexuellen Partialtrieb entstandenen Verfolgungswahnspannung".

Der vorher erwähnte Varjas verläßt in seinen Studien über das Wachsen und Schwinden der kriegerischen Leidenschaften (33) schon ganz den Boden der Psychoanalyse. Er stellt die sogenannte „Frustration", das heißt das Mißlingen des normalen Ablaufs der angenehmen Gefühle, die Unmöglichkeit ihrer Kulminierung, als neues Grundprinzip der Erklärung des unbewußten Seelenlebens auf. Leidenschaft ist eine solche Frustration, die in sich selbst, in der Frustration, ihren Genuß findet. Die stärkste Frustration ist die

Sehnsucht nach Herrschaft und Macht, die mit dem zweiten, von Varjas aufgestellten neuen Grundprinzip, dem Konfliktbedürfnis der Seele, vereinigt, die Hauptursache des Weltkrieges war. Ein weiteres Eingehen auf diese gekünstelte Theorie, die sich psychoanalytisch nennt, aber gänzlich außerhalb des Rahmens der Psychoanalyse in unserem Sinne fällt, erübrigt sich.

Ferenczi hat in einem wertvollen Artikel (15) darauf hingewiesen, daß der Weltkrieg auch als psychologisches „Naturexperiment" aufzufassen wäre, das den Beweis für die in Friedenszeiten verborgenen Schichtungen der Seele liefert und im Kulturmenschen das Kind, den Wilden und den Urmenschen aufzeigt. Der Krieg hat uns seelisch in die Eiszeit zurückgeworfen, das heißt, er hat die tiefen Spuren aufgedeckt, die jenes Zeitalter im Seelenleben der Menschheit zurückgelassen hat.

Zum Schlusse sei noch bemerkt, daß in einer Besprechung der Börnerschen Flugschrift über pazifistische Erziehung (31) A.(urel) K.(olnai) das Werkchen als glücklichen Ausbau jener Ferenczischen These kennzeichnet, derzufolge „der Krieg, wenn irgendwo, nur in der Kinderstube zu besiegen sei".

Bibliographischer Nachtrag.

Die nachstehend bibliographierten Arbeiten sind teils von den betreffenden Referenten nicht berücksichtigt worden, teils ließen sie sich überhaupt nicht in eine der bestehenden Referat-Rubriken einreihen und teils endlich mangelte es für vereinzelte Arbeiten aus gewissen Sprachen an den entsprechenden Referenten. Die Redaktion glaubte aber dennoch, diese ihr bekannt gewordenen Arbeiten nicht ganz unterdrücken zu sollen; soweit sie für die Fortschritte der Psychoanalyse Bedeutung haben, sollen sie in das nächste Sammelreferat aufgenommen werden.

a) Deutsche Literatur.

Abraham K.: Zum Verständnis suggestiver Arzneiwirkungen bei neurotischen Zuständen. (Z. II. 377.)

Bernfeld S.: Psychoanalyse und Psychologie. (Z. II. 517.)

Bleuler E.: Die Ambivalenz. (Festgabe der Med. Fakultät. Zürich 1911.)

Blüher: Der sogenannte natürliche Beschäftigungstrieb. (Z. II. 29.)

Braunshausen: Einführung in die experimentelle Psychologie. (Aus Natur und Geisteswelt Nr. 484. Leipzig 1915. [Verteidigung Freuds.])

Bychowaki Gustav: Zur Psychopathologie der Brandstiftung. Diss. (Schweiz. Archiv f. Neur. u. Psych. V. Zürich 1919. Ref. Z. VI. 280.)

Engelen u. Rangette: Nachweis von Simulation durch Assoziationsexperiment. (Ärztl. Sachverständ.-Ztg. 22. 1916. S. 37.)

Ferenczi: Die Nacktheit als Schreckmittel. (Z. V. S. 303.)

Ferenczi: Schweigen ist Gold. (Z. IV. S. 155.)

Forel A.: Freudsche Lehre und Abstinenzbewegung. (Intern. Mon.-Schr. zur Erf. d. Alkohol. XXIII. 1913. 21.)

Frank Ludwig: Affektstörungen. Studie über ihre Ätiologie und Therapie. (Berlin 1913.)

Freud: Eine Beziehung zwischen einem Symptom und einem Symbol. (Z. IV. S. 111.)

Friedemann und Kohnstamm: Zur Pathogenese und Psychotherapie bei Basedowscher Krankheit. Zugl. ein Beitrag zur Kritik der psa. Forschungsrichtung. (Zschr. f. d. ges. Neurol. u. Psych. 23. 1914. H. 4—5.)

Gans M. E.: Zur Psychologie der Begriffsmetaphysik. (Wien 1915. [Freudisch.])

386   Bibliographischer Nachtrag.

Gebsattel: Der Einzelne und der Zuschauer. (Ztschr. f. Pathopsych. Bd. II. 1914.)

Groß Otto: Über Destruktionssymbolik. (Zbl. IV. S. 525.)

Haeberlin Paul: Über die Tragweite psych. Erkenntnisse und Theorien. Mit besonderer Anwendung auf die psychoanalytische Kulturtheorie. (Schw. Zschr. f. Gemeinwissensch. 1913. H. 4.)

Hellwig A.: Probleme der Tatbestandsdiagnostik. (Der Gerichtssaal 84. 1916. S. 432.)

Hitschmann E.: Über Nerven- und Geisteskrankheiten bei katholischen Geistlichen und Nonnen. (Z. II. 270.)

Hitschmann E.: Ein Fall von Zwangsbefürchtung vom Tode des gleichgeschlechtlichen Elternteiles. (Z. III. 105.)

Hug-Hellmuth H.: Die Kriegsneurose der Frau. (Geschlecht und Gesellschaft. IX. 1915. H. 12.)

Hug-Hellmuth H.: Einige Beziehungen zwischen Erotik und Mathematik. (J. IV. S. 52.)

Jones Ernest: Träume in der Psychoanalyse. (Z. II. 274.)

Jones Ernest: Suggestion und Übertragung. (Z. II. 275.)

Juliusburger Otto: Zur Lehre vom psychosexuellen Infantilismus. (Zschr. f. Sex. Wiss. I. S. 198.)

Kollarits J.: Über positiven Schmerz und negative Lust bei Neurasthenie und bei Schopenhauer. (Zschr. f. d. ges. Neurol. 1916. H. 3—4.)

Kisch Heinrich: Pathologische Folgezustände durch Coitus interruptus bei Frauen. (Zschr. f. Sex. Wiss. III. 1916. S. 428.)

Koehler Egon: Dementia praecox oder reaktive Depression. Psychoanalyt. Studie. (Zbl. IV. S. 347.)

Kortsen, Dr. Kurt: Die Psychologie der menschlichen Gefühle und Instinkte in der sog. Psa. („Eos". 1918. 3/4.)

Kutzinski A.: Kasuistische Beiträge zur Psychoanalyse. (Charité Annalen XXXVII. 1913. 156.)

Laubi Otto: Über den Wert der Psychoanalyse für Ätiologie und Therapie des Stotterns und verw. Sprachstörungen. (Zbl. IV. S. 41.)

Levy P. E.: Die Rolle der Psychotherapie in der Behandlung der Ischias. Zbl. IV. S. 1.)

Lichnizki: Psychotherapie und Psychoanalyse. (Verl. Therapeut. Rev. 1913.)

Marcinowski J.: Heilung eines schweren Falles von Asthma durch Psychoanalyse. (Jahrb. V. S. 529.)

Marcinowski J.: Eine kleine Kriegsneurose. (Z. III. 115.)

Moses Jul.: Die Ausfragung der weiblichen Sonderart und Sexualität in der Psychologie verwahrloster und krimineller Mädchen. (Arch. für Sex. Forschung. I. 2. 1916.)

Noht Joh.: Die Bedeutung der Psychoanalyse. (Wissen und Leben. Zürich. XI. 7. 1. Jänner 1918.)

Pfister: Über die verschiedene Psychogenität der Kriegsneurosen. (Z. V. S. 288.)

Raecke: Der Inhalt der Psychose. Bem. zum gleichn. Vortrag von Jung. (Arch. f. Psychiatr. 57. 1917. H. 2.)

Reik Th.: Sigmund Freud. Eine Porträtradierung. (Berliner Börsenkurier vom 30. Juni 1914.)

Reik Th.: Eine Geschichte der psa. Bewegung. (Berliner Tagebl. 20. Juli 1914.)

Reik Th.: Eine typische Zwangsbefürchtung. (Z. II. 516.)

Rosenstein G.: Bleulers autistisches Denken. (Zbl. IV. S. 70.)

Saaler, Dr. Bruno: Über den psychosexuellen Infantilismus, die Freudsche Lehre und Catherina Godwin. (Zschr. f. Sexualwissensch. August 1916. Heft 5.)

Sachs Hanns: Die Heimkehr der Seele. (J. IV. S. 346.)

Sadger J.: Zum Verständnis infantiler Angstzustände. (Z. IV. 181.)

Sadger J.: Über Geister- und Gespensterglauben. (Fortschr. d. Med. 34. Jahrg. 1917/18. Nr. 35.)

Schmid Hans: Zur Psychologie der Brandstifter. (Psychol. Abh. hg. v. Jung. I. Bd. 1914. S. 80—179.)

Schmidt Willi: Ingestuöser Eifersuchtswahn. (Arch. f. krim. Anthrop. Bd. 57. 1914.)

Schneiter C.: Archäische Elemente in den Wahnideen eines Paranoiden. (Psychol. Abh. hg. v. Jung. I. Bd. 1914. S. 180—211.)

Schrumpf: Das Wesen der Neurasthenie. (W. Klin. Rdschau. 1913. Nr. 8 u. 10. [Anhänger Freuds].)

Schultz J. H.: Über Psychoanalyse in gerichtsärztlicher Beziehung. (Monh. f. Psych. u. Neurol. Nr. 4. [Ref. Zbl. B. 397.])

Schultz J. H.: Heterosuggestion und hyster. Suicid. (Zschr. f. Psychotherapie etc. VI. 1916. S. 324.)

Stekel: Erotische Reizungen als Heilmittel. (Zbl. IV. S. 59.)

Stekel: Der psychoanalytische Abasver. (Zbl. IV. S. 165.)

Stekel: Zur Psychologie und Therapie des Fetischismus. (Zbl. IV. 113.)

Stekel: Zur Psychologie und Therapie des Fetischismus. (Zeitschr. für Pathopsychologie. Erg.-Bd. I. 1914.)

Stekel, Dr. Wilhelm: Die psychische Impotenz des Mannes. Onanie und Potenz. (Zschr. f. Sexualwissenschaft. III. 25, 76.)

Stekel: Das sexuelle Trauma der Erwachsenen. (Zschr. f. Sexualwissensch. III. S. 233.)

Stekel W.: Sonntagsneurosen. (Zschr. f. Sex. Wiss. V. S. 145.)

Strasser Ch.: Trotz, Kleptomanie und Neurose. (Groß' Archiv. Bd. 59.)

Tannenbaum T. A.: Über einen durch Psychoanalyse geheilten Fall von Dyspareunie. (Zbl. IV. S. 373.)

Tausk: Zur Psychologie des Deserteurs. (Z. IV. S. 193, 229.)

Turel Adrien: Sexualsymbolik. (Zschr. f. Sex. Wiss. V. S. 153, 198.)

Weber L. W.: Die Bedeutung der Suggestion und anderer psychischer Momente im Sexualleben. (Arch. f. Sex. Forsch. I/1. 1915.)

Wyrubow N. A.: Über Zyklothymie und ihre Kombinationen. (Zbl. IV. 421.)

Zimmermann Paul: Bemerkungen über Melancholie, Impotenz und Triebanomalien. (Geschl. u. Gesellsch. VIII. 1913.)

*** Über die Wirkungen ubw Todeswünsche. (Z. II. S. 327.)

b) Griechische Literatur.

Triantaphyllidios, Dr. M.: Der Ursprung der Sprache und die Freudsche Psychologie. (S. A. ἐκ ’Εκπαιδευτικόν ‘Ομίλου 5. Athen 1915)[neugriechisch].

c) Italienische Literatur.

Bruno A.: L'origine de la religione e il totemismo. (Riv. Ital. di Soc. 18. 1914. Heft 5/6.)

Ferrarà G. C.: Le emozioni e la vita del subcosciente. (Riv. di Psicol. 1912. Vol. VIII. Nr. 2. p. 93—118.)

25*

Gemelli A.: L'origine subcosciente dei fatti mistici. (Firenze 1913.)
Marchesini G.: La basi incosciente del dovere. (Riv. di filos. 1914. II.)
Morselli: I limiti della coscienza. Atti dellà Soc. It. p. il. propr. delle scienze. (Roma 1913.)
Sanctis, Sante de: L'interpretazione dei sogni. (Riv. di psicol. X. 1914. 6.)

d) Polnische Literatur.

Abramowski Ed.: Die Quelle des Unterbewußtseins und seine Äußerungen. Psychologie der Wahrnehmung und der „namenlosen" Zustände (poln.). (Warschau 1914.)
Karpińska L.: Psychologische Grundlagen der Freudschen Lehre (polnisch). (Przegląd Filos. Bd. 16. Heft 4.)
Karpińska L.: Über die Psychoanalyse (poln.). (Ruch Filosoficzny. 1914. Nr. 2.)
Radecki W.: Beitr. zur Analyse der Anwendung von Assoziationsversuchen in der Medizin (poln.). (S. A. aus Neurologja Polska. 1913. II. 3.)
Übersetzungen: Zur Psychopathologie des Alltagslebens von Dr. L. Jekels u. Helene Iránka. — Über Psychoanalyse von Dr. L. Jekels. (Lemberg 1911.)

e) Schwedische Literatur.

Lagerborg Rolf: Om psykoanalysen och vad den vill avslöja om konstnärar. (Stockholm 1918.)
Winge Paul: Psykiatriske og sexologiske bemaerkninger om tabu ag totem. (Kristiania Videns-Kapselskapets Forhandlinger for 1915. Nr. 4. Sep. Kristiania 1916.)

f) Spanische Literatur.

Aldabaldo Valley: El psicoanálisis de Freud. (Riv. de Med. y Civ. pract. 1913. XXXVII. Mayo 7 e 14. p. 169 e 209.)

g) Tschechische Literatur.

Stuchlik Jar.: Über Psychosebegriff. (Revue neuropsychopath. 1915. S. 185.)
Stuchlik Jar.: Über Psychoanalyse. (Časopis českých lékařův. 1916. S. 900.)
I. Beitrag: Grundbegriffe, Arbeitsmethode, erste Theorie.)

Berichtigung.

Auf Seite 3 muß in der 7. Zeile statt Freud richtig heißen: Tausk.

INTERNATIONALER PSYCHOANALYTISCHER VERLAG G.M.B.H.

WERKE VON PROF. SIGM. FREUD

Zu beziehen durch den

Internationalen Psychoanalytischen Verlag O. m. b. H.

(Auslieferungsstelle: WIEN, III., Weißgärberlände 44).

Die Traumdeutung. 6. vermehrte Auflage. Mit Beiträgen von Dr. Otto Rank. Leipzig und Wien 1921.

Über den Traum. 3. Auflage. Wiesbaden 1921.

Zur Psychopathologie des Alltagslebens. Über Vergessen, Versprechen, Vergreifen, Aberglaube und Irrtum. 7., weiter vermehrte Auflage. Leipzig, Wien und Zürich 1920.

Totem und Tabu. Über einige Übereinstimmungen im Seelenleben der Wilden und der Neurotiker. 2. durchgesehene Auflage. Leipzig, Wien und Zürich 1920.

Der Witz und seine Beziehung zum Unbewußten. 3. Auflage in Vorbereitung.

Vorlesungen zur Einführung in die Psychoanalyse. Fehlleistungen, Traum, Allgemeine Neurosenlehre. 3 Teile in einem Band. 3. Auflage. Leipzig, Wien und Zürich 1921.

Über Psychoanalyse. Fünf Vorlesungen, gehalten zur 20jährigen Gründungsfeier der Clark University in Worcester Mass. 3. Auflage. Leipzig und Wien 1920.

Drei Abhandlungen zur Sexualtheorie. 4. vermehrte Auflage. Leipzig und Wien 1921.

Sammlung kleiner Schriften zur Neurosenlehre.
I. Folge. 3. unveränd. Aufl. 1920. III. Folge. 2. unveränderte Auflage im Druck.
II. „ 3. „ „ im Druck. IV. „ Leipzig und Wien 1918.

Der Wahn u. die Träume in W. Jensens „Gradiva". (Schriften zur angewandten Seelenkunde, 1. Heft.) 2. Auflage. Leipzig und Wien 1912.

Eine Kindheitserinnerung des Leonardo da Vinci. (Schriften zur angewandten Seelenkunde, 7. Heft.) 2. Auflage. Leipzig und Wien 1919.

Jenseits des Lustprinzips. (II. Beiheft der Internationalen Zeitschrift für Psychoanalyse.) Leipzig, Wien und Zürich 1920.

Massenpsychologie und Ich-Analyse. Leipzig, Wien und Zürich 1921.

Studien über Hysterie (mit Dr. Josef Breuer). 3. Auflage. Leipzig und Wien.

Die fremdsprachigen Ausgaben
der Werke von Prof. Sigm. Freud
können ebenfalls durch den Internationalen Psychoanalytischen Verlag (Wien, III., Weißgärberlände 44) bezogen werden.

ENDE MAI 1921 ERSCHEINEN IM
INTERNATIONALEN PSYCHOANALYTISCHEN VERLAG

Prof. Freud, Massenpsychologie und Ich-Analyse.

Dr. Ernest Jones, Behandlung der Neurosen.

(Internationale Psychoanalytische Bibliothek. Nr. 11.)

Dr. Aug. Stärcke, Psychoanalyse und Psychiatrie.

(IV. Beiheft der Internationalen Zeitschrift für Psychoanalyse.)

Quellenschriften zur seelischen Entwicklung.

Band 1. Tagebuch eines halbwüchsigen Mädchens (vom 11. bis 14½ Jahr).
2. Auflage.

In der Vorrede schreibt Professor Dr. Freud in einem Briefe an die Herausgeberin über dieses wertvolle document humain: »Das Tagebuch ist ein kleines Juwel. Wirklich, ich glaube, noch niemals hat man in solcher Klarheit und Wahrhaftigkeit in die Seelenregungen hineinblicken können, welche die Entwicklung des Mädchens unserer Gesellschafts- und Kulturstufe in den Jahren der Vorpubertät kennzeichnen. ...vor allem, wie das Geheimnis des Geschlechtslebens erst verschwommen auftaucht, um dann von der kindlichen Seele ganz Besitz zu nehmen, wie dieses Kind unter dem Bewußtsein seines geheimen Wissens Schaden leidet und ihn allmählich überwindet, das ist so reizend, natürlich und doch so ernsthaft in diesen kunstlosen Aufzeichnungen zum Ausdruck gekommen, daß es Erziehern und Psychologen das höchste Interesse einflößen muß. .. Ich meine, Sie sind verpflichtet, das Tagebuch der Öffentlichkeit zu übergeben. Meine Leser werden Ihnen dafür dankbar sein...«

DURCH DEN
INTERNATIONALEN PSYCHOANALYTISCHEN VERLAG
können bezogen werden:

Dr. Theodor Reik, Flaubert u. seine „Versuchung des heiligen Antonius". Ein Beitrag zur Künstlerpsychologie.
Mit einer Vorrede von Alfred Kerr.

Broschiert M. 7.—, Original-Halblederband M. 25.—.

Dr. Theodor Reik, Arthur Schnitzler als Psycholog.

Broschiert M. 8.—, Original-Ganzleinenband M. 15.—.

Denkwürdigkeiten eines Nervenkranken. Von Dr. jur. Daniel Paul

Schreber, Senatspräsident beim kgl. Oberlandesgericht Dresden a. D. In Halbleinwand M. 24.—.

Psychoanalytisch untersucht in Freud: Psychoanalytische Bemerkungen über einen autobiographisch beschriebenen Fall von Paranoia (Jahrbuch für psychoanalytische und psychopathologische Forschungen. III. Band, S. 9ff. und Sammlung kleiner Schriften zur Neurosenlehre).

Die Bände I—VI vom **Jahrbuch für Psychoanalyse** und alle psychoanalytischen Werke (sowohl die im eigenen, als die in fremden Verlagen erschienenen) können, soweit nicht bereits vergriffen, bezogen werden durch den
INTERNATIONALEN PSYCHOANALYTISCHEN VERLAG
(Auslieferungsstelle: WIEN, III., Weißgärberlände 44).

THE INTERNATIONAL PSYCHO=ANALYTICAL LIBRARY
Edited by ERNEST JONES

No. 1

ADRESSES ON PSYCHO-ANALYSIS
by
J. J. PUTNAM, M.D.
Emeritus Professor of Neurology, Harvard University.
With a Preface by
SIGM. FREUD, M.D., LL.D.   12 s. 6 d.

No. 2

PSYCHO-ANALYSIS AND THE WAR NEUROSES
by
Drs. S. FERENCZI (Budapest), KARL ABRAHAM (Berlin),
ERNST SIMMEL (Berlin) and ERNEST JONES (London)
Introduction by
Professor FREUD (Vienna).   7 s. 6 d.

No. 3

THE PSYCHO-ANALYTIC STUDY OF THE FAMILY
by
J. C. FLÜGEL, B.A.   *IN THE PRESS*

THE INTERNATIONAL PSYCHO-ANALYTICAL PRESS
45 NEW CAVENDISH STREET, LONDON, W. 1

BIBLIOTECA PSICOANALITICA ITALIANA
FONDATA E DIRETTA DA
M. LEVI BIANCHINI, NOCERA INFERIORE
Volumi pubblicati

No. 1. FREUD, Sulla Psicoanalisi . . . . Lire 6.—
No. 2. FREUD, Il sogno . . . . Lire 6.—
No. 4. RANK, Il mito della nascita degli Eroi . . . . . Lire 6.—
No. 5. LEVI BIANCHINI, Diario di guerra di un psichiatra Lire 6.—
No. 6. FRANK, Afasia e mutismo da emozione di guerra Lire 10.—

In preparazione

No. 3. FREUD, Tre contributi alla teoria sessuale
No. 7. FREUD, Sogni e delirio nel „Gradiva" di Jensen

LIBRERIA PSICOANALITICA INTERNAZIONALA
ZURIGO — NAPOLI — VIENNA
DEPOSITORIO ESCLUSIVO PER L'ITALIA E PER L'ESTERO
CASA EDITRICE V. IDELSON, PIAZZA G. OBERDAN, NAPOLI

THE INTERNATIONAL JOURNAL
OF PSYCHO-ANALYSIS

Directed by Professor FREUD, M.D., LL.D.

Edited by ERNEST JONES, M.D.

President of the International Psycho-Analytical Association

"The International Journal of Psycho-Analysis" takes the place for English speaking readers of the "Internationale Zeitschrift für Psychoanalyse" and "Imago", which are published in German only. An arrangement has been made whereby all the contents of these are freely available for the English Journal. Besides original articles, abstracts and reviews, it contains the Reports of the International Psycho-Analytical Association, of which it is, together with the "Zeitschrift" and "Imago", the Official Organ.

Issued Quarterly. Subscription 80 s. per Volume of Four Parts

The Parts are not sold separately

CONTENTS

VOLUME I

THE INTERNATIONAL PSYCHO-ANALYTICAL PRESS
45 NEW CAVENDISH STREET, LONDON, W.1

FSC
www.fsc.org

MIX

Papier aus ver-
antwortungsvollen
Quellen
Paper from
responsible sources

FSC® C141904

Druck:
Customized Business Services GmbH
im Auftrag der KNV-Gruppe
Ferdinand-Jühlke-Str. 7
99095 Erfurt